Zone de turbulence

John J. Nance

Zone
de turbulence

ROMAN

*Traduit de l'américain
par William Olivier Desmond*

Albin Michel

Titre original :
TURBULENCE
© John J. Nance 2002
Tous droits réservés, y compris droits de reproduction totale ou
partielle. Publié en accord avec G. P. Putnam's Sons, une maison du
groupe Penguin Putnam, Inc.
Traduction française :
© Editions Albin Michel S.A., 2003
22, rue Huyghens, 75014 Paris
www.albin-michel.fr
ISBN 2-226-14156-1

À la mémoire de mon père,
Joseph Turner Nance (1917-1977),
avocat international,
ancien officier et pilote de l'armée de l'air des États-Unis.
Le meilleur des pères et la meilleure source d'inspiration
qu'un garçon pouvait désirer.

Prologue

Fonçant au volant de sa Lexus sous les yeux d'un patient terrifié, le Dr Brian Logan jaillit comme une bombe du parking de l'hôpital d'où il venait d'être licencié. La gêne et la colère se le disputaient en lui et il ne cessait d'écraser l'accélérateur, conduisant comme un fou ; tel un bolide, il franchit le pont sur la rivière Charles et fonça dans Cambridge, mettant au défi les flics de l'arrêter. Il brûla tous les feux rouges qu'il trouva sur son chemin, fit hurler les pneus dans tous les virages qu'il prit, avant de s'arrêter devant chez lui, dans ce quartier paisible, au pied de la maison vide à un étage et de style géorgien que lui et sa femme avaient tant aimée.

Logan serra le frein à main mais ne put se résoudre à achever la procédure en tournant la clef de contact ou en ouvrant sa portière. Il baissa les yeux et se rendit compte qu'il portait encore la blouse verte qu'il avait enfilée dans l'intention de pratiquer le double pontage, opération annulée à la dernière minute, sans avertissement. Le souvenir de sa remontée des couloirs au pas de charge, pour aller s'expliquer avec le directeur administratif, n'était plus qu'une succession d'images brouillées, s'effaçant devant le kaléidoscope de pensées qui tourbillonnaient sous son crâne et l'empêchaient de remarquer la beauté de cette journée de fin de printemps.

Il avait toujours joui de privilèges opératoires, en tant que chirurgien au Mercy Hospital. Il n'aurait pas de mal à trouver un autre hôpital où exercer ; ce qu'il ne supportait pas était qu'on l'ait mis à la porte. Le choc était horrible, humiliant.

Au-dessus de sa tête, le ciel uniformément bleu s'encadrait dans une explosion de feuillage d'un vert profond, celui d'ormes aux troncs puissants. Mais il ne voyait qu'une chose, l'expression réprobatrice du Dr Jonas Kinkaid ; et les dernières paroles de celui qui avait été son mentor retentissaient encore dans son cerveau, brûlantes : « Vous êtes devenu incontrôlable, docteur, et c'est la dernière colère que vous piquerez dans cet hôpital. »

Tout au fond de lui, Logan savait que Kinkaid avait raison ; l'admettre était néanmoins impensable, même maintenant. Les chirurgiens n'ont pas le droit d'être humains, de perdre leur sang-froid. Mais depuis un an que Daphne était morte, il n'avait connu ni paix ni début de délivrance, seulement un état d'hébétude et de désorientation, ponctué d'accès de frustration et de fureur trop souvent dirigés contre les infirmières. Quelque chose comme une boue primitive avait coulé en lui, se solidifiant autour de sa personnalité et prenant la place de la compassion qui s'y trouvait naguère.

Brian Logan dut faire un effort pour couper le moteur, descendre de voiture et entrer chez lui. Il referma la porte dans son dos et resta un moment immobile dans l'entrée, prêtant l'oreille au tic-tac creux de la grande comtoise et au souvenir de la voix musicale de Daphne, quand elle courait vers lui pour l'accueillir et se jeter dans ses bras, habillée, parfois, de son seul sourire. L'évocation le laissa sans force et c'est en se traînant qu'il gagna son gros fauteuil, dans le séjour, essayant de sentir, encore une fois, la pression des bras de sa femme autour de son cou. Elle avait été son unique grand amour ; sa beauté et son imagination sexuelle allaient bien au-delà de ses rêves les plus fous et étaient rendues encore plus excitantes et merveilleuses par une intelligence brillante et la manière dont elle abordait la vie – sans même parler du contraste saisissant qu'elle formait avec Rebecca, sa première femme.

Les yeux de Brian tombèrent sur le fauteuil qu'il occupait, près du piano, le jour du coup de téléphone. « Nous sommes désolés d'avoir à vous annoncer, docteur, lui avait dit le représentant de la compagnie aérienne, que votre épouse a succombé en plein vol. Une urgence médicale. » Daphne Logan, le centre de son univers, était décédée d'une hémorragie à trente-cinq mille pieds, entraînant la mort du bébé qu'elle portait, tout ça parce que le commandant de bord avait refusé toute idée d'un atterrissage d'urgence. Pendant une heure et demie elle avait supplié l'équipage ; mais, avait conclu le capitaine, puisqu'elle avait assez de force pour demander qu'on la ramène à terre, son état n'était pas grave au point de justifier le coût d'une escale non prévue. Le procès intenté à la compagnie aérienne pour non-assistance à personne en danger, dans lequel Logan réclamait cent millions de dommages et intérêts, n'aurait lieu que dans un an, mais il n'éprouvait aucune satisfaction en entendant son avocat lui assurer qu'ils allaient gagner. Un million, un milliard, et alors ? Jamais l'argent ne remplacerait sa femme et ce fils qui n'avait même pas eu le temps de naître.

Il aurait pu sauver Daphne. Il en était convaincu. Même avec un outillage de fortune. Même en plein ciel. Et il aurait pu aussi l'accompagner dans ce voyage ; elle allait voir ses parents, mais lui était resté à Boston pour travailler. Il s'était montré égoïste et stupide ; il se retrouvait seul, à présent, sans travail, bon à ramasser à la petite cuillère.

Il bondit sur ses pieds et se mit à faire les cent pas, toutes sortes de pensées roulant dans son cerveau – y compris l'envie aussi soudaine qu'inepte d'appeler Rebecca, sa première femme, laquelle était remariée et habitait maintenant à Newport, Connecticut. Rebecca Cunningham ne serait guère surprise et l'écouterait volontiers : elle attendait depuis toujours qu'il devienne ce qu'elle avait mis trop de temps à comprendre qu'il était à ses yeux – un raté. Pour elle, il représentait un projet avorté. Belle, ayant fréquenté les meilleures institutions, Rebecca appartenait à une famille de la grande bourgeoisie de Nouvelle-Angleterre et avait été formée au pragmatisme le plus rigoureux ; le jeune diplômé en médecine qu'elle avait ramené à la maison pour lui faire subir l'inspection parentale, il y avait tant d'années, ne tiendrait ses promesses qu'à condition qu'elle puisse le remodeler à l'image de son père, professeur de médecine et titulaire d'une chaire à Harvard. L'avenir de Brian était tout tracé : au bout de dix ans de pratique médicale, avait-elle décrété, il devait entrer à l'Académie de médecine comme professeur. Entre-temps, il devait publier. Intervenir dans les congrès. Fumer la pipe et se passionner pour de longues soirées de conversations polies. Et considérer le mot *amusant* comme

11

légèrement subversif, tel qu'elle-même avait appris à le comprendre.

Mais voilà, Rebecca n'avait pas tenu compte d'un détail : Brian aimait bien s'amuser. Un signe d'irresponsabilité et donc une chose clairement inacceptable. Et divorcer avait été sa façon de signifier que son beau projet avait échoué.

Daphne avait débarqué dans sa vie cinq années plus tard, tel un doux zéphyr, provoquant sa renaissance et réveillant un cœur assoupi. Romantique genre étoiles plein les yeux, mais titulaire d'un doctorat, elle était une véritable bohème sous ses vêtements griffés ; pour elle, tout était possible, seule la beauté comptait, et elle aima Brian tel qu'il était. Il était tombé follement et définitivement amoureux d'elle, de l'idée même qu'elle existait.

Il jeta un bref coup d'œil au portrait d'elle qu'il avait accroché au-dessus du canapé. Daphne se tenait au milieu des fleurs de son jardin, petite sorcière aimant être amoureuse, pour qui le sexe était langage et lumière. Brian l'intangible était devenu un jeune chiot tout fou se roulant sur le dos pour lui faire plaisir, constatant avec stupéfaction qu'elle ne lui demandait qu'une chose, être authentiquement lui-même. Pendant les trois années qu'avait duré leur mariage, sa vie de devoir s'était transformée, s'était épanouie en joie sauvage ; et, alors que Rebecca avait repoussé toute idée de grossesse jusqu'à ce qu'il soit titularisé (période qu'il avait rebaptisée en ricanant la « reconstruction fédérale du projet Brian »), Daphne, elle, avait voulu des enfants dès que possible.

Brian s'obligea à quitter son fauteuil et se dirigea vers la cuisine, perdu dans ses pensées. Sur la table traînait un billet d'avion. Il avait accepté, plusieurs mois auparavant, d'aller faire une série de conférences au Cap, en Afrique du Sud, et il devait partir de Boston dans deux jours. Il aurait été d'autant plus aberrant d'annuler que les honoraires étaient confortables et que cet argent lui serait indispensable, le temps de trouver un poste dans un autre hôpital.

Le besoin de faire quelque chose le poussa à s'approcher du moulin à café et à procéder à la préparation d'un vrai café, rituel tout aussi familier et rassurant que de se laver longuement mains et avant-bras avant une opération. Il accomplissait les gestes familiers automatiquement, et c'est à peine s'il remarqua les arômes qui montaient de la cafetière. Il remplit une tasse et s'assit lourdement à la table, se mettant à feuilleter le billet d'avion d'un geste machinal pour lire tout ce qui était écrit dessus avec le même désespoir hébété avec lequel on lit les mentions sur une boîte de céréales, quand on s'est levé trop tôt.

Il devait voler sur Virgin Atlantic entre Boston et Londres. Mais pour l'étape Londres-Le Cap, sa secrétaire lui avait réservé une place sur Meridian Airlines.

Oh, mon Dieu, non ! Brian bondit sur ses pieds, tenant le billet scandaleux à bout de bras. Son cœur battait à se rompre. C'était sur un avion de la Meridian que sa femme et son fils avaient trouvé la mort, il y avait un an. Ce n'était pas possible !

Une note manuscrite avait été jointe au billet, dans l'enveloppe.

Dr Logan,

Virgin Atlantic ne propose aucun vol pour Le Cap. Je suis absolument désolée, mais plus une seule compagnie n'avait de place, et j'ai eu le plus grand mal à réserver la dernière qui restait sur Meridian. Ce sera donc Virgin jusqu'à Londres, où vous passerez la nuit. Puis Meridian jusqu'au Cap.

Il roula la feuille de papier en boule et la lança en direction du mur ; elle ne l'atteignit pas plus que sa vie n'atteignait le stade de l'acceptable. Il allait bien falloir endurer le supplice, même si cela signifiait survivre pendant dix heures dans la panse d'une bête qu'il aurait éventrée avec joie.

Brian avait imploré le ciel pour que Meridian fasse faillite et même – il en était lui-même horrifié – pour voir, dans le premier bulletin d'information de la journée, la carcasse fumante d'un avion avec le sigle de la compagnie bien en vue. Ce qui restait de calme et posé en lui en était malade, mais ce rêve mettait en émoi les autres facettes de sa personnalité. Le désir de leur faire mal, d'exercer des représailles, d'assouvir sa vengeance sous la forme la plus brutale, avait quelque chose de dévorant.

Et maintenant...

Il se sentit soudain envahi d'un silence nouveau, d'un voile noir de rage impénétrable ; pour la première fois depuis la mort de Daphne, son esprit ne fut plus qu'une machine froide, impersonnelle, calculatrice. Et dans le tourbillon de douleur primitive qui l'habitait, l'horreur de cette confrontation imminente avec l'ennemi commença à se métastaser en quelque chose d'autre.

1

Tour de contrôle, aéroport O'Hare de Chicago, Illinois
11 h 30, heure locale

« C'est du délire ! »

Jake Kostowitz, le responsable du quart, secouait la tête d'exaspération tout en marmonnant quelques épithètes bien senties. La journée commençait vraiment très mal.

Il fut pris d'une puissante envie de cigarette, alors qu'il avait cessé de fumer depuis vingt ans. Le règlement antitabac de la FAA[1], pour les tours de contrôle, était impitoyable, et une vague de ressentiment l'envahissait à chaque fois qu'il éprouvait le besoin de fumer avec trop de violence pour qu'un ersatz comme du chewing-gum puisse l'apaiser.

Il avait d'ailleurs le chewing-gum en horreur. N'empêche, il fouilla à tout hasard dans sa poche de pantalon.

Tout autour de lui, sur trois cent soixante degrés et à quelque deux cents pieds en dessous de la nouvelle tour de contrôle climatisée tout en verre et acier de l'aéroport O'Hare, s'étendait l'embouteillage des appareils de ligne retardés, aux cabines surchauffées par la chaleur impitoyable du soleil, avançant au pas sur les bretelles d'accès dont tous les croisements étaient bloqués.

Quel était le chiffre, déjà ? se demanda Jake. Cinquante ou

---

1. Federal Aviation Administration. (*Toutes les notes sont du traducteur.*)

15

soixante vols supposés quitter l'aéroport O'Hare de Chicago à exactement la même heure, tous les jours... Quel que fût ce chiffre, il était clair que le système était parfaitement remis du traumatisme qui avait secoué le monde du transport aérien (et fait fuir les passagers) après le drame du 11 septembre 2001. Jake secoua légèrement la tête, geste que personne ne remarqua. Certes, il n'avait aucun désir de voir son aéroport transformé de nouveau en ville fantôme, mais l'interminable afflux des appareils frisait de nouveau le ridicule, sans que les compagnies aériennes entreprennent d'y changer quoi que ce soit.

L'arôme de la cannelle chauffée vint lui chatouiller les narines et, se tournant vers la cage d'escalier, il aperçut un contrôleur (l'homme n'était pas de service) qui, l'air béat, se goinfrait d'une énorme viennoiserie. Jake afficha une expression faussement outrée et désapprobatrice. L'homme, avec ses trente kilos de trop (au bas mot), était une vraie crise cardiaque ambulante. Il grimpa les deux dernières marches en se léchant les doigts et vint se tenir derrière Jake, étudiant l'intense activité qui se déroulait dans la tour.

« Vous croyez qu'ils vont y arriver, patron ? »

Jake se tourna un instant pour le regarder, essayant de comprendre. « Désolé, je ne vois pas...

— *Désolé*, le mot leur convient parfaitement. Je veux parler de la compagnie aérienne américaine la plus mal gérée. Cette chère vieille Meridian Air, ou, comme me l'a dit un de mes copains pilote qui travaille chez eux, "*Comedian Air, où la notion de service est une plaisanterie*". »

Jake secoua la tête. « J'espère tout de même qu'ils ne vont pas se casser la figure. Ils détiennent vingt-six pour cent du marché. Ça ferait beaucoup de passagers en retard, ça.

— Ils ne s'en apercevraient même pas, rétorqua le contrôleur obèse en éclatant de rire. Sans compter que ça nous ferait vingt-six pour cent de vols en moins à aiguiller. »

Jake eut un petit rire et secoua la tête. « Ouais, tout juste. Comme si United et American n'allaient pas profiter de l'aubaine. Nous serions tout autant stressés. » Jake montra du doigt ce qui restait de la viennoiserie à la cannelle. « Il y en a d'autres en bas ?

— Ouais. J'en ai acheté un paquet. Vous n'avez qu'à vous

servir », répondit l'homme en regardant Jake passer devant lui pour aller prendre l'escalier.

Une télé ronronnait dans un coin de la salle de repos des contrôleurs ; lorsque Jake entra, se dirigeant vers le paquet de Cinnabon, la mention de problèmes de contrôle aérien capta son attention.

La chaîne retransmettait une audition devant une commission du Congrès. Jake se souvenait d'avoir lu quelque chose la veille sur la question. Une poignée de congressistes, arguant des derniers incidents aériens avec des passagers en colère, avaient commandé une enquête.

Encore un beau numéro de gesticulation politique sans lendemain, songea-t-il, sa curiosité toutefois piquée par la vue d'un officier de l'Air Force assis à la table des témoins, alors que l'audition était censée concerner les vols commerciaux. L'officier portait l'aigle d'argent, insigne de son grade de colonel.

« Monsieur le président, disait le militaire, nous avons tous les jours affaire à des centaines, sinon des milliers, de passagers furieux, et beaucoup ont le plus grand mal à contenir leur rage. Si les excès de boisson rendent souvent la situation encore pire, les causes sous-jacentes de cet état de choses sont la combinaison d'appareils bondés au-delà du raisonnable et d'un traitement plus que médiocre des passagers. Cela ne vient pas du renforcement des mesures de sécurité. »

Une brochette de photographes étaient assis à même le sol, devant la table des témoins, et le cliquetis des déclencheurs, suivi des ronronnements de rembobinage, créait un étrange fond sonore à l'image télévisée.

« Et comment pourrions-nous régler ce problème, colonel ? demanda le président de séance. Votre service a-t-il des recommandations à formuler ? »

Jake prit machinalement un Cinnabon et se mit à mâchonner ce scandaleux concentré de calories tout en regardant l'émission. Un petit bristol, posé devant le témoin, identifiait celui-ci : US FORCE COLONEL DAVID BYRD, FAA.

Ah, pensa Jake, *un officier de liaison de l'Air Force...* Il gardait un excellent souvenir d'un capitaine de la Navy détaché auprès du contrôle aérien, quelques années auparavant.

« Non, monsieur, répondait le colonel Byrd. Notre rapport n'est pas achevé, mais je peux d'ores et déjà vous dire ceci, à partir de mes propres recherches : ce n'est pas par des lois plus sévères que nous réglerons cette question, car ce n'est pas délibérément que les gens se mettent en colère et perdent leur sang-froid. Autrement dit, il n'est pas possible de changer la nature humaine en la criminalisant. Ces incidents illustrent les réactions prévisibles d'individus soumis à un trop grand stress. Entassez des gens qui crèvent de chaud dans des aéroports et des avions bondés ; traitez-les comme des chiens, mentez-leur, manipulez-les, faites-leur payer le prix fort – et les incidents et les déchaînements de rage vont inéluctablement augmenter. C'est une bombe à retardement, monsieur le président. »

Le président leva son marteau pour une suspension de séance en attendant le prochain témoin, et Jake prit la direction de l'escalier pour regagner la salle de contrôle. Le bruit étouffé d'un 427 au décollage lui parvint lorsqu'il arriva aux dernières marches, et il put suivre l'appareil des yeux durant quelques secondes, non sans se demander pendant combien de temps il avait dû poireauter sur sa bretelle d'accès.

On avait effectivement affaire à une bombe à retardement, se dit-il : délais et cohues allaient en empirant et la journée qui s'annonçait était typique, à ce titre : il n'y aurait pas un seul décollage à l'heure de tout l'après-midi, ce qui n'empêcherait nullement les compagnies aériennes de pousser leurs avions bourrés de passagers vers les pistes, pour qu'ils aillent rejoindre une file d'attente ne faisant que s'allonger. Et tout cela, en classant comme « départs à l'heure » tous les retards accumulés. Il fallait que les contrôleurs aériens leur ordonnent de rester à l'embarquement pour qu'ils ne se détachent pas de la rampe d'accès, et encore les compagnies n'obéissaient-elles pas toujours, au prétexte qu'un appareil qui venait d'arriver devait débarquer ses passagers. La « boîte à punition », comme on appelait la bretelle réservée aux appareils en instance de départ, était en général pleine, ces temps-ci, et les compagnies savaient parfaitement quels vols seraient en retard. Les passagers, eux, n'étaient pas censés le savoir.

Quel scandale ! Et c'est nous qui sommes critiqués. C'est toujours la faute de la FAA.

Et la situation se reproduisait tous les jours, prévisible au point d'en être déprimante. Aujourd'hui, en plus, une forte dépression se creusait du côté de Springfield, Illinois, fonçant plein ouest, et risquait de rendre le trafic aérien encore plus problématique. Lorsque l'orage arriverait au-dessus d'O'Hare, tout resterait paralysé jusqu'à ce qu'il soit passé.

Jake regarda vers l'ouest et aperçut le reflet d'un éclair éloigné d'une centaine de milles. Suspendue dans le ciel entre les cumulus d'orage et l'aéroport, il vit aussi ce qui paraissait être une procession sans fin de coûteuses boîtes en aluminium dont les phares allumés brillaient, sur fond de nuages noirs. Comme Jake le savait, les pilotes s'évertuaient à respecter vitesse, cap et altitude ordonnés par les femmes et les hommes, au bord de l'épuisement, de Chicago Approach Control, local sans fenêtre situé plusieurs étages en dessous de la salle où il se tenait lui-même. Des appareils de ligne gros comme des immeubles et filant à deux cents milles à l'heure se trouvaient réduits à de simples points électroniques sur des écrans radar surveillés par des contrôleurs qui ne cessaient d'ordonner des changements pour que les avions conservent entre eux la distance légale minimum.

« American soixante-quinze, ralentissez à cent quarante. Vous rattrapez le vol Eagle qui vous précède. United trois vingt-six, restez à cent quatre-vingts, je dis bien cent quatre-vingts. »

Ceux qui volaient trop vite ou ralentissaient trop tard se retrouvaient confinés dans l'enfer des pilotes : les contrôleurs, impitoyables, les rejetaient pendant une demi-heure ou plus sur une trajectoire d'attente avant de pouvoir les glisser dans le flot du trafic pour une nouvelle tentative d'atterrissage. Pendant ce temps, les passagers consultaient leur montre et râlaient. Au sol, de grandes vagues de chaleur s'élevaient des enveloppes métalliques surchauffées, alignées à la queue leu leu, des gros Boeing et Airbus, souvent séparés par des appareils plus modestes, parfois à hélice, des petites lignes intérieures ; le tout formait une file d'attente de plusieurs milliards de dollars s'étirant jusqu'à l'horizon d'O'Hare.

Jake croisa le regard de l'un de ses contrôleurs et roula des yeux pour lui manifester sa sympathie. L'homme sourit et acquiesça.

Le bruit de fond constitué par les voix tendues des pilotes tapait toujours sur les nerfs de Jake, en particulier quand les équipages commençaient à prendre de haut les instructions des contrôleurs au sol, bombardées au rythme d'une mitrail-

19

lette – ils parlaient aussi vite qu'il était humainement possible de le faire.

« Très bien, United deux-treize, ici contrôle O'Hare, je vous vois et vous confirme – gardez votre position. Meridian un huit, n'avancez plus, laissez passer l'ATR d'Eagle sept-deux à votre droite. Lufthansa douze, accélérez un peu, s'il vous plaît, j'ai besoin de cette bretelle TOUT DE SUITE. Delta deux dix-sept, êtes-vous sur la fréquence ?

– Euh... oui, Delta deux dix-sept est avec vous.

– Roger, Delta, suivez le Meridian trois-sept à votre gauche. Air France douze, passez sur la fréquence tour et attendez que *moi* je vous appelle. »

Diane Jensen, la contrôleuse préférée de Jake pour des raisons qui avaient surtout à voir avec la silhouette de la jeune femme, arriva à son tour de la salle de repos et vint se placer à côté de lui. Elle ajusta son léger casque d'écoute avant d'aller relayer l'un de ses collègues masculins. Elle ébouriffa ses cheveux courts, d'un blond vénitien, et lui sourit. « Et voici que commence la saison de leur mécontentement[1], récita-t-elle avec un faux air sévère.

– Et la nôtre. Herndon a déjà commencé à ralentir les atterrissages, répliqua-t-il, les yeux perdus sur le ciel bondé tandis qu'il évoquait le centre de commandement du contrôle aérien de tout le pays, non loin de Washington. Et nous commençons à ne plus avoir assez de place sur les bretelles d'accès.

– Sans parler de mon petit frère et de son caractère de cochon qui voudrait bien aller à Dallas au milieu de ce bazar. Je viens juste de le laisser. On aurait dit qu'il se préparait pour un combat.

– Il n'avait pas tort.

– Je lui ai suggéré de prendre le train, répondit-elle en s'approchant de celui qu'elle allait remplacer, mais il n'a rien voulu savoir. »

La ligne intérieure d'Approach Control se remit à sonner ; tandis que Jake tendait la main vers le combiné, son regard fut attiré par un reflet de soleil sur un pare-brise, quelque part dans l'embouteillage qui régnait au-delà de l'aéroport.

---

1. Parodie de la célèbre citation de Shakespeare qui ouvre *Richard III* : « Voici l'hiver de notre déplaisir changé... »

Il était soulagé de se trouver ici, et non pas au milieu de toutes ces crises de rage sur le point de se déclencher.

Très soulagé.

Immeuble de bureaux Rayburn, Washington DC

Le colonel Byrd récupéra les papiers qu'il avait étalés devant lui et les fourra dans son porte-documents, puis il se tourna pour prendre la main tendue de Julian Best, le patron du Sous-Comité à l'aviation civile.

« Bien joué, colonel, dit Best, un sourire venant plisser un peu plus son visage aux traits rudes.

— Merci, répondit Byrd sur fond sonore d'un téléphone à la sonnerie insistante, quelque part dans la pièce. Pour tout vous dire, Julian, je n'ai pas exagéré. » Une expression sévère vint durcir ses traits anguleux. « Si nous avons pratiquement résolu le problème des menaces terroristes, la question des explosions de rage en vol devient pour sa part très préoccupante. L'été ne fait que commencer, et il ne s'agit pas d'un cinéma que ferait la FAA.

— Je sais que vous n'avez pas parlé en l'air, répondit Best, toujours souriant. Je connais vos états de service, colonel. Quand on a commandé une unité des forces spéciales, qu'on arbore une brochette de décorations aussi impressionnante et qu'on s'est tiré de situations aussi délicates que vous l'avez fait, on ne vous envoie pas à la chasse au dahu sur Capitol Hill. »

Ce furent cette fois-ci les pépiements d'un téléphone portable qui les interrompirent.

« Désolé.

— Pas de problème, colonel. Je resterai en contact », répondit Julian en se tournant pour partir.

Byrd prit l'appel et se tourna vers le mur pour mieux se concentrer, pris au dépourvu par le ton coléreux de son correspondant.

« Ici le général Overmeyer, colonel. Qu'est-ce qui vous a pris d'aller témoigner devant le Congrès sans mon aval ou l'appui de quelqu'un du Pentagone ? J'ai même vu votre sale tronche à la télé, et vous étiez en uniforme ! Qui vous a autorisé à aller jouer les marioles en tenue pour faire ce genre de déclaration politique ? »

Le colonel Byrd évoqua l'image du général Overmeyer, chef d'état-major adjoint de l'Air Force, personnage connu de la plupart de ses subordonnés sous le sobriquet d'O'Merveilleux. Il était puissant, et il valait mieux éviter de le mettre en colère ; votre carrière pouvait s'en ressentir, même quand on était colonel.

« Mon général, répondit le colonel, vous m'avez placé sous l'autorité directe de l'administrateur de la FAA, et c'est à sa demande que je témoignais.

— Byrd, vous n'êtes pas un chien-chien à sa mémère qu'un administrateur civil peut se permettre d'envoyer courir après un lapin en peluche chaque fois que ça l'amuse.

— Je considère ces propos comme offensants, mon général, et je...

— Je veux vous voir dans mon bureau dans trente minutes, Byrd. Est-ce assez clair ?

— Oui, mon général. Si vous insistez.

— Il me semble que c'est ce que je viens de faire. C'est un ordre, bon Dieu de Dieu. Au fait. Au cas où vous auriez oublié d'où vous venez, colonel, je vous précise que mon bureau est au Pentagone. Vous voyez ce que je veux dire ? Cette grande construction près de Reagan National.

— Ces sarcasmes ne sont pas nécessaires, mon général.

— RAMENEZ-MOI VOTRE CUL PAR ICI ! »

Le général raccrocha, prenant David Byrd au dépourvu tandis qu'il calculait le plus court chemin pour franchir le Potomac.

2

La ville de tous les vents s'était réveillée sur les embouteilla-ges habituels d'un jour de semaine, tandis que la tempéra-ture atteignait les trente degrés dès huit heures du matin. Elle dépassait trente-cinq à midi et continuait à grimper à peu près au même rythme que l'irritation de tous ceux, fort nombreux, qui convergeaient sur O'Hare en bus, minibus, taxi ou voiture en empruntant des autoroutes irrémédiable-ment paralysées par des bouchons.

L'aéroport lui-même en était au stade de la fusion. O'Hare était surpeuplé, surchauffé, surexploité, et rien n'annonçait la fin des pressions pour multiplier les vols et les passagers ; assurer la bonne marche de cette complexe machinerie rele-vait du combat quotidien. La marge d'erreur tolérable était insignifiante, et le moindre incident de parcours entraînait des retards en cascade et des annulations de vols dont les effets se faisaient sentir, telle une vague, sur tout le trafic aérien des États-Unis.

Or la désorganisation de Meridian était précisément ce à quoi s'attelaient avec détermination les équipages de cabine de Meridian Airlines, en cette chaude matinée d'été.

Au fur et à mesure que les passagers se présentaient au comptoir d'embarquement de la compagnie, à O'Hare, ils

23

se trouvaient aspirés dans un tourbillon d'employés furieux, brandissant des slogans comme : NOUS NE SOMMES PAS ENCORE EN GRÈVE, MAIS MERIDIAN NOUS A ROULÉS ! Certains passagers les encourageaient d'un pouce levé, mais la plupart franchissaient le barrage en faisant semblant de ne pas les voir.

Au milieu de cette mêlée, des centaines de kilos de bagages avançaient, s'entrechoquaient, oscillaient le long de la file qui s'allongeait devant l'enregistrement. D'autres passagers tentaient de s'ouvrir un chemin, dans la chaleur et la cohue, jusqu'aux comptoirs de la compagnie, lesquels étaient en sous-effectifs criants. Là aussi, les files d'attente s'allongeaient, au milieu de barrières mobiles disposées en labyrinthe, n'offrant que la plus vague des promesses d'atteindre jamais l'un des agents avant l'envol. Petit jeu déprimant que tout le monde ou presque comprenait. Les employés coûtaient cher et Meridian en affectait le moins possible à ces tâches.

L'un d'eux, vêtu d'un blazer froissé et d'une cravate maculée de taches, venait juste de mettre fin à une rencontre du troisième type version furibarde avec un client ; il consulta sa montre et constata, déçu, qu'il n'était que midi et quart. Un couple à l'air éreinté s'avançait vers lui, les yeux rivés sur son blazer rouge, mais lui leva les siens vers l'allée de service extérieure, attiré par l'arrivée d'une limousine de quinze mètres de long. Qui, se demanda-t-il, allait émerger de cette voyante Cadillac noire ? Madonna, qui était de passage à Chicago ? Une superstar de la politique ? Plus vraisemblablement, il s'agirait d'un inconnu, d'un imbécile cousu d'or. Cela lui fournissait au moins un prétexte pour ignorer quelques secondes de plus le couple manifestement en détresse.

Il haïssait les clients. Il haïssait Meridian. Et il haïssait son boulot. Plus que tout, cependant, il haïssait le fait d'avoir travaillé trop longtemps pour la compagnie pour la quitter, et il y avait trop investi pour ne pas redouter d'être licencié, risque qu'il courait chaque semaine comme la plupart des employés sous contrat.

Le chauffeur de la limousine descendit et vint ouvrir la portière. L'agent de Meridian vit un couple de jeunes Asiatiques se déplier du siège arrière. Ils restèrent debout sur le bord du trottoir, l'air incertain devant la cohue et la confusion qui régnaient.

24

De parfaits inconnus, se dit l'agent. *Rien que deux vieux enfants pleins de fric.* Il se tourna vers les clients suivants.

Dehors, Jason Lao retira son porte-documents de l'intérieur de la prétentieuse limousine et adressa un signe de tête gêné au chauffeur. Il avait signé la facture et laissé un pourboire confortable avant de descendre, et il n'avait plus qu'une envie, que le véhicule disparaisse avant que quelqu'un ne le reconnaisse.

Linda Lao s'était avancée de quelques pas. Elle se retourna, et eut pour lui le sourire chaleureux et sensuel qui l'avait conquis depuis l'époque de Silicon Valley. Elle attendit qu'il prenne la poignée de sa valise et la rattrape.

« Ce n'était pas mieux comme ça, mon chou ? demanda-t-elle.

— Non. C'était affreusement gênant.

— Jason !

— J'avais commandé une voiture normale, et ils m'ont envoyé ce bordel ambulant.

— D'accord, c'était un peu trop voyant, je le reconnais, mais elle était confortable, on était au frais, et tu es riche à crever, à présent – tu aurais oublié ? On a les moyens de se l'offrir ! »

Un porteur n'avait pas tardé à les repérer comme des clients potentiels, avec les lourdes valises à roulettes qu'ils tiraient derrière eux.

« J'peux vous aider, m'sieur-dame ? »

Jason accepta d'un signe de tête et laissa l'homme s'occuper des bagages.

« Et où va-t-on aujourd'hui ? voulut savoir l'homme.

— À Londres », répondit Linda avec un mouvement de tête, sans chercher à cacher à quel point elle était excitée.

Le porteur acquiesça et entreprit de charger les valises sur son chariot, tandis que Linda prenait le bras de Jason et l'entraînait vers les portes automatiques ; une fois de l'autre côté, elle lui fit face.

« Quoi ?

— Allez, répétez après moi, monsieur le président : *Je vais bien m'amuser.*

— Quoi ?

— Allez. Répète.

— C'est idiot.

– Peut-être, mais dis-le tout de même. Je... vais... m'amuser.

– Oui, bon, d'accord, je vais m'amuser. »

Elle posa les mains sur ses épaules, affichant un air faussement sérieux. « Tu me désires ?

– Bien sûr, que je te désire. Je te désire tout le temps.

– Eh bien d'accord. Pas de sourire, pas d'amusement, pas de parties de jambes en l'air. Bien reçu ? »

Il soupira et essaya de sourire. « D'accord. Je vais m'amuser.

– Et tu vas te détendre un peu, entendu ?

– Une chose à la fois », répliqua Jason, souriant enfin pour la première fois.

Linda Lao savait qu'elle jouait avec le feu, à chaque fois qu'ils devaient se rendre dans un aéroport. Jason vivait dans une tension perpétuelle, exigeant le maximum de lui-même comme des autres ; il était à l'origine du succès phénoménal d'une des rares entreprises « point.com » à avoir survécu à la crise. Il avait réussi parce qu'il vivait et respirait selon un seul mot d'ordre, le « service à la clientèle ». Expression qui, tel qu'il concevait les choses, était devenue l'antonyme de « compagnie aérienne ».

Chacune de leurs expéditions aéroportuaires était un cauchemar pour Linda, qui avait horreur de voir son mari complètement stressé et exaspéré, la plupart du temps, par la nullité du service. Même l'avalanche de lettres de protestation qu'il envoyait après chaque vol ou à peu près n'était pas aussi désagréable, pour elle, que de voir la tension qui l'habitait – raison pour laquelle elle l'avait supplié de louer un jet privé pour se rendre à Londres.

La réaction de Jason avait été prévisible. C'était un homme frugal, issu d'une famille frugale, laquelle avait survécu puis prospéré à Hong Kong précisément en étant frugale. Une note frisant les trente mille dollars, comparée à moins de deux mille dollars en classe économique – cette seule idée l'avait horrifié.

« Prends au moins des premières classes, avait-elle mendié.

– Nos employés ne volent pas en première, et donc, nous non plus. Je dois penser à mes actionnaires.

– Mais ce n'est pas ta société qui paie ce voyage !

– Raison de plus. Qui sommes-nous pour voyager en première, des princes ?

– Voyons, Jason ! La classe éco, ça va pour les vols intérieurs, mais pour les vols internationaux, c'est l'horreur ! »

Si bien que la limousine avait été l'unique entorse faite à ses principes, et elle savait qu'elle allait en entendre parler pendant les deux semaines suivantes : le coût, la gêne, et l'image faussée qu'elle avait donnée d'eux. Ça l'amusait, parfois, qu'il soit aussi soucieux de ses finances et de son image de chef d'entreprise. Ils avaient rudement bataillé pour réussir, en Californie, et aujourd'hui c'était fait. « Mais quand, au juste, lui demandait-elle régulièrement, allons-nous envisager de dépenser une partie de la fortune que nous avons gagnée ?

– Plutôt crever que de payer trente billets pour ce voyage. Il n'en est pas question », lui avait-il répondu ce jour-là. Si bien que l'éducation chinoise qu'elle avait reçue avait pris le dessus, et qu'elle s'était inclinée devant les désirs de son époux. Classe éco pour Londres, donc.

Mais maintenant, elle regrettait d'avoir cédé. L'attente, au milieu des passagers en sueur, dans la file qui s'allongeait, avait duré une demi-heure, une demi-heure avant qu'ils puissent accéder au comptoir et subir le traitement indigne que réservait le personnel. Comme toujours, Jason était arrivé au terminal en avance de deux heures, si bien que le temps n'était pas un problème : le problème, c'était de l'empêcher de perdre son sang-froid.

Linda jeta un coup d'œil en direction des portiques de sécurité et se détendit un peu à la vue des policiers fédéraux en uniforme qui les avaient en charge. Jason avait été ravi de cette nouveauté et s'était même montré coopératif, mais le souvenir de leur dernier passage par l'ancien système, quelques années auparavant, la faisait encore frissonner.

Ils devaient prendre un vol pour Los Angeles, lorsque l'attitude sourcilleuse d'un garde du service de sécurité aux dents de travers lui avait fait péter les plombs.

« Vous n'avez aucun motif rationnel de vérifier mon ordinateur au-delà de ce que vous avez fait », avait protesté Jason, tandis que l'homme essayait de lui arracher le porte-documents des mains. Une lutte pour l'objet s'ensuivit.

« Sortez cet ordinateur, monsieur, ou bien vous devrez quitter la zone sécurisée. »

Deux flics de Chicago s'étaient aussitôt approchés. Ils s'étaient ennuyés pendant toute la matinée, et ça les démangeait d'arrêter quelqu'un. Jason faisait un bon candidat.

Linda avait murmuré à son oreille : « Ce n'est pas le moment, Jason. Ces types sont de parfaits abrutis. On ne peut pas raisonner avec eux. »

Jason s'était tourné vers elle, mâchoires serrées, prêt à exploser tandis qu'elle continuait à lui parler à voix basse. « J'ai très envie d'aller à Los Angeles, mon chou, pas de payer une caution pour te sortir de prison. Ne dis pas un mot de plus. Fais oui de la tête et montre-lui ton portable. »

Les muscles de ses joues s'étaient mis à tressaillir frénétiquement tandis qu'il luttait pour garder son sang-froid, pendant que le type de la sécurité manipulait l'ordinateur, à la recherche du bouton de marche.

« Là ! avait dit Jason, au comble de l'exaspération, en enfonçant une touche du doigt. Et qu'est-ce que cela va prouver, bon Dieu ? L'écran s'est allumé. La belle affaire ! »

Une femme imposante s'était alors avancée vers eux, son uniforme tendu à craquer contre ce qui était le résultat, apparemment, de ses excès de table. Elle avait fait signe aux flics, qui s'étaient encore rapprochés.

« Vous cherchez la bagarre, monsieur ? Nous n'avons pas besoin de ça. Continuez de cette façon, et vous allez devoir vous expliquer avec la police (elle eut un mouvement de tête vers les deux flics). On ne nous parle pas sur ce ton. »

Linda avait serré le bras de Jason encore plus fort, enfonçant les ongles dans son poignet au point de le faire saigner ; la rage de son mari avait atteint son point culminant, celui ou un rien aurait pu la faire exploser, tandis que les forces liguées contre lui n'attendaient que sa prochaine réplique mordante pour l'arrêter.

Linda n'avait pas oublié leur déception, lorsque Jason avait brusquement exhalé à fond, puis remis l'ordinateur portable dans son étui sans rien dire. Évitant de croiser le regard des gardes de sécurité, il s'était tourné pour prendre Linda par le bras.

« Merci, avait-il dit entre ses dents.

— Faut que tu restes calme, mon chou, lui avait-elle murmuré, tandis que les flics de Chicago, frustrés de leur arrestation, les fusillaient du regard. Ils ne vivent que pour des types comme toi. »

« Quelle porte ? »

Linda regarda autour d'elle, désorientée. « Quoi ? »

Jason souriait. « Quelle porte ? » répéta-t-il, tandis qu'il récupérait les bagages de cabine après leur passage dans le tunnel de radioscopie, ramenant Linda dans la réalité. Elle se rendit compte qu'ils venaient de franchir le contrôle et n'en revenait pas de voir son mari aussi calme.

« Porte... B-33, répondit-elle en manipulant maladroitement les billets. Meridian, vol 6. J'ai vu l'écran. Aucun retard annoncé. »

Ils changèrent de direction pour prendre la coursive suivante, obligés de se ranger pour éviter un chariot électrique aux bips-bips exaspérants qui fonçait à toute allure, piloté par un homme à l'expression quasi démente.

3

Le Pentagone, Washington DC
12 h 58, heure locale

Le colonel David Byrd tira sur les pans de sa veste d'uniforme avant d'entrer dans le bureau qui précédait celui du chef d'état-major adjoint de l'Air Force. Un ordre du genre *Ramenez votre cul par ici* émanant d'Overmeyer était non seulement à prendre on ne peut plus au sérieux, mais presque aussi paralysant que s'il était venu du secrétaire à la Défense lui-même. Le général avait la réputation de piquer très facilement des colères, même si celles-ci, la plupart du temps, retombaient aussi vite.

« Bonjour, colonel, dit une secrétaire sans un instant d'hésitation. Le général vous attend. » Elle le conduisit dans une petite salle de conférences où le général James Overmeyer était assis de l'autre côté de la table, flanqué de deux hommes en civil. David salua militairement. Le général esquissa le même geste avec désinvolture, puis se tourna vers sa droite.

« Colonel Byrd, je vous présente Billy Monson, des renseignements militaires, et (il se tourna de l'autre côté) Ryan Smith, de la CIA. »

Les hommes échangèrent des poignées de main et s'assirent, tandis que, du coin de l'œil, David surveillait le général. Celui-ci arborait un sourire du chat s'apprêtant à bouffer le canari. « J'imagine que vous vous demandez pourquoi j'ai convoqué cette réunion, David.

– Oui, monsieur. J'ai cependant le souvenir d'épithètes salées ayant qualifié ma prestation télévisée et d'un ordre de ramener mon postérieur ici en moins de trente minutes. »

Le général éclata de rire et consulta sa montre. « Et vous êtes en avance de deux minutes. C'est bien, ça.

– Puis-je présenter ma défense, monsieur ? » demanda David.

Overmeyer secoua négativement la tête et se pencha en avant. « Inutile. L'administratrice de la FAA m'a appelé il y a moins de cinq minutes et m'a confirmé que c'était elle qui vous avait demandé de témoigner, mais je le savais déjà.

– Dans ce cas, je ne comprends pas très bien...

– Eh bien, vous auriez tout de même dû m'appeler avant, mais n'en parlons plus. David, je ne vous ai jamais expliqué pour quelle raison je vous avais prêté à la FAA.

– En effet, monsieur.

– Je tenais à ce que quelqu'un de chez nous surveille d'un peu plus près ce problème de rages en vol parmi les passagers ; il y a peut-être un rapport avec le terrorisme. »

Byrd parut perplexe. « Je ne vois pas comment...

– Si. La DIA comme la CIA nous ont pondu des rapports laissant entendre que les groupes de terroristes restants pourraient s'arranger pour exploiter une de ces situations, sur un appareil commercial, et la transformer en une attaque. »

David Byrd regarda le général bien en face. « Mais comment ? Ces incidents sont spontanés par nature.

– Ah oui ? demanda Overmeyer, l'expression tout à fait sérieuse. Pouvons-nous en être absolument sûrs ? Est-ce que le bon groupe de passagers ne pourrait pas être incité à se lancer dans une explosion de rage au moment opportun, pour quelqu'un qui aurait ses propres plans ?

– Je ne sais pas, avoua David.

– Nous non plus, nous ne le savons pas, dit le général avec un soupir. Mr Monson et Mr Smith vont vous briefer sur cette éventualité cauchemardesque, telle qu'ils l'envisagent. C'est bien entendu top secret, et même ultra-top secret ; mais dans l'état actuel des choses, vous devez être mis au courant. Nous parlerons plus tard. » Overmeyer se leva et prit la direction de la porte, faisant signe à Monson.

« Billy, vous avez le crachoir. »

Quartier général de la CIA, Langley, Virginie
13 heures, heure locale

Au milieu des innombrables messages circulant dans le labyrinthe qu'était la tanière de « La Compagnie », à Langley, un bref communiqué émanant d'une des unités de terrain clandestines, toujours plus nombreuses à travailler pour les États-Unis, se retrouva, après avoir subi les différentes opérations de filtrage et de vérification, dans la corbeille électronique du groupe de travail qu'il pouvait intéresser. Dès six heures et demie du matin, ce groupe, comprenant deux hommes et une femme, avait pris connaissance d'informations pour lesquelles leur correspondant avait sans doute risqué sa vie, et conclu qu'il s'agissait d'une pièce de plus dans un puzzle en train de se constituer.

« Mais nous n'avons pas la moindre idée du type d'avion, ou du type d'arme, dit l'un des membres de l'équipe, après avoir présenté la situation à un directeur adjoint.

– Cependant, enchaîna le second, et si ces informations sont exactes, il faut en tirer la conclusion que l'origine géographique de l'appareil transportant l'arme sera l'Afrique, et plus précisément l'Afrique noire. Et donc qu'il s'agira probablement d'un vol intercontinental.

– Un Boeing 777 ou 747 allant en Europe, par exemple ?

– Par exemple. Ou bien un Airbus 340, un DC-10, un MD-11. Un de ceux-là. Niveau de probabilité huit sur dix, à notre avis.

– Vous n'avez cependant aucune idée de ce que pourrait être la cible ? »

Ils secouèrent tous les trois la tête à l'unisson. « N'importe quelle ville d'Europe.

– Fenêtre-temps ?

– Les prochaines quarante-huit heures. Et notre impression est qu'il s'agira d'un agent biologique, comme de l'anthrax militarisé, ou quelque chose d'aussi terrifiant. Tout ce qu'ils auront à faire, avant de le répandre sur une population civile quelconque, sera de le dissimuler dans un sac, au

32

fond du logement de train. Quand l'appareil abaissera ses roues avant l'atterrissage, l'agent dégringolera. »

Le directeur adjoint acquiesça et se leva.

« D'accord. Nous donnons l'alarme et surveillons tout ce qui doit voler au-dessus de l'Afrique au cours des deux prochains jours. »

4

Porte B-33, aéroport O'Hare de Chicago, Illinois
12 h 1, heure locale

Dans la salle d'embarquement noire de monde, Martin Ngumé se réveilla en sursaut avant même de soulever les paupières. Pris de panique à l'idée qu'il venait peut-être de manquer son vol, il chercha désespérément une horloge des yeux.

Il y en avait une, à cadran numérique, sur le mur d'en face, indiquant qu'il était midi passé d'une minute. Son vol ne partait qu'à une heure trente.

Martin se détendit, mais guère plus d'une seconde, car il se rappela soudain pourquoi il était là : l'inquiétante nouvelle, reçue d'Afrique du Sud, selon laquelle le minuscule logement de sa mère avait un cadenas fermé pendant à son unique porte.

Pourquoi ce cadenas ? Où était-elle passée ?

La maisonnette n'avait pas le téléphone. Les salles de bains étaient rares, dans le bidonville de Soweto, et pour téléphoner il lui fallait parcourir les quatre cents mètres qui la séparaient d'un magasin poussiéreux, ce qu'elle faisait une fois par mois, le dimanche, pour attendre le coup de fil de son fils.

Mais cette fois-ci, c'était quelqu'un d'autre qui avait répondu au téléphone, un étranger qui ne connaissait même

34

pas sa mère. Il avait fallu rappeler plusieurs fois avant de trouver quelqu'un acceptant de se déplacer jusqu'au logement, et rappeler encore pour enfin savoir ce qu'il avait trouvé.

« Elle n'est pas chez elle.

– Vous êtes entré ?

– Non. Je n'ai rien pu voir. Il y avait un cadenas à la porte.

– Un... quoi ?

– Un petit cadenas. Un cadenas à combinaison. Il est sur la porte.

– Avez-vous demandé à des voisins s'ils l'avaient vue ?

– Oui. Mais personne ne sait où elle est. »

Martin se frotta les yeux. Cela faisait deux jours qu'il n'avait pratiquement pas dormi, tant il avait fait d'efforts pour découvrir ce qui était arrivé à sa mère, pour déterminer pour quelle raison une vieille femme malade qui avait économisé sou à sou pour l'envoyer poursuivre ses études aux États-Unis était soudain introuvable.

Il était paniqué et ne pouvait rien y faire. Il n'avait pas été à ses cours, pendant ces deux jours, restant pendu au téléphone ou attendant à côté ; mais en fin de compte, il n'avait plus eu qu'une solution : prendre l'avion pour retourner chez lui. À croire qu'il n'y avait, dans toute l'Afrique du Sud, personne d'assez généreux pour prendre le temps de la rechercher.

« Excusez-moi, fit une voix féminine à sa gauche. Vous allez bien ? »

Son regard franchit les sièges vides à côté de lui pour se porter sur la rangée suivante et croiser celui d'une femme séduisante qui paraissait l'observer.

« Oui, oui, merci.

– Vous aviez l'air affolé, lorsque vous vous êtes réveillé. J'avais l'impression que vous alliez vous rompre le cou, à la manière dont vous dormiez », ajouta-t-elle avec un sourire.

Il y avait toute une série de cabines téléphoniques sur la droite du hall, et il se voyait déjà s'y rendre ; mais les propos de la femme le retinrent.

« Je suis désolé... je ne comprends pas.

– Vous vous endormiez, et votre tête retombait lentement, comme ça... » Elle laissa pendre la sienne, puis la redressa brusquement pour le regarder. « Et vous la releviez d'un coup, pour recommencer.

– Je suis désolé, répéta-t-il, se sentant coupable pour quelque obscure raison.

– Oh, vous n'avez aucune raison de l'être. Mais j'avais mal au cou rien qu'en vous regardant. »

Il hocha la tête et lui rendit son sourire. En temps normal, il aurait été ravi qu'une Américaine aussi charmante s'inquiète de son bien-être, mais il n'arrivait pas à penser à autre chose qu'aux cabines téléphoniques, se demandant si sa carte de téléphone était encore valable. Il enfonça la main dans la poche de son pantalon, tripotant les quelques billets qu'elle contenait. Quatre-vingts dollars et une carte de crédit Visa, voilà tout ce qu'il avait pour faire face aux prochains jours. Pour le billet d'avion... La bonté de sa propriétaire lui avait tiré les larmes des yeux, quand elle lui avait dit de ne pas s'inquiéter, qu'elle se chargeait de son billet aller et retour.

« Mais il va me falloir un temps fou pour vous rembourser !

– Mais non, il ne me coûtera rien, avait-elle répondu, lui expliquant que ses colocataires lui avaient fait part de sa situation. J'ai accumulé des tas d'heures de vol gratuites, Martin, comme tous ceux qui voyagent souvent, et je n'ai pas le temps de les utiliser. Ce n'est pas une bien grande affaire. »

Elle n'avait pu lui trouver qu'une place en liste d'attente pour le premier vol pour Londres et il s'approcha de nouveau du comptoir ; il attendit sagement de côté, pendant que l'agent de service finissait de mettre son ordinateur en route avant de procéder à l'embarquement.

« Excusez-moi, je...

– Je ne suis pas encore prête, monsieur. Je vais faire une annonce. Asseyez-vous, s'il vous plaît.

– Vous comprenez, je suis en liste d'attente et je m'inquiète de...

– MONSIEUR ! Je vous ai dit de bien vouloir vous asseoir. Je ferai une annonce quand je serai prête. D'accord ?

– D'accord. » Faisant demi-tour, Martin se rendit jusqu'à une cabine téléphonique libre. Son appel alla bien jusqu'au petit magasin que fréquentait sa mère, mais personne ne décrocha.

Il ferma de nouveau les yeux, essayant de se convaincre qu'elle avait eu une bonne raison de quitter sa maison. Peut-être avait-elle eu envie d'aller en train jusqu'au Cap... mais il n'y croyait pas lui-même. Elle avait peur des voyages, et sa vue était devenue tellement mauvaise qu'elle avait parfois du mal à se déplacer dans son propre domicile sans buter contre les choses.

Et il y avait le cadenas.

Elle avait eu des ennuis avec son propriétaire. Il y avait un an, l'homme ayant menacé de la mettre à la porte, Martin avait pris un petit boulot de plus, sur le campus, pour lui envoyer de l'argent et régler le problème. Le proprio l'aurait-il mise dehors, aurait-il posé lui-même le cadenas ? Sûrement pas.

Mais lorsqu'il avait tout envisagé, la situation se réduisait à ce simple fait : une femme qui n'avait pas quitté une seule fois son village en trente ans avait soudain disparu, et sa maison était fermée par un cadenas

Le front plissé d'angoisse, Martin retourna à sa place, remarquant à peine la femme qui lui avait si gentiment parlé quelques instants auparavant.

Celle-ci l'observait toujours, cependant et, lorsque leurs regards se croisèrent, il réussit à s'arracher un sourire – un exploit, quand on avait le cœur aussi gros. Elle devait avoir un peu plus de trente ans ; très grande, elle portait une tenue élégante et soignée et un maquillage très discret. Ses cheveux sable retombaient jusque sur ses épaules. Pas vraiment belle, se dit-il, mais un beau brin de femme caucasienne.

« Vous allez à Londres ? demanda-t-elle.

– Non, au Cap », répondit Martin, qui, malgré lui, se lança dans des explications sur les raisons de son voyage. Il s'arrêta court quelques minutes plus tard, lorsqu'il se rendit compte qu'il s'était égaré dans sa propre anxiété.

« Vous la croyez toujours chez elle, c'est ça ? demanda la femme. Vous avez peur qu'il lui soit arrivé quelque chose et je vous comprends, mais je suis sûre qu'elle va bien. »

Il la regarda dans les yeux et y découvrit une chaleur qui commença à amollir ses défenses, la libérant d'une partie de la peur qui l'étreignait et du sentiment de déréliction dans lequel il était enfermé ; les larmes lui montèrent aux yeux, en dépit des efforts qu'il fit pour se montrer fort, solide, à la hauteur de l'étudiant boursier de vingt et un ans qui collectionnait les meilleurs notes à la Northwestern University et dont sa mère était si fière. Il évoqua fugitivement les cours qu'il manquait. Il fallait cependant qu'il retourne chez lui, et vite. Il ne pouvait penser à autre chose, pour le moment. Il rattraperait ses cours plus tard.

À quelques mètres de là, Jimmy Roberts vérifia son billet, changea son sac à dos d'épaule et leva les yeux vers le numéro, au-dessus de la porte d'embarquement. Les odeurs de nourriture en provenance d'un fast-food aux tarifs exorbitants l'agaçaient ; il avait faim, mais jusqu'ici rien de ce qu'on proposait dans le terminal ne l'avait tenté, surtout aux prix qu'ils pratiquaient.

« C'est bien ça, Jimmy ? » lui demanda sa femme, voulant poser son fourre-tout sur le sol mais y renonçant, tant celui-ci était crasseux. Elle repassa la sangle à son épaule.

« Oui, ma chérie, je crois. B-33. »

La voix trop amplifiée d'un agent d'embarquement se mit à tonner dans les haut-parleurs et grommela un message indéchiffrable, faisant disparaître un moment la musique d'ascenseur qui servait de fond sonore.

« Quelle file d'attente, observa Brenda en regardant en direction du comptoir d'embarquement.

– Eh bien, tu n'as qu'à essayer de trouver deux sièges libres, pendant que je ferai la queue. »

Elle regarda autour d'elle, confirmant son impression initiale. « Il n'y en a pas, mon chéri. Je vais rester avec toi, comme ça je suis sûre que tu ne te feras pas draguer. »

Jimmy se tourna vers sa femme. Ce n'était pas lui qui risquait de se faire draguer, mais elle. Il ne put s'empêcher de sourire. Elle était tellement belle ! Grande, blonde, faite au tour, le corps moulé par son jean... Il avait conscience que tous les mâles dont elle croisait le chemin la reluquaient ; c'était une vraie batterie de radars de poursuite qui suivait sa progression. Tant qu'ils gardaient leurs distances, l'intérêt que ces messieurs portaient à sa compagne restait amusant et flatteur pour Jimmy.

Dieu tout-puissant, quelle chance j'ai, tout de même ! se dit-il pour la millième fois. La chance d'avoir une telle femme pour épouse et amante, la chance incroyable qu'elle fût une fana des concours et des loteries (petit travers pour lequel il

38

n'avait pas manqué de la taquiner), jusqu'au jour où une lettre recommandée leur était arrivée, disant qu'ils avaient gagné un voyage pour deux personnes sur Meridian Airlines pour la destination de leur choix – n'importe où dans le monde.

« Et pourquoi l'Afrique du Sud ? lui avait demandé Jimmy, une fois la surprise passée et la décision prise par Brenda.

– Parce que je n'y suis jamais allée, parce que j'avais un oncle là-bas, dans le temps, parce que j'ai envie de voir ce pays, parce que...

– D'accord, d'accord, d'accord ! avait-il répondu en gloussant de rire. Nous irons en Afrique du Sud. Bon sang ! Le seul endroit où je suis allé en touriste, c'est Dallas. Et une fois seulement. L'Afrique du Sud, ça t'a une autre allure ! »

Le vol Dallas-Chicago avait été excitant. Ils n'avaient pris l'avion qu'une seule fois, jusqu'ici, un vol de Southwest pour se rendre à El Paso assister à un enterrement. Ils y avaient laissé presque toutes leurs maigres économies. Meridian, c'était différent, se disait Brenda. On y servait de vrais repas et non pas une poignée de cacahuètes ; mais le personnel de cabine paraissait distant et de mauvaise humeur. Rien à voir avec celui de Southwest, une bande de braves gars et filles plus amicaux les uns que les autres, et qui s'amusaient bien, comme l'avait remarqué Jimmy.

« Je devrais appeler Roy et voir si tout va bien », dit soudain Jimmy. Brenda reconnut son expression. Ils gagnaient laborieusement leur vie en tenant un garage de réparations automobiles à la périphérie de Midland, et le frère de Jimmy avait accepté de surveiller les choses pendant les quinze jours du voyage. L'idée de confier sa petite entreprise à d'autres mains que les siennes avait terrifié Jimmy, mais son frère possédait un diplôme commercial et devait être capable de gérer la boutique, même s'il allait avoir du mal avec les mécaniciens.

« Fiche donc la paix à ton frangin, mon chou. Il s'en sortira très bien tout seul.

– Il va probablement tous les ficher à la porte quand il se rendra compte à quel point mes gars sont bizarres. C'est une vraie bande de barjots, Brenda. » Il lui indiqua un panneau, au-dessus de leurs têtes. « Tu ne veux pas essayer les toilettes ? » Elle avait battu en retraite, grimaçant de dégoût, devant la saleté qui régnait dans les précédentes où elle s'était risquée.

« Non, je peux tenir, répondit-elle. Tu n'imagines pas à quel point elles étaient dégoûtantes. J'ai vu des cabanes de fond de jardin moins répugnantes.

– C'est tout l'endroit qui est dégoûtant. » Il recula d'un pas pour laisser passer un porteur qui poussait un passager cloué sur un fauteuil roulant.

Il y eut une soudaine agitation au milieu du hall ; Jimmy vit deux hommes de la police de l'air qui couraient, poursuivant un gibier invisible.

Ils se rapprochèrent lentement du comptoir, jusqu'à ce qu'il n'y ait plus que deux personnes devant eux. Une voix tonnante de femme, au ton peu amène, attira l'attention de Jimmy ; il constata avec surprise que c'était l'agent d'embarquement s'adressant à une cliente.

« Vous n'êtes pas sur ce vol, madame. D'accord ? *D'accord ?* Quand je vous dis *pas de réservation,* qu'est-ce que vous ne comprenez pas là-dedans ? »

La passagère, un tout petit bout de femme habillé d'un tailleur strict, tenait un ordinateur portable dans son étui et devait presque se mettre sur la pointe des pieds pour regarder sur le comptoir. Elle devait mesurer un mètre quarante-cinq, un mètre cinquante tout au plus, se dit Jimmy.

« Écoutez, il y est forcément », répondit la femme d'une voix si douce que Jimmy dut tendre l'oreille.

« Votre nom, déjà ? » demanda l'employée, fronçant le sourcil lorsqu'elle jeta un coup d'œil à la longue file des passagers qui devaient patienter à cause de cet avorton de femme.

« Douglas. Sharon Douglas. »

L'employée se mit à pianoter sur le clavier de son ordinateur, puis laissa échapper un soupir bruyant.

« Comme je vous l'ai dit, Ms Douglas, vous n'êtes pas sur ce vol et il ne me reste pas une seule place. L'avion est plein. Si vous voulez bien vous asseoir dans la salle d'attente, je m'occuperai de vous trouver une autre réservation quand l'embarquement sera terminé pour ce vol. »

Pendant ce temps, la petite femme avait fouillé dans son sac. Soudain, elle releva la tête et poussa un morceau de papier plié en direction de l'employée.

« Qu'est-ce que c'est que ça ?

– Mon numéro de confirmation. »

L'agent d'embarquement prit la feuille du bout des doigts, comme si elle était contaminée, jeta un coup d'œil dessus puis la reposa.

« C'est pour une autre date.

– Nous ne sommes pas le 16 ? demanda Sharon Douglas, du même ton paisible.

– Si, madame.

– Alors vous avez mal lu. Veuillez regarder de nouveau, s'il vous plaît. »

Jimmy jeta un coup d'œil à Brenda, laquelle suivait également cet échange, une expression d'ahurissement sur le visage. Elle lui rendit son regard : *Je n'arrive pas à y croire !* semblait-elle dire.

« Heu... vous auriez dû commencer par me montrer ça.

– Je vous ai donné le numéro de confirmation. C'est tout ce que doit faire un passager, avec un billet électronique. Ce papier est la preuve que j'ai bien confirmé mon vol pour Londres, siège 14-C. J'attends que vous me donniez ma carte d'embarquement.

– Eh bien, Ms Douglas, on ne peut pas toujours avoir ce que l'on veut. Ce siège a déjà été attribué. »

La femme secoua légèrement la tête, comme si elle essayait de chasser l'impression grandissante d'avoir débarqué dans un univers étranger. « Vous voulez que je vous dise ? En fait, j'ai la nette impression que vous ne m'écoutez pas. Je veux voir votre supérieur hiérarchique. »

La femme secoua la tête. « Il n'a pas le temps de venir ici.

– Ce n'est pas une demande ; c'est une instruction que je vous donne. Appelez votre supérieur hiérarchique. Je connais le règlement de votre compagnie, et vous n'avez pas le droit de refuser lorsqu'on vous présente cette requête.

– Appelez-le donc vous-même, ricana l'agent. Je ne suis pas payée pour écouter des gens grossiers.

– Ai-je été grossière ? » Sharon Douglas resta quelques instants bouche bée, face au culot qu'il fallait avoir pour accuser quelqu'un, qui de plus est un client, du comportement qu'on avait soi-même. « Écoutez-moi, reprit-elle. Écoutez-moi bien. C'est votre boulot que vous risquez de perdre, en ce moment. Vous n'avez pas le droit de refuser. *Appelez votre supérieur hiérarchique !* »

L'employée se pencha vers Sharon Douglas, grimaçante, les yeux écarquillés par une expression moqueuse. « Mais *je* refuse, vous m'entendez ? Je n'appellerai pas mon supérieur ; et en outre, madame, si vous essayez une fois de plus de m'en donner l'ordre, vous devrez quitter la file d'attente. Oh, et quand vous ferez votre petite lettre pour vous plaindre, tâchez au moins d'écrire mon nom correctement. » Elle tripota son badge et le tendit avec mépris. À ce moment-là, le passager suivant – un homme de haute taille en costume trois-pièces – s'avança brusquement et abattit la main sur le comptoir.

L'employée se tourna vers lui, rouge de colère. « Qu'est-ce que vous voulez, vous ?

– Que croyez-vous qu'il va arriver, demanda l'homme sans élever la voix, quand le président de votre compagnie, sans même parler de votre supérieur, découvrira que vous avez traité un VIP comme vous venez de traiter cette dame ?

– Occupez-vous de vos affaires, monsieur ! »

L'homme ignora cette réplique. « Et que pensez-vous qu'il arrivera à votre emploi, si la très importante personne que vous venez de rembarrer de cette façon s'avère être, par exemple, la présidente du Sous-Comité à l'aviation civile du Sénat américain, une sénatrice qui, il y a quelques années, a consenti à votre industrie un cadeau de plusieurs milliards de dollars d'argent public ? »

Sharon Douglas posa la main sur le bras de l'homme, comme pour le retenir. « Ne vous inquiétez pas. Ça va aller.

– Et vous, monsieur, qui êtes-vous ? ragea l'employée. Un ami intime de notre président, comme tout le monde ? Ou peut-être même un sénateur ?

– Non, madame, répondit l'homme avec un geste vers Sharon Douglas. Je ne suis pas sénateur. Mais cette dame *est* sénatrice. Il se trouve que la personne que vous venez d'insulter est la doyenne des sénateurs de l'Illinois. »

L'expression de la femme passa d'arrogante à confuse, de confuse à prudente et de prudente à inquiète, au fur et à mesure que l'homme parlait. « Et avant que vous ne vous répandiez en excuses bien tardives, je vous suggère d'appeler votre supérieur, et plus vite que ça, comme vous l'a ordonné la sénatrice Douglas.

– Vous... vous êtes réellement sénatrice ? »

Sharon Douglas acquiesça. « Oui, mais ça ne devrait faire aucune différence. Vous ne devriez traiter personne comme vous venez de me traiter. Et maintenant, j'aimerais avoir ma carte d'embarquement. »

Le passager qui avait pris fait et cause pour elle s'était tourné pour regarder les personnes de la file d'attente, acquiesçant à ce que disait Jimmy, parlant haut et clair : « Madame la sénatrice, voici comment nous traitent tous les jours les compagnies aériennes. On nous a suppliés de reprendre l'avion il y a quelques années, et nous l'avons fait ; et à présent, ils se sont remis à nous traiter comme de la merde.

– La démonstration a été tout à fait impressionnante », admit Sharon Douglas, tout en regardant l'agent d'embarquement qui, les yeux écarquillés, tripotait son téléphone et ne savait plus où donner de la tête.

En quelques secondes, les talkies-walkies bourdonnaient de partout dans le terminal, tandis que plusieurs personnages à veste rouge convergeaient vers le B-33.

5

Le capitaine Phil Knight fit coulisser la porte-fenêtre donnant sur le patio, et quitta la fraîcheur de l'appartement cli-
matisé de son ami pour la chaleur suffocante de cette fin
d'après-midi à Londres. Les fleurs embaumaient l'air de leur
parfum, mais il n'y connaissait rien en horticulture. Il se
contenta de noter les délicieuses senteurs en passant, tout
en sirotant son daïquiri givré et en étudiant les cohortes de
cumulus qui flottaient paresseusement au-dessus de sa tête.
Il n'avait pas de mal à comprendre qu'on aimât jouir d'un
tel lieu, songea-t-il tout en parcourant des yeux le petit jardin
verdoyant, admirablement entretenu, qu'entourait un mur
de parpaings de deux mètres cinquante de haut, ce qui le
rendait on ne peut plus privé. Ou du moins, que quelqu'un
d'autre que lui l'aimât. Depuis son arrivée, il devait lutter
contre l'envie de présenter ses excuses pour le dîner et de
retourner se tapir dans son hôtel, près de Heathrow.

Phil se tourna, soulagé de voir que Glenn Thomasson était
toujours en conversation téléphonique avec son lointain correspondant, se tenant droit comme un I dans sa cuisine.

Le capitaine Thomasson était un hôte attentif, et il n'aurait
rien fait qui aurait pu mettre son collègue beaucoup plus
jeune mal à l'aise ou lui donner l'impression d'être un intrus.

Phil, cependant, ne pouvait s'empêcher de se sentir de trop. Le pire étant qu'il n'avait aucune idée des raisons qu'il avait d'éprouver cela.

Il sourit malgré lui. Thomasson était un réservoir inépuisable d'histoires de pilote, de celles qu'on raconte mains en l'air pour mimer la formation, et c'était un conteur-né, même si ses récits étaient fortement enjolivés. Le pilote britannique avait passé trente-huit ans dans des cockpits et comptait plus de vingt-huit mille heures de vol, comme copilote et ensuite commandant de bord sur 747 à la BOAC, puis chez son successeur, British Airways. Âgé de soixante-six ans, robuste et chaleureux, ce divorcé ne manquait jamais de proclamer son indépendance vis-à-vis des femmes, une pétition de principe sur laquelle Phil éprouvait les plus grands doutes.

Phil Knight avait déjà dîné une fois en compagnie de l'ancien pilote de la British Airways, et il gardait le souvenir d'une agréable soirée dans un club du centre de Londres tout en cuir et bois sombres. Ils avaient échangé des histoires d'aviation et de pêche, sur fond de cigares et de vieux brandy, avant que Thomasson ne le ramène à son hôtel.

Mais ici, c'était différent. Peut-être à cause de toutes les plaques et photos, sur les murs, témoignant des années apparemment sans nuages où son hôte avait été pilote de ligne, qui mettaient Phil mal à l'aise. Ou peut-être que ce qui le troublait le plus était l'impression très nette qu'à aucun moment, au cours des trente-huit années passées, le capitaine Glenn Thomasson n'avait douté un seul instant de ses aptitudes de pilote.

Trait de caractère que Phil admirait au plus haut point.

Un bruit de puissants réacteurs gronda au-dessus de la maison, et Phil, se tournant vers le sud, eut le temps d'apercevoir un Airbus 340 qui venait de décoller. Le gros quadrimoteur montait lentement, lourdement chargé de passagers et de carburant, de toute évidence en partance pour une destination lointaine. Dans le cockpit se trouvait deux pilotes pour lesquels les arcanes complexes des vols internationaux étaient une seconde nature, une équipe qui n'avait pas de mal à comprendre les accents les plus divers, à déchiffrer les règlements internationaux, et qui n'ignorait rien des combines secrètes pour rester en sécurité au-dessus du continent africain en se bricolant son propre service de navigation aérienne. Phil éprouva une pointe d'envie teintée d'un peu de regret. Il devait être agréable de se sentir aussi bien préparé, aussi compétent. Si Meridian lui avait seulement laissé entendre qu'il avait besoin d'autant de connaissances supplémentaires pour prétendre aux vols intercontinentaux, peut-être aurait-il pris une décision différente.

Un frisson lui parcourut le dos et il sentit son estomac se contracter sous une nouvelle poussée acide. Les problèmes de digestion étaient une partie du prix à payer pour avoir voulu voler sur les routes internationales de Meridian en tant que commandant de bord de 747. Il était en train de se fabriquer un énorme ulcère, mais c'était un sujet qu'il n'était pas question d'aborder avec un autre être humain, et avec un pilote moins qu'un autre.

Il consulta sa montre. *Dix-huit heures trente. Il est midi passé à Chicago. Cela me laisse onze heures,* se dit-il. *Onze heures avant le départ, onze heures avant que l'angoisse ne s'installe à nouveau.*

Le vol qu'il devait assurer de Londres au Cap, en Afrique du Sud, arriverait en principe de Chicago à deux heures trente du matin. Cela signifiait un réveil à trois heures et pas le temps de manger quoi que ce soit avant d'être en salle d'exploitation, à quatre heures. À ce moment-là, les équipes au sol de Heathrow seraient déjà en train de préparer son Boeing 747-400, lequel allait prendre le numéro de vol 6, tandis que le 777 qui l'avait utilisé depuis Chicago repartirait vers les États-Unis avec le numéro de vol 5. Le départ pour Le Cap devait avoir lieu peu après cinq heures.

Un autre frisson, prolongé celui-ci.

Phil se tourna à nouveau pour voir où en était son hôte, mais celui-ci pérorait toujours au téléphone ; il faisait de grands gestes et la conversation paraissait animée. Phil retourna dans le séjour et referma la porte coulissante derrière lui. La climatisation était agréable et il se laissa tomber dans un gros fauteuil, les yeux toujours perdus sur le ciel lointain et se tendant inconsciemment à l'idée de son prochain vol. Tel le fantôme dickensien de Marley trimbalant des chaînes stratosphériques, l'angoisse venait le hanter parce qu'il avait laissé son avidité l'entraîner dans une dangereuse expérience.

Il consulta une fois de plus sa montre. Le vol 6 devait s'apprêter à quitter Chicago. Il se représentait les pilotes arrivant de leur domicile et préparant le vol dans la salle d'exploitation de Meridian, comme il l'avait lui-même fait deux jours auparavant. La traversée de l'océan serait facile pour eux ; ne les attendait rien de plus compliqué qu'un accent canadien ou britannique, parmi la fraternité des contrôleurs aériens qui surveillaient attentivement les routes aériennes de l'Atlantique Nord. Rien à voir avec le défi auquel il allait devoir faire face, *lui* – l'aspect de son travail qui lui donnait des crampes d'estomac et des maux de tête. L'espace aérien africain était autant une jungle que certaines des régions qu'il survolerait, du côté de l'équateur. Chaque pays tenait mordicus à avoir sa propre version du contrôle aérien, afin de pouvoir taxer les compagnies, mais les équipements, les formations et les procédures différaient considérablement, ce qui les rendait dangereuses. Sans aucun rapport avec ce qui se passait aux États-Unis ou en Europe. Même lorsque Phil arrivait à comprendre l'espèce de sabir qu'on lui parlait, même quand les contrôleurs prenaient la peine de répondre aux appels radio, le « système » n'était absolument pas fiable ; si bien que les pilotes amenés à survoler l'Afrique avaient mis au point leurs propres procédures officieuses en matière de contrôle du trafic aérien, en signalant en permanence leur position et en se parlant les uns aux autres sur des fréquences communes, dans ce qui était parfois un effort désespéré pour éviter d'entrer en collision.

Et il y avait, bien entendu, des règles non écrites pour ces procédures de contacts radio en vol. Garth Abbott, son copilote, les maîtrisait parfaitement et connaissait les fréquences par cœur. Meridian, cependant, n'avait pas pris la peine d'en informer Phil comme il convenait.

Il sentit que sa main tremblait légèrement, et il dut faire un effort pour la contrôler. Être vu par Thomasson le regard perdu et l'air bouleversé était bien la dernière chose qu'il désirait.

6

Chuck Levy serra un peu plus fort la main de sa femme et essaya de se concentrer sur l'épreuve qui les attendait, mais le coup de téléphone ne cessait de repasser dans sa tête. La voix du médecin urgentiste, appelant de Zurich, qui lui disait que sa fille, grièvement blessée dans un accident de voiture, était entre la vie et la mort.

« Pouvez-vous me redire qui vous êtes ? avait-il réussi à articuler.

– Dr Alfred Knof. Venez le plus vite possible à Zurich. Nous faisons tout ce qui est en notre pouvoir, mais je crains malheureusement qu'il ne lui reste guère de temps. »

Un camion lourdement chargé avait pulvérisé la voiture de location de Janna, et le résultat était terrifiant.

Anna, sa femme, s'était assise toute droite à côté de lui dans le lit.

Chuck secoua la tête pour chasser ce souvenir. Ils étaient à moins d'un mille du terminal, et le chauffeur de taxi lui demandait le nom de la compagnie aérienne avec un accent tellement déformé par sa langue natale que Chuck dut faire un effort pour comprendre.

« Oh, Meridian Airlines.

– Madidiam ?

48

« – Me-ri-dian. Meridian. Vous comprenez ?

– Oui, oui. Madidiam. »

Il acquiesça. Il y avait trop de choses à régler à la fois, et l'écrasante nouvelle, s'ajoutant aux efforts qu'il avait fallu déployer pour trouver un vol qui les conduirait à l'autre bout du monde ou presque, produisait sur lui le même effet que la description d'une crise d'asthme faite par un de ses amis : l'impression d'avoir un éléphant sur la poitrine.

Il jeta un coup d'œil à Anna. Elle lui serrait tellement la main que ses ongles lui entraient dans la chair et le faisaient saigner. Elle gardait les yeux fermés. Elle tremblait de peur à l'idée du terrible destin de leur unique enfant. Le même éléphant, assis sur tous les deux.

Essaie de réfléchir ! s'intima-t-il. Il avait passé deux heures pendu au téléphone, confronté à des agents de réservations incompétents et je-m'en-foutistes, après être resté cinquante minutes en ligne à écouter leur même musique stupide, et il n'en pouvait plus. Pas de tarifs spéciaux, des avions bondés, des horaires délirants, pas de place et pas la moindre bonne volonté : on aurait dit qu'ils ne savaient que pianoter sur leur clavier d'ordinateur, à l'autre bout du fil. Tout cela avait contribué à faire de cette expérience une vraie torture, en particulier parce qu'elle occupait leur seule ligne téléphonique. Il aurait dû s'offrir l'option « *mise en attente* », se reprocha-t-il. Il avait appelé Zurich trois fois entre deux tentatives auprès des compagnies aériennes, par peur d'avoir manqué un appel du Dr Knof.

Mais rien n'avait changé. Janna n'avait plus qu'un souffle de vie, et le pronostic était sinistre.

Il fallait réfléchir posément.

Bon, d'accord. Deux sacs de voyage. Il faudra faire la queue, prendre les billets, enregistrer les bagages, aller jusqu'à la bonne porte. Bien s'assurer que les bagages sont expédiés à Zurich – mais au fait, est-ce que c'est sur Meridian ou Swissair qu'on embarque à Londres ? Il y avait eu tellement de tentatives et de combinaisons proposées, pour des vols pratiquement tous surbookés, qu'il ne se rappelait plus lequel, en fin de compte, ils avaient confirmé.

Les passeports ? Oui, on les a tous les deux. Grâce au ciel, je les avais fait renouveler l'année dernière. De l'argent liquide ? Non. Faudra trouver un distributeur. Avant le passage en zone sécurisée, ou après ? Si je me plante et que c'est avant, je devrai repasser par le contrôle et ça prendra trop de temps. Le faire à Londres.

Ça devenait serré, très serré. Il fallait tout faire, et dans l'ordre – c'était essentiel, dans l'ordre. Ils étaient déjà en retard pour le vol d'une heure trente pour Londres.

Déprimant, se dit Chuck, le nombre d'étapes que les compagnies aériennes (Meridian, en particulier) vous faisaient franchir, tout ça pour vendre leur produit, même après les injonctions fédérales, même après le quasi-coma qu'elles avaient connu à la suite des attaques sur New York et Washington, quand les passagers annulaient par centaines. Il avait passé sa vie professionnelle dans la vente, réussissant même très bien ; mais s'il avait eu une attitude de ce genre avec ses clients, il serait mort de faim à vingt-cinq ans.

Et les frais ! Près de cinq mille dollars pour deux aller et retour pris en dernière minute. Ce n'était pas dans leurs moyens, pas du tout, mais ils n'avaient pas eu le temps de négocier ailleurs. Chuck ne savait pas encore comment il honorerait la facture d'American Express. La compagnie les avait littéralement rançonnés, c'était de l'escroquerie. Ah, vous voulez voir votre fille avant qu'elle ne meure ? Aboulez la monnaie pendant que nous tenons vos deux cœurs en otage.

« Ma fille est sur le point de mourir. Il n'y a pas un tarif spécial pour ce genre de catastrophe ? avait-il demandé, sous le choc. Je... j'ai entendu dire qu'il y en avait pour des situations similaires.

– Oh, ouais, avait répondu l'agent des réservations une femme. Vous faites allusions aux anciens tarifs spéciaux pour cause de deuil. Mais ce n'était qu'en cas de décès de la personne et cela fait longtemps qu'ils ont été supprimés des vols internationaux. Après tout, monsieur, notre raison d'être est de gagner de l'argent. »

Le terminal d'O'Hare se dressait à présent devant eux et le taxi ralentissait. Chuck se tourna vers Anna et lui serra la main. « Nous sommes à l'aéroport, ma chérie », dit-il.

Elle lui répondit en l'étreignant un peu plus fort, les yeux fermés, mais pas assez fort pour empêcher le flot régulier de ses larmes de couler.

Dans le cockpit du vol 6 de Meridian pour Londres, le commandant de bord du Boeing 777 griffonna une note sur son carnet, enleva ses écouteurs et arracha la feuille, qu'il tendit à son copilote.

« Qu'est-ce que c'est ? demanda ce dernier, qui observait le point d'embarquement de la porte B-33, visible d'où il était à travers les parois vitrées.

— Comme d'habitude. De la SEP[1]. Départ prévu à treize heures trente, sauf que nous allons poireauter à l'embarquement au moins une heure. Et qu'il y a ce front orageux qui se rapproche.

— Il vous faut un état des horaires de travail de l'équipage, c'est ça ?

— Tout juste. À partir de quand nos efforts deviennent-ils vains ? Quel retard pouvons-nous tolérer en bout de piste sans arriver à Londres en ayant violé le règlement sur le temps maximum ?

— Vous avez envie de les mettre sur le gril ? Tout de suite ? »

Le commandant haussa les épaules. « Si nous ne respectons pas le règlement, ce n'est pas Meridian qui nous y obligera. »

Le copilote eut un reniflement. « Sans déconner, Sherlock. Ils seraient capables de nous enchaîner au manche à balai, si la FAA les laissait faire.

— Cela vous embêterait-il de vous occuper de l'annonce aux passagers ? »

Le copilote le regarda, une expression d'incrédulité sur le visage. « Un peu que ça m'embêterait. J'ai horreur de faire ça.

— Eh bien... moi aussi. Mais ils vont commencer à grimper aux rideaux si on ne leur parle pas, et étant donné que votre commandant refuse et qu'il n'y a pas d'ingénieur de vol, je me disais...

— Commandant, je crois que vous me confondez avec quelqu'un qui ne s'en ficherait pas.

— D'accord, admit Phil Knight avec un soupir. Je leur parlerai en vol. Je ne tiens pas à les exciter.

— Trop tard. Ils sont nés excités, et en plus nos merveilleux

---

1. Salle d'exploitation opérationnelle.

agents commerciaux font de leur mieux pour en rajouter une couche. Attendez un peu qu'ils goûtent au repas qu'on doit leur servir. »

Le commandant jeta un regard perplexe à son copilote. « On serait un peu amer aujourd'hui, Jeff ?

— Vous vous en êtes aperçu ? Fantastique ! Hier j'avais juste perdu mes illusions. Aujourd'hui, je suis carrément d'humeur massacrante. »

7

Au-dessus de l'Atlantique, à bord du vol 12 Boston-Londres
de Virgin Airlines

Un calme relatif s'était finalement instauré dans l'office des premières classes, tandis que l'Airbus A-340 franchissait, à trente-sept mille pieds d'altitude, le point marquant le milieu de son itinéraire entre Boston et Londres. Après avoir servi un dîner somptueux, arrosé d'excellents vins servis à volonté, le personnel de cabine dont la tâche était de veiller au bien-être des passagers les plus importants de Virgin avait fini de tout ranger et nettoyer et s'octroyait un peu de repos.

Il ne serait pas très long. Le service du petit déjeuner devait commencer dans deux heures.

L'agréable tranquillité d'un avion de ligne croisant à haute altitude les affectait tous, et le grondement audible des moteurs, neutre et sourd, créait un fond sonore à l'effet séda-tif ; le contraste fut d'autant plus violent lorsqu'un homme, visiblement en proie à une grande détresse, fit irruption dans le minuscule local.

« Mademoiselle ! Mademoiselle ! »

Les trois hôtesses sursautèrent et se tournèrent aussitôt vers le passager au regard fou ; il s'était arrêté et montrait la première classe, par-dessus son épaule.

L'une des femmes s'approcha alors de lui. « Qu'est-ce qui se passe, monsieur ?

« – Votre trousse de première urgence, vite ! Où est-elle ? Ma... ma... »

Il regarda autour de lui, désemparé, fit demi-tour et se précipita le long de l'allée, l'hôtesse sur ses talons.

« Qu'est-ce qui se passe ? » demanda-t-elle en voyant surgir une de ses collègues.

Le Dr Brian Logan se déplaçait rapidement, s'arrêtant à hauteur de chaque rangée de sièges, ses yeux explorant le plancher à toute vitesse. « Elle est... où est-elle ? OÙ EST-ELLE ? »

La chef de cabine le prit par les épaules et essaya de l'obliger à se tourner.

« Monsieur ! MONSIEUR ! Calmez-vous, s'il vous plaît, calmez-vous ! Dites-moi ce qui vous arrive. »

Logan se redressa et se tourna de lui-même, cillant rapidement comme s'il avait du mal à accommoder son regard sur la femme en uniforme qui se tenait devant lui. Elle vit qu'il reprenait ses esprits ; ses épaules s'affaissèrent et il baissa la tête. « Oh, mon Dieu... »

L'hôtesse reprit, d'une voix plus douce : « Si vous me disiez ce qui ne va pas, monsieur ? »

Une troisième hôtesse arriva derrière le petit groupe ; elle tenait la liste des passagers à la main et murmura à l'oreille de sa supérieure : « Il s'appelle Brian Logan. Il est médecin. »

La chef de cabine acquiesça, sans toutefois quitter des yeux l'homme à la mine défaite qui pleurait doucement, à présent.

« Dr Logan ? Pouvez-vous vous asseoir et me dire ce qui ne va pas, maintenant ? »

Il répondit d'un hochement de tête et se laissa reconduire jusqu'à son siège ; la chef de cabine s'agenouilla à côté de lui, dans l'allée, le tenant toujours par le bras.

« Je suis désolé. C'était... un cauchemar très réaliste, je suppose.

– Ce sont des choses qui arrivent.

– Je croyais que ma femme était à bord... et avait un problème médical grave... et...

– Je comprends.

– Où suis-je ? Oh, je sais que nous volons vers Londres, mais...

– Nous devons atterrir dans trois heures à Heathrow, docteur. Vous y êtes attendu par quelqu'un ? »

Il secoua lentement la tête, le regard perdu loin, très loin.

8

Le colonel David Byrd accéléra le pas pour rester à hauteur du général James Overmeyer. Après avoir descendu un escalier, ils se dirigeaient vers l'entrée nord du Pentagone. Le briefing des deux agences de renseignements avait pris près d'une heure, mais Byrd n'avait pas eu le temps d'en parler à son supérieur. Le général était réapparu juste le temps de lâcher une volée d'instructions à sa secrétaire puis d'ordonner au colonel de le suivre.

« Nous allons à Andrews. J'ai pu obtenir du 89ᵉ qu'ils me préparent un Gulfstream pour aller à Hurlburt.

— Nous allons à la base de l'Air Force à Hurlburt ? s'étonna David tandis qu'ils se dirigeaient vers une voiture de service.

— Non. Moi seul vais à Hurlburt pour traiter un problème d'opération spéciale. Vous m'accompagnez simplement à Andrews pour que nous ayons le temps de parler. Après quoi, le chauffeur pourra vous conduire où bon vous semblera... dans une limite raisonnable, s'entend. À votre appartement, chez votre maîtresse, à votre église, ce qui vous branche.

— Je n'ai pas de maîtresse, monsieur. »

Le général lui adressa un sourire par-dessus son épaule, puis salua d'un signe de tête le chauffeur qui tenait déjà la portière ouverte. « Moi non plus. Je ne sais pourquoi, cette seule idée irrite ma femme. Elle doit sans doute violer quelques-uns de ses principes. »

Le chauffeur accéléra en douceur pour se glisser dans la circulation, et Overmeyer se tourna vers David. « Alors, que pensez-vous de ce briefing ?

— À mon avis, mon général, Mr Monson et Mr Smith ont passé un peu trop de temps dans des salles obscures. Certes, je sais bien qu'ils ont été débordés de travail depuis les attaques...

— Autrement dit, nous sommes tous mabouls ? » le coupa Overmeyer.

David secoua la tête, essayant de ne pas se laisser distraire par la vue d'une blonde d'une beauté à couper le souffle, portant une brassière minimaliste, qui roulait à leur hauteur dans une Mercedes décapotable. Il dut faire un effort pour regarder le général.

« Il ne fait pas de doute que nous avons de bonnes raisons de nous inquiéter, et même d'être un peu paranos, sur l'éventualité que l'un des groupes terroristes restants, parmi ceux que nous traquons, passe par les mailles de nos filets et tente d'introduire une bombe ou un agent biologique aux États-Unis – ou n'importe où ailleurs – sous couvert d'un vol commercial banal. Du genre, pas de détournement d'avion, juste l'introduction de la chose en douce dans la soute, ou peut-être même dans la carlingue de l'appareil. Mais, si vous voulez mon opinion, Mr Monson et Mr Smith essaient de mettre en rapport des faits qui n'ont rien à voir.

— Je la veux. Expliquez-vous.

— Très bien. Comment diable pourrait-on monter une opération terroriste fiable, au milieu de la guerre sans frontières que nous leur menons ? Comment pourraient-ils introduire une bombe à bord, en créant une diversion qui s'appuierait sur la manipulation de voyageurs en colère ? Ça ne tient pas debout. Sous ma direction, la FAA étudie depuis un an les épisodes de "rage en vol" chez les passagers ; il ne s'agit donc pas de l'opinion de n'importe qui.

— Bien.

— Cette hypothèse est beaucoup trop aléatoire. Personne ne peut prévoir quand un groupe de passagers donné va être suffisamment exaspéré pour se laisser manipuler. Et de toute façon, que diable pourraient-ils les convaincre de faire ? »

Le général acquiesça.

« Dois-je continuer ? demanda David.

– Vous détestez les blancs, n'est-ce pas, David ?

– Monsieur ?

– Les blancs. J'ai été DJ radio à temps partiel en terminale, au début des années soixante, et c'est une vieille expression de radio. Quand un silence se produit pendant l'émission parce que vous ne savez plus quoi dire, c'est un blanc... et un blanc, c'est angoissant. Les directeurs de programme les ont en sainte horreur.

– Je n'ai jamais été DJ.

– Non, mais vous détestez tout de même les blancs. Comme la plupart des gens. Oui, David, continuez. Vous pensez qu'ils se font des idées.

– Exactement. On peut bien concocter toutes sortes d'éventualités farfelues, mais la *possibilité* que des cellules terroristes restantes, disposant d'assez de savoir-faire et d'argent... après tout ce que nous avons fait pour les éradiquer... que ces cellules terroristes puissent manipuler d'une manière ou d'une autre un individu ou un groupe de passagers pour qu'ils créent un incident en vol, incident pouvant être utilisé pour une attaque – ça ne tient pas debout. C'est un cheval de Troie qu'ils cherchent, mon général, et ce n'est pas de cette façon qu'on en fabrique un.

– Je suis d'accord.

– Ah bon ? Mais vous m'avez dit que vous m'aviez assigné cette mission pour...

– Non. Je vous ai assigné cette mission parce que d'une manière générale je devais une fleur à l'administratrice de la FAA, et que d'une manière plus précise je sais aussi ce qui se passe lorsque l'agence de renseignements militaires, notre chère DIA, prend langue avec la FAA sur les grandes questions de sécurité aérienne.

– Les questions de renseignements sur le terrorisme, en d'autres termes ?

– Oui. Depuis l'attaque sur le World Trade Center, les types de la FAA ont acquis une forte tendance à s'exciter beaucoup trop et beaucoup trop vite et à perdre leur capacité d'analyse. On ne peut pas leur en vouloir, à vrai dire. Au fait, je suppose que vous n'avez pas oublié que j'ai été le patron de la DIA pendant trois ans ?

57

– Je l'avais oublié, mon général.

– Eh bien, j'ai eu affaire à la FAA au cours de ces trois ans, et j'y ai laissé quelques plumes. C'est pourquoi je vous ai envoyé chez eux. Moi non plus, je n'arrivais pas à voir le rapport, et je savais que vous pourriez me donner une réponse plus intelligente. David, vous allez m'écrire un compte rendu sur ce que vous venez d'entendre. Classez-le top secret, mais réfutez leurs inquiétudes à partir de ce que vous savez. Je pourrais en avoir besoin.

– Pourquoi ? Je veux dire, besoin pour quoi ?

– Parce que je crains que Langley et la DIA soient mal barrés, dans cette affaire. Ils sont quasiment sur le pied de guerre, en alerte rouge, cherchant un cheval de Troie quelque part dans le monde. Ils ont le doigt beaucoup trop près de la gâchette.

– Ce compte rendu, vous le voulez pour hier, j'imagine ? demanda David avec un sourire.

– Bien entendu. Et qu'on ne vous entende plus une seule fois en public sur cette question des passagers au bord de l'émeute. Compris ?

– Oui, mon général.

– Je veux vous faire nommer brigadier général, et j'ai déjà peut-être compromis vos chances en vous envoyant à la FAA au lieu de vous mettre à la tête d'une des escadrilles de combat déployées en Arabie Saoudite. À partir d'aujourd'hui, il faut être prudent avec vous.

– Ce qui signifie que tout ce que je pourrais faire publiquement... »

Overmeyer soupira. « Les membres de la commission des promos n'apprécient pas trop les colonels qui se pavanent sous l'objectif des caméras de télé et vont témoigner devant le Congrès. Vu ?

– Vu.

– Une dernière chose, enfin. » Le général ouvrit son porte-documents et commença à fouiller parmi les papiers qu'il contenait. Il en retira une enveloppe sans marques particulières et la tendit à David. « Vous trouverez là-dedans le nom d'un type et comment le contacter. Vous allez travailler avec lui. Appelez-le dès que vous m'aurez laissé à Andrews.

– C'est pour cette histoire de cheval de Troie ?

– Oui. Il s'appelle John Blaylock. Il a été promu colonel il

58

y a quelques années. Il est actuellement réserviste et c'est un scandale ambulant en termes de tenue, tant il est négligé. Il a passé toute sa carrière à mépriser le règlement sur cette question.

– Il est de nouveau dans l'active ?

– Non, mais il... disons qu'il travaille pas mal pour nous.

– Et pourquoi dois-je le rencontrer, monsieur ?

– Laissez-moi finir. C'est aussi un commandant de bord à la retraite. Il a volé un peu partout dans le monde pour le compte de plusieurs compagnies aériennes, toujours avec l'allure et le comportement de l'affreux jojo amerloque, lui et ses éternels cigares.

– Comme je vous disais, mon général... », commença David sans terminer sa phrase, pris d'un mouvement de recul devant l'image.

Le général leva une main et sourit. « Je sais, je sais, c'est un cas classique de réserviste semi-clochardisé, mais là n'est pas la question. » Overmeyer se tut. David faillit dire quelque chose mais se retint au dernier moment et sourit, attendant patiemment que son supérieur se mette à rire. « Bon, d'accord, d'accord... moi aussi, j'ai horreur des blancs.

– Je vous répète donc ma question, monsieur. Pourquoi un officier supérieur tiré à quatre épingles voudrait-il rencontrer un individu comme ce colonel Blaylock ?

– Parce que pendant trente ans, il a été l'un des meilleurs officiers de renseignements de l'Air Force sur le terrain. Pendant que tout le monde se pinçait le nez rien qu'en évoquant son nom, lui était en opération quelque part et découvrait ce qui se passait – et il était bien le seul. Pérou, Brésil, Colombie, Paraguay, presque toute l'Afrique, l'Asie... Le commandant de bord mal fringué et mal embouché revenait toujours avec exactement ce que nous souhaitions savoir, là où tous nos attachés d'ambassade et toutes les taupes de la CIA et leurs opérations clandestines faisaient chou blanc.

– Intéressant.

– C'est un as, David. Et il connaît le monde des compagnies aériennes. Simplement, ne vous attendez pas à ce qu'il vous fasse des ronds de jambe. Vous pourrez apprendre beaucoup de lui.

– Alors... il ne fait plus partie des cadres de réserve ?

– John ? Bien sûr que si ! Mais c'est de ça qu'il a l'air, d'un type mis sur la touche. John Blaylock est en réalité un homme précieux, une valeur sûre pour le pays, mais tendance bohème, pourvu d'un sens de l'humour très bizarre.

— M'a l'air d'un sacré personnage, mais au moins aurai-je été prévenu.

— Évitez simplement de lui présenter votre femme.

— Je n'en ai pas. Pourquoi ?

— Les femmes sont sa principale faiblesse. Après les cigares, s'entend. Comment un type comme John arrive à les séduire, je n'en ai aucune idée, mais il les a toujours attirées et vous n'imaginez pas ce que nous ont coûté les dégâts qu'il a pu faire. »

9

À bord du vol Meridian 6, bretelle d'accès Charlie,
aéroport O'Hare de Chicago, Illinois
17 h 30, heure locale

L'effet des quatre heures passées à patienter dans un avion surchauffé commençait à se faire sentir sur Karen Davidson. Elle était déjà épuisée, et la vue de son fils ramené jusqu'à elle par un steward de méchante humeur n'arrangea pas les choses. À quatre ans, Billy Davidson n'en pouvait plus de rester coincé sur son siège et avait besoin de bouger. Elle s'était déjà élancée une fois à ses trousses ; mais ce coup-ci, quand il avait repoussé sa ceinture et avait détalé, elle était en train de nourrir sa petite sœur au sein. Il ne lui avait pas été possible de le poursuivre.

Elle avait donc vu le seul agent de bord de sexe masculin agripper Billy sans trop de ménagement et l'escorter jusqu'à sa place d'un pas de sapeur.

Le gamin protesta quand l'homme le fit pirouetter et le mit de force sur son siège, avant de pointer un doigt menaçant sous son nez. « Tu vas me remettre cette ceinture tout de suite, jeune homme, ou j'ouvre la porte et je te jette sur la piste !

— Hé ! Ce ne sont pas des menaces à faire un enfant ! » dit Karen, autant stupéfaite qu'embarrassée.

L'homme se tourna vers elle. « Contrôlez votre fils, madame, et il n'y aura pas besoin de le menacer. »

Chez Karen, la fatigue prit le pas sur la prudence : « Dites, je n'aime pas trop votre attitude. Nous sommes tous fatigués et dégoûtés, et on crève de chaud, ici – mon fils comme les autres. Je ne sais pas pourquoi l'air conditionné ne fonctionne pas, mais c'est un scandale, et en plus vous êtes grossier. Mon fils ne courait pas partout. Il s'est juste un peu éloigné. »

Le steward eut un reniflement de colère et s'agenouilla à côté d'elle, parlant suffisamment fort pour être entendu par les passagers les plus proches. « Ma petite dame, vous entravez le travail d'un membre de l'équipage quand vous me défiez comme ça, figurez-vous. Je pourrais vous faire arrêter pour ne pas vous être soumise à mes ordres. Ceci est un endroit public, pas une crèche. »

Il se leva et s'éloigna, laissant Karen Davidson et les autres passagers complètement sidérés.

À l'arrière de la cabine de la classe éco, l'une des onze hôtesses de bord se tourna lorsqu'elle se sentit tirée par la manche ; elle adressa un sourire à l'homme bien habillé et à la chevelure argentée qui se tenait devant elle.

« Désolé de vous déranger, dit-il, mais il y a bien eu une annonce concernant les téléphones portables et les portes de l'appareil, non ?

– En effet, monsieur. On ne peut les utiliser que lorsque nous sommes au sol et que la porte avant est ouverte, sans quoi ils risquent d'interférer avec le système de navigation de l'appareil.

– Si la porte est fermée, ils interfèrent, mais pas si elle est ouverte ?

– Oui, monsieur. C'est la loi.

– La loi ? Et pour quelle raison la loi dirait-elle cela ? »

Les mains de l'hôtesse montèrent jusqu'à ses hanches. « Parce que les téléphones cellulaires sont dangereux et qu'ils peuvent interférer avec le système de navigation de l'appareil au sol.

– Et... le commandant a besoin de ce système pour trouver le bout de la piste, sans doute ? »

Il y eut quelques petits rires amusés de la part des passagers qui suivaient cet échange, et l'hôtesse comprit que le passager se payait sa tête. « Oui, probablement. Écoutez, il faut que j'y aille.

– Est-ce qu'on vous donne des cours pour vous enseigner ces balivernes ?

– Je vous demande pardon ?

– Vous venez de proférer une absurdité énorme, par totale ignorance de la question. Est-ce qu'on vous vous apprend vraiment à dire ces âneries ?

– Je ne vois pas ce que vous voulez dire, monsieur, je vous ai expliqué ce que dit la loi.

– Ma jeune dame, je suis juriste depuis quarante ans, spécialisé dans le droit des communications, et ingénieur en électronique par-dessus le marché. Il n'y a rien de vrai dans ce que vous avez affirmé. Il ne s'agit pas d'une loi, mais d'un diktat de votre compagnie aérienne. Ce n'est pas un règlement et encore moins une loi. Il n'y a virtuellement aucune chance qu'un téléphone cellulaire interfère au sol avec le système de navigation ultramoderne de cet appareil, ou avec aucun de ses circuits. Et la seule raison pour laquelle on interdit l'usage des portables tient à ce que la FAA n'a pas fait assez d'études pour prouver qu'on peut les utiliser sans danger. Cela n'a rien à voir avec le fait que la porte soit ouverte ou fermée. Et, pour couronner le tout, si jamais ces téléphones présentaient un danger réel comme faire exploser les réservoirs, par exemple, les utiliser au sol et près de la porte serait la chose la plus dangereuse à faire. »

L'hôtesse se tourna sans dire mot et détala aussi vite que possible, tandis qu'une douzaine de passagers hilares se mettaient à applaudir.

Dans l'office des premières classes, Janie Bretsen, la chef de cabine, décrocha l'interphone pour avertir les pilotes de l'agitation grandissante des passagers.

« En plus, commandant, un homme de la classe affaires exige qu'on le débarque. Il veut que vous retourniez au satellite.

– C'est impossible.

– Il ne se sent pas bien.

– Tiens, pardi, comme moi.

– Qu'est-ce que je dois lui dire ?

63

– Que nous avons plus de trois cents passagers payants qui veulent au contraire que nous décollions, et que si nous sortons de cette file d'attente, cela se traduira par un délai minimum de deux heures supplémentaires. Est-ce qu'il se sent mal à ce point ?

– Je vais lui demander. »

Deux minutes plus tard, elle reprenait l'interphone. « Il dit simplement qu'il se sent mal et exige toujours d'être débarqué.

– Autrement dit, il n'est pas vraiment malade ?

– Non. Enfin, je n'en ai pas l'impression. Mais nous devrions peut-être l'écouter.

– Il nous fait un caprice, et ça ne m'impressionne pas. Dites-lui que jamais la compagnie ne comprendra qu'on lui ait cédé, sauf s'il faut l'évacuer en ambulance. Il n'aura qu'à se faire soigner à Londres. »

Il y eu un *clic* définitif lorsque le commandant raccrocha.

Dans l'office arrière du vol 6, Lara Richardson était plongée dans la passionnante lecture d'une revue à scandale – *People* – lorsqu'un appel de passager attira son attention. Elle referma sèchement le magazine et, tout en se levant, roula des yeux à l'intention d'une de ses collègues. « C'est quoi encore ? »

Elle remonta l'allée jusqu'à la rangée 28, où se trouvait le bouton allumé.

« Bon, qui est le petit plaisantin ? demanda-t-elle avec un sourire forcé, parcourant des yeux les quatre passagers de la rangée. Qui a appelé ? »

Un homme d'âge moyen, au visage blême, leva la main. « C'est nous. Nous sommes... extrêmement désireux d'arriver à Londres à temps, commença Chuck Levy.

– Monsieur, nous sommes tous désireux d'arriver à Londres », lui répondit Lara en roulant de nouveau des yeux.

Il y eut un long silence pendant lequel l'homme étudia l'expression de l'hôtesse, puis il dit : « Je... je voulais juste vous demander si vous saviez quand nous allons vraiment partir ?

– Personne ne le sait, monsieur. Nous sommes coincés sur

la piste d'accès à cause de l'orage et parce que la FAA n'est pas fichue de mieux s'organiser. C'est leur problème. »

Chuck jeta un coup d'œil à Anna, sa femme, aussi blême et grisonnante que lui.

Des petits marrants, ces deux-là, pensa Lara.

« Écoutez, mademoiselle..., reprit l'homme dont la voix trahissait un profond état de fatigue.

— Monsieur, le coupa-t-elle, vous le saurez quand nous le saurons. D'accord ?

— Je voulais juste savoir s'il n'y aurait pas un autre vol, peut-être avec une autre compagnie, qui serait plus rapide. Peu importe le prix. »

Elle ricana. « Vous me prenez pour qui ? Pour le bureau des réservations ? Je n'en ai aucune idée.

— Mademoiselle, essaya l'homme à nouveau, vous ne comprenez pas...

— Non ! C'est *vous* qui ne comprenez pas ! Vous ne pouvez quitter cet avion qu'à condition qu'on regagne le satellite d'embarquement. Si c'est ce qui arrive, vous pourrez descendre et appeler les réservations. En attendant, je ne peux rien faire pour vous, et je suis occupée. OK ?

— Hé ! Excusez-moi », fit une voix masculine venant de l'autre côté de l'allée. Lara Richardson se retourna et se retrouva dans la ligne de mire d'un regard courroucé – celui d'un jeune homme en uniforme de la Navy.

Elle afficha un grand sourire et redressa la tête. « Salut, matelot. On vient de débarquer en ville ? »

L'expression du marin ne changea pas tandis qu'il faisait signe à l'hôtesse d'approcher, parlant à voix basse. « Madame, vous devriez traiter ces personnes avec un peu plus de respect. »

Lara lui tapota la tête d'une main et commença à s'éloigner dans l'allée. « Faites naviguer vos petits bateaux, je ferai naviguer mes avions. »

Il y eut un claquement de ceinture qui s'ouvrait, suivi d'une bourrasque blanche ; l'enseigne de la Navy avait bondi sur ses pieds et s'était jeté à la poursuite de l'hôtesse. Il la rattrapa à hauteur de l'office arrière.

« Juste une minute, madame. »

Elle se tourna et, mains sur les hanches, lui adressa un regard glacial. « Oui ?

– Dans un hôpital près de Zurich, en Suisse, il y a une jeune fille avec deux jambes brisées, des blessures internes très graves et un traumatisme crânien ; les médecins ne pensent pas qu'elle pourra survivre plus de vingt-quatre heures. Sa voiture a été écrasée ce matin par un camion. Cette jeune fille a vingt-deux ans, et faisait le voyage que lui avaient offert ses parents, économisant sou à sou, pour la récompenser d'avoir réussi ses études. Et ces personnes que vous avez traitées comme de la merde sont les parents en question. »

La mâchoire de Lara retomba légèrement. « Oh, bon Dieu, je ne savais pas.

– Mais vous ne leur avez rien demandé, n'est-ce pas ? J'ai parlé avec eux, juste avant l'embarquement. Ils sont fous de douleur à l'idée que leur fille pourrait mourir pendant qu'ils sont là à poireauter à O'Hare. Ne croyez-vous pas qu'ils ont droit à un minimum de considération ?

– Je suis désolée... vraiment désolée. »

Elle le frôla et repartit en direction de l'avant de l'appareil.

Une certaine agitation venait de gagner l'arrière de la section affaires, et lorsque Janie Bretsen tira le rideau de l'office, ce fut pour voir un homme corpulent en costume trois-pièces, la cravate de travers, qui se dirigeait vers l'arrière de la cabine, l'oreille collée à un téléphone portable et poursuivi par une hôtesse.

« Monsieur ! Monsieur ! Vous ne pouvez pas téléphoner si les portes ne sont pas ouvertes !

– Eh bien, ouvrez vos foutues portes ! grommela-t-il par-dessus son épaule.

– C'est interdit de s'en servir ici », insista la jeune femme.

L'homme fit volte-face. « Ah oui ? Vous avez coupé le central téléphonique de l'avion alors que nous sommes toujours au sol. Et c'est vous qui venez me dire que je ne peux pas téléphoner ?

– Le règlement de la FAA...

– Je l'emmerde, le règlement ! Tout le monde sait bien que ces téléphones ne pourraient même pas faire sauter un tonneau de nitroglycérine tombé dans un mélangeur à peinture ! Cette réglementation est bidon, tout comme cette compagnie aérienne ! »

Il recolla le téléphone à son oreille.

Une autre hôtesse, mince, ayant beaucoup d'allure, la trentaine épanouie, s'avança dans l'allée pour porter secours à sa collègue, tandis que le steward passait la tête par le rideau des premières classes.

« Monsieur ! » dit la deuxième hôtesse.

L'homme abaissa son portable et tendit la main dans un geste d'arrêt. « Vous, fichez-moi la paix ! Soit vous rebranchez les téléphones de l'avion, soit vous me ramenez au satellite, soit vous me laissez tranquille. » Il reporta le combiné à son oreille et se pencha pour répondre à son correspondant, et seul le passager le plus proche put saisir ce qu'il dit. « Oui, mon nom est Jack Wilson, c'est ça. C'est pour signaler un enlèvement. »

10

Centre d'exploitation de Meridian Airlines,
aéroport international de Denver, Colorado
16 h 40, heure locale

Au centre de contrôle de Meridian Airlines, près de Denver, l'équipe de régulation des vols entreprit un bilan des opérations en cours, inquiète du tour que prenaient les choses en matière de non-respect des horaires.

« Où en est-on à O'Hare ? » demanda quelqu'un.

– Vingt-six appareils sont retenus sur les bretelles d'accès. Deux ont été obligés de faire demi-tour pour refaire le plein et se sont remis en queue de file, mais l'aéroport vient juste de rouvrir. Les décollages devraient reprendre d'un moment à l'autre.

– Ils vont tous pouvoir partir, alors ?

– Ah... ce n'est pas sûr pour le 6 à destination de Heathrow, Bob », intervint une femme du nom de Janice. Elle tenait plusieurs pages d'imprimante à la main. « On approche de l'heure de retard maximum autorisée pour l'équipage et le commandant commence à parler de faire demi-tour.

– Dans combien de temps ?

– Il reste quatorze minutes.

– Appelez le commandant, Janice. Dites-lui qu'il faut qu'il fasse un effort et prenne quelques minutes de plus que le temps légal. »

La femme regarda son collègue, de l'air de celle qui vient de découvrir tout d'un coup qu'un ami est définitivement devenu fou. « Tu étais bien à Alaska Airlines avant de travailler ici, n'est-ce pas ?

– Oui. Pourquoi ?

– J'ai entendu dire qu'à Alaska, les pilotes aimaient leur compagnie.

– Oui, d'une manière générale.

– Mais ici, c'est cette grosse salope de Meridian, Bob. Tout le monde déteste tout le monde, et les pilotes, en particulier, exècrent la compagnie. »

Dans le cockpit du vol 6, pilote et copilote avaient vérifié, sur leur petit écran vidéo, l'image de l'hôtesse qui se tenait devant la porte et demandait à entrer, la main placée sur la nouvelle plaque d'identification qui commandait la serrure.

« OK, elle est seule », marmonna le commandant. Il appuya sur le bouton, parachevant la procédure de sécurité.

Janie Bretsen s'introduisit dans l'habitacle, referma la porte derrière elle et se planta, mains sur les hanches, derrière la console centrale.

« Bonjour, dit le commandant. Jane, c'est ça ? »

Elle ignora la question. On pouvait facilement lire JANIE sur son badge, et il devait forcément savoir lire, se dit-elle. Elle n'aimait pas les pilotes qui montaient à bord sans se présenter.

« Les passagers se révoltent, dit-elle simplement.

– Est-ce que... c'est une analyse qualitative, ou une mise en garde contre une action imminente ? » demanda le copilote en lui souriant.

Une expression peinée apparut un instant sur le visage de Janie. « Quoi ?

– Laissez tomber. »

Elle secoua la tête, un peu perdue. « J'essaie simplement de vous dire que nous avons un avion bourré de gens de très mauvaise humeur.

– Et pour quelle raison ? demanda le commandant.

– Eh bien, voyons ça, répondit-elle de son ton le plus sarcastique. En hors-d'œuvre, si je puis dire, vous m'avez ordonné de ne servir aucun repas, et nous ne l'avons pas fait.

69

Du coup, ils sont furieux. Nous avons ce passager de première classe pour lequel je vous ai consulté, qui dit qu'il est malade et veut descendre. J'ai dû lui expliquer que vous refusiez. Sa femme est furieuse elle aussi, et nous avons une sénatrice américaine qui est là et qui écoute leurs plaintes.

– Attendez, la coupa le commandant. Une *sénatrice* ? »

Elle ignora aussi cette question. « Il nous manque trente repas en classe éco, et encore plus en classe affaires – sans parler des oreillers. Quand cet appareil est revenu de son vol précédent, le rapport de l'équipage a signalé deux toilettes hors service, sales et bloquées à l'arrière. Elles sont toujours aussi sales, hors service et fermées à l'adhésif. Et il fait plus chaud qu'en enfer, là-bas derrière. » Elle regarda le copilote et montra le panneau, au-dessus de leurs têtes. « Ce truc-là est-il à fond ?

– De quel truc parlez-vous, ma chère ?

– Ne faites pas le malin. La clim.

– Je gère un système d'air conditionné, répondit le copilote. Vous en voulez un peu plus ? » Il tendit la main vers le plafond, dans l'attente de sa réaction.

« Vous vous fichez de moi ? Il doit faire dans les trente-cinq degrés, là-bas derrière ! ÉVIDEMMENT, que j'en veux plus. Si vous ne mettez pas toute la sauce, vous allez créer des problèmes. Je vous dis que ces gens sont sur le point de se révolter, et si vous étiez passé par la cohue insensée de ce terminal, vous le seriez aussi !

– Hé, calmez-vous, Jane, intervint le commandant.

– *Janie*, pas Jane, bon sang ! C'est sur mon foutu badge.

– Oh, désolé. »

Le commandant se tourna vers son copilote. « Mettez tout le système sur froid maximum. »

Janie chassa une mèche rebelle de son front. « D'accord. J'aurai peut-être aussi besoin de l'un de vous, à défaut de héros à la mâchoire carrée, pour qu'il vienne intimider certains des passagers. J'en ai un qui se balade avec un téléphone portable qu'il refuse de couper.

– Vous blaguez ? s'écria le commandant.

– Non, je ne blague pas, répondit-elle, dégoûtée. Ça n'améliore pas les choses que vous refusiez de faire des annonces, tous les deux. Ils en sont au stade où ils ne croient plus un mot de ce que nous leur disons, et la colère ne fait que monter. »

Le grondement d'un jet au départ signala le premier décollage après le passage de l'orage.

« Quelle est votre taille exacte, Janie ? demanda le commandant.

– Je vous demande pardon ? répliqua-t-elle, sidérée.

– Eh bien, c'est que nous avons rarement des hôtesses aussi jolies et... petites. »

Janie resta quelques secondes sans rien dire, soutenant le regard du commandant. « Vous blaguez, c'est ça ? Vous me faites marcher simplement pour provoquer une réaction féministe, hein ?

– Eh bien, non...

– Commandant, je mesurais un petit peu plus que le mètre cinquante exigé, quand j'ai été engagée. J'ai toujours la même taille. Merci pour *jolie*. Permettez-moi à mon tour de vous demander si, de votre côté, vous avez toujours eu cette bedaine ? »

Le commandant secoua légèrement la tête, l'air blessé. « Non.

– Bien. Maintenant que nous avons terminé l'évaluation de nos physiques respectifs, pourriez-vous avoir l'obligeance de me dire *quand* nous allons partir pour quelque part ? Les petits curieux, là derrière, aimeraient bien le savoir. »

Le commandant poussa un soupir. « Je pense que nous avons une chance de décoller dans pas très longtemps.

– Merci. J'adore les réponses précises », répliqua-t-elle avant de retirer de sa poche d'uniforme une demi-douzaine de feuilles de papier pliées.

– Qu'est-ce que c'est ? demanda le copilote.

– Des lettres d'amour pour vous deux, lui lança-t-elle en ouvrant la première. *Commandant*, lut-elle, *c'est la première fois que je suis témoin d'une telle manifestation d'arrogance en tant que passager.*

– Arrogance ? » demanda le commandant d'une voix peinée.

Janie Bretsen leva les yeux. « Oui, arrogance, parce que vous refusez de leur parler. » Elle choisit une deuxième note. « *Il faudrait qu'il y ait une loi fédérale interdisant d'enfermer les gens dans une cabine d'avion surchauffée. Qu'est-ce qui vous prend, les gars ?* »

Elle en prit une troisième. « Tenez, celle-ci. *Qu'est-ce que vous croyez que vous trimbalez, dans votre appareil ? Du bétail ?* Dois-je continuer ?

— Non, répondit le commandant. J'ai compris. Ils ne nous aiment pas.

— Fichtre, renchérit le copilote, à en juger par la dernière réunion du syndicat, nous ne nous aimons pas nous-mêmes ! » Il se tourna dans son siège et fit un geste vers Janie Bretsen. « Vous, le personnel de cabine, vous haïssez les pilotes et la compagnie. Les mécaniciens haïssent la compagnie et les pilotes. Et les syndicats haïssent tout le monde.

— Non, nous ne vous haïssons pas, se défendit l'hôtesse. Simplement, nous n'aimons pas trop qu'on nous dise que nous formons une équipe pour être ensuite traités par le mépris. Au fait, nous n'avons qu'un demi-réservoir d'eau. Nous arriverons à Londres sans une goutte, ce qui veut dire qu'il n'y aura ni thé ni café au petit déjeuner. »

Le commandant poussa un soupir. « C'est sans doute sans importance. Nous arrivons au terme du temps de service d'un équipage, de toute façon. »

Janie, déconfite, laissa échapper un petit gémissement. « Ne me dites pas que pour le couronner le tout, il y a une chance pour que vous soyez remplacés ?

— Eh bien... »

Elle soupira à son tour. « Ça, c'est quelque chose que vous aurez à expliquer vous-même, et Dieu vous prenne en pitié. Les passagers sont pratiquement prêts à tuer, tellement ils sont en colère. » Elle alla pour partir, puis fit demi-tour. « Au fait, vous avez peut-être un nom, tous les deux ? »

Les deux pilotes échangèrent un regard et le commandant acquiesça. « On aurait peut-être dû vous dire bonjour ou quelque chose quand on est montés à bord.

— Ou quelque chose, reprit Janie. Oui, vous auriez dû. » Elle se pencha pour vérifier que personne n'attendait devant de l'autre côté de la porte, scrutant attentivement l'écran de la vidéo.

« La voie est libre ? demanda-t-elle au commandant.

— Si vous insistez. »

Elle sortit et claqua la porte derrière elle sans lui laisser le temps d'ajouter autre chose.

« Houlà, fit le commandant en voyant le copilote secouer la tête.

— Encore une de ces jolies salopes qui aiment la ramener, Bill. Ils n'arrêtent pas de râler à cause de leur contrat.

— Oh, vous voulez parler des manifestants de tout à l'heure ?

— Exactement.

— J'ignorais ce qu'ils revendiquaient.

— Comme d'habitude. Ils sont fous furieux et en ont jusque-là. Et ils espèrent en plus qu'on respectera leurs petits piquets de grève idiots s'ils arrêtent le travail.

— Ça risque pas, ricana le commandant.

— Vous m'en direz tant. Je devrais perdre un mois de salaire et voir mes stock-options en prendre un coup parce qu'ils n'ont pas assez de fric pour vider les rayons chez Neiman Marcus pendant les escales longue durée. La compagnie envisage de les remplacer par du personnel de bureau, s'ils se mettent en grève. Hé, ajouta-t-il avec un geste, on bouge enfin.

— Il reste combien de temps ? »

Le copilote secoua la tête en regardant sa montre. « Une minute. Jamais on ne partira dans les temps. »

Le commandant le regarda. « Vous voulez qu'on déclare forfait et qu'on fasse demi-tour ?

— Bon Dieu, non. Janie le petit dragon irait raconter aux passagers que nous l'avons fait par dépit et déclencherait une révolte. Je ne tiens pas à affronter des passagers qui auraient pété les plombs.

— Et le carburant ? OK pour Londres ? »

Le copilote acquiesça. « Juste assez. Le minimum requis. On n'est pas très riches.

— Alors on y va. » Le commandant relâcha les freins et commença à avancer doucement, suivant le 747 qui le précédait, tandis que le copilote tendait la main pour passer sur la fréquence radio de la tour de contrôle. Mais une voix arrêta son geste.

« Meridian 6, ici O'Hare sol. »

Il appuya sur « transmission » et jeta un coup d'œil au commandant.

« Meridian 6, j'écoute.

– Très bien, 6. Quand vous arriverez sur l'approche Alpha, garez-vous sur la gauche et vérifiez que vous avez bien dégagé la piste. Appelez votre opérateur.

– Qu'est-ce qui se passe ?

– Vous n'aurez qu'à le leur demander », répondit le contrôleur avant de reprendre la litanie de ses instructions, à l'intention des douzaines d'autres appareils qui se bagarraient pour passer les uns devant les autres sur toutes les bretelles d'accès.

« Bon Dieu ! C'est cette histoire de temps de service légal, dit le commandant avec un soupir. Ils veulent nous obliger à partir tout de même. »

Le copilote passa sur la fréquence de Denver ; on lui répondit sur-le-champ.

« On a déjà essayé de vous joindre, 6. Gardez votre position. On vous envoie les rampes d'accès mobiles. »

Le commandant arrêta d'un geste le copilote et brancha son propre émetteur. « On est pratiquement les prochains à décoller après avoir poireauté des heures, dit-il d'un ton geignard. Vous êtes cinglés, les gars ! Nous allons perdre notre place dans la file et faire exploser le temps de service légal !

– Est-ce que vous avez une urgence médicale à bord, 6 ? »

Commandant et copilote échangèrent un regard incrédule.

« Non ! Absolument pas.

– N'y a-t-il pas une activité hostile en cours dans votre cabine ?

– Quoi ? Non ! »

Une autre voix intervint sur la fréquence de la compagnie. « 6, ici le chef d'exploitation. Nous vous demandons de vous ranger parce que la police de Chicago et le FBI vous ordonnent de le faire. Arrêt sur place. Ils vont venir à bord. Il semblerait que l'un de vos passagers ait appelé le 911 pour signaler que trois cent vingt personnes étaient prises en otage contre leur volonté, et un autre vient juste de faire savoir qu'il avait une crise cardiaque et que vous aviez refusé de faire quoi que ce soit. »

11

De la main, Phil Knight salua le commandant Thomasson qui venait de le déposer devant son hôtel et s'éloignait au volant de sa voiture. Il consulta sa montre, surpris de constater qu'il n'était que onze heures et demie. La soirée lui avait paru interminable.

Phil entra dans le hall et prit la direction des ascenseurs, mais changea d'idée et s'approcha d'une batterie de cabines téléphoniques. Il allait appeler le contrôle opérationnel de Meridian. Les vols pour Londres avaient souvent du retard, et il pourrait peut-être dormir une heure de plus.

« C'est rien de le dire, commandant, lui répondit l'agent de Meridian. Le binz habituel de Chicago. Le vol 6 a déjà trois heures de retard, et ça m'étonnerait qu'il décolle avant une bonne heure et demie. »

Phil remercia son correspondant et raccrocha, calculant le temps qu'il avait gagné. Pas besoin de se réveiller avant six heures et demie au plus tôt. Soudain, il eut l'impression d'avoir la nuit devant lui et de pouvoir faire toutes sortes de choses.

Mais qu'est-ce qui me ferait plaisir ? se demanda-t-il, sans qu'aucune réponse toute prête lui vienne à l'esprit.

Des odeurs de cigarette persistaient dans le hall, par ail-

75

leurs désert ; des voix étouffées lui parvenaient cependant du bar de l'hôtel. Il consulta de nouveau sa montre. Le règlement prévoyait un délai de douze heures entre le dernier verre et le premier décollage ; il avait juste assez de marge pour un verre – chose qu'il faisait rarement, cependant, en escale longue.

Bon, qu'est-ce qui me ferait plaisir, en fin de compte ?

Il y avait bien une télé dans sa chambre et des films disponibles. Pourquoi ne pas en regarder un ? Mais ce n'était pas très excitant. Et il était trop tard pour retourner dans le centre de Londres, même s'il avait su où aller.

Il entra finalement dans le bar, s'assit à une petite table et commanda un brandy à une barmaid à la mine revêche. Il lui donnait environ trente-cinq ans, et si elle était bien roulée, son corps était sanglé dans un costume sans doute conçu par un homme, un homme ayant à l'esprit la tenue des gaillardes qui servaient dans les tavernes, au XVIᵉ siècle. Étranglé à la taille, il lui faisait une poitrine (laquelle était déjà abondante) artificiellement rebondie, si bien qu'elle était forcée de s'agenouiller plutôt que de s'incliner pour servir.

L'idée d'engager la conversation lui traversa l'esprit. Peut-être pourraient-ils combler le fossé qui les séparait en échangeant des confidences sur leurs angoisses respectives.

Mais l'expression dure et fermée qu'elle affichait le retint.

Il pensa à Dora. Ils étaient mariés depuis vingt-trois ans et le fait était qu'il ne l'avait jamais trompée. Il aurait dû en éprouver de la fierté, et voilà qu'il ressentait cela comme une accusation : c'était déroutant. Garth Abbott, pour autant qu'il le sût, ne trompait pas sa femme. Pas plus que les autres copilotes avec lesquels il avait volé dans la division internationale, même si tous aimaient à jouer aux raffinés et aux mondains, devant leur bouseux de commandant sorti du fond de sa cambrousse. Et cependant, l'impression persistait, forte et profonde, qu'il était bien trop conventionnel, barbant et ordinaire pour entrer dans leur clan ; si bien qu'il en vint à se dire que l'idée de la fidélité conjugale, ne serait-ce que par défaut, semblait simplement confirmer l'image que, s'imaginait-il, ils avaient de lui : celle d'un incurable provincial.

Il repensa à son copilote, Garth Abbott, qui s'efforçait de dissimuler son mépris sous une façade de courtoisie forcée.

76

Phil, cependant, n'était pas dupe. *Ce petit salopard hypocrite!* songea-t-il. Il ne cherchait qu'une chose, prouver que c'était lui, Garth Abbott, et non Phil Knight, qui aurait dû être le commandant de bord.

Il ferma les yeux et secoua la tête pour chasser ces ressentiments et ce désarroi. Juste à ce moment-là, un doux zéphyr parfumé vint chatouiller sa conscience, tandis qu'il entendait le bruit d'une chaise qu'on déplaçait.

Il ouvrit les yeux et eut la surprise de découvrir qu'une rouquine superbe était en train de s'installer à sa table, ses cheveux cascadant sur ses épaules. Elle portait un trois-quarts en fourrure qui s'arrêtait juste au-dessus de longues jambes admirablement galbées, et le collier de perles, autour de son cou, était visible avant qu'elle ouvre les pans de son manteau, révélant un décolleté vertigineux, à couper le souffle.

« Salut », ronronna-t-elle.

Phil regarda autour de lui, ne sachant trop quelle contenance adopter, puis revint sur elle. « Ah, euh... salut.

– Vous avez l'air bien seul. »

Il sourit, se sentant rougir d'embarras. « Eh bien... c'est-à-dire... Oui, un peu.

– Je suis disponible, reprit-elle, regardant à son tour autour d'elle avant de continuer. Je ne suis pas bon marché, mais à votre service, si vous êtes intéressé.

– Je vous demande pardon ? »

Elle se pencha vers lui, mettant habilement ses seins en valeur tout en lui parlant à l'oreille. « Je suis une professionnelle, mon chou. Pour deux cents livres, je viens dans ta chambre et nous faisons l'amour pendant une heure. Cinq cents livres pour toute la nuit. Est-ce assez clair ? » Elle reprit sa position initiale, un sourire narquois aux lèvres.

Le cerveau de Phil fut brutalement envahi par une avalanche de pensées contradictoires. Il avait au moins trois cents livres en liquide avec lui. Mais si jamais elle avait le sida ? Et s'il était victime d'un canular manigancé par un copilote, lequel assistait quelque part à la scène, ou peut-être même le filmait ? Mais, sinon, pourraient-ils monter dans sa chambre sans être vus ?

Bon Dieu, qu'est-ce qu'elle est sexy ! Oui, j'accepte ! Non ! Oui, nom d'un chien !

Non !

Qu'avait-il envie de faire ? De quoi avait-il ENVIE ? La question avait beau hurler dans sa tête, il était incapable d'y répondre et, alors qu'il était sur le point d'accepter, il se rendit compte que tout le désir sexuel qu'elle avait pu provoquer en lui était à présent annihilé par la panique.

« Pas de problème, mon lapin, dit-elle en se levant. Fais attention, les yeux vont te sortir de la tête. Je crois que je t'ai fait un peu peur. » Elle lui tapota l'épaule, se pencha sur lui et l'embrassa légèrement sur la joue. « Un autre jour, alors. »

Phil resta sans bouger, mort de confusion, pendant près de dix minutes ; quel que fût le point de vue dont il envisageait ce qui venait de se passer, il s'en voulait, convaincu que son incapacité à agir avait été observée par l'ennemi. Il allait être la risée de tous les pilotes. Il allait être la risée de toute la compagnie aérienne !

Mais tu n'as pas trompé Dora, n'arrêtait-il pas de se dire, *tu n'as pas cédé*. Il essayait de se raccrocher à cette idée, d'y puiser du réconfort, peut-être même de se cacher derrière, mais rien n'y faisait. L'image qu'il avait donnée de lui revenait sans cesse : celle d'un type hésitant, indécis, apeuré – bref, réduit à l'impuissance. Cette femme, il ne l'avait pas désirée ; il aurait simplement aimé être capable de *se décider* sans avoir peur.

Or, il avait échoué.

Une petite anthologie de toutes les situations similaires qu'il avait vécues s'abattit sur lui, telle une avalanche.

Il attendit que la barmaid soit occupée à l'autre bout du bar et partit en laissant assez d'argent pour sa consommation et un pourboire. Il se glissa dehors, s'attendant presque à entendre des éclats de rire dans son dos. Une minute plus tard, il refermait la porte de sa chambre, au troisième étage, soulagé de sa solitude et de son anonymat, le visage écarlate.

Il s'assit au pied du lit et se frotta les yeux.

Quel effet ça m'aurait fait ? C'était cette même question, se rendait-il compte, qui l'avait poussé, au départ, à se présenter au concours pour la division internationale.

Mais quel effet ça faisait, de faire l'amour avec une telle femme ? Et d'une manière plus générale, quel effet cela ferait de faire quoi que ce soit d'audacieux sans être ravagé par l'incertitude ?

12

Le jeune livreur qui, au bureau de la marina, se tenait dans l'encadrement de la porte, consulta ses documents, acquiesça et regarda à nouveau le gérant, qui se tenait derrière un petit comptoir.

« Ouais. L'homme que je cherche s'appelle Blaylock. J. Blaylock. Nous n'avons que cette adresse.

– Il est à l'anneau dix-huit, répondit le gérant.

– Ah, il habite un bateau ?

– Pas exactement.

– Mais vous avez dit *anneau dix-huit.* »

L'homme referma le registre contenant la liste de ses clients, fit le tour du comptoir et vint se tenir auprès du jeune livreur, dans l'embrasure de la porte. Il eut un geste en direction du fouillis de bateaux et de gréements.

« Vous voyez ce mât très haut, juste à la droite de la péniche verte ?

– Ouais.

– Bon. Maintenant, est-ce que vous voyez ce toit métallique bleu ?

– Ce truc avec une parabole ? On dirait le toit d'un bus, répondit le jeune homme.

– C'est le toit d'un bus. Du genre de ceux qu'utilisaient les groupes de rock itinérants, il n'y a pas si longtemps.

– Et qu'est-ce qu'un bus peut bien fabriquer dans une marina, m'sieur ?

– Il flotte, avant tout, répondit le gérant avec un petit rire.

– Un bus ?

– C'est en réalité une maison roulante. Demandez au capitaine Blaylock de vous montrer ça.

– Une maison roulante *et* flottante ? Comme une péniche aménagée, c'est ça ?

– Il s'est dit qu'il avait envie d'un bateau, mais il avait déjà fait aménager un bus à son idée, et c'était là qu'il vivait. Alors, il s'est fait construire une barge spéciale, dans un chantier naval, pour son bus spécial. Quand la fantaisie lui prend d'aller en mer, il embarque son bus et... continue de rouler, en quelque sorte. Les roues arrière du bus entraînent de gros rouleaux qui font tourner deux hélices jumelles.

– Faut que je voie ça. »

Le jeune livreur sauta au volant de sa petite fourgonnette et parcourut la courte distance qui le séparait de l'anneau dix-huit. Là, il déchargea plusieurs cartons, les empila sur un diable et les amena jusqu'à la planche d'embarquement. Sur le côté quai de l'énorme bus de quinze mètres de long, s'étalait une superbe peinture dans les bleus et les verts, une fresque marine représentant d'élégantes baleines nageant en compagnie d'une silhouette plus petite mais tout aussi élégante : celle d'une sirène très avantagée par la nature, qui traînait derrière elle une chevelure platine d'au moins trois mètres de long. Le bus paraissait flambant neuf ; installé à la place du château avant, il était à un mètre en dessous du pont de teck qui l'entourait, ce qui rendait ses roues invisibles et lui donnait l'air d'une superstructure permanente. Des rambardes en laiton entouraient le pont de la barge, laquelle était elle-même à deux niveaux et avait une proue normale, en forme de pointe.

Une sorte de lutrin, placé à côté de la planche d'embarquement, comportait un téléphone complété d'un haut-parleur. Le livreur tendit la main vers le téléphone, mais sursauta légèrement lorsqu'une voix masculine tonna dans le haut-parleur.

« Très bien, Billy's Market. Je vous ai vu arriver, et il était fichtrement temps. Montez à bord. »

Une vaste portière s'ouvrit dans le côté du bus, et le propriétaire en émergea, un grand sourire aux lèvres, pour guider le jeune homme.

« Le type de la marina m'a dit que vous pourriez peut-être me faire visiter, dit celui-ci tout en déchargeant ses cartons.

— Ouais, bon... repasse plutôt demain. Je n'ai pas le temps pour le moment.

— Entendu. »

Blaylock prit la planchette à pince et signa le bon de commande. « C'est que j'ai un repas à préparer... » Il regarda plus attentivement le jeune homme, estimant qu'il devait avoir autour de vingt-cinq ans. « Tu es marié ?

— Non, m'sieur.

— Parfait. Alors, tu comprendras. Mon invité est *une* invitée, une femme. J'ai l'intention de la séduire sans vergogne avec un festin. Elle n'a aucune idée qu'elle se précipite dans un piège gastronomique. Allez, ouste !

— Hé, bonne chance, m'sieur ! » répondit le livreur en empochant le billet de dix dollars que son client venait de lui tendre.

John Blaylock referma la portière derrière lui et se mit à vider les cartons, rangeant certains produits, déposant les autres sur un plan de travail intégré à la structure. La plupart des ingrédients du repas qu'il préparait étaient déjà disposés en bon ordre. Deux sauces différentes mijotaient sur la cuisinière à gaz en acier inox, emplissant l'air de leur arôme complexe relevé au vin.

Il jeta un coup d'œil autour de lui ; son bateau-bus lui était revenu à quatre cent mille dollars, mais il appréciait ce qu'il voyait. Les différentes batailles qu'il avait fallu mener avec les ateliers de conversion (et qu'il avait gagnées) avaient payé. Il avait fini par obtenir exactement l'intérieur qu'il avait imaginé : un tiers du bus était consacré à la cuisine (catégorie pro), au coin-repas et au séjour ; un deuxième tiers à une chambre à l'équipement électronique ultra-sophistiqué, presque entièrement tendue de velours écarlate et qu'il appelait en riant son « lupanar à l'antique ». Quant au dernier tiers, c'était une combinaison de timonerie de bateau et de poste de conduite, tellement hérissée d'instruments que Boeing en aurait été jaloux ; on se serait presque cru sur la passerelle de commandement du vaisseau stellaire *Enterprise*. Le lambrissage sur mesure était en chêne et noyer, les appareils en laiton et le volant – qui servait à la fois à conduire et à barrer – était en fait une roue de bateau à six rayons.

Et tout ceci lui appartenait, ayant été payé par toute une vie d'économies judicieusement placées, boostées par les honoraires que lui valaient les divers projets auxquels il participait de temps en temps.

Il consulta sa montre. En principe, c'était dans une heure et demie que la représentante du sexe féminin devait arriver et elle serait tellement bluffée qu'elle ne verrait pas le piège érotique dans lequel elle se précipitait. Il eut un petit rire, puis redevint sérieux lorsqu'il se rendit compte qu'il avait oublié le prénom de la dame.

Flûte ! Janice ? Jan ? Où ai-je fichu ce maudit bout de papier ? Il se mit à fouiller les poches de son jean et finit par en retirer une carte de visite assez mal en point.

Jill ! Évidemment. Il la refourra dans sa poche, et en était à se répéter le prénom dans sa tête lorsque le téléphone sonna.

Il jeta un coup d'œil au numéro qui s'était affiché automatiquement. Les deux premiers chiffres étaient les mêmes que ceux de l'opérateur par lequel passait Jill avec son portable, et elle avait dit qu'elle l'appellerait pour lui demander son chemin. Il mit le haut-parleur en position marche.

« Salut, ma jolie ! On est en route ? »

Il y eut les bruits divers de quelqu'un qui tiendrait maladroitement son téléphone, puis une voix masculine embarrassée s'éleva : « Euh... je suis désolé... je cherche à joindre le colonel John Blaylock.

– Il est mort, répondit Blaylock. S'est pendu la semaine dernière. A perdu l'amour de sa vie à cause d'un type dont il n'avait rien à foutre et qui bloquait sa ligne pendant qu'elle essayait d'appeler. »

Il coupa la communication et se tourna vers son plan de travail pour commencer à détailler des oignons.

Une minute plus tard, le téléphone sonnait de nouveau, et il appuya sur « marche », mais sans rien dire, cette fois.

« Euh... colonel, je vous en prie, ne raccrochez pas. Je parie que c'est vous, mort ou vif. Le colonel David Byrd à l'appareil.

– À moins que vous ne soyez une représentante du sexe féminin hyper-sexy et dotée d'une voix de baryton, je REFUSE de vous parler pour le moment. Rappelez en octobre. »

Il tendait déjà la main vers l'interrupteur, lorsque la voix, à l'autre bout du fil, lança un nom. Un seul.

« Overmeyer... le général. C'est Jim Overmeyer qui m'a dit de vous appeler. »

Blaylock hésita, puis prit le combiné. « Vous vous imaginez avoir prononcé le nom magique, hein ?

— En tout cas, j'ai essayé.

— Allez dire à cette outre gonflée de vent à trois étoiles que... Non. Attendez une minute. Je ne peux pas raconter un truc pareil. Je ne suis pas vraiment à la retraite. D'accord, qu'est-ce que vous voulez ? »

Byrd répliqua par un résumé rapide et attendit.

« Autrement dit, un colon à nom d'oiseau est allé fricoter avec la FAA pour essayer de comprendre pourquoi les gens piquent leur crise dans les avions commerciaux. Eh bien, ils piquent leur crise parce qu'on les traite comme de la merde. Je vous enverrai la facture.

— Il faut que je vous rencontre. Ce soir, est-ce possible ?

— Pas sans un mandat en bonne et due forme de la cour fédérale. Mais demain, d'accord.

— Entendu. Où et à quelle heure ?

— Sept heures du matin, ici, à Annapolis. » Il donna l'adresse et le numéro de l'anneau. « Vous n'aurez droit qu'à une heure, sauf si je suis seul.

— Vous... quoi ?

— Laissez tomber, colonel. Donnez-moi le numéro de votre portable... non, inutile ! Je l'ai à l'écran. » Le bip d'un signal d'appel se mit à retentir. « Terminé. Je viens d'entrer dans le compte à rebours. Demain sept heures. » Il enfonça la bonne touche sans attendre la réaction de Byrd, soulagé d'entendre une voix de femme à l'autre bout, tandis que les mêmes premiers deux chiffres s'affichaient à l'écran.

« C'est vous, Jill ? demanda-t-il, prudent.

— Oui », répondit la voix féminine, d'un ton plutôt interrogatif.

Blaylock se détendit, et un grand sourire vint éclairer son visage. « Alors bonjour, ma jolie. On est en route ? »

13

À bord du vol Meridian 6
18 h 31, heure du bord

Le Boeing 777 avait pris l'air depuis moins de huit minutes que déjà la main de Janie Bretsen se portait à sa ceinture de sécurité. Mais elle hésita, se disant qu'il y avait peut-être à bord des inspecteurs de la FAA qui n'hésiteraient pas à signaler une infraction. Elle avait déjà reçu plusieurs avertissements pour avoir bondi trop tôt sur ses pieds et commencé le service de cabine avant que les pilotes ne signalent, par un double carillon, que l'appareil venait de dépasser dix mille pieds ; mais cela datait de l'époque où elle croyait naïvement que c'était important et que la compagnie s'en souciait. Elle n'en était plus là. Tout le monde s'en fichait, et la réalité était qu'il y avait beaucoup trop à faire pour rester assise pendant tout le délai prescrit.

Une voix s'éleva soudain dans la *Public Adress*, autrement dit le système de son réservé aux passagers, et la fit sursauter.

Ici le commandant, les amis.

Grâce au ciel ! pensa Janie. L'équipage avait été remplacé en bout de piste (où ils avaient attendu trente minutes de plus) et les nouveaux pilotes semblaient vouloir communiquer avec les passagers. Ils avaient même pris le temps de se présenter à elle alors qu'ils se dépêchaient de monter à bord.

Elle espérait que l'équipage d'origine avait des ennuis, mais elle en doutait. Sans doute étaient-ils à l'heure actuelle dans un bureau de direction quelconque, à se plaindre et à dire pis que pendre du personnel de cabine. Tout cela se solderait pour elle par une convocation dans un autre bureau quelconque, parce qu'il fallait bien un bouc émissaire. À Meridian, les différends entre pilotes et personnel de cabine se terminaient toujours mal pour ce dernier.

Mais ce qu'ajoutait le commandant capta toute son attention.

... franc avec vous. Nous étions sur le point d'assurer un vol pour Paris lorsqu'on nous a demandé de venir de prendre les commandes de votre vol, car nos confrères avaient dépassé leur temps de service. Ils nous ont cependant avertis que vous étiez en colère et indisciplinés et que la dernière heure de retard était due à un passager qui avait illégalement appelé les flics pour leur raconter n'importe quoi. Certes, un passager a été débarqué pour raison de santé, mais on nous a dit que sa vie n'avait jamais été en danger. Et maintenant, écoutez-moi bien, tous. Je suis commandant de bord en chef pour toute la flotte de nos 777 à Chicago, et si je ne demande pas mieux que vous fassiez un excellent voyage et tout le bazar, quiconque n'obéira pas aux ordres donnés par mon équipage sera menotté et mis en état d'arrestation à l'arrivée, et cela inclut ceux qui utiliseront leur portable – téléphone ou ordinateur – avant que nous en ayons autorisé l'emploi. Nous prenons la sécurité très au sérieux. Très. Nous apprécions votre clientèle, mais notre compagnie est bien décidée à ne plus tolérer les perturbateurs ; et ceux d'entre vous qui n'agiraient jamais ainsi devraient être aussi en colère que moi contre les gens qui ne respectent pas notre autorité.

Janie Bretsen se cacha le visage dans les mains, rêvant d'un trou de souris où elle pourrait aller se réfugier. Les passagers étaient déjà furieux contre eux. Un as du manche à balai, arrogant et soufflant sur les braises, était bien la dernière chose dont ils avaient besoin. Elle se leva pour entrer dans l'office.

« Veuillez m'excuser. » Une voix féminine l'arrêta, et Janie se tourna. La sénatrice Douglas, qui occupait le siège le plus proche, venait de se lever.

« Oui, je suis désolée », dit Janie, prise au dépourvu. Elle connaissait Sharon Douglas pour l'avoir vue à la télévision, mais elle n'avait appris sa présence à bord que lorsqu'un responsable l'avait fait surclasser et passer en première. Les explications qu'il avait données lui avaient paru sibyllines : *L'un de nos agents au sol a merdé, et c'est pour nous excuser.*

« Vous êtes chef de cabine ? » demanda la sénatrice.

Elle acquiesça et se rappela qu'il était recommandé de tendre la main. « Oui, Janie Bretsen », répondit-elle avant d'ajouter, avec un temps de retard, « madame la sénatrice ».

Sharon Douglas lui serra brièvement la main et eut un mouvement de tête pour le cockpit. « Ils sont toujours comme ça ?

— Je vous demande pardon ?

— Les pilotes. Est-ce qu'ils se comportent toujours comme ça, en soudards qui haïraient les passagers ? »

Janie se sentit blêmir. Cette femme était puissante. Si elle ne donnait pas la bonne réponse, elle risquait d'être virée.

Sharon Douglas se rendit compte à quel point l'hôtesse était mal à l'aise. « Écoutez, Janie, dit-elle en levant la main droite, paume ouverte, tout va bien. Je sais que vous craignez de répondre quelque chose qui pourrait vous être reproché par la suite, mais il ne faut pas. C'est à titre personnel que je vous pose cette question, afin de comprendre un peu ce qui va de travers ici. On dirait que tous ceux qui travaillent pour cette compagnie sont sur le point d'exploser.

— Eh bien...

— Acceptez-vous ma parole d'honneur que rien de ce que vous me direz ne vous sera jamais imputé ?

— Oui, madame la sénatrice, répondit Janie, s'en voulant à l'idée de la tête qu'elle devait faire — les yeux exorbités de frayeur.

— Parfait. Et appelez-moi Sharon, et pas *madame la sénatrice*. Dites-moi, entre femmes... qu'est-ce qui se passe dans cette compagnie aérienne ? »

Janie consulta sa montre avant de répondre. « Je... je m'en veux de vous le demander, mais... est-ce que cela ne pourrait pas attendre la fin du service ? Nous avons le dîner à assurer. »

Sharon Douglas acquiesça aussitôt. « Bien sûr. Quand vous aurez une minute. Comme vous le voyez, la place voisine est libre.

« – Je reviendrai dès que nous aurons terminé. Promis. » Janie avait encore des palpitations, tandis que la politicienne considérée comme le personnage le plus puissant en matière d'aviation civile regagnait son siège de première classe.

Janie alla regarder ce qui se passait à travers le rideau qui séparait les premières de la classe économique. Elle se demandait s'il y avait encore moyen d'apaiser les passagers. Elle avait rarement eu affaire à un tel degré de fureur au sol. Sans compter qu'elle n'avait encore jamais eu besoin de remonter les bretelles à deux de ses subordonnés avant même le décollage.

Car elle n'avait pu faire autrement avec Jeff Kaiser, le steward, qui non seulement avait traité avec arrogance une jeune maman en classe éco, mais en plus répondu aux remontrances de Janie en la repoussant dans un coin et en l'avertissant d'un grossier : « Gare à tes fesses, ma cocotte ! » Tout contact physique de cet ordre était un motif de renvoi, aux yeux de la compagnie, et même si ça n'avait pas été le cas, cette attitude avait été intolérable.

Et il y avait Susan, une hôtesse pourtant confirmée, qui avait provoqué un autre scandale avec un couple, les Lao, en traitant Mrs Lao d'emmerdeuse parce qu'elle n'avait pas voulu lui laisser examiner son ordinateur portable. Le mari avait explosé lorsqu'il avait découvert que Susan avait outrepassé ses droits et quand le commandant, appelé, avait menacé de faire arrêter le couple – ce qui avait mis la moitié de la cabine en ébullition.

Aucun doute, les Lao allaient déposer plainte.

Janie ferma les yeux une seconde et se frotta les tempes. La confrontation avec le nouveau commandant de bord avait été tout aussi difficile, et voilà qu'à son tour il était en colère ; cela se terminerait forcément par une nouvelle plainte d'un pilote contre elle.

Y a-t-il une personne, une seule, qui aime son boulot dans cette compagnie ? se demanda-t-elle.

Elle soupira, lâcha le rideau et se tourna pour parcourir l'allée des premières classes. Elle n'avait qu'une envie, se laisser tomber dans le premier siège libre et sombrer dans un sommeil sans rêves. C'était comme assister à nouveau au naufrage de la Pan Am, vingt ans avant, tandis que tout le monde assurait que jamais cela ne pourrait arriver. Elle était encore en fac quand on avait rangé sur un parking la flotte des appareils bleu et blanc si familiers. Comment dire ? L'équivalent d'apprendre la mort de Buddy Holly, pour un ado des années 50, ou celle de John Lennon pour un ado des années 60. La fin de l'innocence, en particulier pour une jeune fille qui rêvait de devenir une hôtesse séduisante et sexy de Pan Am ou de Meridian.

L'aviation commerciale avait créé un monde étrange et magique, un monde de voyages, de plaisirs et de possibilités apparemment sans limites. Le personnel des compagnies aériennes était spécial : des gens fascinants menant des existences fascinantes, qu'il était tout à fait impossible d'imaginer déprimés ou découragés.

Comme elle aurait aimé que ce fût vrai... Mais la déprime était une compagne permanente, en particulier depuis cinq ans, depuis que la compagnie, jadis si fière, avait perdu la boussole, puis ses passagers – alors que les chouchouter était sa raison d'être.

Les problèmes financiers avaient commencé bien avant que l'horreur des attaques sur le Pentagone et les tours du World Trade Center n'oblige l'État à intervenir. Elle s'était attendue à ce qu'on fasse de gros efforts pour l'accueil des passagers, après cela, mais non. Tout était revenu, si l'on peut dire, à l'anormale.

« Meridian Airlines, lui avait-on dit au début de sa carrière, est ce qu'il y a de mieux. Le *nec plus ultra* en matière de service à la clientèle. Le numéro un mondial. »

Ce qui avait été vrai dans les décennies passées, et ce qui expliquait qu'il ait été si difficile de passer de l'excellence à la plus complète médiocrité. Imaginez un restaurant trois étoiles géré par MacDo...

Non, pensa-t-elle, c'était pire encore. Au moins, MacDo était une entreprise solide. Meridian avait dégringolé au niveau d'une ligne de bus déficitaire desservant une banlieue difficile.

Janie se glissa avec aisance au milieu des sièges de première classe. Sharon Douglas avait fini par s'endormir, protégée par un masque sur les yeux et des boules Quies, et Janie repensa à ce qu'elle lui avait dit. Elles avaient parlé – ou plutôt Janie avait parlé et la sénatrice écouté – pendant près de deux heures après le service du repas. Mais qu'avait-elle raconté, au juste ? Elle en avait un souvenir confus, mais si jamais la sénatrice Douglas n'était pas de parole, la carrière de Janie Bretsen s'arrêterait net dès qu'un patron de Meridian aurait découvert ce qu'elle lui avait confié.

Car si Janie n'était au courant de rien d'explosif, elle était incollable sur la vie quotidienne en cabine, laquelle n'était pas très reluisante. La sénatrice avait voulu savoir comment se passaient les choses et Janie le lui avait dit. « Il y en a tant qui vont de travers que je ne sais pas par où commencer.

– Eh bien, dites-moi ce qui vous fait bondir en ce moment même. Ce que vous diriez à votre PDG si, par miracle, il vous le demandait. »

Janie attaqua donc par les mots et les notes de service pleins de haine qu'elle trouvait dans son casier : les mots de ses collègues qui la soupçonnaient de lécher les bottes aux patrons, et les notes de service de la compagnie elle-même. Chacune de ces notes officielles se terminait par les mêmes avertissements : *Directive à respecter impérativement ! Toute infraction sera suivie d'une sanction disciplinaire exemplaire, allant jusqu'à la mise à pied.*

« C'est vraiment génial de commencer un voyage de cette façon, commenta Janie. De trouver des petits mots d'amour du genre : *Bretsen, on vous a vue avec un slip douteux la semaine dernière. Ça ne doit pas se reproduire !* Ou encore : *Bretsen, vous avez eu deux minutes de retard, le mois dernier. C'est la deuxième fois en six mois. Cinq retards à l'embauche, et c'est le conseil de discipline.* Et ainsi de suite. Parce que enfin, j'ai moi-même été responsable au sol du personnel, pendant une courte période. Jamais je n'aurais adressé des notes aussi méchantes, aussi rosses à mes gens. C'est ma compagnie, mais je ne peux pas faire preuve de zèle ou même donner un simple coup de main. On attend de moi que je mette mon contrat syndical sous le nez de ceux qui gèrent les équipages et que je leur dise avec jubilation : *Vous voyez ? Vous ne pouvez pas me faire voler. Vous allez balancer trois cents passages à la Delta, alors que nous aurions tant besoin de leur argent, tout ça parce que Janie va prendre un savon de son syndicat si elle se montre conciliante.*

– Et si vous faites un petit quelque chose, est-ce que la compagnie apprécie ? » demanda la sénatrice.

Janie eut un petit rire sans joie. « Jamais de la vie.

– Jamais rien de positif ?

« – Les pilotes aiment bien dire qu'il suffit d'un *ah, merde !* pour détruire mille mercis. Pareil pour nous. Mais le syndicat n'a pas tort non plus. La compagnie voudrait s'en débarrasser. Ils n'attendent qu'une chose, qu'on se mette en grève. Ils nous remplaceraient. Le syndicat essaie de les obliger à s'en tenir à leur contrat. Je le comprends, mais...

– Mais c'est toujours votre compagnie, n'est-ce pas ?

– Ouais. Exactement. Je possède même quelques actions et ça devient encore plus perturbant. Si je fais ce que demande le syndicat, j'ai l'impression de me tirer une balle dans le pied, vous comprenez ? Boum, Meridian, prends ça ! Aïe ! »

Janie n'en revenait pas qu'un personnage de l'importance d'une sénatrice des États-Unis ait eu la patience de l'écouter énumérer ainsi ses griefs pendant deux heures. « J'essaie de comprendre ce qui ne va pas dans le système, Janie, avait-elle expliqué. Meridian est peut-être de loin la pire, en termes de service à la clientèle, mais aujourd'hui, presque toutes les autres compagnies débordent d'employés malheureux, n'offrent que des services lamentables et ont affaire à des clients furieux. Dans les terminaux, en cabine, dans les cockpits, sur les accès... partout où je regarde, les gens en ont assez et sont remontés contre ce mode de transport ; les employés comme vous en ont plus qu'assez de la manière dont ils sont traités et en ont plus qu'assez des passagers. Le problème, c'est que ça devient dangereux.

– Vous voulez parler des incidents en vol ? Des passagers furieux qui font certaines choses ? »

La sénatrice acquiesça. « Avez-vous déjà vécu cela vous-même ?

– Non », répondit Janie, préférant ne pas lui parler du type ivre, en première classe, qui, un mois avant, l'avait agressée pendant qu'elle se penchait devant lui pour reprendre le plateau du passager proche du hublot. L'impression qu'elle avait ressentie, quand elle s'était rendu compte que l'homme essayait de lui mordre le sein à travers son soutien-gorge, était impossible à décrire. Elle aurait aimé qu'un officier de la police de l'air se matérialise pour ceinturer ce fou, mais rien de tel ne s'était passé, bien entendu. Elle avait été tellement abasourdie qu'elle n'avait même pas eu le réflexe de le gifler, et lorsque la compagnie lui avait demandé de ne pas faire de vagues, l'affaire s'était arrêtée là. De toute façon, il valait mieux penser qu'elle avait fait un cauchemar.

« Je ne vois rien qui ressemble à un vrai service auprès de la clientèle, avait continué la sénatrice Douglas. Je suis convaincue que vos patrons remplaceraient les sièges par des sangles accrochées au plafond, si la FAA les laissait faire, rien que pour avoir un meilleur retour sur investissement.

— C'est le syndrome du rat.

— Pardon ? » Sharon Douglas s'était penchée un peu plus vers Janie.

« Les rats dans un labyrinthe. C'est une expérience classique de psychologie dont j'ai entendu parler en fac. Quand on fait vivre trop de rats ensemble, leur comportement devient d'autant plus bizarre que la surpopulation est plus grande. Ils se montrent de plus en plus antisociaux, et parfois même psychotiques. Ils se battent, deviennent cannibales ou catatoniques... Ils ne peuvent pas le supporter, et nous non plus.

— Par "nous", vous entendez le personnel des compagnies aériennes ?

— Et les passagers. »

Janie secoua la tête pour mettre un terme à l'évocation de cette conversation. Elle s'arrêta un instant à l'extérieur de l'office, une couverture à la main, cherchant des yeux un passager pouvant en avoir besoin. La cabine donnait une impression de confort et tous les passagers de première classe étaient endormis sauf un. Une nuit d'un noir absolu, celui d'un vide infini, régnait au-delà des hublots tandis qu'ils volaient au-dessus de l'Atlantique dans une course effrénée vers l'aube qui, en ce moment même, s'approchait de l'Europe centrale et marquait la division du jour et de la nuit. En orbite, les astronautes voyaient ce spectacle dix-huit fois par jour, lui avait-on dit. Un vol transatlantique avait droit à un crépuscule suivi d'une aube nouvelle au bout d'une nuit écourtée, tandis qu'il survolait les eaux froides.

Elle prit une profonde inspiration et sentit les muscles de ses épaules qui se détendaient. C'était bien la première fois, depuis elle ne savait combien de temps, que quelqu'un l'écoutait vraiment.

Elle ne se faisait pas d'illusions sur la suite de sa carrière de chef de cabine. Il était temps de penser sérieusement à trouver un autre emploi.

14

Garth Abbott se tenait devant la fenêtre de sa petite chambre d'hôtel et boutonnait sa veste d'uniforme à galons dorés de la main gauche, tandis que, de la droite, il comprimait douloureusement un téléphone GSM contre son oreille, comme s'il avait pu, de force, extraire quelques mots de plus de l'appareil.

Qu'est-ce qu'elle a pu vouloir dire par « peut-être » ?

En esprit, le copilote fut soudain très loin, poursuivant sa femme parmi les milliers de kilomètres de connexions numériques qui le reliaient à leur domicile du Wisconsin, et jouant au petit jeu atroce consistant à se demander s'il y avait *quelque chose* dont il aurait dû s'inquiéter.

« On se voit jeudi, avait-il dit.

– Peut-être. »

Des plus laconiques, comme réponse.

Il consulta sa montre et constata avec soulagement qu'il lui restait les vingt-cinq minutes qu'il s'allouait d'habitude pour descendre au restaurant et avaler son petit déjeuner, avant que le « Commandant Grand-Soleil » ne déboule dans le hall et ne lui pourrisse la matinée.

Huit heures du matin à Londres, deux heures du matin à Wausau. Elle savait qu'il gardait presque tout le temps sa ligne ouverte, mais elle l'appelait rarement.

Est-ce qu'elle a peur que je ne rentre pas à l'heure dite ? Je suis pourtant toujours revenu ponctuellement à la maison...

Garth referma son sac, mit sa casquette et vérifia une dernière fois sa tenue dans le miroir, avant de sortir. Il avait été ravi d'apprendre que le vol précédent avait un tel retard, car il avait pu dormir quelques heures de plus ; mais il se sentait soudain aussi fatigué que s'il avait dû se lever à deux heures, comme prévu à l'origine.

Elle s'inquiète peut-être parce que je fais encore équipe avec Phil Knight. Je me demande si je n'ai pas eu tort de lui parler de ce problème.

Il fut secrètement soulagé de ne rencontrer personne d'autre de l'équipage, dans la cabine de l'ascenseur. Il lui fallait envisager toutes les possibilités et il n'avait aucune envie d'être distrait de ses pensées. Tel un ordinateur condamné à jeter toutes ses forces dans le calcul de la valeur ultime de pi, il devait lutter contre le besoin d'aller se réfugier dans un fauteuil et de se creuser la tête jusqu'à ce qu'il ait trouvé une réponse, autant poussé par la perplexité que par la crainte.

Mon Dieu, est-ce qu'elle songe à me quitter ?

Elle avait beau affirmer que tout allait bien, cette éventualité voletait aux limites de sa conscience depuis des mois, telle une rumeur insistante. Certes, il y avait eu quelques trucs bizarres, et il se rendit compte qu'il avait refusé d'envisager l'idée qu'elle voyait un autre homme. Cependant, son regard parfois distrait et lointain n'était pas rassurant, et il se disait qu'elle était peut-être prête à s'enfuir sans le savoir elle-même.

Mais c'était tout ce qu'ils avaient à se dire sur leur relation, et il en avait tiré la conclusion que le fossé qui séparait les sexes, là-dessus, était impossible à combler avec des mots. Si lui-même venait de Mars, sans doute débarquait-elle de quelque planète d'au-delà d'Alpha du Centaure.

Il quitta la cabine dès l'ouverture des portes et traversa d'un pas vif le hall de l'hôtel, passant devant un haie d'honneur de fougères en pots pour s'engouffrer dans le restaurant. Mais à peine avait-il franchi les doubles battants qu'il repérait Knight installé à une table proche de l'entrée. Il était trop tard pour battre en retraite.

« Tiens, vous voilà, Phil », balbutia Garth, tandis que son

93

cœur se serrait à l'idée que Knight l'avait repéré. Il se fendit d'un sourire, n'en attendant aucun de la part du pilote.

Ce dernier était penché sur son bol de céréales, protecteur, et répondit d'un signe de tête ; puis d'un simple geste, il indiqua la chaise voisine à son copilote. Son bras gauche encerclait toujours en partie son repas.

« Alors, attaqua Garth d'un ton aussi joyeux que possible, avez-vous pu aller en ville, cette fois ?

– Vous voulez dire à Londres ? »

Non, débile, à Bangkok, pensa Garth, prenant bien garde à ce que cette réponse reste remisée aussi loin que possible de sa bouche. « Oui, Londres, le centre.

– Non, répondit Knight d'un ton agressif qui stupéfia Garth. J'ai, euh, dîné chez un pilote de mes amis qui habite non loin d'ici. »

Ouais, sûrement. Tu as probablement dû passer la soirée avec un manuel de phrases toutes faites en français ou je ne sais quoi. Jamais vu un commandant de bord ayant autant peur d'avoir affaire à des contrôleurs étrangers.

Un serveur, portant un plateau lourdement chargé, heurta la chaise de Garth en passant. Un autre se présenta à la table, l'air mort d'ennui, tenant une cafetière à la main.

« Vous prenez le buffet ? » demanda-t-il.

L'attrait qu'avait pu avoir la perspective d'un bon petit déjeuner, déjà mis à mal par le coup de téléphone à Carol, s'était complètement évanoui depuis qu'il s'était assis à côté de Knight. Il secoua la tête. « Juste du café, merci. »

Le serveur emplit sa tasse et s'éloigna, laissant s'établir encore un de ces silences prolongés et embarrassants auxquels il fallait s'attendre quand on était en compagnie de Phil Knight. Il se versa un peu de sucre, remua le café et commença à lire un article du journal plié sur la table. Il aurait bien aimé le prendre et l'ouvrir – l'article parlait d'une société dont il possédait des actions – mais Knight avait un comportement bizarre, dans ce genre de situation. S'il s'agissait de *son* journal, de *sa* revue ou de n'importe quoi d'autre lui appartenant, il détestait que quelqu'un d'autre y touche. Le simple fait de déplacer l'objet, même légèrement, semblait déclencher une vague de colère de voltage élevé, jamais exprimée, certes, mais tout à fait palpable, comme si poser simplement la main sur quelque chose que Phil Knight avait placé quelque part était une critique implicite.

Garth détourna les yeux et prit mentalement note de s'acheter le journal avant de quitter l'hôtel.

Knight était de nouveau tout à ses céréales, dont il enfournait cuillerée après cuillerée lentement, avec soin, les épaules voûtées d'une manière qui n'était pas sans rappeler Richard Nixon.

Encore deux semaines et deux vols internationaux avant que son mois en équipe avec Knight ne se termine. Garth avait présenté ses demandes de vol, mais seulement après avoir étudié de près la sélection déposée par le commandant de bord afin d'être certain de ne pas retomber sur lui. Ces demandes de vol par ordre de préférence, faites avec le plus grand soin, étaient un rituel mensuel pour les pilotes ; mais il arrivait, comme c'était aujourd'hui le cas, qu'elles deviennent vitales sur un plan affectif.

« Est-ce qu'il est dangereux ? lui avait demandé Carol.

– Non, pas dangereux, et pas incompétent non plus, pas exactement, avait-il répondu. C'est simplement... qu'il n'est pas assez sûr de lui. Et sans être parano, j'ai vraiment l'impression qu'il me hait – mais je crois qu'il hait tous les copilotes. »

Le raclement soudain et bruyant d'une chaise repoussée fit sursauter Garth. Il leva les yeux et vit Knight qui prenait son porte-documents et s'éloignait vers la porte, lui tournant le dos sans dire un mot.

« On se retrouve au bus », lança Garth aux épaules de son commandant de bord.

Il n'y eut pas de réaction.

À bord du vol Meridian 6, Heathrow
8 h 45, heure locale

Janie Bretsen s'était détachée avant même le signal sonore, donné quelques secondes après que le 777 s'était immobilisé à hauteur de sa passerelle d'accès, à Heathrow. Elle désactiva les rampes d'urgence de la porte 1-L, puis s'avança dans la cabine de première classe, voulant s'assurer que les Levy descendraient bien les premiers. Elle jeta un coup d'œil d'avertissement à Lara Richardson, maintenant la troisième de ses subordonnées à se retrouver avec un avertissement en bonne et due forme. Les pilotes avaient déjà amorcé la descente sur Londres lorsque Lara s'était enfin décidée à lui parler de l'histoire de la fille accidentée du couple, et du calvaire qu'il vivait. Janie les avait immédiatement installés en première classe, mais ils avaient dû passer l'essentiel de la nuit dans la promiscuité de la cabine économique.

Les sièges de la classe éco étaient déjà en soi un sujet de colère pour les gens, se dit-elle. On pouvait en principe vider l'appareil de ses passagers en quatre-vingt-dix secondes, en cas d'urgence au sol, mais tous les personnels de bord savaient bien que c'était une vaste (et mauvaise) plaisanterie. Les passagers étaient tellement entassés et disposaient de tellement peu de place pour leurs jambes que c'était au moins cinq ou six minutes qu'il faudrait pour les faire tous débarquer. Laisser toute la nuit des parents en proie à une telle angoisse dans un environnement semblable relevait pratiquement de la cruauté mentale.

Elle était allée dans le cockpit et, utilisant le téléphone par satellite, avait appelé le chef d'exploitation de la Swissair, la compagnie que devaient emprunter les Levy pour se rendre à Zurich ; l'homme lui avait promis qu'il attendrait lui-même le couple avec une autorisation spéciale pour franchir la douane. Puis elle avait appelé l'hôpital de Zurich et retenu sa respiration jusqu'à ce qu'on lui annonce que Janna Levy s'accrochait toujours à la vie – bonne nouvelle relative qu'elle avait tout de suite relayée aux parents.

Janie serra Anna Levy dans ses bras, à la porte, refoulant elle-même ses larmes. « Mes prières vous accompagnent tous les deux.

– Merci, lui avait dit Chuck Levy en lui prenant la main.

– Et je m'excuse encore pour l'attitude grossière de mes hôtesses.

– Oh, ça ne fait rien. Nous avons apprécié votre aide », avait-il répondu, prenant sa femme par les épaules pour l'entraîner vers une petite délégation de la Swissair qui s'avançait déjà vers eux.

« Un véhicule vous attend. Il vous conduira directement à

votre vol pour Zurich, leur dit sans autre préambule le responsable des vols de la Swissair. Nous allons nous occuper de vos bagages, et tenons à vous assurer que des gens de chez nous vous accueilleront à votre descente d'avion pour vous conduire directement à l'hôpital. »

C'est protégés par ces manifestations de compassion que les Levy furent entraînés sur la passerelle d'accès. Janie les regarda partir, la gorge serrée.

Pourquoi ne sommes-nous pas capables de traiter nos passagers de cette façon ? se demanda-t-elle.

« Excusez-moi, qui est le chef de cabine ? » lui demanda une jeune femme portant l'uniforme de Meridian.

– C'est moi, répondit Janie. Puis-je vous être utile ?

– J'ai un message urgent pour J. Bretsen. »

À quelques kilomètres de Heathrow, devant son hôtel, Garth faisait coulisser la poignée mobile de sa valise avant de monter dans le bus qui assurait la navette avec l'aéroport. Il parcourut les sièges des yeux en montant, pour voir si Phil Knight se trouvait déjà à bord. Comme d'habitude, le commandant avait été se réfugier sur le siège du fond, regardant fixement, l'air impassible, le dossier placé devant lui.

Le copilote repéra une place près d'une fenêtre, au milieu du bus, suffisamment loin de l'arrière du bus pour être au-delà des échanges de rigueur dans ce genre de circonstances. Après avoir placé sa valise dans le filet, il passa devant le passager assis côté couloir, frôlant ses genoux, et s'installa avant de lui jeter un coup d'œil. L'homme avait pratiquement la même expression vacante que Knight adoptait si souvent et, pendant un bref instant, Garth se dit qu'il essayait d'imiter le pilote. Il dut se retenir de rire, puis regarda son voisin un peu plus attentivement.

L'homme, âgé d'une quarantaine d'années, portait des cheveux noirs coupés court et un costume de prix. Si sa cravate était desserrée et le bouton de col de sa chemise défait, il était cependant rasé de frais.

Le copilote détourna les yeux, mais la curiosité l'emporta et il regarda à nouveau son voisin, s'intéressant à ses mains, cette fois. L'homme portait une alliance et une chevalière à l'annulaire de la main droite. Il se pencha un peu, faisant semblant de regarder vers l'avant du bus, et il eut le temps de distinguer l'emblème qui figurait sur le chaton fait d'une pierre rouge : un serpent enroulé autour d'un bâton, autrement dit un caducée, le symbole universel de la profession médicale.

Un toubib.

L'homme eut un coup d'œil en direction de Garth, lequel détourna vivement les yeux, un peu gêné d'avoir été surpris.

Brian Logan avait passé une bonne partie de la nuit dans un parc du centre de Londres que lui et Daphne avaient beaucoup aimé, jusqu'à ce que la police finisse par le mettre dans un taxi pour le renvoyer à son hôtel près de Heathrow. Brian se souvenait d'avoir réglé le chauffeur puis refusé son offre de l'accompagner à l'intérieur. Il avait envisagé un instant de finir la nuit dans l'un des canapés du hall, mais sa valise était dans sa chambre, et il lui faudrait de toute façon prendre une douche et se raser avant de partir. Il ne pouvait arriver au Cap en ayant l'air d'un clochard, si mal qu'il se sente. Le seul fait de s'en soucier était déjà quelque chose, conclut-il.

Il s'était traîné jusqu'à sa chambre, éparpillant ses vêtements sur le chemin du lit dans lequel il s'était recroquevillé en position fœtale, et s'était endormi en pensant à Daphne, au séjour qu'ils avaient fait ensemble à Londres, et à ce qu'avait eu d'enivrant le seul fait de la tenir dans ses bras.

Les rayons du soleil passant par la fenêtre l'avaient réveillé et, la tête encore bourdonnante, il avait appelé les réservations de Meridian, certain d'avoir manqué son vol et presque soulagé à cette idée.

« Non, monsieur, le vol 6 pour Le Cap a pas mal de retard ce matin, lui répondit l'agent. Le départ est actuellement prévu pour neuf heures quarante-cinq. » Brian avait reposé le combiné, des souvenirs de la nuit bizarre qu'il avait passée tournant encore dans sa tête.

Lorsqu'il se retrouva dans le hall de l'hôtel, vingt minutes plus tard, les odeurs de café en provenance du restaurant lui donnèrent la nausée. S'alimenter était le dernier souci d'un esprit entièrement tourné vers le supplice qui l'attendait : passer plusieurs heures à bord d'un avion portant le logo de

Meridian. Le seul fait de le voir sur son billet lui avait déjà soulevé l'estomac, et il envisagea une fois de plus de tout annuler. Mais voilà, ses hôtes n'auraient pas le temps de lui trouver un remplaçant. Il devait y aller.

Le trajet entre l'hôtel et le terminal nord, porte 4 de l'énorme aéroport, ne fut qu'une suite anesthésiante de tunnels, au milieu d'une circulation dense. Brian suivit le mouvement lorsque les autres descendirent du bus, se demandant comment une chose aussi simple que le nom d'une compagnie aérienne, à l'entrée d'un terminal, pouvait le mettre instantanément dans un tel état de stress.

À l'intérieur, le maudit logo figurait partout. Il l'assaillait, le narguait, et déclenchait en lui des réactions incendiaires qui, il le savait, n'avaient plus rien de logique. Il lui fallut déployer des efforts herculéens pour faire la queue au comptoir et présenter son billet au personnel de la compagnie sans s'effondrer. Il dut retourner trois fois vérifier le numéro de la rampe d'accès sur l'écran de contrôle – petite information indispensable que son cerveau refusait de retenir. Il la nota, la troisième fois, mais le bout de papier devint sur-le-champ aussi choquant que le fait que Meridian soit encore en activité. Il se força à mémoriser le numéro de la rampe, roula le bout de papier en boule bien serrée et l'expédia aussi loin qu'il put.

Geste remarqué par un policier d'ordinaire peu tolérant pour ceux qui jonchaient son aéroport de détritus ; mais quelque chose, dans l'attitude de l'homme, lui dit qu'il valait mieux laisser tomber. Le passager était en proie à une colère viscérale et de plus, la boulette de papier avait disparu sous un distributeur de billets.

Pas de preuve, pas de délit, conclut le policier.

Tandis que les passagers du vol 6 convergeaient vers le comptoir d'enregistrement, le chef d'escale de Meridian à Heathrow, James Haverston, se dirigeait d'un pas vif vers un escalier de service réservé au personnel tout en consultant sa planchette à pince. Technologie paléolithique, pensa-t-il, qui faisait cependant du bon boulot. Les sorties d'imprimante avaient été recrachées plusieurs heures auparavant en salle d'exploitation, mais la tâche qui l'attendait – rassembler les passagers en transit arrivés de Chicago, et leur refaire subir la procédure d'enregistrement – était parfaitement inutile. Il avait supplié les patrons de Meridian, à Denver, pour que les passagers en transit passent directement d'un bord à l'autre en restant sous douane, mais les autorités de Heathrow n'avaient pas voulu en entendre parler. Il y avait, dans le terminal, des commerces attendant les passagers en embuscade pour les délester de quelques dollars.

Son talkie-walkie se réveilla sur la voix nasillarde de l'une de ses hôtesses lui posant une question, et il porta l'appareil à son oreille d'un geste automatique.

« Tu peux répéter ?

– J'ai besoin du décompte exact des passagers en transit pour le vol 6, James, dit une femme à voix basse, mais en articulant bien.

– Cent six personnes pour Le Cap », répondit-il.

En ce moment même, comme il ne le savait que trop, bon nombre de ces « transitaires » se baladaient au hasard dans le terminal 4, écornant leur compte en banque et alourdissant au même rythme la charge de l'appareil par l'achat d'articles soi-disant détaxés et néanmoins hors de prix dont, de toute façon, ils n'avaient guère besoin. Certains, bien entendu, seraient simplement assis, hébétés, l'air de bovins attendant d'être cornaqués jusqu'à leur bétaillère, tandis que les quelques rares privilégiés de la première classe se retrouveraient dans le salon de Meridian dit du Régent. À travers les vitres encrassées du salon, on voyait le Boeing 777 qui venait d'atterrir reculer sous la poussée d'un tracteur de piste pour être remplacé par le 747 du vol 6, mais presque personne n'y faisait attention.

James s'apprêtait à négocier la première marche de l'escalier lorsqu'une hôtesse apparut sur le palier en contrebas, sa silhouette bien proportionnée déclenchant une réaction agréable chez lui, lorsqu'il la reconnut. Elle avait levé les yeux vers lui.

« Janie ! Hé, comment ça va, ma grande ? »

Janie Bretsen monta d'un pas lourd les dernières marches et l'embrassa brièvement, lui adressant ensuite un regard fatigué.

« Je suis crevée, James, répondit-elle avec un soupir. Mais ça me fait plaisir de te voir.

« – Et, euh... l'appel de la coordination ? » demanda-t-il, soupçonnant déjà quelle allait être la réponse. Il avait relayé le message radio à son agent, pendant que l'appareil roulait jusqu'au terminal : elle devait appeler immédiatement la coordination du personnel à Denver. « Ne me dis pas qu'ils ont réussi à te convaincre de continuer jusqu'au Cap ! » reprit James.

Elle secoua la tête et eut un petit rire. « Comme si tu ne le savais pas déjà, espèce de Judas !

– Voyons, Janie, protesta-t-il, faisant semblant d'être blessé, ce n'est pas moi qui le leur ai conseillé. J'ai simplement signalé que ta collègue était souffrante.

– Ouais, tiens, comme d'habitude. » Elle prit une voix geignarde. « S'il te plaît, Janie ! Je t'en prie, Janie ! Si tu n'y vas pas, nous sommes coincés, le vol devra être annulé, faudra fusiller le chef d'escale, virer tous les équipages de cabine et renoncer à desservir Londres !

– Doux Jésus... » Il se mit à rire.

« Oh, ce sont des artistes dans leur genre. Pour ce qui est de demander un service, ils méritent la médaille d'or. » Elle reprit, un ton plus bas, en l'imitant : « Janie, c'est promis, tu n'auras qu'à monter à bord et sacrifier ton corps à la cause. Tu auras un siège en première. Tu pourras dormir ! On sera dans la légalité, et tu toucheras une prime.

– Qui est chef de cabine sur le vol 6 ? » demanda James.

Elle soupira à nouveau, cette fois d'une manière encore plus lasse, et passa une main dans ses cheveux châtains pour les faire un peu gonfler. « Notre bâton merdeux favori, James. Judy Jackson.

– Seigneur ! Après tous les ennuis que tu as eus avec elle...

– C'est de l'histoire ancienne, mais elle ne m'a jamais pardonné de l'avoir suspendue.

– À l'époque où tu gérais le personnel de cabine à Denver, c'est ça ?

– Où je m'occupais *temporairement* de la gestion du personnel de cabine, oui. Après ça, j'ai été obligée de voler les vieilles dames et de flanquer des claques à des gosses pour retrouver une bonne opinion de moi-même.

– Je suis toujours étonné, quand je la vois débarquer ici. Je me dis à chaque fois que la compagnie aurait dû la virer depuis longtemps. Jamais vu une garce pareille. »

Janie se mit les mains sur les hanches et inclina la tête. « Et pourquoi l'auraient-ils virée, d'après toi ? Vous autres, au sol, n'avez jamais expliqué à Denver comment elle était vraiment, si bien qu'elle réduit les hôtesses à un troupeau de moutons bêlants, se fait haïr par les passagers et fait chier les pilotes jusqu'à ce qu'ils soient fous de rage.

– Ouais, elle y réussit très bien.

– Désolée. Je n'aurais jamais dû dire *fait chier*. Ce n'est pas joli dans la bouche d'une dame.

– Sauf que c'est le portrait tout craché de Jackson.

– Bon... de toute façon, merci, mon vieux, dit Janie en lui tapotant le bras. Si jamais je survis à un aller-retour en compagnie de la mère Jackson et de sa salle des torture, on se reverra dans deux jours. » Quand elle passa devant lui pour retourner dans le terminal, James la suivit des yeux, l'expression un peu inquiète. La première fois qu'il l'avait vue, Janie avait l'énergie d'une femme de dix-huit ans et le visage et le physique correspondants. Elle avait en réalité vingt-six ans, était follement séduisante et si sa petite silhouette admirablement proportionnée lui donnait l'air, de loin, d'une adolescente bien habillée, il suffisait de s'approcher un peu pour découvrir la femme capable qu'elle était. Janie avait toujours eu cette sorte d'élégance naturelle qui la rendait sexy et désirable – ce qui les avait propulsés dans une courte liaison, il y avait pas mal d'années, six mois de ravissement gâtés par son angoisse névrotique : il avait toujours peur de lui faire mal avec sa grande carcasse. Elle paraissait fragile, alors que c'était loin d'être le cas.

Cependant ces mêmes années écoulées, se dit-il, l'avaient sérieusement marquée. On voyait la trace des combats qu'elle avait menés sur son visage, au coin de ses yeux très écartés, dans le léger affaissement de ses épaules tandis qu'elle partait faire un cadeau princier aux coordinateurs de vol qui, il en était sûr, l'avaient déjà complètement oubliée.

Seul un ami proche aurait pu remarquer sa fatigue, se dit-il aussi. Partout où elle passait, Janie était encore suivie d'une vague, celle de la tête des hommes qui se tournaient pour la regarder – une bonne brise sur un champ de blé. Mais les dégâts, pour lui, étaient visibles.

15

Aéroport de Heathrow, Londres
9 h 25, heure locale

La température flirtait déjà avec les trente degrés à huit heures, annonçant une nouvelle journée suffocante pour le Royaume-Uni en cet âge de réchauffement global.

Trois agents au sol de Meridian – tous citoyens britanniques et de plus en plus inquiets du déclin de leur employeur américain – prirent position derrière le comptoir d'embarquement, porte 4, et se mirent à trier les piles de paperasses et de sorties d'imprimante indispensables pour faire passer les trois cent vingt-quatre passagers de la salle d'attente dans le 747, car c'était ce fret humain qui générait des revenus. Le vol 6 de Meridian pour Le Cap, en Afrique du Sud, avait lieu trois fois par semaine ; rarement l'appareil était aussi bondé qu'aujourd'hui. Deux cent dix-huit personnes allaient rejoindre les cent six passagers arrivés de Chicago et s'engouffrer entre les mâchoires de la salle d'embarquement, inconfortable et surchauffée. Certains gardaient les yeux fixés sur l'accès à la passerelle comme si l'embarquement devait commencer au signal d'un coup de pistolet.

Un peu plus loin, dans le hall, Martin Ngumé reposa le combiné du taxiphone et alla s'asseoir quelques instants, s'efforçant de tenir écarté le rideau de fatigue qui lui embrumait l'esprit. Il avait une fois de plus demandé au propriétaire de la boutique de Soweto de prendre une barre à mine, de parcourir les quatre cents mètres qui le séparaient de la petite maison et de fracturer le cadenas de la porte. « Je t'en prie, Joe, vérifie bien qu'elle n'est pas dedans, blessée ou malade, ou... » Finalement, Joe avait promis de le faire. Mais il ne pourrait plus appeler avant d'être arrivé au Cap. Il y avait bien des téléphones par satellite dans l'avion, mais ils étaient bien trop chers pour lui.

Martin se leva et prit la petite valise qu'il avait comme bagage de cabine depuis Chicago, regrettant que Londres ait été la destination de Claire, l'Américaine qui s'était montrée si compatissante. Elle était venue le voir plusieurs fois pendant le vol, s'agenouillant près de son siège pour lui parler. Il se sentait mieux quand elle était près de lui, même s'il était fou d'inquiétude.

« Qu'est-ce que je vais faire, si... si ma mère est morte ? lui avait demandé Martin, quelque part dans la nuit au-dessus de l'Atlantique.

– Survivre, lui avait répondu Claire. Vous survivrez, comme nous devons tous apprendre à survivre quand meurent nos parents. » Elle lui avait tapoté le bras et il avait apprécié les manifestations de sympathie de cette inconnue, mais jamais il n'aurait pu lui expliquer, ni à elle ni à personne d'autre, que chacune des heures qu'il avait vécues aux États-Unis l'avait été pour sa mère autant que pour lui-même. Il lui avait écrit tous les jours, traçant de grandes lettres en cursive pour qu'elle puisse les déchiffrer avec sa vue si faible, faisant un envoi groupé par semaine. Elle lui avait répondu, plusieurs mois auparavant, que pour la première fois de sa vie elle commençait à espérer pouvoir quitter un jour Soweto. « Grâce à tes lettres, mon fils, je vis cette merveilleuse expérience avec toi. Je vois, et je sens, et j'apprends ces choses comme si j'étais sur les bancs de l'université avec toi. » Ces quelques mots l'avaient ému aux larmes et il s'était pris à rêver du jour, pas trop lointain, où il pourrait la faire venir en Amérique et lui montrer lui-même le monde qu'il habitait. C'était ce qu'il avait déclaré à un journaliste venu sur le campus interviewer les étudiants étrangers, pour une édition du dimanche, et l'article qui en était résulté avait été accompagné de la photo de sa mère qu'il portait toujours sur lui.

Martin sourit à ce souvenir. Il lui en avait envoyé plusieurs exemplaires, mais il ignorait si elle avait pu le lire.

Il retourna dans la salle d'attente et trouva un siège en face d'une jeune maman et de ses deux enfants ; la femme lui adressa un faible sourire.

Karen Davidson était au-delà de l'épuisement et préférait ne pas penser qu'il lui restait encore plus de dix heures de vol à effectuer. Le bébé s'était finalement endormi à nouveau, comme Billy qui, quand il était réveillé, oscillait entre raisonnablement sage et limite contrôlable.

Elle observa le beau jeune homme noir pendant qu'il s'asseyait en face d'elle, se demandant une fois de plus d'où lui venait cette expression inquiète. Toutes sortes de drames humains devaient se jouer, parmi les voyageurs fatigués arrivés de Chicago comme parmi ceux qui embarquaient à Londres, mais celui-ci dégageait une impression de tristesse et de mystère qui n'était pas commune.

Deux hôtesses de la compagnie passèrent près d'eux d'un pas vif, mais l'une d'elles fit demi-tour et vint s'agenouiller près de Karen.

« Comment ça se passe, avec les enfants ? Tout va bien ? Vous n'avez besoin de rien ? » Karen faillit lui demander si c'était bien pour Meridian qu'elle travaillait. La jeune femme faisait de toute évidence sincèrement preuve de prévenance ; elle était aussi de toute évidence anglaise et n'avait de toute évidence rien à voir avec le personnel brutal et grossier du personnel de vol de Meridian.

« Merci de me poser la question. Tout va bien pour le moment.

– Parfait. Nous allons embarquer bientôt. » L'hôtesse sourit et regagna le comptoir.

La voix d'une autre hôtesse d'accueil s'éleva dans le hall d'embarquement. « Le passager Martin Ngumé peut-il avoir l'amabilité de se présenter à l'embarquement ? Mr Ngumé, si vous êtes actuellement dans la salle d'attente, pouvez-vous vous manifester ? »

Martin avait bondi sur ses pieds en entendant son nom, et c'est le cœur battant à se rompre qu'il s'était dirigé vers le comptoir, se demandant si on allait lui communiquer une information concernant sa mère.

« Je suis Martin Ngumé, dit-il aussi doucement que possible.

– Oh, parfait ! Nous allons vous surclasser, Mr Ngumé.

– Je suis désolé... euh, vous allez faire quoi ?

– Vous donner un siège en première classe pour Le Cap. »

Martin essaya de sourire, malgré sa confusion, pour marquer qu'il appréciait le geste. « Merci, mais ce n'est pas nécessaire, vous savez.

– Dites-moi, reprit l'hôtesse en consultant une feuille qui venait de sortir de l'imprimante, ne connaissez-vous pas une personne du nom de Claire Langston ? »

Son sourire s'élargit et sans doute fut-il communicatif, car l'hôtesse sourit à son tour.

« Ah oui, Claire. Elle a été pleine d'attentions pour moi, pendant le voyage depuis Chicago.

– Eh bien, Mr Ngumé, répondit l'hôtesse, souriant toujours tandis qu'elle lui prenait la main pour y placer l'enveloppe contenant son nouveau billet couleur or, elle a eu une dernière attention pour vous : Mrs Langston a payé votre surclassement pour la deuxième étape de votre voyage il y a un petit moment, à notre billetterie.

Les équipes de nettoyage ayant pratiquement terminé la préparation des cabines du Boeing 747 et les hôtesses la mise en place des offices, on n'attendait plus que le signal du chef de cabine. C'était une petite règle plus ou moins traditionnelle, chez Meridian : seul le ou la chef de cabine pouvait déclencher l'avalanche des passagers pressés d'embarquer, quelle que soit l'impatience des hôtesses au sol de vider leur salle d'attente.

À l'autre bout de la passerelle télescopique, la chef de cabine Judy Jackson sortit de l'appareil pour donner le signal « prêt à l'embarquement », mais s'arrêta un instant à la vue de son image. Quelqu'un, quelque part, avait décrété que des miroirs seraient placés en bout de passerelle, sans doute pour s'assurer que les passagers, à leur arrivée, ne soient pas confrontés à un agent à la tenue douteuse, ce qui aurait donné une image peu reluisante des employés anglais. Bonne idée, de l'avis de Judy. Il suffisait parfois qu'une femme soit décoiffée pour avoir l'air d'une furie, et même les hommes pouvaient être à faire peur, s'ils avaient les cheveux en bataille et les yeux rouges.

Elle étudia son reflet quelques secondes, satisfaite de ce

qu'elle voyait. Une chevelure blond foncé, légèrement gonflée, lui descendant jusqu'aux épaules, et guère de rides sur
son visage idéalement bronzé de quadragénaire. Elle avait les
yeux discrètement maquillés et pas de trace de rouge à lèvres
sur les dents – sa hantise constante. Elle redressa le dos,
essayant d'atteindre le mètre soixante-dix qu'elle proclamait
mesurer.

Et tout ça pour quoi ?

Cette pensée fit intrusion dans sa tête comme une
décharge inattendue d'électricité statique. En ce qui concer-
nait les hommes, elle aurait pu écrire *néant* pour les quelques
dernières années ; et certains matins, s'il n'y avait pas eu son
image d'hôtesse de l'air à préserver, il lui aurait été bien égal
d'avoir l'air d'une furie. Pourquoi tant d'efforts, en fin de
compte ? Les types ne paraissaient plus s'intéresser à elle, en
dépit de tout ce qu'elle faisait pour conserver une silhouette
tout à fait montrable en bikini.

Elle se pencha pour jeter un coup d'œil dans le hall depuis
la petite fenêtre de la passerelle. La cohorte de ses passagers
tournait en rond – impatients de se retrouver serrés comme
des sardines dans le tube d'aluminium construit par Boeing.
Elle consulta sa montre.

Ils peuvent bien attendre encore une minute, se dit-elle, tout en
pressant son visage contre la vitre pour essayer d'apercevoir
l'homme qu'elle avait remarqué, une demi-heure auparavant.

Il paraissait assez âgé pour être son père, et c'était là le
problème : il ressemblait de manière inquiétante à son géni-
teur défunt, au point qu'elle en avait eu un frisson dans le
dos. Pourtant, elle ne souhaitait rien moins que revoir son
visage ; mais il (ou des images de lui) ne cessait de surgir un
peu partout dans le monde, la déstabilisant en général pour
le reste de la journée d'une manière qu'elle n'arrivait pas à
s'expliquer. Comme s'il la surveillait. Comme s'il n'avait pas
fini de la torturer.

Là ! Le type sur la gauche... non, ce n'est pas lui.

Elle se dit qu'après le décollage, elle parcourrait les allées
pour le chercher. C'était une obsession étrange, elle s'en rendait compte, et elle avait déjà fait rendre leur tablier à trois
psychologues-conseils à force d'en parler. Elle en avait assez
d'essayer de toujours répondre à la même question, constam-

ment posée de la manière la plus banale : Qu'est-ce qui fait que vous êtes obsédée par ce genre de visage dans une foule ?

« Si je le savais, avait-elle violemment rétorqué à l'un d'eux, un homme ventripotent portant une barbichette à la Van Dyck, je n'aurais pas besoin d'un psy, vous ne croyez pas ? »

Bien des années auparavant, avait eu lieu un incident du même genre qui n'avait fait qu'ajouter de la graisse sous les patins d'un mariage qui dérapait depuis un moment. Un visage dans la foule d'un aéroport, pendant qu'ils étaient en vacances, l'avait tellement distraite et obnubilée qu'elle avait laissé son mari (déjà profondément mécontent) poireauter pendant près d'une heure dans un hall d'aérogare alors que l'embarquement était commencé. Il s'était mis à paniquer. Elle était revenue à la dernière seconde, après avoir pourchassé le sosie jusque dans le parking, mais l'irréparable avait été commis. Son futur ex était resté plusieurs jours sans lui adresser la parole, et les vacances n'avaient été qu'un feu nourri d'accusations.

Mais chaque fois que ce visage réapparaissait, il accaparait irrésistiblement son attention. Il lui fallait le retrouver, lui faire face et expier.

« Vous essayez simplement de vous assurer qu'il est vraiment mort, avait conclu un jour un des psychologues, non sans une certaine emphase.

– Et c'est pour me faire cette observation débile que je dois vous payer ? » avait-elle rétorqué.

Elle revint soudain dans le présent lorsqu'elle vit une de ses collègues au sol de Heathrow s'approcher de la vitre et regarder vers l'appareil, se demandant ce qui se passait.

J'ai l'impression que je les ai fait assez longtemps mariner, songea-t-elle, tendant la main vers le téléphone. « OK, ici la mamma en chef, envoyez le bétail. »

Jimmy Roberts dut de nouveau contenir un grand bâillement et sourit à Brenda, qui endossait son sac à dos et se préparait à se glisser dans la file d'attente avançant lentement vers l'entrée de la passerelle télescopique.

« Quels sont nos numéros de siège, déjà, chéri ? demanda-t-elle.

– Nous sommes rangée 20 », répondit-il après avoir

consulté les cartes d'embarquement. Ils se trouvaient à côté de l'un des passagers qui avaient manifesté le plus bruyamment son mécontentement, pendant l'étape précédente. Jimmy avait bien vu que l'avion était plein de gens de mauvaise humeur et il trouvait désagréable de revoir à nouveau ces mêmes visages.

« Est-ce que tu vois ce type avec l'ordinateur portable, là-bas, sur la gauche ? murmura Brenda.

– Ouais.

– Je l'ai entendu demander au passager devant lui, vraiment très gentiment, de ne pas incliner son siège ; l'autre a piqué sa crise et reculé le dossier tellement fort que le couvercle du portable s'est rabattu sur les mains du type. J'ai bien cru qu'ils allaient se taper dessus. »

Jimmy secoua la tête. « Je n'ai jamais rien vu de pareil, pas même pendant que j'étais en terminale et qu'on se rendait à Pecos, le samedi soir, pour flanquer la pagaille. Pourvu qu'on arrive au Cap avant que tous ces gens ne créent une émeute – c'est tout ce que je demande. »

James Haverston, qui suivait le processus de l'embarquement depuis le comptoir du hall, consulta sa montrer et s'adressa à voix basse aux trois hôtesses. « Nous n'avons que quatorze minutes, mesdames, un peu de nerf, on s'active.

– On ne fait que ça, James, protesta la plus proche, ne plaisantant qu'à moitié.

– Je suis sérieux, mesdames, répondit-il avec un sourire quelque peu crispé. Je ne tolérerai pas qu'on perde encore notre tour à cause de problèmes d'embarquement. C'est clair ? »

L'une d'elles courut jusqu'au petit stand, devant l'accès à la passerelle, et dit quelques mots à sa collègue chargée de l'embarquement. Celle-ci prit aussitôt son micro.

« Mesdames et messieurs, embarquement de toutes les rangées pour Le Cap. Si vous voulez bien... vous avancer jusqu'à l'appareil aussi vite que possible, pour que nous puissions respecter notre horaire... pour votre confort. »

James s'était mis de côté pour suivre la procédure, lorsqu'il se sentit tiré par la manche. Il se trouva face à une autre hôtesse au sol. Elle se pencha vers lui, se cacha la bouche de la main et se mit à lui parler sur un ton familier irritant et trop fort. « Nous avons peut-être un problème, monsieur. Voyez cet homme assis là-bas, sur la droite. Il a l'air très déprimé et correspond à l'un de nos profils. » D'un petit signe de tête, elle indiqua un siège occupé par un homme en costume trois-pièces qui regardait dans le vide. « Il y a une demi-heure qu'il n'a pas bougé. Il est dans un état quasi catatonique et n'a réagi à rien. »

Cela faisait bien des années que James Haverston était employé au sol, puis chef de poste d'une compagnie aérienne. Ce qu'on appelait dans le jargon de l'aviation les « profils de sécurité », à savoir les informations sur les passagers justifiant qu'on prenne quelques précautions, était chez lui une seconde nature, mais il faisait également confiance à son sixième sens. James remercia l'hôtesse d'un signe de tête et porta aussitôt le talkie-walkie à ses lèvres pour demander, à voix basse, la présence d'un agent de sécurité. Puis il alla s'asseoir d'un pas tranquille à côté de l'homme. Celui-ci avait quelque chose de bizarre, mais rien, à vrai dire, qui soit bien évident. L'embarquement était presque terminé et il n'avait toujours pas bougé pour se rapprocher de l'accès, alors qu'il avait sa carte posée sur les genoux.

Peut-être ce type est-il somnolent… ou alors il est drogué, en proie à un chagrin, ou encore a-t-il quelque raison logique d'être distrait, pensa James.

Mais restait tout de même la possibilité qu'il soit suicidaire, ou cache des intentions malfaisantes d'un genre ou d'un autre.

« Bonjour, monsieur, commença James. Vous partez pour Le Cap, c'est bien cela ? »

Lentement, l'homme se tourna vers lui, les yeux légèrement dilatés, sans vraiment le regarder. Il essaya de sourire, mais c'était de toute évidence un effort.

« Je vous demande pardon ? »

James lui tendit la main. « James Haverston. Chef d'escale pour Meridian à Heathrow. Je me demandais simplement si vous vous sentiez bien. »

Le visage de l'homme se durcit, ses lèvres se serrèrent dans l'effort qu'il fit pour se contrôler. Il ne prit pas la main tendue.

« Je vais bien, merci. Et je n'ai pas d'autre choix que de voler sur votre fichue compagnie. »

Il se leva brusquement, prenant avec lui son porte-documents et son bagage de cabine tandis que James laissait retomber sa main et se levait aussi, lui bloquant partiellement le passage.

« Puis-je vous demander votre nom, monsieur ?

– Dr Brian Logan.

– Je vois. Eh bien, Dr Logan, avons-nous fait quelque chose qui vous ait offensé ? »

La diversité des expressions qui traversèrent le visage de Brian provoqua un prudent mouvement de recul de la part du chef d'escale. Il jeta un coup d'œil de côté et fut soulagé de voir approcher l'un des policiers de l'air qu'il connaissait. Le Dr Logan essayait de parler et paraissait chercher ses mots.

« Vous... vous voulez savoir si vous avez fait quelque chose qui m'ait offensé, *moi* ? grommela-t-il d'un ton haché.

– Oui, monsieur, certainement. Je suis inquiet à l'idée que vous nous en vouliez. Au nom du ciel, qu'avons-nous fait ? Si vous me le dites, je peux peut-être arranger les choses. »

Brian passa devant lui en le frôlant et prit la direction de l'accès à la passerelle, entraînant James sur ses talons, tandis que le policier leur emboîtait le pas, avec une attitude montrant qu'il était prêt à intervenir.

« Vous voulez donc savoir ce que vous m'avez fait », répéta lentement Brian tandis qu'il tendait sa carte d'embarquement à l'hôtesse. Celle-ci regardait son patron, attendant un signal de lui. Elle avait aperçu le policier qui suivait avec attention ce qui se passait.

James acquiesça d'un petit signe de tête.

« Ah, bienvenue à bord, Dr Logan. Vous êtes en première classe, siège 3-D. »

Brian reprit le talon de sa carte d'embarquement sans même le regarder. Ses yeux étaient fixés sur ceux de James Haverston. « Votre compagnie est responsable de la mort de ma femme et de mon fils. Ça vous suffit ? » Sur quoi il se tourna et frôla l'hôtesse pour s'élancer d'un pas vif sur la passerelle, tandis que le policier s'avançait.

James leva la main pour arrêter l'homme.

« Non ? demanda le policier.

111

– Attendez un instant. » Il se pencha vers l'ordinateur du stand servant à l'enregistrement et tapa sur une série de touches, puis attendit qu'apparaisse le répertoire des passagers dont la compagnie avait des raisons de se méfier.

Logan, Brian, docteur en médecine. Actuellement en procès contre nous pour faute professionnelle. Demande cent millions de dollars pour la mort de sa femme enceinte pendant un de nos vols. Ne pas discuter de son affaire, ni des détails de la procédure, ne pas lui donner non plus de copie du moindre document officiel nous concernant, quelles que soient les circonstances. À traiter avec le plus grand soin et le plus grand respect. Il est improbable qu'il emprunte un jour une de nos lignes.

Il y avait ensuite une courte relation des faits (version Meridian) de la mort de Daphne Logan. Le moment de prendre une décision était arrivé, comprit James, et les hôtesses qu'il avait aiguillonnées pour qu'elles accélèrent l'embarquement le regardaient.

James hésita quelques instants, pris entre son sens du service à la clientèle, ses obligations concernant la sécurité et cet homme qui voyageait en première classe – avec son porte-documents, son titre de médecin – et se tourna finalement vers le policier de l'air. « Au temps pour moi, Alf. Désolé de vous avoir dérangé.

– Fausse alerte, si je comprends bien ?

– En effet. »

À l'autre bout de la passerelle télescopique, invisible pour eux, Brian Logan prit une profonde inspiration et s'obligea à franchir la porte.

Janie se rendit compte, dès l'instant où elle monta à bord de l'énorme 747-400, que Judy Jackson avait bien l'intention de l'éviter ; tandis qu'elle se présentait aux deux hôtesses chargées de l'accueil à la porte, Cindy Simons et Ella Chantrese, elle la vit en effet qui lui tournait le dos et se glissait hors de l'office.

Tu ne changeras donc jamais, Judy, hein ? pensa Janie avec une pointe d'amusement.

« D'après vous, où puis-je être le plus utile, les filles ? » demanda Janie à Ella et Cindy. Avec un bel ensemble, les deux hôtesses tendirent le pouce vers l'arrière de la cabine.

« Quelle synchronisation ! Épatant », les taquina Janie, ce qui fit rire les deux jeunes femmes. Ella reprit l'accueil des passagers pendant que Cindy se penchait vers Janie. « Il nous manque une personne, aujourd'hui, et Judy est sur le sentier de la guerre, comme d'habitude.

– Je vais aller poser mes affaires, répondit Janie avec un mouvement de la tête en direction des premières, mais je reviens tout de suite. »

Elle s'avança de quelques pas dans l'allée et se tourna pour étudier Cindy d'un œil expérimenté, tandis que la petite brune tout en rondeurs reprenait avec grâce l'accueil des passagers avec Ella – celle-ci mesurant trente centimètres de plus que sa collègue.

Excellent comportement, élégantes, attitude amicale... J'aurais bien aimé les avoir avec moi depuis Chicago, songea Janie, pensant à la corvée de rédaction de rapports négatifs qui l'attendait toujours.

Elle vérifia de nouveau sa carte d'embarquement. C'était bien le siège 3-A. Le 3-B était inoccupé, pour le moment, et elle espéra qu'il le resterait. Il lui serait plus facile de se reposer si elle n'avait pas de voisin.

La rangée 3 de première classe comprenait trois groupes de deux sièges comparativement plus grands qu'en classe touriste, comportant un écran de télé et beaucoup de place pour les jambes. Un homme d'affaires à l'allure distinguée était déjà installé dans le 3-F et sortait sans plus attendre un dossier de son porte-documents.

Il y eut un mouvement à l'entrée de la première classe ; Janie se tourna et vit entrer un homme tenant un porte-documents d'une main et le talon de sa carte d'embarquement de l'autre. Il regarda autour de lui, un peu hagard, comme s'il avait du mal à repérer son siège. Quelque chose dans son attitude fit oublier à Janie qu'elle s'apprêtait à glisser son bagage de cabine sous son siège et elle se rendit compte, avec un petit éclair de lucidité, qu'elle faisait semblant de fouiller dans son sac pour pouvoir surveiller le nouvel arrivant. Celui-ci finit par s'installer dans le 3-D, l'un des sièges du milieu de la cabine. Cheveux foncés, pas tout à fait la quarantaine... si, la quarantaine... difficile à dire, conclut-elle ; mais bel homme, l'air posé, bien habillé. Il arborait une expression dure, presque coléreuse, qui ne paraissait cependant pas naturelle chez lui.

Janie le vit qui plaçait avec soin le porte-documents sur ses genoux, puis, après quelques instants de réflexion, le glissait sous le siège placé devant lui, pour finalement le reprendre. Il sentit alors la présence de l'hôtesse et se tourna vers elle. Janie lui sourit.

Il lui répondit par une esquisse de sourire, mais il restait manifestement soucieux, et elle se força à ranger son bagage avant de repartir pour l'arrière de la cabine. Au passage, elle s'arrêta dans l'office de première classe et consulta la liste des passagers.

3-A, c'est moi... 3-D, Dr Brian Logan. Ah-ah ! Un médecin. Intéressant.

Janie poursuivit son chemin dans une allée encore encombrée, adressant un sourire à chacun des passagers, les aidant au besoin à exécuter cette petite tâche inévitable, ranger les bagages à main dans les casiers en hauteur. Mais le souvenir du passager de première classe s'attardait dans son esprit, et elle se demanda s'il n'y avait pas quelque chose qu'elle aurait dû savoir sur lui.

Dans le cockpit ultramoderne du Boeing, assis sur le siège de droite, le copilote Garth Abbott regardait, à travers le pare-brise, le terminal de Heathrow s'éloigner lentement. Invisible d'où il était, le remorqueur de piste faisait reculer l'appareil d'un mouvement régulier, quatre étages plus bas, le repoussant de côté pour faire de la place à un vol de Meridian qui venait d'arriver en avance. Garth voyait, un peu plus loin, le 777 dont l'équipage attendait, sans doute impatient, le moment où il pourrait venir prendre la place que le 747 était en train de libérer.

Il ne cessait de penser à Carol et au coup de téléphone qu'il lui avait donné pendant qu'il procédait à l'inspection au sol de l'appareil.

Il l'avait réveillée et avait entendu la suave raucité, dans sa voix, qu'il en était venu à aimer et qui l'avait toujours excité.

« Qu'est-ce que tu as voulu dire tout à l'heure, ma chérie, quand tu m'as répondu *peut-être* ?

– Hein ? Quoi ? »

Il répéta sa question et entendit, en fond sonore, un froissement de draps. « Nous en avons déjà parlé, Garth.

— Parlé de quoi ?

— De nous. Écoute... reviens entier à la maison, et nous en parlerons.

— J'ai toujours eu l'intention de revenir entier, ma chatte. Mais pour parler de quoi ? As-tu un truc genre prémonition ? Tu es inquiète pour ce voyage ? »

Il y eut un long silence et il l'entendit qui s'éclaircissait la gorge avant de répondre : « Non, ce n'est pas le voyage.

— C'est *quoi*, alors ?

— Cela fait des années que j'essaie de te le dire, Garth. Non, je te l'ai *dit* pendant des années, mais tu es trop amoureux des avions pour écouter.

— Des avions ? Tu trouves que je suis trop souvent parti ? »

Nouveau silence, pendant lequel elle changea l'écouteur d'oreille.

— Il y a... quelque chose que je dois te dire, Garth. Mais ce n'est pas le moment.

— À propos de nous ?

— Oui.

— Tu n'es pas heureuse ?

— Comment pourrais-tu le savoir ? »

Il y eut un bruit, à l'arrière-plan, que Garth préféra ignorer. « Je t'en prie, ma chérie, tu vas me rendre cinglé ! Qu'est-ce qui se passe ?

— Nous en parlerons à ton retour, Garth. Pas maintenant. Je vais raccrocher. À bientôt. »

La communication avait été coupée et il en était resté paralysé de stupeur pendant quelques instants. Quand il avait à nouveau composé le numéro, l'appel était allé directement sur une boîte vocale. Elle refusait d'en discuter davantage.

Garth sortit de son rêve éveillé et se tourna vers Phil Knight, qui avait entamé la procédure du lancement des moteurs. Il n'avait qu'une envie, arracher ses écouteurs, dire au commandant de se trouver un autre copilote et sauter dans le premier avion qui pourrait le ramener chez lui. Mais faire ça équivaudrait à se mettre au chômage.

Mille choses tourbillonnaient dans son esprit et son besoin d'arranger tout de suite ses affaires alimentait sa panique grandissante, sur fond de craintes lui paraissant de plus en plus justifiées. Il aimait profondément Carol, il avait besoin d'elle, mais il n'avait jamais accepté de faire passer l'aviation au deuxième plan. Il fut envahi d'une appréhension qui le rendait malade à l'idée qu'il restait beaucoup trop longtemps sans la voir.

Ça peut peut-être s'arranger, se dit-il.

« Pression d'huile, numéro 4 », marmonnait Knight. Garth le vit lui adresser un coup d'œil intrigué ; sans doute le commandant se demandait-il pourquoi aucun écho ne lui parvenait du siège de droite. Les moteurs 1 et 2 de l'aile gauche et le moteur intérieur de l'aile droite, le 3, tournaient à présent au ralenti, et Phil soulevait la manette de démarrage pour lancer le 4.

« TST[1] en hausse, reprit le commandant, regardant monter l'aiguille, mais TM[2] stationnaires.

– OK », répondit Garth, ne serait-ce que pour dire quelque chose. Puis il se rendit compte de ce que cela signifiait. « Je crois que... que nous avons un faux démarrage, Phil. » Il consulta la trotteuse de sa montre, pour estimer au jugé depuis combien de temps le commandant avait soulevé la manette de démarrage. La température des gaz d'échappement montait régulièrement en direction de la ligne rouge.

« Fermeture moteur 4 », annonça Knight en remettant la manette sur la position « coupé ».

La deuxième tentative se solda également par un échec. L'allumage avait bien eu lieu, à l'intérieur du moteur, mais pour une raison quelconque, celui-ci n'atteignait pas le régime normal du ralenti.

Le commandant interrompit une fois de plus le processus. Garth transmit le problème à l'exploitation par radio, puis se tourna vers Knight.

« Le 4 a déclenché de fausses alertes incendie au cours des derniers mois. Il y en a une pleine page dans le livre de bord... mais il n'est question nulle part de faux démarrage. Il signale cependant un problème de clapet, la semaine dernière. »

Le commandant resta sans réaction et, le temps qu'il dise quelque chose, la radio se mit à crachoter.

---

1. TST : température sortie tuyère.
2. TM : tout moteur.

« La maintenance arrive, les gars », leur assura le chef d'exploitation, tandis que Heathrow sol les redirigeait sur une rampe d'accès latérale, juste au nord du terminal 4.

« Trouvez un coin où vous garer.

— Est-ce que je devrais pas... euh... dire aux passagers ce qui se passe ? demanda Garth lorsqu'il eut terminé la manœuvre et verrouillé les freins de parking.

— Non, répliqua aussitôt Knight.

— Non ?

— Nous ne savons même pas nous-mêmes ce qui se passe.

— Oui, c'est vrai, mais...

— Que la chef de cabine le fasse. » Knight jeta un coup d'œil à sa droite. « Je refuse qu'on fasse des annonces depuis le cockpit. Je ne veux pas qu'un imbécile, là-bas derrière, aille s'imaginer je ne sais quoi et nous intente un procès.

— Un procès ? Je suis désolé, mais je ne...

— Écoutez-moi un peu, bon sang ! Quand vous serez assis à ma place, vous pourrez raconter votre vie sur la PA si ça vous chante, mais ceci est mon avion, et je ne veux pas que des annonces soient faites d'ici. Compris ? On dirait que vous prenez un malin plaisir à remettre en question tout ce que je décide. Je vous rappelle que c'est *moi*, le commandant de bord.

— Mais enfin, Phil, c'est vous qui n'arrêtez pas de me harceler pour que je respecte les procédures du manuel à la lettre, et le manuel dit clairement que...

— Que les passagers doivent être tenus informés ! le coupa Knight. Il ne dit pas qu'ils doivent l'être par les pilotes. »

Garth dut contenir une bouffée de colère. Il était autorisé – c'était même explicitement exigé – de remettre éventuellement en question tout ce qui relevait de la sécurité en vol. Mais les annonces sur la PA, faites au sol, n'entraient pas exactement dans cette catégorie.

Quel con ! pensa Garth. Il prit l'interphone et expliqua à l'une des hôtesses le problème du moteur qui ne démarrait pas, puis il se brancha sur la PA pour écouter ce qui allait être dit via son casque.

Trente secondes plus tard, la voix de la chef de cabine s'élevait :

Mesdames et messieurs, ici votre chef de cabine. Le commandant m'a demandé de vous informer que nous allions devoir attendre pendant quelques minutes avant de rejoindre notre piste d'envol.

Dans l'alcôve proche de l'entrée avant, Judy Jackson abaissa un instant le combiné, l'air de réfléchir, puis sourit et le reporta à ses lèvres.

Ils m'ont demandé de ne pas vous le dire, mais je vais tout de même le faire. La reine d'Angleterre va atterrir, et comme on le fait pour le président des États-Unis, le trafic aérien est interrompu quand Sa Majesté arrive à Londres ou en part. Prenons notre mal en patience. D'après mon expérience, je dirais que nous en avons pour une demi-heure.

Judy replaça le combiné au moment où Cindy, l'une des jeunes hôtesses de son équipe, arrivait de la cabine classe touriste, l'œil brillant.

« C'est vrai ? La reine arrive ?

— Bien sûr, répondit Judy.

— Houlà ! Ah, au fait, les gens se plaignent qu'il fait trop chaud, là-bas derrière. Dois-je appeler le cockpit ? »

Judy secoua la tête. « Je le ferai. Dans mon équipe, personne ne parle au cockpit sauf moi, personne ne va dans le cockpit sauf moi. Vu ?

— OK, Judy, OK », répondit Cindy. Une expression déconfite traversa un instant son visage.

« Oh, Cindy, cette réfugiée de Chicago est-elle dans la cabine éco ? Bretsen ?

— Vous voulez dire Janie ? Oui, elle donne un coup de main dans l'office de queue.

— Dites-lui de ramener sa fraise par ici. On lui a donné un siège en première classe et il n'est pas question qu'elle en bouge.

— Mais il nous manque...

— On ne me répond pas, ma mignonne ! répliqua Judy. Faites ce que je vous dis ! Nous avons dix heures devant nous. Vous pouvez y arriver avec une fille en moins. »

La jeune hôtesse acquiesça, fit demi-tour et s'engagea dans l'allée. Elle ne vit pas le sourire satisfait qui s'étalait sur le visage de la chef de cabine.

Garth Abbott coupa tranquillement la PA et se tourna vers le commandant, les explications données par Judy Jackson résonnant encore à ses oreilles.

« Est-ce que... Vous auriez dit à quelqu'un en cabine, par interphone, ou lorsque vous êtes monté à bord, que la reine d'Angleterre arrivait et qu'elle était la cause de notre retard ? »

Phil Knight se tourna vers son copilote, affichant une expression irritée. « Quoi ? Je ne leur ai même pas adressé la parole. »

Je n'en doute pas, pensa Garth. Phil Knight, en effet, n'adressait jamais la parole au personnel de cabine, sinon pour grommeler un bonjour bourru s'il n'avait pas le choix. C'était à ses copilotes de se présenter et d'essayer de briefer l'équipage de cabine. Il arrivait que se faire servir le repas dans le cockpit en dépendît, car ni les hôtesses ni les stewards n'aimaient le commandant Phil Knight ou n'avaient envie de s'aventurer dans son repaire.

« Pourquoi cette question ? demanda Phil.

— Parce que notre charmante chef de cabine n'a rien trouvé de mieux à faire que de raconter aux passagers que notre retard était dû à l'arrivée de la reine.

— Oui, et alors ?

— Alors ? C'est un pur mensonge, Phil, pour autant que je sache. J'avais l'impression que nous étions coincés ici parce que l'un de nos moteurs refusait de démarrer, et que la compagnie et la FAA n'aiment pas trop que nous décollions avec un moteur coupé.

— Écoutez, peu m'importe ce qu'elle leur raconte, du moment qu'elle les fait tenir tranquilles.

— Ce que je veux dire, Phil, c'est que dès l'instant où ils vont découvrir que c'est un bobard, toute notre crédibilité s'effondrera.

— C'est sa cabine. Qu'elle se débrouille avec.

— Si je comprends bien, on est juste des soutiers invisibles chargeant le charbon dans la machine ?

— Quelque chose comme ça, oui.

— Bon Dieu, Phil, vous devriez convoyer les colis pour UPS ou la poste ! C'est l'argent de ces gens, là-bas derrière, qui paie nos salaires. Est-ce qu'on ne leur doit pas un minimum de considération ?

– BORDEL ! explosa Phil, foudroyant son copilote de ses yeux exorbités. Est-ce que vous savez ce que *commandant de bord* veut dire ? Par moments, j'en doute !

– Quoi ?

– Le commandant, c'est moi, que cela vous plaise ou non. Arrêtez de vouloir tout régenter ici ! »

Garth leva les deux mains, paumes ouvertes, la mine effarée. « Voyons, Phil, qu'est-ce que vous racontez ? Je sais bien que c'est vous, le commandant de bord, mais un bon copilote...

– Un bon copilote sait quand il doit la fermer et dire *oui, mon commandant*. »

Garth Abbott regarda Knight pendant quelques instants avant de secouer tristement la tête. « Il ne s'agit pas d'un concours, Phil, mais d'un travail d'équipe, pour autant que je sache.

– Ouais, tout juste. Je prends les décisions et vous les contrecarrez. Vous parlez d'une équipe.

– Quoi ? Vous donner mon avis en tant que professionnel, c'est vous contrecarrer ? »

Phil se força à se tourner vers son copilote, qu'il regarda droit dans les yeux. « Vous croyez que je ne suis pas assez malin pour voir quel petit jeu vous jouez, Abbott ?

– Un petit jeu ? Quel petit jeu ? » demanda Garth, tandis que l'étonnement se peignait sur son visage.

Knight tendit un index menaçant vers lui, le visage déformé par la rage. « Depuis un mois, vous n'avez pas arrêté de saisir le moindre prétexte pour remettre en question toutes les décisions que je prenais. Vous voulez à tout prix prouver que c'est vous la grande autorité, en matière de vols internationaux. On attend de vous que vous me souteniez, pas que vous jouiez à *j't'ai bien eu* ! »

Garth secouait la tête. « Bon Dieu, mon vieux, je vous soutiens ! Je ne passe pas mon temps à appeler la compagnie chaque fois que je ne suis pas d'accord avec vous. Je vous le dis à vous, un point c'est tout. C'est toujours *vous* qui prenez la décision finale.

– Exactement », répondit Knight, qui se tourna vers le tableau de bord et se mit à tripoter l'altimètre. Un profond silence, de plus en plus désagréable, régna dans le cockpit pendant une bonne poignée de secondes.

C'est Garth Abbott qui fit le premier pas.

« Euh... qu'est-ce que vous voulez que je fasse, commandant ? Que je reste assis ici, paralysé comme un cerf pris dans les phares d'une voiture, et que je dise oui tout le temps ?

– Ce serait un net progrès, cracha Knight.

– Vous oubliez un détail, cependant. Meridian Airlines *exige* que les copilotes s'expriment et se montrent même autoritaires quand ils pensent que le commandant tout-puissant doit être mis au courant de quelque chose.

– Contentez-vous de dire ce que vous avez à dire sans prendre ce ton persifleur, ce sera déjà bien. »

Garth Abbott resta à nouveau silencieux pendant quelques secondes, pris entre le désir d'injurier l'homme et la réalité – à savoir qu'ils devaient encore voler ensemble pendant plusieurs semaines. Il laissa échapper un profond soupir et secoua la tête.

« Vous voulez que je vous dise, Phil ? J'ai bien l'impression que je vous envoie les mauvais signaux. Je n'essaie pas de vous critiquer, simplement de faire mon boulot.

– Alors taisez-vous et faites-le. »

Garth se sentit étourdi par l'effort qu'il dut faire pour ravaler la bordée d'épithètes fleuries qu'il aurait tellement aimé lancer à la figure de Phil Knight ; mais il garda les mâchoires fermées et se contenta d'acquiescer.

Ce voyage, se dit-il, *va être un calvaire.*

16

Dès son arrivée dans sa suite, à l'hôtel. la sénatrice Sharon Douglas décrocha le téléphone, composa le numéro de son assistant parlementaire à Washington, Bill Perkins. Elle n'avait même pas pris le temps de défaire ses bagages.

« Désolée de vous réveiller à une heure aussi peu chrétienne, Bill, mais j'ai besoin que vous me fassiez parvenir au plus vite les transcriptions de ce qui se raconte devant la commission du Sénat chargé des incidents de "rage en vol". Vous me l'enverrez par courriel dès que vous arriverez au bureau. Nous allons procéder à nos propres auditions. »

Il y eut les grognements et la quinte de toux à laquelle on pouvait s'attendre, pendant que Perkins finissait de se réveiller. « On était tombés d'accord pour dire qu'il s'agissait d'un truc bidon, Sharon...

— Eh bien, je m'étais trompée. Ce sont nos petits camarades, de l'autre côté du Capitole, qui avaient raison. Si je vous racontais ce que je viens de vivre, vous auriez du mal à me croire.

— Vous voulez dire que le vol s'est si mal passé que ça ?

— Service exécrable, aucun sens des civilités, irresponsabilité, formation nulle, appareil bondé de façon inimaginable, et ce qu'une amie que je viens de me faire appelle le "syndrome du rat". Nous avons peut-être réussi à éloigner la menace terroriste, Bill, mais si nous ne balançons pas une bonne douche froide sur ce système, et très vite, il risque de se passer des choses terribles. »

Aéroport de Heathrow, Londres
9 h 40, heure locale

Martin Ngumé était entré dans la cabine de première classe du vol 6 de Meridian en écarquillant les yeux, aussi intimidé que s'il pénétrait dans une cathédrale. Après avoir passé douze heures d'angoisse coincé sur les minuscules sièges de la classe touriste, ceux de première lui faisaient l'effet de trônes, avec leur revêtement en cuir et leurs gadgets électroniques – un aspect de la vie américaine qu'il avait appris à apprécier.

Ella Chantrese – l'hôtesse grande, blonde et séduisante –, remarquant que le jeune homme hésitait à l'entrée, lui fit signe d'aller à gauche, vers l'avant de l'appareil.

« Bienvenue à bord, Mr Ngumé. Vous avez le siège 2-A, sur votre gauche.

– Pardon ?

– Vous tournez à gauche par là, et vous continuez de l'autre côté du rideau. Vous êtes en première classe. »

Le visage de Martin s'éclaira d'un grand sourire. « Ah oui, c'est vrai. Merci. »

Il s'avança avec précaution jusqu'à ce qu'il ait trouvé le 2-A, ayant du mal à croire qu'une Américaine ait pu se montrer aussi courtoise. L'idée de poursuivre son voyage entouré d'un tel luxe l'excitait, et il s'installa dans le siège avec un bonheur sans mélange, aspirant longuement les arômes puissants du cuir et passant une main légère sur les repose-bras ; puis il ouvrit délicatement le petit écran à cristaux liquides tout en lisant la fiche d'instructions.

« Désirez-vous boire quelque chose avant notre départ ? » Une autre hôtesse venait soudain d'apparaître à côté de son siège. Il chercha des yeux le petit chariot habituel servant à

123

transporter les boissons mais n'en vit aucun. Il se demanda où elle l'avait laissé.

– Je... j'aimerais bien un jus d'orange, s'il vous plaît.

– Pas de problème », répondit-elle en disparaissant dans l'office pour le préparer.

C'est comme dans un restaurant. Maman aurait adoré voir ça, se dit-il, ayant un instant oublié la raison pour laquelle il faisait ce voyage.

Le poids écrasant de son inquiétude lui retomba dessus, puis il se souvint du précepte qu'elle lui avait inculqué : *Gâcher la joie d'une expérience merveilleuse en s'inquiétant de choses sur lesquelles on ne peut rien revient à gâcher un somptueux cadeau.*

Il était dans un endroit merveilleux, grâce à la générosité d'une inconnue. Il en profiterait de son mieux. Il ne pourrait rien faire de plus pour sa mère tant qu'il n'aurait pas atteint Le Cap – sinon prier.

À bord du vol Meridian 6, Heathrow
11 h 38, heure locale

Du côté opposé des premières classes, Robert MacNaughton tambourinait des doigts contre le siège en cuir depuis déjà un moment. Le rythme et l'intensité de ses roulements allaient croissant depuis la dernière annonce tombée de la PA. Par le hublot situé à sa droite, il n'avait aucun mal à voir l'équipe de maintenance qui s'était rassemblée autour du moteur 4 et avait ouvert le capot. Plusieurs techniciens en salopette blanche, portant l'insigne de Meridian, s'activaient autour de l'engin, et il était on ne peut plus clair que ce qu'ils faisaient n'avait rien à voir avec une prétendue arrivée imminente de la reine d'Angleterre.

L'atmosphère, dans la section de première classe, s'était sensiblement alourdie depuis que l'appareil avait été repoussé du terminal, et MacNaughton l'avait ressenti. Un passager du nom de Logan, assis un peu plus loin sur sa gauche, s'était manifesté plus que les autres, se plaignant de la température élevée, du retard et de l'attitude du personnel de bord. Mr Logan, avait conclu MacNaughton, était apparemment monté dans l'avion déjà de méchante humeur et, en l'absence d'un personnel adéquat, cette méchante humeur n'avait fait qu'empirer.

Logan s'était de nouveau levé et s'en prenait de nouveau à la chef de cabine. Cette fois-ci, il tapota sa montre, puis eut un geste dégoûté vers l'équipe de maintenance, à l'extérieur, parlant presque assez fort pour qu'on puisse l'entendre à l'autre bout de la cabine. L'échange terminé, il se rassit, regardant autour de lui en roulant des yeux pour faire partager son exaspération aux autres.

Pour Robert MacNaughton, le point de rupture avait été atteint quelques minutes auparavant, avec le dernier épisode d'une série de mensonges de plus en plus évidents lancés sur la PA. Il voulait bien accepter la déplorable absence de téléphones individuels, mais pas qu'on lui raconte des bobards.

Il ouvrit sa ceinture de sécurité, se leva, fit pivoter son corps massif d'un mètre soixante-dix, et fonça vers l'office de première classe. Il ouvrit le rideau au moment où la même hôtesse soulevait le combiné de la PA.

Elle se tourna, surprise, et reposa l'appareil.

« Oui ? Puis-je vous aider ?

— Vous êtes de toute évidence la personne qui a procédé à ces annonces depuis deux heures, n'est-ce pas ? dit-il d'un ton calme.

— En effet. » Elle enregistra plusieurs choses : l'homme était un passager de première classe, méticuleusement soigné de sa personne, avec une belle crinière de cheveux argentés et portant un costume qui devait avoir coûté au moins mille dollars.

« Pouvez-vous avoir l'amabilité de me dire quel est votre statut dans cette équipe ? » demanda le gentleman, d'un ton amical, et d'une voix parfaitement contrôlée, sans la moindre trace de colère ou d'énervement. Judy se détendit visiblement et sourit.

— Bien volontiers, monsieur. Je suis la chef de cabine de ce vol.

— Très bien, dit-il de son accent très british, en souriant légèrement. Je suppose cependant que vous avez un commandant de bord au-dessus de vous ? » Il avait posé la question en soulevant les sourcils, élargissant son sourire, et Judy laissa échapper un petit rire.

— Oui, bien entendu. Sinon, ce ne serait pas très facile de voler...

— Exactement. Et encore un détail, avant de vous faire part d'une petite chose que j'ai remarquée. Vos déclarations viennent-elles de vous ?

— Je vous demande pardon ?

— Oui, ce que vous dites dans la sono de bord, expliqua MacNaughton avec un geste vers le combiné de la PA. Dois-je comprendre que tout ce que vous nous dites vous est dicté par le commandant ? Vous n'avez pas le choix de dire autre chose ? »

Judy rejeta la tête en arrière, prenant une attitude de défi. « Seigneur, bien sûr que non ! Je veux dire, oui, c'est mon choix. Je suis responsable de la cabine. Je transmets aux passagers ce que l'on m'a dit.

— Bien entendu. J'aimerais à présent éclaircir un point, si vous permettez.

— Certainement, répondit Judy d'un ton plus chaleureux. De quoi s'agit-il ?

— Voyez-vous, j'ai quelque difficulté avec votre exposé des faits.

— Oh ? fit-elle, souriant toujours.

— Oui. Tout d'abord, vous nous informez que le retard est dû à l'arrivée de la reine. Or j'ai de bonnes raisons de penser que la reine est en voyage officiel en Inde pour la semaine, et qu'elle ne sera de retour que vendredi prochain. Les retards du trafic aérien se sont taillé la part du lion dans vos explications, pendant les trente minutes suivantes, alors que la fréquence de votre propre compagnie, sur le réseau de radio intérieur branché sur la tour de contrôle, ne mentionnait rien qui, de près ou de loin, ressemblait à des retards. »

Cette fois, le sourire de Judy avait commencé à s'effacer. « Eh bien, c'est ce qu'on nous a dit...

— Vraiment ? Extraordinaire. Parce que ensuite, vous nous avez expliqué qu'il y avait un embouteillage sur les rampes d'accès, lesquelles rampes d'accès étaient pourtant dégagées. Puis qu'une urgence médicale arrivait, alors qu'il n'y avait pas la moindre ambulance sur le tarmac. Et finalement, votre morceau de résistance, si je puis dire : vous avez magiquement fait apparaître un front orageux dans un ciel des plus clairs et cela en dépit du fait qu'à huit heures, ce matin, l'activité dépressionnaire la plus proche se trouvait à quatre-vingts milles au nord du Danemark.

– Il y a eu du mauvais temps dans le secteur, et...

– Et ces cumulus invisibles sont sans doute à l'origine du problème mécanique affectant le moteur extérieur droit de ce jumbo, j'imagine ? »

Judy se trouva totalement prise au dépourvu. Une expression de colère se peignit sur son visage et elle mit les mains sur les hanches. « Si vous vous y connaissiez un peu en avions, *monsieur*, vous sauriez qu'en cas de retard, nos mécaniciens doivent procéder à certaines vérifications.

– Je n'en doute pas. Je n'ai effectivement été pilote de ligne certifié que pendant trente-deux ans, et mon entreprise ne possède qu'un Boeing Affaires pour lequel, soit dit en passant, je suis aussi pilote certifié. Pour ceux qui l'ignoreraient, le Boeing Affaires est un simple Boeing 737. »

Il me crie après ! se dit-elle, se rendant compte que si son interlocuteur ne lui parlait pas plus fort, l'intensité de son ton avait augmenté. Elle en resta quelques instants sans voix.

« Si bien, ma jeune dame, que ma question est la suivante : êtes-vous une foutue écrivain de science-fiction frustrée, ou bien prenez-vous simplement plaisir à mentir comme un arracheur de dents à vos passagers ?

– Pour qui vous prenez-vous, pour me parler sur ce ton ? ragea Judy.

– Oh, pour rien de plus que ce que je suis, c'est-à-dire l'un de vos passagers et de vos clients. » Il avait repris son ton calme.

« Dans ce cas je vous suggère, *monsieur*, de retourner vous asseoir à votre place.

– Comme vous voudrez, dit-il avec une petite courbette. Cependant, je me permettrai de vous demander, dans vos prochaines annonces, de vous en tenir à cette pratique – certes nunuche et clairement archaïque – qui consiste à dire la vérité. En réalité, et contrairement à ce que vous croyez de toute évidence, à savoir que vos passagers ont le même niveau mental que vous, nous ne sommes pas des imbéciles. »

MacNaughton retourna à la quatrième rangée de la cabine de première classe ; il se glissa devant le siège vide côté allée et, pendant qu'il manœuvrait pour s'installer près du hublot, il effleura son porte-documents. Une petite étiquette en cuir portant le logo d'English Petroleum se retourna, révélant son nom gravé en or : ROBERT MACNAUGHTON, PRÉSIDENT-DIRECTEUR GÉNÉRAL.

Le cliquetis de la PA le fit se tourner vers les haut-parleurs. C'était toujours la voix de la chef de cabine, mais le ton était plus tendu et dur.

Petite information complémentaire, mesdames et messieurs. À cause de tous les problèmes qui ont retardé notre départ, notre service d'entretien a décidé de procéder à une inspection de routine de notre moteur extérieur numéro 4, comme vous l'avez peut-être remarqué. Rien d'anormal, en d'autres termes. Simple routine. Je suis sensible à la patience dont vous faites preuve, mais à présent que le risque d'orage s'éloigne, nous devrions pouvoir décoller rapidement.

Une fois de plus, les doigts de MacNaughton se mirent à tambouriner légèrement sur le repose-bras du siège, tandis qu'il secouait lentement la tête, n'en revenant pas. La brusque apparition d'un homme qui se laissa tomber dans le siège libre, à côté de lui, le tira de son étonnement. Le nouvel arrivant lui tendit la main.

MacNaughton s'arrêta de tambouriner et le regarda.

« Je suis désolé de vous déranger, dit l'homme. Brian Logan, médecin et américain. »

MacNaughton prit la main de Logan et la serra sans enthousiasme. « Ravi de faire votre connaissance, docteur. Robert MacNaughton.

– J'ai eu l'impression, Mr MacNaughton, que ces annonces vous ont un peu énervé, vous aussi.

– En effet. » MacNaughton étudia rapidement les yeux du médecin, cherchant à décider s'il devait en dire davantage, et évaluant la valeur d'une alliance devant cette montagne de stupidité ; il décida d'ignorer la petite voix qui lui disait d'être prudent. « Elle n'a pas arrêté de nous raconter bobard sur bobard, vous comprenez, et j'en avais vraiment marre ! »

Logan acquiesça, ses yeux se rétrécissant. « Voilà comment fonctionne cette lamentable compagnie. Toutes ces âneries sur la reine, le trafic et la météo ! Je pense qu'ils ont un problème avec le moteur extérieur droit depuis le début.

– Je commence à me dire la même chose, docteur. Je lui en ai parlé mais, comme vous avez pu l'entendre, sans beaucoup de résultats. »

Brian acquiesça et se leva à demi de son siège, regardant autour de lui comme s'il vérifiait qu'ils n'étaient pas espionnés. MacNaughton ressentit une petite pointe d'inquiétude devant ce geste. Puis Brian se rassit et se tourna vers lui. « Puis-je compter sur votre témoignage ? »

L'homme d'affaires ne répondit pas tout de suite, regardant attentivement le médecin dans les yeux. « Vous avez bien parlé de témoigner ?

– Oui ! Sur leurs mensonges ! Je crois que nous les avons pris la main dans le sac. »

La petite voix raisonnable ralentit la réaction de MacNaughton, et c'est avec soin qu'il choisit ses mots. « Ah, docteur, je suis complètement d'accord pour dire que leur conduite est scandaleuse, mais... bien que je ne sois pas avocat... je doute sérieusement que ce qui s'est passé puisse faire l'objet de poursuites judiciaires, si c'est ce que vous envisagez. »

Brian continua à le regarder pendant une ou deux secondes, cligna des yeux et secoua la tête. « Désolé, je... je ne me suis mal exprimé. Si je présente une réclamation écrite auprès des autorités de l'aviation civile, puis-je compter sur votre appui ?

– Ah, je vois. » Le PDG tira une carte de visite d'une poche intérieure de son veston et la tendit à Logan. « Oui, tout à fait. Prenez simplement contact avec mon bureau. Le fait est que j'avais moi-même envisagé cette procédure.

– Enfin ! » s'exclama le médecin, laissant MacNaughton interloqué jusqu'à ce qu'il se rende compte que Logan lui montrait le hublot. L'homme d'affaires suivit son geste et constata, avec soulagement, que l'équipe de maintenance refermait les capots du moteur et retirait son échafaudage mobile. L'un des techniciens dit quelques mots dans une radio portative et, une poignée de secondes plus tard, la lumière vacilla dans la cabine du 747 tandis qu'on entendait monter en régime le grondement plaintif des moteurs.

Les craquements du cuir attirèrent l'attention de MacNaughton et, lorsqu'il se tourna du côté de l'allée, il vit que le médecin venait de se lever et se dirigeait vers l'arrière, franchissant le rideau de séparation.

Curieux comportement, se dit-il, tandis qu'il reprenait son porte-documents pour en retirer un volumineux rapport qu'il avait besoin d'étudier. Il devait se préparer pour une réunion, décidée au dernier moment, qui avait lieu au Cap ; et comme le jet de sa société était déjà pris, le vol régulier de Meridian pour l'Afrique du Sud avait semblé le meilleur compromis. Il commençait à regretter ce choix.

Le cliquetis de la PA attira une fois de plus son attention et il releva la tête, le porte-documents ouvert sur les genoux, se demandant si les pilotes allaient enfin leur adresser la parole.

Mais la voix était celle du Dr Logan.

Mes amis, je suis un passager comme vous. Je m'appelle Brian Logan. Il y a quelque chose que vous devez savoir...

Judy Jackson était en train de préparer des oreillers et de donner l'impression qu'elle était très occupée, à l'avant de la cabine de première classe, prenant bien garde de ne pas croiser le regard de MacNaughton. Au son de cette voix inconnue, elle se tourna brusquement, donna des coups d'œil dans toutes les directions puis partit en courant vers la cabine touriste.

Janie Bretsen, du côté gauche de la cabine de première, se redressa brusquement dans son siège.

L'équipage nous a menti pendant des heures. Cette histoire absurde d'arrivée de la reine était un mensonge, et il n'y a jamais eu le moindre front orageux dans le secteur...

La chef de cabine passa au pas de course à côté du siège de MacNaughton et fonça à travers les rideaux. L'homme d'affaires entendit ses pas s'éloigner, puis ses cris lorsqu'elle interpella le Dr Logan, lequel poursuivait son annonce.

... il n'y a eu aucun embouteillage sur l'aéroport et pendant tout ce temps, ils ont simplement cherché à nous cacher le fait que...

Il y eut un bruit de coup, suivi de celui, impossible à ne pas reconnaître, d'un combiné dégringolant sur le sol, tandis qu'on entendait en fond sonore des cris irrités. Janie n'était pas en service, mais elle se leva et prit la direction de l'arrière. Il y eut un soudain grognement dans les haut-parleurs, puis des bruits de bagarre tandis que Logan essayait de récupérer le combiné des mains de celui – ou plus probablement celle – qui le lui avait arraché.

... vous... CE QUE VOUS DEVEZ SAVOIR... *c'est...* LÂCHEZ-MOI !... *ils ont eu un problème avec... le moteur...* ET ILS N'ONT PAS VOULU NOUS EN PARLER ! ALLEZ-VOUS TOLÉRER ÇA ?

Le combiné fut une nouvelle fois arraché des mains de Logan, et c'est la voix d'une Judy Jackson hors d'haleine mais déterminée qui sortit des haut-parleurs.

Mesdames et messieurs... nous nous excusons pour cette intrusion... L'un de nos passagers semble avoir des problèmes psychologiques...

Le moteur extérieur droit tournait, à présent, et il y eut le double carillon signalant que le 747 commençait à rouler ; le léger mouvement le fit osciller vers la droite.

MacNaughton s'était tourné et s'efforçait de voir ce qui se passait à travers le rideau à demi tiré de la classe touriste, mais il décida de ne pas intervenir. Il s'était posé des questions sur la santé mentale du médecin ; le moment était peut-être mal choisi pour s'impliquer dans les événements.

Un tapage, fait d'exclamations coléreuses et d'un début de bousculade, se mit à remonter vers l'avant ; puis Brian Logan fit irruption par le rideau, escorté de près par une escouade d'hôtesses que menait une Judy Jackson apoplectique.

« MONSIEUR ! Si vous ne posez pas tout de suite vos fesses sur votre siège et si vous ne vous attachez pas, je demanderai au commandant de vous faire débarquer menottes aux poignets !

– Ne vous gênez pas, bon Dieu ! rétorqua le médecin d'un ton bas et menaçant. Je suis déjà en procès avec cette foutue compagnie, responsable de la mort de ma femme et de mon fils qu'elle a assassinés ! Je demanderai simplement vingt ou trente millions de rallonge. » Il se tourna pour s'asseoir.

« Faites ce que vous voudrez, mais tant que vous serez dans mon avion, vous allez... »

Brian Logan fit volte-face, l'index pointé sur le nez de Judy Jackson. « Je vous interdis de me donner des ordres !

— MONSIEUR ! ASSEYEZ-VOUS, OU NOUS FAISONS DEMI-TOUR ! » Judy Jackson se tourna vers ses hôtesses et montra la direction du cockpit. « Allez décrocher le téléphone de bord et préparez-vous à avertir le cockpit de ce qui se passe. Attendez mon signal. »

Une jeune femme prit aussitôt la direction de l'arrière, mais en empruntant l'allée parallèle pour ne pas passer à portée de Logan.

Le médecin resta encore quelques instants debout, parcourant des yeux les forces rassemblées contre lui. Cinq hôtesses étaient venues en renfort avec parmi elles, semblait-il, celle qui n'était pas en service, et toutes le regardaient sans aménité.

Brian adressa un coup d'œil à MacNaughton, lequel secoua imperceptiblement la tête et eut un mouvement de la main, paume vers le bas, qui conseillait à Logan de s'asseoir. Le médecin se résigna à suivre cet avis et s'assit lentement.

Les yeux de Judy Jackson flamboyaient de colère, mais l'imprévisibilité de son passager l'obligeait à rester prudente.

« Je ne veux pas vous revoir quitter ce siège, monsieur, dit-elle.

— *Docteur* Logan, s'il vous plaît. Et je ferai ce qui me chante !

— Peu m'importe votre titre. Si jamais vous touchez encore au matériel réservé à l'équipage, ou à quelqu'un de mon personnel, ou si vous recommencez à interférer avec nos ordres ou à les ignorer, vous serez arrêté, traîné devant un juge, condamné et emprisonné, je vous le promets ! Gardez bien présent à l'esprit qu'il y a des policiers en armes à bord de cet appareil, et que s'ils décident de vous sauter dessus, vous passerez les dix années suivantes en prison, si jamais vous y survivez... Probablement en Angleterre, où l'on n'est pas tendre avec les comportements infantiles. Compris ?

— Vous avez terminé ?

— Oui. »

Il brandit de nouveau l'index dans la direction de la chef de cabine, la voix toujours basse et menaçante. « Sortez-nous encore un de vos foutus mensonges, ma fille, et ce sont trois cents passagers en colère qui me soutiendront.

— Et vous non plus, ne me menacez pas ! » répliqua-t-elle, déglutissant d'une manière qui trahissait sa nervosité. Elle fila vivement vers l'arrière et franchit les rideaux, on ne peut plus consciente qu'il n'y avait pas de policiers en armes sur les vols internationaux de Meridian.

Janie Bretsen avait suivi cet échange depuis son siège. Lorsque Judy Jackson se tourna pour partir, elle s'élança derrière elle et la coinça dans l'office de la classe affaires.

« Au nom du ciel, qu'est-ce que tout cela signifie, Judy ? demanda-t-elle avec un geste vers l'avant de l'appareil.

— Que veux-tu dire ? demanda à son tour Judy, mais sans se retourner.

— Ce que je veux dire ? C'est la nouvelle lune, ou quoi ? On a eu un tas de gens furieux sur le vol de Chicago, nous aussi. Qu'est-ce qui a mis le toubib dans cet état ? »

Judy fit brusquement demi-tour, examina Janie de la tête aux pieds et fronça les sourcils. « On n'est pas au mieux de sa forme cet après-midi, n'est-ce pas, *Miss* Bretsen ? Es-tu bien sûre que ce que tu fais aurait l'approbation du responsable des vols ?

— Qu'est-ce que tu racontes ? »

Janie renifla et fit un geste désinvolte de dénégation. « Laisse tomber. Je suppose que les vieilles du service gestion ont le droit d'avoir cette dégaine.

— Cette... quoi ?

— Qu'est-ce que tu veux, à la fin ? Je suis occupée.

— Je vois ça. Je... j'ai assisté à tout cet échange et je me demandais si je ne pourrais pas t'aider d'une manière ou d'une autre.

— Parce que nous ne serions pas capables de nous en sortir sans les services d'un responsable patenté ?

— Arrête ça, Judy ! Ta suspension est une vieille histoire et tu l'avais méritée. C'est toi qui as un comportement infantile ! »

Judy Jackson se rapprocha d'un pas et enfonça un doigt dans la poitrine de Janie. « Écoute-moi bien, Bretsen. C'est *moi* la patronne de cette cabine et de cette équipe. Tu n'occupes plus un poste supérieur dans la compagnie, même si tout le monde sait que tu es vendue aux patrons. On t'a balancée ici soi-disant pour être dans la légalité, mais en fait pour m'espionner.

– Quoi ? Tu sais bien que non. Mais puisque tu le dis, si l'équipage n'a pas le nombre légal de membres, comment se fait-il que nous partions ?

– Avec ta carcasse à bord, on a techniquement le nombre légal, comme tu le sais aussi. Mais tu ne fais pas partie de *mes* filles et je n'ai pas besoin de *ton* aide, et je ne te la demanderais pas, même si j'en avais besoin. Va hiberner et ne te retrouve pas sur mon chemin.

– Tu ne changeras jamais, hein, Judy ? Toujours la même attitude batailleuse et rageuse, toujours le même manque total de sens du service...

– Va t'asseoir, Bretsen ! Ou est-ce que je dois te faire arrêter, toi aussi ? »

Janie soupira et eut un mouvement du menton lorsque retentirent les deux tintements annonçant le décollage. « Vas-tu informer le commandant de ce qui s'est passé, ou veux-tu que je le fasse ?

– Personne d'autre que moi ne parle au cockpit, vu ?

– Il faut les mettre au courant, Judy.

– Fiche-moi le camp d'ici ! » éructa Judy, l'index tendu. Janie battit en retraite entre les rideaux et se laissa tomber sur son siège au moment où les moteurs atteignaient leur plein régime et où le 747, lourdement chargé, commençait à rouler pour prendre l'air.

17

Phil Knight brancha le pilote automatique lorsque le Boeing 747 atteignit huit mille pieds et que Londres Central lui eut fait prendre cap au sud. Il se contentait de surveiller le système de vol sophistiqué qui allait les amener en douceur jusqu'à trente-sept mille pieds et qui, avec la même douceur de toucher, ajustait l'alimentation des moteurs à la vitesse de croisière.

Il regarda à sa droite, vérifiant que le copilote tenait toujours la check-list sur ses genoux. Dans les heures qui avaient suivi leur prise de bec acerbe, avant le décollage, ils n'avaient échangé que les informations exigées par le protocole de vol. Knight savait qu'il était allé trop loin. Que ça n'avait été ni le moment ni le lieu de s'en prendre au snobisme du copilote, mais il ne voyait pas comment réparer les dégâts. Garth Abbott aurait pu faire les premiers pas, mais Phil était supposé être le patron, et il n'ignorait pas qu'il aurait dû se montrer plus mesuré. Son explosion n'avait fait que rendre les choses encore pires.

« Vérification croisière », dit-il.

Garth Abbott leva les yeux et acquiesça. « Altimètre ?

– Deux-neuf-neuf-deux.

– Pressurisation ?

– Conforme. Cabine à sept mille. »

Ils parcoururent le reste des questions/réponses de la check-list sans y ajouter le moindre commentaire.

« Vérification croisière terminée.

– Merci.

– Pas de quoi », répondit Garth qui hésita un instant, se demandant ce que cela signifiait. Jamais Knight ne remerciait un copilote pour quoi que ce soit. *Simple écart de langage, sans doute*, se dit Abbott.

Brenda Roberts avait eu le plus grand mal à rester en place dans son siège près du hublot, pendant le décollage. Soudain, elle se tourna vers son mari, les yeux agrandis par l'excitation, l'agrippant par le col.

« Jimmy ! Il faut que tu voies ça ! Houlà !

– Quoi donc, chérie ?

– Le Parlement... et Big Ben... et ça doit être la Tamise. Tu te souviens de la carte postale que je t'ai montrée ?

– Ouais.

– Eh bien, ils sont là en vrai ! »

Jimmy se détacha et se pencha par-dessus les genoux de Brenda pour jeter un coup d'œil par le hublot, se demandant si une hôtesse n'allait pas lui tomber dessus à cause de la ceinture de sécurité.

Mais il se fichait pas mal d'être morigéné comme un gamin, au fond. Il adorait voir Brenda dans cet état d'excitation.

« Nom d'un chien, ma chatte, mais tu as raison, les voilà en vrai ! »

Elle se mit à opiner du chef tellement vite que sa cascade de cheveux ne put suivre le mouvement et qu'elle se retrouva la crinière en bataille, lui donnant cette allure de sauvageonne qui avait toujours le don de l'exciter.

Ils ne pouvaient cependant aller nulle part pour se livrer à cette montée de désir, et il dut réprimer les sollicitations de son corps, tandis que ses yeux suivaient la direction qu'elle lui indiquait.

« Ce n'est pas Stonehenge, Jimmy ? » Elle se tourna vers lui, l'œil brillant, un sourire de cent mille watts aux lèvres. Il lui sourit aussi et essaya de voir ce qu'elle avait repéré.

« Peux pas dire. C'est quelque part dans le sud de l'Angleterre, je crois. »

Elle avait de nouveau le nez collé au hublot. « Ça ressemble aux photos, mais c'est tout petit.

– Il faudra venir un jour ici y passer quelque temps. »

Elle se retourna vers lui, le visage rayonnant, et jeta les bras autour de son cou, l'étouffant presque.

« Ah, je t'aime tellement, Jimmy Ray ! dit-elle, se détachant brusquement de lui pour le regarder dans les yeux. Merci d'avoir réalisé mon rêve !

– Voyons, c'est *toi* qui as gagné le concours, ma chérie.

– Oui, mais c'est *toi*, mon bon gros Texan, qui as dit : Ouais, d'accord, allons-y ! » Elle l'embrassa à pleine bouche, le laissant légèrement étourdi et embarrassé, même après toutes ces années. Puis elle se tourna une fois de plus vers le hublot.

« Douvres ! s'exclama-t-elle, je suis sûre que c'est Douvres, Jimmy ! »

Garth Abbott regarda la côte anglaise s'éloigner et laissa son esprit dériver vers son foyer. Voler en compagnie de Phil Knight n'était pas une sinécure, mais ce n'était rien, comparé à l'anxiété qu'il ressentait en pensant à sa femme. Il avait espéré que la routine du décollage, de la montée et du passage en régime de croisière l'aiderait à repousser ses doutes lancinants dans quelque recoin plus ou moins isolé de son cerveau. Mais ça n'avait pas marché, et il n'avait plus qu'une envie : se retrouver tout seul, n'importe où, au moins pendant quelques minutes.

« Je... je crois que je vais aller là derrière prendre un café et m'étirer un peu, Phil. Vous n'y voyez pas d'inconvénient ?

Phil Knight lui adressa un coup d'œil neutre. « Non, aucun. Allez-y.

– Vous voulez que je vous rapporte quelque chose à boire ? »

Le pilote secoua négativement la tête sans répondre, tout en vérifiant l'écran de sécurité : il n'y avait personne dans le petit passage donnant sur le cockpit. Il contrôla également les images que les différentes caméras donnaient des cabines de l'appareil de ligne à deux étages et revint à la première.

« Tout paraît calme, là en bas, et l'entrée est dégagée. Vous pouvez y aller. »

Abbott détacha sa ceinture et se leva, prenant sa casquette avant de disparaître par la porte lourdement blindée du cockpit, qu'il referma derrière lui avec soin. À cet instant, contrôle Paris ordonna un changement de fréquence.

« Roger, Paris, répondit Knight. Un-vingt-quatre-point-cinq.

– Non, Meridian, un-deux-quatre-point-zéro-cinq. Pouvez-vous répéter ?

– OK, un-deux-quatre-point-zéro-cinq.

– *Oui. Bonjour*[1].

– Bonjour », répondit Knight en anglais, composant la nouvelle fréquence. Il fit l'appel de vérification au contrôleur et se laissa aller dans son siège, sentant son estomac se nouer à l'idée de tous les accents épouvantables qu'il allait devoir déchiffrer pendant le voyage. Ce n'était pas juste. L'anglais était supposé être le langage international de l'aviation, et il avait tablé là-dessus lorsqu'il avait décidé de tenter la division internationale. Il n'avait jamais appris la moindre langue étrangère en classe. Il n'avait aucune oreille pour les langues. Mais pourquoi ne l'avait-on pas averti que la version de l'anglais que parlaient la moitié des contrôleurs européens et africains relevait du pur charabia ? Pourquoi Meridian ne l'expliquait-il pas à ses pilotes ?

Le copilote, lui, n'en paraissait nullement incommodé, ce qui ne faisait que l'irriter un peu plus. Il se sentit rougir encore légèrement au souvenir de leur premier voyage ensemble, durant lequel il avait dû reconnaître qu'il ne comprenait rien à ce qu'on lui disait. Abbott avait fait semblant d'être serviable, traduisant les messages, prenant en charge les communications – mais Phil était convaincu que son copilote comptait les heures qui le séparaient du moment où il pourrait répandre la nouvelle, dans la division internationale de Meridian, que son commandant de bord était incompétent.

Il jeta un coup d'œil à la porte du cockpit, content de la voir toujours fermée. Il regrettait de ne pouvoir donner l'ordre à son copilote d'aller s'asseoir en première classe et de

---

1. En français dans le texte.

ne pas revenir avant des heures, mais le règlement était clair : le copilote d'un équipage de deux personnes ne pouvait quitter sa place que pour des raisons physiologiques, sans parler de toutes les nouvelles règles de sécurité et procédures destinées à faire en sorte que personne, sinon un membre de l'équipage, ne puisse avoir accès au cockpit – si bien qu'y entrer et en sortir était à chaque fois une corvée. Il lui fallait supporter la présence d'Abbott, même si le voyage aurait été beaucoup plus agréable sans lui et son insondable mépris, rendu encore pire depuis leur dispute.

Tu ne mérites pas d'être commandant de bord, semblait toujours vouloir dire le petit air suffisant d'Abbott. *Tu ne sais même pas ce que tu fiches ici.*

Phil se pencha sur son sac de voyage et en retira son portefeuille, l'ouvrant sur les photos de sa famille. Sa femme, Doris, et ses trois enfants, tous souriants, se tenaient sur une plage des Bahamas où il les avait emmenés en vacances pour fêter un grand événement : il venait d'être certifié pour piloter sur 747 dans la division internationale, et cela avait servi de prétexte. Sans parler des cinquante mille dollars annuels en plus, même si l'Oncle Sam lui en piquait trente pour cent. Il était enfin au sommet de sa carrière. Depuis toujours, il avait désiré sortir des lignes intérieures, voir le monde et se parer du titre de « commandant de bord de 747, lignes internationales ». Jusqu'à ce moment-là, piloter pour Meridian avait surtout consisté à tourner en rond entre les divers aéroports du Midwest qu'il connaissait par cœur, aux commandes d'un Boeing 727 puis d'un 737. Il maîtrisait parfaitement les lignes intérieures, tous les contrôleurs parlaient anglais, il n'atterrissait jamais sur des aéroports dont il ne connaissait pas chaque piste, et ses copilotes se montraient toujours respectueux.

Pourquoi diable ai-je donc laissé ça ? se dit-il.

Il regarda par le hublot de gauche et vit des strates de cumulus plus loin, vers l'est ; il se demanda s'il pouvait voir les Alpes suisses. Il se baissa sur le casier pour en extraire, après avoir cherché un peu, une carte de l'Europe qu'il déplia sur ses genoux. Il connaissait mal la géographie de la région et ne savait que très approximativement où se trouvaient les différents pays qui la composaient.

Non, nous sommes trop au nord. Il doit s'agir de l'Allemagne.

139

Il s'imagina qu'il voyait déjà au loin les sommets des Alpes, mais il lui fallait vérifier avec les instruments pour en être sûr.

Une nouvelle petite vague d'envie lui envahit l'esprit, et il essaya de la repousser. Abbott connaissait le paysage par cœur, par ici, et n'aurait pas manqué de lui indiquer les reliefs les plus caractéristiques. Les copilotes des lignes internationales étaient des guides vivants. Ils regardaient de haut tous ceux qui avaient moins d'expérience, et ils détestaient les vieux pilotes des lignes intérieures qui décidaient tout d'un coup de se faire certifier à l'international pour gagner plus d'argent. Knight ressentait tous les jours ce dédain larvé.

Il revint en esprit à l'échange rugueux qu'ils avaient eu à Heathrow, et grimaça à l'idée qu'il avait perdu son sang-froid. Certes, Abbott méritait d'être remis à sa place, et peut-être le moment n'avait-il pas été si mal choisi pour mettre les choses au point, pour que ce blanc-bec sache que le commandant en avait assez de son attitude.

Non, j'aurais mieux fait de me taire, songea-t-il, sans pouvoir s'empêcher de se rappeler la litanie des observations que l'autre lui avait faites, la semaine précédente : « Excusez-moi, Phil, mais normalement, sur cette piste, vous devez tourner à droite... », « Phil, désolé de vous interrompre, mais d'après mon expérience... », « Hé, Phil, je crois que c'est l'aéroport, par là. »

Travail d'équipe, ouais. Chaque vol lui faisait l'effet d'un examen qu'il aurait raté rien qu'en s'y présentant.

Le siège voisin de celui de Brian Logan était vide, et Janie avait épuisé ses capacités d'endurer la solitude. Le double tintement annonçant qu'ils avaient atteint dix mille pieds avait retenti quelques minutes auparavant, et si le signal *Attachez vos ceintures* était encore allumé, elle n'y tenait plus. Elle avait toujours lutté contre la frustration et la colère par le mouvement. Faire les cent pas, se promener, courir, voyager – n'importe quoi, pourvu qu'elle ne soit pas obligée de rester clouée sur place à bouillir au souvenir, exacerbé par la fatigue, des insultes de Judy. Elle se leva tranquillement et, après avoir défroissé sa jupe et correctement remis sa blouse dans la ceinture, dans l'allée, se glissa sur le siège 3-C, à côté du médecin. Celui se tourna, l'air quelque peu surpris.

« Salut », lui dit-elle avec un sourire, le regardant dans les yeux. Les traits de l'homme se détendirent un peu tandis qu'elle lui tendait la main, par-dessus le repose-bras, d'un geste un peu maladroit. « Je m'appelle Janie Bretsen. »

La main droite du médecin se referma sur la sienne, hésitante au début, puis avec un peu plus de fermeté, et elle ressentit quelque chose qui n'était pas tout à fait de la douceur, mais une sorte de puissance contrôlée. Une main pleine de force, mais capable d'une grande précision.

« Brian Logan. Ravi de faire votre connaissance... Janie. » Il regarda autour de lui comme s'il s'attendait à voir la mère supérieure surgir d'un instant à l'autre entre les rideaux et le surprendre en train de molester quelqu'un de sa couvée. « Je... j'avais cru comprendre que vous faisiez partie du personnel de bord.

— C'est exact, répondit-elle en soulevant un sourcil et en adoptant un ton de conspiratrice. Mais en fait, j'ai feinté la classe.

— Vraiment ? »

Elle se débarrassa de ses chaussures, replia les jambes sous elle et se tourna pour pouvoir faire face au médecin, profitant de la taille du siège. « En fait, j'étais de service dans le vol de Chicago en tant que chef de cabine ; mais comme il manquait une hôtesse pour Le Cap, le service de régulation des équipages m'a recrutée de force pour la deuxième étape. Si bien que si, techniquement, on peut me compter dans cet équipage, je ne fais en réalité qu'acte de présence. »

Elle vit la main de son voisin s'abaisser et se serrer en poing, comme s'il était soudain gêné de l'avoir touchée ou même de lui avoir parlé.

« Je vois », dit-il d'un ton devenu glacial, regardant droit devant lui, comme s'il étudiait la paroi, à l'avant de la cabine.

Ai-je dit quelque chose qu'il ne fallait pas dire ? se demanda Janie. Le changement avait été soudain. *Non, je ne crois pas...*

« Vous comprenez, je n'ai pas pu faire autrement, reprit-elle. La cabine n'est pas bien grande, ici, et les voix portent... »

Il se tourna brusquement, l'expression dure et fermée.

« Vous pouvez aller dire à Ms Jackson que son petit stratagème était nul, et que je ne suis pas tombé dans le panneau. »

Janie le regarda, stupéfaite. « Je vous demande pardon ?

— Vous envoyer ici pour m'amadouer... pour essayer de me
faire changer d'avis. Ça ne marchera pas. »

Janie refusa de détourner les yeux de son profil, même si
lui ne la regardait pas.

« Vous vous trompez lourdement, docteur. Je suis simplement venue bavarder avec vous. Judy Jackson n'a rien à voir
là-dedans.

— De toute façon, ça ne marchera pas, répéta-t-il.

— Qu'est-ce qui ne marchera pas, Dr Logan ? demanda-
t-elle doucement. Dois-je vous appeler Dr Logan ou pouvons-
nous employer nos prénoms ?

— *Docteur* ira très bien. »

Elle acquiesça. « Entendu, docteur. Mais dites-moi, s'il vous
plaît, pourquoi ce que je n'essaie pas de faire ne marchera
pas. »

Une esquisse de sourire souleva le coin de ses lèvres, puis
il se reprit et renifla. « C'est une double négation.

— Vraiment ?

— Quelque chose me dit que vous le savez bien, répondit-
il d'un ton moins acide. Vous vous exprimez bien. Mieux que
la plupart de ces grandes gueules qui travaillent pour cette
soi-disant ligne aérienne.

— Merci toujours... peut-être. Bon sang, docteur, vous êtes
quelqu'un de marrant à parler avec. » Elle porta la main à sa
bouche et reprit, d'un ton étouffé : « Désolée. C'était une
construction discutable.

— Quoi donc ? » demanda-t-il, se forçant à prendre un ton
irrité.

Elle retira la main de sa bouche. « Les règles de grammaire
exigent qu'on ne termine jamais une phrase avec *avec*, et
c'est justement ce que je viens de faire, alors qu'en principe
c'est une chose qui ne m'arrive jamais.

— Tiens donc.

— Cette conversation devient passionnante, non ?

— Ce ne sont pas les sièges vides qui manquent autour de
nous », rétorqua-t-il sèchement.

Elle laissa passer quelques secondes. « Préférez-vous que je
vous laisse tout seul ?

« – Si vous êtes venue ici pour me manipuler, oui.

– Ce n'est pas le cas. Je vous le jure. Je ne suis pas venue pour vous manipuler, vous convaincre, vous cajoler, vous faire changer d'avis en vous baratinant. Je ne pourrais pas le faire, je ne voudrais pas le faire, je m'interdirais de le faire. »

Nouveau bref sourire.

« Merci, Dr Seuss.

– Ouais, dit-elle en pouffant, J'aime bien ses œufs verts au jambon. »

Il acquiesça, ayant du mal à garder son sérieux pendant qu'elle poursuivait :

« J'ai toujours aimé les bandes dessinées du Dr Seuss, quand j'étais petite. Houlà... ça fait bizarre, mais vous voyez ce que je veux dire. »

Il acquiesça à nouveau, et elle se dit que c'était bon signe.

« Ma femme et moi... », commença-t-il. Le reste de la phrase lui resta dans la gorge et il se détourna, serrant les dents, la main au menton.

« Écoutez, docteur... j'ai entendu ce que vous avez dit à Jackson, que Meridian avait... avait tué votre femme et votre fils...

– Assassiné ! lança-t-il.

– Oui, assassiné, c'est ce que vous avez dit. »

Ils gardèrent quelques instants le silence, puis il se tourna et la regarda intentionnellement, reprenant ensuite sa position initiale, la bouche en cul-de-poule.

« Je m'en irai, si c'est ce que vous voulez, dit-elle, mais... j'avoue que j'aimerais savoir ce qui s'est passé. »

Il constata avec surprise qu'il n'avait plus envie de la chasser.

« Un appareil qui s'est écrasé ? »

Il lui fit non de la tête et lui résuma l'histoire, faisant de gros efforts pour conserver son calme. Quand il eut fini, ils restèrent sans parler pendant près d'une minute. Janie se mit à tripoter machinalement sa jupe, puis elle baissa les yeux et secoua la tête.

« J'ignorais tout de cette affaire, dit-elle doucement. Pas étonnant que vous détestiez tout ce qui concerne Meridian. À votre place, j'éprouverais la même chose.

– Vous comprenez l'effet que ça me fait, d'avoir été obligé de voler sur cette compagnie ? demanda-t-il avec plus de douleur que de colère dans le ton, à présent. De me retrouver dans un avion de la Meridian ?

– Non. »

Sa réponse déclencha un regard intrigué de la part de Logan. « Non ?

– Je peux essayer de comprendre, docteur, et j'essaie, mais vous répondre oui rendrait banales les souffrances terribles que vous avez endurées.

– Brian.

– Pardon ? »

Il eut un mouvement de tête et esquissa une grimace, comme s'il s'excusait d'une maladresse. « Je vous en prie, appelez-moi Brian.

– Merci, Brian. Et moi, ce sera Janie.

– Je... euh... je tiens à vous remercier pour votre compréhension. Je ne m'attendais pas à ça de la part de...

– Il n'y a pas de quoi, dit-elle, coupant court à tout besoin d'ajouter une explication.

– Je suis... simplement désolé de voir une femme aussi charmante que vous travailler pour une pareille compagnie.

– Moi aussi, j'en suis désolée. » La réaction de Janie la surprit elle-même, et elle se demanda comment les mots avaient échappé à son contrôle conscient avant de sortir de sa bouche.

Brian Logan parut surpris, et elle lui posa la main sur le bras.

« Pour tout vous dire, Brian, nous avons certains employés innommables, à Meridian, y compris une certaine femme qui est dans cet appareil et à qui vous avez déjà eu affaire... nous en avons d'autres qui sont au bout du rouleau... et beaucoup qui, comme moi, sont tout simplement écœurés jusqu'à la moelle par ce qui se passe dans notre compagnie. »

Il hocha la tête, pas entièrement convaincu, et elle lui relata la conversation qu'elle avait eue avec la sénatrice Sharon Douglas, ainsi que les incidents qui avaient émaillé le vol Chicago-Londres. Si elle se perdait parfois dans son récit, elle se rendait compte qu'il l'écoutait attentivement. Elle savait qu'elle n'avait pas désamorcé sa colère, mais c'était cependant un commencement.

Karen Davidson avait mis une demi-heure pour trouver un moyen d'accrocher solidement son porte-bébé au râtelier à journaux fixé sur la paroi devant elle. Il lui avait fallu batailler pour que la poignée reste bien attachée au montant, mais au moins était-ce une meilleure solution que de poser son bébé sur le plancher, qui était froid.

À peine avait-elle terminé que Cathy Eileson, l'une des hôtesses, arrivait à sa hauteur. Elle remontait l'allée lentement et repéra le hamac de fortune bricolé par la passagère. Cathy s'agenouilla à côté d'elle. « Dites-moi, c'est très astucieux...

— Merci, répondit Karen. Certaines compagnies aériennes ont prévu des crochets ; mais cette fois-ci, il a fallu que je me débrouille.

— C'est une excellente idée, cependant... ça m'embête de devoir vous le dire... ce n'est pas autorisé.

— Ne vous inquiétez pas, je remettrai tout en place avant l'atterrissage.

— Je n'en doute pas, mais... nous avons un ensemble de règlements monstrueux à observer. Ça ne nous laisse pas beaucoup de marge de manœuvre. En cas de turbulences, il pourrait tomber. »

Karen soupira, décrocha le porte-bébé et l'installa à ses pieds. « Je l'avais mis là parce que le plancher est devenu glacial.

— Je vais essayer de vous trouver une couverture supplémentaire, répondit Cathy. Je suis vraiment désolée. »

Karen l'étudia attentivement. « Vous travaillez pour cette compagnie ? » demanda-t-elle.

Cathy Eileson, surprise, eut un petit mouvement de recul, ne sachant trop si la question était une tentative pour faire de l'humour. « Désolée ?

— Je me demandais si vous apparteniez vraiment à Meridian... parce que, en dehors de celle qui était chef de cabine depuis Chicago, Janie quelque chose, vous êtes la seule, jusqu'ici qui... qui semble s'intéresser un peu à nous. »

L'expression de confusion laissa un bref instant place à un début de panique, puis la jeune femme repoussa la cascade de cheveux qui lui était tombée devant les yeux et secoua la tête. « Je... ce n'est pas très agréable à entendre... je veux dire... »

Karen leva la main. « Ce n'était pas gentil de ma part. Je suis désolée.

– Non, dit l'hôtesse, secouant toujours la tête. Si vous avez été mal traitée, je dois le savoir. J'en suis vraiment désolée. » Elle se releva, puis se pencha sur Karen, sa voix réduite à un murmure. « Si vous avez besoin de quelque chose pendant le reste du voyage, demandez-le-moi. Normalement, je travaille dans l'office du fond. »

Karen attendit que la jeune femme se soit éloignée avant de raccrocher le porte-bébé au râtelier à journaux.

Sur le pont supérieur du 747-400, Garth Abbott émergea des étroites toilettes situées directement derrière le cockpit pour passer dans l'office le plus proche. Il avait l'intention de se préparer un café et de réfléchir. Il saisit un mouvement en vision périphérique et, se tournant vers l'arrière de la cabine, il croisa le regard de Judy Jackson.

C'était peut-être la dernière personne au monde qu'il avait envie de voir en ce moment.

Car il ne la connaissait que trop bien, ayant à de nombreuses reprises volé avec elle au cours des dernières années. « Elle en veut au monde entier, sans qu'on sache pourquoi », avait-il confié à un nouveau commandant de bord, deux mois auparavant, lorsque Judy avait pris d'assaut le cockpit, peu après le décollage, et agoni l'homme aux quatre barrettes d'injures pour quelque faute obscure.

« Mais bon sang, qui commande ici ? avait demandé le pilote à Garth après le départ de la furie. Je sais bien qu'être commandant de bord signifie que tout le monde va vous envoyer promener, de nos jours, mais nom d'un chien, Garth ! Se faire traiter de tous ces noms d'oiseau !

– Vous devriez vous sentir honoré, avait répondu Garth Abbott en pouffant. Elle n'insulte que les pilotes qu'elle aime. Sinon, ils meurent de faim pendant les vols. Rien à manger, rien à boire, pas de quartier.

– Il serait peut-être temps que quelqu'un se plaigne d'elle à la compagnie.

– Soyez très prudent, l'avait averti Garth. La dernière fois qu'un commandant a fait un rapport sur elle, ça a failli très mal se terminer pour lui : elle l'a accusé d'agression sexuelle

146

– et tout laisse à penser que c'était un pur mensonge. Elle a failli ficher sa carrière en l'air.

— Vraiment ?

— La cabine est son royaume exclusif. Elle est coriace comme une hyène et on a tous renoncé à lui tenir tête. »

Judy repéra le copilote, lui adressa un petit signe et se dirigea vers lui.

Ah, merveilleux, se dit Garth en essayant de déterminer si la compagnie de Judy Jackson n'était pas encore pire que celle de Phil Knight. Il eut une pensée fugitive pour sa femme et son cœur se serra. Il aurait aimé pouvoir fermer les yeux et essayer, sans être interrompu, de repasser dans sa tête la conversation qu'ils avaient eue avant son départ pour en déchiffrer la clef. Il y avait un espace de repos minuscule réservé à l'équipage, à l'arrière du cockpit, et il avait envisagé un moment de s'y glisser ; mais il donnait dans le cockpit et Phil Knight l'aurait évidemment remarqué.

« J'aurais pu vous l'apporter », lui lança une Judy souriante, avec un geste vers le gobelet de café. Elle rejeta ses cheveux en arrière.

« Oh, ça va très bien. J'avais besoin de me dégourdir un peu les jambes et de sortir de là. »

Judy fit passer son poids d'un pied sur l'autre, le petit mouvement accentuant l'arrondi de sa hanche, sous la jupe d'uniforme parfaitement coupée, tandis qu'elle surveillait les yeux de Garth, pour voir s'ils allaient se balader sur son corps. Au lieu de cela, il détourna le regard pour s'intéresser à l'office, au plancher, au plafond... à tout sauf à elle.

« Vous, jeune homme, quelque chose vous tracasse », dit-elle avec une inhabituelle douceur dans la voix.

Garth la regarda, cette fois, s'attendant à ce que la sincère curiosité qu'il affichait devant tant de sollicitude soit accueillie par un ricanement. Mais les yeux de la chef de cabine étaient grands, d'un bleu intense, et on n'y lisait aucune moquerie.

« Je... euh... c'est des trucs personnels, réussit-il à dire, s'en voulant aussitôt de l'ineptie de sa réponse.

— Ce sont toujours des trucs personnels... Dieu sait que j'en ai vécu, de ces choses. C'est... » Elle manœuvra de manière à rester dans son champ de vision. « C'est pour ça que je n'ai pas de mal à m'en rendre compte, quand quelqu'un est soucieux. Je sais que je suis indiscrète, mais... » Elle jeta un coup d'œil à la main gauche de Garth, remarquant aussitôt l'alliance à laquelle elle n'avait jamais prêté attention auparavant. « Des problèmes à la maison ? »

Garth sourit involontairement mais se reprit tout de suite, secouant la tête. « Quoi ? Oh, non. » Il essaya de rire mais s'y prit mal – on aurait plutôt dit qu'il toussait. « Je, euh... j'aimerais être ailleurs qu'ici, vous voyez ce que je veux dire ? Vous avez déjà dû éprouver ça. »

Elle rit. « Oh, seulement une heure sur deux. Bienvenue au club. »

Leurs regards se croisèrent à nouveau pendant une seconde, ce qui le déstabilisa. Il avait toujours eu du mal à soutenir le regard d'une femme. C'était quelque chose de tellement personnel, de tellement... *intime.* Mais Carol lui avait clairement fait comprendre que les femmes n'avaient qu'une médiocre opinion des hommes qui détournaient les yeux. *Soit c'est qu'ils ont un caractère changeant et ne sont pas fiables, soit c'est qu'ils ne peuvent détacher les yeux de tes nénés. Dans un cas comme dans l'autre, nous ne leur faisons pas confiance.*

Judy disait quelque chose, et sa voix le ramena au moment présent. Garth secoua la tête et la regarda à nouveau. « Pardon ?

– Vous étiez ailleurs, pendant une seconde. »

Il acquiesça. « Ouais... bon, je crois que je risque de me retrouver au chômage, si je ne vais pas rapidement rejoindre le Commandant Grand-Sol..., euh, Phil. »

Elle sourit, ce qui ne fit qu'augmenter sa perplexité. C'était donc ça, la furie qu'il avait vue en action ? La femme caustique dont il avait dit du mal au prédécesseur de Knight ? Comment pouvait-elle être soudain si sympathique, si... féminine ?

« À plus tard, dit-il, gêné, se tournant vers le téléphone de bord et la serrure à chiffres.

– J'y compte bien », répondit-elle à son dos.

18

David Byrd s'arrêta à la hauteur de l'anneau 18 et leva les yeux vers l'escadron de mouettes qui avait attiré son attention par une soudaine rafale de cris suraigus. Il resta quelques instants à les regarder tournoyer sans effort dans la lumière orangée du jour naissant, étudiant les subtils mouvements de leurs ailes et de leur queue avec l'émerveillement d'un pilote expérimenté connaissant lui-même le bonheur sans fin de sonder les mystères du vol.

La fraîcheur de la nuit se faisait encore sentir, mais l'air se réchauffait peu à peu avec le jour et il était déjà chargé d'un cocktail d'effluves montant des eaux vertes et miroitantes du port comme un parfum biologique. Une brise à peine sensible vint jouer dans ses cheveux tandis que, les yeux fermés, il humait le mélange salé d'odeurs d'algues séchées et de poisson – plaisir saboté par l'irruption soudaine d'émanations de diesel, en provenance d'un yacht à moteur se préparant à lever l'ancre.

David consulta sa montre. Sept heures deux. Le général Overmeyer l'avait mis en garde : John Blaylock était un personnage imprévisible ; et s'il cultivait le genre bohème, il avait un sens de la discipline aigu et était bien connu pour arriver aux réunions importantes à l'heure pile – mais dans

149

un uniforme froissé et portant des chaussures qui n'avaient pas été cirées depuis leur sortie d'usine.

David s'avança sur le pont en teck du yacht hybride et leva la main pour frapper à la porte de la cabine-moteur ; celle-ci, au même instant, s'entrouvrit de quelques centimètres. Dans l'entrebâillement apparut une tête d'homme, et deux yeux l'examinèrent d'un air soupçonneux et en silence.

« Euh... bonjour ? » dit David.

Il n'y eut pas de réponse et le battant se referma.

David s'apprêtait de nouveau à frapper lorsque la porte se rouvrit, mais en grand cette fois. Elle révéla un homme portant la casquette brodée d'un éclair d'un colonel de l'Air Force – le reste de sa tenue étant réduit en tout et pour tout à un boxer-short orné de mickeys.

« Colonel Blaylock ? »

Le gaillard d'un mètre quatre-vingt-dix salua de manière exagérée et lui tendit la main.

« Bienvenue à bord, colonel Byrd. J'apprécie qu'on soit ponctuel. » Il fit demi-tour et invita d'un signe David à le suivre vers la petite cuisine du bateau. Ils accédèrent au pont principal surélevé à plancher de chêne, et David referma la porte derrière lui, tandis que Blaylock se coulait derrière un billot de boucher. Le colonel, remarqua David, avait encore une magnifique crinière noire ; celle-ci encadrait un visage bronzé, au-dessus d'un torse également bronzé et d'un soup-çon de brioche. Son visage changea sans peine d'expression pour afficher un sourire sympathique (qu'il était capable de rendre rayonnant le temps de le dire).

« Un café ? proposa-t-il, son sourire réglé sur cinquante mégawatts.

– Volontiers. Juste un peu de crème, pas de sucre.

– *Roger.* Tirez-vous un tabouret. »

David s'assit, regardant Blaylock exécuter avec aisance ce qui devait être un rituel matinal : prendre du café en grains dans un conteneur hermétique, le moudre, et placer la poudre dans le filtre d'une machine à espresso commerciale, à finitions en laiton, d'une taille qui aurait convenu à un restaurant.

L'homme retira sa casquette de l'Air Force et la posa sur le comptoir tout en grattant sa poitrine velue de son autre main. Sa machine à espresso trônait au milieu de la minuscule cuisine et, presque comme s'il donnait la réplique à David, Blaylock enchaîna : « Ma drogue préférée – non, erreur : ma deuxième drogue préférée, la première étant les représentantes de sexe féminin de l'espèce.

– La nôtre, j'imagine – d'espèce ? » répliqua David avec un sourire.

Les sourcils de Blaylock grimpèrent à une hauteur qui n'avait rien de naturel. « Hé, je suis impressionné ! Une grosse tête du Pentagone douée d'un authentique sens de l'humour !

– Pour votre gouverne, je ne suis pas une grosse tête du Pentagone.

– Et pour la vôtre, répliqua Blaylock, j'évite d'avoir des relations intimes avec des femelles autres que celles de l'espèce humaine.

– Bien. Je crois d'ailleurs que le règlement de l'Air Force précise que c'est interdit.

– Le règlement de l'Air Force, je m'en tamponne, répondit Blaylock qui plissait les yeux pour surveiller le manomètre de sa machine à café. Je suis un réserviste. Les réservistes sont par nature méfiants vis-à-vis des règlements, des locataires du Pentagone et des colonels qui viennent traîner sur les quais à la recherche d'informations.

– Je recherche des informations ? » s'étonna David.

Blaylock lui sourit. « Bon, d'accord, du café *et* des informations. Et au fait, puisqu'on en parle, qu'est-ce que ce brave général de mes deux pense que je peux faire pour vous ?

– Eh bien, pour commencer, c'est une visite officielle.

– Ça, je l'avais compris. » Il se força à prendre un air sérieux et montra sa casquette. « Raison pour laquelle je la portais à votre arrivée.

– Je veux bien vous croire, mais je ne suis pas sûr que les mickeys de votre boxer-short soient très réglementaires.

– Vous avez tout faux, colonel Byrd ! Combien de fois, dans votre carrière, vous avez grommelé dans votre barbe qu'on travaillait pour des mickeys, dans cette organisation ? »

David éclata de rire. « OK. J'ai pigé.

– Vous étiez sur le point de m'expliquer les raisons de votre visite. » Blaylock manipula son engin et fit couler une tasse de café pendant que David le briefait sur la cellule spéciale qu'il avait dirigée à la FAA, et sur les inquiétudes des représentants du renseignement concernant une éventuelle manipulation, par des terroristes, de passagers exaspérés. Le temps qu'il ait fini, son hôte avait posé devant lui une gigantesque tasse d'un café noir sublime, enfilé une chemise hawaïenne, et pris place sur un tabouret, de l'autre côté du billot de boucher.

« C'est tout ? demanda John Blaylock.

— Pratiquement, oui. Existe-t-il une réponse magique ? »

Blaylock eut un petit reniflement. « Je n'ai même pas une question magique.

— Personnellement, le relança David, je ne vois pas comment la notion d'un cheval de Troie volant peut se greffer sur une émeute de passagers.

— Ça ne cadre pas, en effet. Et c'est pour ça qu'ils sont inquiets.

— Je ne vois pas... »

Blaylock reposa sa tasse et fit un grand geste vers le plafond. « C'est le principe de conservation de la parano, colonel. Je suppose que vous en avez entendu parler.

— Non.

— Probablement parce que je viens juste de l'inventer. Non, sérieusement : que font les services de renseignements quand ils trouvent deux problèmes comme ceux-là, sans rapport apparent ? Ils se mettent en alerte rouge, voient des conspirations partout, leurs facultés analytiques frisent le survoltage, et ils en arrivent au stade où ils cherchent le moyen de répondre par l'affirmative à cette simple question : *Est-ce que c'est cela qu'ils veulent qu'on pense ?* Et c'est encore plus vrai quand on fait la guerre.

— Les "ils" en question n'ayant ni nom ni identité...

— Tout juste. Les conspirateurs de l'ombre travaillant pour l'ennemi qui seraient toujours en avance d'un train sur nous.

— Vous y croyez ?

— Évidemment non. J'ai consacré l'essentiel de ma carrière à aller rendre de discrètes visites à des lieux exotiques, d'où je revenais pour faire un petit tour au Pentagone ou à Langley et expliquer que la sombre réunion au sommet dont l'impact allait être considérable entre les barons de la drogue de Colombie et dont l'annonce avait déclenché une tempête d'alertes et d'études de probabilités n'était rien de plus que la garden-party que l'un des membres du cartel donnait pour fêter l'anniversaire d'un vieux copain de Lima. Le genre, Langley qui fonce à la Maison-Blanche arracher une autorisation de frappe, et ces types sont juste en train de s'enfiler de la tequila près de la piscine.

— C'est ce que vous avez fait ?

— Ouais, m'enfiler de la tequila – mais je n'ai pas avalé. Non, je me suis juste contenté de traîner à droite et à gauche et de jouer au grand con d'Américain ne sachant pas quoi foutre de son temps et s'intéressant aux indigènes et à leurs costumes bariolés. C'est fou ce qu'on ramasse rien qu'en tendant l'oreille. Suffit de payer la *cerveza*... pardon, la bière, de sourire et de roter quand c'est votre tour.

— Autrement dit, à l'aide de votre principe de conservation de la parano, voyez-vous un rapport, là-dedans ? »

John Blaylock plissa les yeux. « Vous vous demandez s'il y a un rapport entre la tendance on ne peut plus légitime des passagers fous de rage à vouloir faire chier à mort les compagnies aériennes qui les traitent comme du bétail et nos ennemis mortels, ces individus pris d'ivresse terroriste qui ne rêvent que de créer un terrain à bâtir parfaitement vide et brillant la nuit sans apport d'électricité entre la Jolla et Kennebunkport ?

— Je vous demande pardon ?

— De tout faire disparaître dans un nuage nucléaire. Les États-Unis, du moins.

— Oh. Oui, quelque chose comme ça.

— Non. Il n'existe aucun rapprochement organisé.

— Ce qui laisse ouvert... »

Blaylock plissa un peu les yeux et porta la main à son front. « Voyons un peu ça, mon vieux. Pourrait-il s'agir d'un rapprochement *inorganisé* ?

— D'accord. Réponse évidente. » David leva une main conciliante. « Disons-le autrement : voyez-vous un rapport éventuel entre les éléments dissemblables de ce tableau des plus flous ?

— La technique de l'écran de fumée. Disons que vous êtes à la place du chef des terroristes et que vous êtes bien déterminé à ce que la divinité que vous adorez, disons Belzébuth, ait ce qu'elle désire, à savoir que soient tués deux cent quatre-vingts millions d'Américains. Vous avez un sacré problème sur les bras, parce qu'il y a toutes les chances pour que l'opération d'envergure que vous serez obligé de lancer fasse l'objet de fuites par mille canaux différents, et que vos brigades de rats stipendiés finissent par se faire prendre ou tuer. Les Américains vous rendent cinglé, en fait, parce qu'ils sont tellement furax que vous fassiez des trous dans la coque de leurs bateaux de guerre et que vous envoyiez des commandos s'emparer d'avions de ligne pour détruire des gratte-ciel et tuer des citoyens américains, qu'ils sont partis en guerre et semblent au courant avec assez de précision des coups que vous préparez. Tant qu'ils vous surveillent aussi étroitement et qu'ils poursuivent vos rats pavlovisés partout dans le monde, vous ne pouvez pas vraiment bouger. Dans ce cas, qu'est-ce que vous faites ?

– Aucune idée.

– Vous préparez une attaque sur une cible mal défendue, après quoi vous ne bougez plus, et vous attendez que votre substitut bâtard d'Allah crée une diversion suffisamment importante pour détourner l'attention de tout le monde, juste assez longtemps pour que vous puissiez franchir les filets de sécurité.

– Je ne vous suis pas très bien.

– Vous attendez qu'il se passe un événement assez considérable pour qu'il couvre vos préparatifs d'attaque d'un écran de fumée. Pendant qu'ils sont hystériques à cause du pseudo-événement B, pour lequel vous n'avez en réalité fait aucun préparatif même si eux croient le contraire, vous lancez le plan A.

– Et... un incident mettant en cause des passagers en colère au cours d'un vol commercial pourrait être ce que vous appelez le pseudo-événement B. Oui, mais comment ? La plupart de ces incidents en vol se terminent par un atterrissage d'urgence et des arrestations.

– Vous avez le nez sur la structure moléculaire de l'écorce et ne voyez pas la forêt.

– Et c'est quoi, la forêt ?

– Ça vous dirait, un bon petit déj ? Œufs, bacon, des trucs dans ce genre ?

– Ah, avec plaisir.

– Brouillés, frits, à la coque ?

– Brouillés. Et... vous devez avoir des toilettes quelque part ?

– Deux, même. Utilisez celles-ci, à votre droite.

– Merci.

– Votre portable sonne », dit Blaylock.

David regarda sa ceinture, en détacha le téléphone et coupa l'alarme. « La boîte vocale, c'est tout. » Il posa l'appareil sur le comptoir et passa dans la petite salle de bains.

À son retour, Blaylock avait déjà commencé à rassembler les divers ingrédients avec l'économie de gestes née de l'habitude ; tout en parlant, il se mit à casser les œufs dans un bol, d'une seule main. « Vous-même, hier, dans votre témoignage devant le Sénat, vous avez dit que si on ne traitait pas les causes de ces crises de rage, quelque chose de bien pire pourrait se passer un jour.

– Comment savez-vous... ?

– Dois-je vous rappeler que le Sénat a ouvert un site sur le web ?

– Ah oui, C-Span. Un coup de chance que vous l'ayez regardé. »

David vit un sourire fugitif passer sur le visage de Blaylock, qui avait relevé un instant la tête. L'homme retourna à ses préparatifs et enchaîna : « Plus je réfléchis à tout ça, plus j'en viens à penser que ce qui tracasse la DIA et la CIA n'est pas ce que je disais il y a une minute. Bon, d'accord, ils ont envisagé la possibilité d'incidents destinés à créer des diversions, mais je suis prêt à parier qu'en réalité, la possibilité d'un cheval de Troie volant n'est pas au premier plan de leurs préoccupations. Après les attaques sur le World Trade Center, il suffit qu'un moustique change de chemin pour qu'on se mette à le suivre de près, et des avions de combat patrouillent en permanence au-dessus de Washington. Ils sont paranos, c'est vrai, mais comme dit le vieux dicton, ce n'est pas parce que vous êtes parano que vous n'avez pas le diable aux trousses.

– Je l'ai déjà entendue, celle-là.

– Ils ignorent la manière dont va se présenter le prochain cheval de Troie, mais ils sont persuadés qu'il va y en avoir un. Ils ont dû recevoir une ou plusieurs alertes de la part d'agents sur le terrain. Si bien qu'ils sautent sur tout ce qui bouge et essaient de deviner et d'anticiper tout ce qui pourrait conduire à un tel cauchemar. J'ai la possibilité de spéculer ouvertement sur tout ceci, car je ne dispose d'aucune

155

information classée top secret concernant la question. Je parle d'instinct et d'expérience.

– OK.

– C'est ainsi qu'ils fonctionnent.

– Et c'est votre univers ? »

Blaylock releva la tête et sourit. « Pas vraiment. J'ai simplement passé quelques années à essayer de garder la parano sous contrôle. Du genre me lever au bon moment, me racler bruyamment la gorge et faire remarquer que le roi était aussi nu qu'un ver. » Il retourna plusieurs tranches épaisses de bacon qui grésillaient dans la poêle, plaça des tartines dans le grille-pain et versa les œufs battus dans une autre poêle où avait fondu du beurre, avant de poursuivre. « Il y a une chose que vous devez garder bien présente à l'esprit. La communauté du renseignement est l'équivalent du principe d'incertitude tel que simplifié par la loi de Murphy.

– Et laissez-moi deviner... Vous allez m'expliquer ça en détail, n'est-ce pas ? demanda David, feignant l'inquiétude.

– Bien entendu. Ce principe est simple : si délirante que soit une théorie, ce qui se passe dans la réalité est encore plus délirant, imprévisible, invraisemblable ou improbable. »

Là-dessus, Blaylock finit de faire cuire les œufs et les répartit prestement entre les assiettes, y ajoutant le bacon et les toasts avant de poser l'une des deux assiettes devant son hôte.

« Impressionnant. Mes compliments au chef.

– Le chef vous remercie, il accepte tout paiement en liquide ou lingots d'or. Un peu de chablis, peut-être ? J'en ai une caisse à la cave.

– Quoi ? Vous avec une *cave* ici ?

– Non. Mais ça fait merveilleusement prétentieux, vous ne trouvez pas ? Comme renifler un bouchon en plastique. En réalité, ma cave à vins est dans un casier, à l'extérieur. J'ai même quelques bouteilles à capsule, château-gros-rouge. Datent de... (il consulta sa montre) hier au soir.

– Non, merci. C'est parfait comme ça. »

Il y eut un bruit léger à la porte ouvrant sur sa gauche, et lorsque David leva les yeux, ce fut pour voir une jeune femme à la chevelure aile-de-corbeau s'encadrer dans le chambranle, entièrement nue, se frottant les yeux d'une main et tenant le bouton de porte de l'autre.

156

« Bonjour, ma beauté ! dit Blaylock comme si c'était comme ça tous les matins.

— B'jour, John, ronronna l'apparition.

— Je te présente un collègue, colonel comme moi, mon chou. David, je te présente Jill. Jill, voici David. »

La jeune femme arrêta de se frotter les yeux et baissa lentement les yeux sur son corps, comme si elle venait seulement de prendre conscience de sa nudité. Puis elle regarda David avec un sourire un peu gêné et se mit à se mordiller un ongle.

Oh », dit-elle doucement, lui adressant un petit bonjour du bout des doigts avant de s'éclipser, tirant la porte de la chambre derrière elle sans particulièrement se presser.

« Bon, reprit John Blaylock dans la foulée, que puis-je faire d'autre pour vous ? »

David eut un mouvement de tête en direction de la chambre. « À moins que sa petite sœur ne soit là aussi, une douche froide ferait mon affaire.

— Désolé, pas de frangine. Mais vous pouvez toujours sauter du bateau. L'eau de la baie est fraîche.

— Puis-je vous demander votre âge, colonel ?

— Je pourrais vous répondre : juste assez âgé.

— Sauf que ce serait banal et...

— D'accord, je n'utiliserais jamais une telle réplique. J'ai soixante-quatre ans, et je vais sur mes vingt-neuf. Et avant que vous le demandiez, fiston, je vais vous dire que le secret se réduit simplement à la manière dont vous traitez les dames.

— Exact.

— Vous avez l'air de ne pas en revenir.

— Ah... excusez-moi de vous poser la question, mais est-ce que vous ne devriez pas être assis au sommet d'une montagne, quelque part au Tibet, en train de dispenser cet enseignement au monde ? »

19

Judy Jackson essuya la goutte de transpiration qui perlait à son front. La température de la cabine du 747 était beaucoup trop élevée, et elle avait déjà demandé au copilote de la baisser. Les plaintes des passagers ne l'impressionnaient pas, mais elles devenaient plus nombreuses.

« Vous voyez ce petit bidule au-dessus de votre tête, monsieur ? avait-elle lancé au dernier à avoir protesté. À votre avis, à quoi ça sert ? Voyons un peu... » Elle avait roulé des yeux et s'était planté l'index dans la joue, comme si elle réfléchissait profondément.. « Ah, c'est peut-être pour rafraîchir les passagers... » Puis, après avoir fait pivoter l'évent en position « marche », elle avait dirigé le flux d'air vers le mécontent, avec un sourire. « Vous voyez ? Question réglée. »

Mais à présent, c'était Judy Jackson elle-même qui était incommodée, et elle prit l'interphone pour donner l'ordre au copilote de baisser la température.

Cette mission accomplie, elle alla jusqu'aux rideaux séparant la première classe de la classe affaires et les écarta légèrement pour regarder. Il y avait bien entre trente et quarante passagers debout qui allaient et venaient, mais pas un seul qui souriait. Elle vit deux de ses « filles », Cindy et Ella, qui se déplaçaient parmi eux, offrant des boissons le sourire aux lèvres, mais il était évident que le niveau de mécontentement, dû au retard pris à Heathrow et au petit discours du médecin, était encore élevé.

Un frisson d'horreur la traversa à l'idée d'avoir à prendre en charge une cabine pleine de passagers de mauvaise humeur. Les billets d'avion ne valaient pratiquement plus rien, à l'heure actuelle, détail qui ne les empêchait pas d'en vouloir toujours davantage, et elle en avait par-dessus la tête, de cette clientèle.

Et pour contrôler ceux qu'elle avait sur les bras aujourd'hui, il allait falloir employer la manière forte.

Deux hommes, habillés de manière décontractée, l'aperçurent qui se tenait à l'entrée de la première classe et se dirigèrent vers elle. Elle commença à battre en retraite derrière son rideau, puis changea d'avis. Ils avaient l'air en colère, mais ils ne pouvaient l'être davantage qu'elle-même devant le comportement désordonné de sa pittoresque collection de passagers.

« Vous êtes chef de cabine ? lui demanda le premier.

– Oui, la chef de cabine. » Elle brandit un index. « Est-ce que par hasard, messieurs, vous n'auriez pas remarqué le petit signal de la ceinture de sécurité, ni le fait qu'il était allumé ?

– Ouais, bon, intervint le second, c'est pas la question. On s'est déjà plaint au moins trois fois auprès de vous qu'il faisait trop chaud et ma femme commence à se sentir mal.

– On s'en est déjà occupé, monsieur. Et maintenant, retournez à vos sièges. »

Les deux hommes échangèrent un regard.

« Vous m'avez entendue ? Le signal *Attachez vos ceintures* est allumé. Allez vous asseoir.

– Dites, répliqua alors le plus costaud des deux hommes, je commence à en avoir sérieusement assez de votre attitude méprisante. »

Elle s'avança pour le regarder sous le nez. « Et moi j'en ai plus qu'assez des passagers qui violent les lois fédérales en refusant d'obéir à mes ordres ! ALLEZ... VOUS ASSEOIR... TOUT DE SUITE !

– Laisse tomber, Jim, intervint le second, tirant son ami par la manche.

– Vous venez de vous offrir une solide plainte en bonne et due forme, ma petite dame.

– Et écrivez mon nom correctement, si vous en êtes capable ! » aboya Judy tout en tendant la main vers le combiné de la PA qu'elle brancha.

OK, tout le monde, ici c'est votre chef de cabine. Écoutez-moi bien. Pour ceux qui font semblant de ne pas remarquer le signal Attachez vos ceintures *ou de ne pas comprendre ce qu'il veut dire, permettez-moi de vous simplifier les choses. Il signifie que vous devez vous asseoir et boucler votre ceinture. Tout de suite. Il y en a parmi vous qui semblent considérer que c'est un droit imprescriptible de se plaindre et de râler pour tout, mais le stade du ridicule a été atteint. Nous* REFROIDISSONS *la cabine en ce moment même, et je ne veux donc plus en entendre parler. Nous vous* EMMENONS *à destination, et le retard à Heathrow est donc un chapitre clos. Nous* ALLONS *vous servir un repas dans un moment, à condition que je n'entende plus la moindre réclamation. Et soit dit en passant, à propos de réclamations, je me contrefiche de celles que vous pourriez adresser par écrit à la compagnie, à votre descente d'avion. En attendant, si j'en vois un seul debout dans une allée sans ma permission expresse, je le fais arrêter et poursuivre pour non-respect des consignes de vol dès notre arrivée au Cap. Je peux vous dire que leurs prisons ne vous plairont pas. Et maintenant, vous les gars qui êtes là-devant,* ASSEYEZ-VOUS ! TOUT DE SUITE !

La tirade fut accueillie par un petit chœur de cris de colère et de sifflets. Judy commença par les ignorer, mais la plupart des passagers s'étaient assis et elle était remontée à bloc. Elle montra du doigt, à quelques rangées, un jeune homme d'elle qui, toujours debout, la sifflait copieusement.

Très bien, mon gros malin... siège 26 F. J'ai votre nom sur ma liste. Vous pouvez vous considérer en état d'arrestation. Et vous là, avec la chemise rouge, vous avez trois secondes pour vous asseoir et la fermer. Je parle sérieusement, les gars. Je ne vais pas tolérer une émeute.

Elle abaissa le combiné et put voir le reste des passagers, une douzaine environ, s'asseoir lentement. Bientôt il n'y en eut plus qu'un seul debout, dans la deuxième section de la cabine, attendant de pouvoir prendre place. Il la regarda et, en dépit des quelque vingt-cinq mètres qui les séparaient, elle reconnut son visage – le visage de son père.

Elle fut envahie d'une poussée d'adrénaline. Elle reposa le combiné et s'avança rapidement dans l'allée, ignorant les regards hostiles et les commentaires marmonnés sur son passage. Elle franchit la limite entre les deux cabines et commença à parcourir les visages dans la section où l'homme avait disparu. Son père était mort depuis une dizaine d'années et il n'y avait aucun nom, sur la liste des passagers, pouvant plus ou moins évoquer le sien, même de loin ; l'homme qu'elle cherchait ne pouvait donc même pas être un oncle qu'elle n'aurait pas vu depuis longtemps.

Elle se souvenait d'avoir aperçu ce visage par la fenêtre de la salle d'embarquement, à Heathrow, et se rendit compte qu'elle avait oublié de le chercher. C'était de toute évidence le même homme. Mais où était-il ?

Au milieu de la section, Judy s'arrêta. Elle venait de découvrir le propriétaire du visage ; mais vu de près, il paraissait quelque peu différent.

« Excusez-moi, monsieur, puis-je vous demander votre nom ? » demanda-t-elle en se penchant par-dessus deux autres passagers qui la foudroyaient du regard, les mâchoires crispées.

L'homme leva la tête. « Je croyais que vous connaissiez le nom de tout le monde ?

– Je... oui, mais quel est le vôtre ?

– Ça ne vous regarde absolument pas ! répliqua l'homme. Et avant que vous ne fassiez votre petit numéro comme quoi vous allez me faire arrêter, je vous signale que je suis un policier à la retraite du Maryland.

– D'accord, mais, s'il vous plaît, il faut que je sache si nous ne serions pas parents, par hasard. »

L'homme ouvrit de grands yeux, incrédule. « Quoi ? »

Le fait que plusieurs douzaines de passagers assistaient à cette conversation la frappa soudain, et elle se sentit envahie par une vague de gêne.

« Vous ressemblez... à un de mes parents.

– À Dieu ne plaise, répliqua l'homme d'un ton acide. Quel est votre nom de jeune fille ?

– Jackson.

– Aucun rapport, grâce au ciel.

– Votre famille n'est pas du New Jersey ? »

L'homme défit sa ceinture, se leva de son siège et posa la main sur le dossier devant lui. « Il y a là une bonne douzaine de personnes qui pourront témoigner que vous me harcelez, ma jeune dame. Laissez-moi tranquille, où c'est *moi* qui dépose plainte contre vous ! »

Judy chercha quelque chose à répondre, mais rien ne lui vint à l'esprit. Ils ne pouvaient pas ne pas être parents. C'était le visage de son père qu'elle avait sous les yeux – ce père qu'elle avait tant détesté.

Elle battit alors en retraite, essayant de dissimuler le trouble qu'elle éprouvait tandis qu'elle remontait l'allée, se récitant le numéro du siège.

38 B... 38 B...

Elle allait vérifier le nom. Cet homme ne pouvait s'appeler que Jackson.

La côte de l'Afrique du Nord était devenue visible depuis le cockpit, quelques minutes auparavant ; elle avait surgi de la brume gris-bleu qui noyait l'horizon pour devenir de plus en plus précise et dessiner une ligne de partage aiguë, entre le bleu de la Méditerranée et les nuances fauves de la terre derrière laquelle les attendaient les vastes étendues désertiques du Sahara.

Le copilote jeta un coup d'œil à sa gauche, se demandant s'il valait la peine de le mentionner, mais Phil Knight était plongé dans le manuel d'instructions, et la dernière fois que Garth lui avait montré quelque chose, sa réaction avait été brusque et glaciale.

Garth Abbott soupira intérieurement et se rapprocha du tableau de bord, le menton presque au-dessus du pare-soleil, écoutant le souffle puissant et régulier de l'air dans lequel ils s'enfonçaient à quatre-vingt-un pour cent de la vitesse du son.

« Meridian 6, fit le contrôleur espagnol d'une voix fatiguée et à l'accent marqué, passez à présent sur contrôle Alger, contrôle Alger, un-deux-six-point-cinq. »

Garth repoussa le petit levier de transmission à l'avant du

manche à balai. « Roger, un-deux-six-point-cinq. *Buenos tardes.* »

Le contrôleur espagnol se contenta d'un cliquetis de son transmetteur comme réponse. Garth procéda à la modification de fréquence, puis enclencha le transmetteur.

« Alger, Meridian 6, sur la fréquence, niveau trois-sept-zéro.

– Roger, Meridian 6, je répète, niveau... »

Le reste de la réponse donnée par le contrôleur aérien d'Alger fut soudain noyé par le déclenchement d'une sonnerie stridente dans le cockpit, laissant Garth un instant désorienté. Un voyant rouge s'était allumé quelque part sur sa gauche, mais il se tenait trop près du tableau de bord avant pour voir qu'il était sur la poignée d'alerte incendie de l'un des quatre moteurs.

Des bruits divers et confus lui parvinrent de sa gauche : Phil Knight, qui se débattait pour se débarrasser du manuel d'instructions posé sur ses genoux, finit par le laisser tomber au sol.

« Qu'est-ce qui se passe ? demanda le commandant, qui paraissait complètement pris au dépourvu.

– Je ne sais... Attendez ! » Garth reprit une position normale et regarda la poignée incendie, montée avec trois autres identiques sous le pare-soleil avant ; chacune coupait sur-le-champ le moteur correspondant si on la tirait.

« Nous avons une alerte incendie sur le moteur 4 ! » cria Garth pour couvrir le tintamarre, appuyant en même temps sur le bouton qui arrêta la sonnerie.

Knight regardait la poignée incendie d'un air incrédule. « Le 4 ?

– Oui. » Garth se tourna vers la fenêtre de son côté ; il avait beau savoir qu'il ne pouvait pratiquement rien distinguer depuis le cockpit, il ne put s'empêcher de vouloir vérifier. Mais l'agitation qu'il sentit à sa gauche le fit se retourner, et il eut le temps de voir la main du commandant se poser sur la poignée du moteur 4 et la repousser en position « ralenti ». Le 747 réagit immédiatement en obliquant à droite, le temps que le pilote automatique rétablisse le cap.

« Phil... », commença Garth. Mais la main du commandant se dirigeait cette fois vers la poignée d'alerte incendie du moteur 4.

« NON ! s'entendit crier Garth Abbott. NE LA TIREZ PAS ! »

Knight foudroya son copilote du regard. « Qu'est-ce que vous me racontez, ne la tirez pas ? Le moteur est en feu ! répliqua-t-il, scandalisé par l'intervention de Garth mais suspendant néanmoins son geste.

— Non, il n'est pas en feu ! C'est une fausse alerte. »

La main de Knight reposait toujours sur la poignée en forme de T. « Qu'est-ce que vous me chantez, Abbott ?

— C'est loin d'être la première fois qu'une fausse alerte incendie se déclenche sur ce moteur, Phil ! Vraiment. Il n'y aucun incendie de moteur. »

Knight hésitait, se demandant ce qu'il devait décider tout en réglant le palonnier de manière à compenser la perte de poussée à droite. « Comment pouvez-vous en être sûr ?

— Parce que je sais que c'est ce qu'il a fait régulièrement au cours des trois derniers mois : déclencher une fausse alerte incendie. Je vous en ai parlé à Londres, quand nous n'arrivions pas à lancer le 4, vous vous rappelez ?

— Je n'en ai aucun souvenir.

— Si ! Je vous en ai parlé ! J'étais assis à cette place, et je vous ai expliqué que le 4 avait déclenché je ne sais combien de fausses alertes en vol, que la maintenance semblait incapable de comprendre pourquoi, et que nous volions tout le temps, euh... en quelque sorte pas officiellement avec ce moteur.

— Peu importe. Une alerte incendie est une alerte incendie. » Garth vit la main de Knight se contracter sur la poignée et s'apprêter à l'abaisser.

« Ne faites pas ça, Phil ! Dès l'instant où vous aurez coupé ce moteur, nous serons obligés de faire un atterrissage d'urgence pour rien. Jamais entendu parler de la notion d'indications de confirmation ? »

Knight se tourna vers son copilote. « Ne me parlez pas sur ce ton, Abbott.

— Ce n'est pas ça, Phil, je voulais juste...

— C'est moi le commandant. Quand j'aurai besoin de vos fichus conseils, je vous les demanderai.

— Le règlement de la compagnie prévoit que vous devez écouter mes conseils. Regardez donc le tableau de bord, bon Dieu ! » Garth montra du doigt les instruments de contrôle. « Voyez la température de sortie turbine : normale. Le débit carburant : normal aussi. Le nombre de tours-minute : stable Tout est normal, sauf le voyant de l'alarme. »

Knight regardait lui aussi les instruments. C'était plutôt bon signe, pensa Garth en prenant le combiné de l'interphone. « Permettez-moi de vérifier avec la cabine, s'ils voient quelque chose brûler là-dehors. »

Knight acquiesça sans faire de commentaire, mâchoire serrée, ne quittant des yeux les contrôles moteurs que pour jeter un bref coup d'œil au voyant qui brillait toujours et lui donnait envie de faire quelque chose.

Garth raccrocha au bout de trente secondes. « Rien de spécial là-dehors, Phil. Pas de feu, pas de fumée visibles. Rien. C'est encore une fausse alerte. »

Le commandant regarda Abbott, l'air un peu perdu, et se renfonça brusquement dans son siège. « On ne peut pas continuer à voler comme ça. Déclarez l'état de détresse, Abbott. Demandez l'autorisation immédiate d'atterrir à... (il consulta l'ordinateur de vol) Alger international.

— ALGER ? Seigneur, jamais de la vie, Phil ! Alger, c'est la cata ! L'aéroport est grand, mais il est dangereux. Je peux vous garantir que la compagnie va nous tomber dessus. N'oubliez pas qu'ils sont déjà au courant de ce problème.

— J'ai dit : demandez cet atterrissage d'urgence !

— Je vous en prie, Phil, écoutez-moi. Si jamais nous atterrissons à Alger et déclarons un feu moteur ou coupons le moteur, on est définitivement coincés là-bas. Le vol est terminé. Nous n'y avons aucun service d'entretien.

— Nous devons atterrir sur l'aéroport le plus proche ayant une piste convenable lorsqu'on a une indication d'incendie moteur, même si on ne le coupe pas – vous auriez oublié le règlement ? aboya Knight.

— Ici, *commandant*, nous devons faire cadrer la rigidité du règlement avec la réalité. L'Espagne est juste derrière nous, et Gibraltar, et d'autres aéroports infiniment mieux qu'Alger, si vous tenez à atterrir et à foutre en l'air votre carrière et la mienne, en particulier du fait que le moteur n'est pas en feu ! »

Le tintement de l'interphone les interrompit. Phil Knight porta le combiné à son oreille d'un geste brusque. « Oui ?

— L'avion vient de nous secouer et de nous jeter sur la gauche. Qu'est-ce qui se passe ?

– Nous avons un moteur en feu et nous allons procéder à un atterrissage d'urgence à Alger.

– Vraiment. Vous allez leur dire ? demanda Judy.

– Non, vous. » Il remit le combiné en place sans attendre de réponse et se tourna vers Garth. « Alger est l'aéroport le plus proche. Nous n'avons pas le choix.

– Ce bon Dieu de moteur n'est pas en feu, Phil, et il n'y aucune raison de faire un atterrissage d'urgence ! Vous ne pouvez pas le comprendre ? Ce putain de moteur n'est pas en feu ! » Garth secouait la tête dans un effort désespéré pour retenir sa colère. « Écoutez-moi, Phil. Vous avez suivi exactement les mêmes cours sur la gestion des ressources de l'équipage que moi. Vous rappelez-vous ce qu'on vous a expliqué ?

– J'ai dit LA FERME, ABBOTT ! Je vous ai écouté, et je rejette votre suggestion. »

Garth, cependant, le vit relâcher la poignée en T.

« Non, vous ne m'avez pas écouté, Phil. La compagnie *exige* que vous preniez sérieusement en considération ce que recommande votre copilote, et votre copilote vous recommande, de la manière la plus formelle, de *ne pas* nous détourner sur Alger pour un problème qui n'existe pas. »

Pendant quelques instants, Garth envisagea de prendre le commandement de l'appareil et d'ordonner à Knight de lâcher le manche à balai. Mais jamais l'homme ne céderait et tout ce qu'il y gagnerait serait une bagarre en plein ciel pour le contrôle de l'appareil. Non, il valait mieux accepter sa décision, si ridicule qu'elle soit.

Il jeta un coup d'œil au téléphone par satellite. « Phil ? Je crois que nous devrions appeler la compagnie avant de faire quelque chose de définitif.

– Pourquoi ? Je suis le seul maître à bord.

– Pourquoi ? Vous ne l'avez peut-être pas remarqué, *mon commandant,* mais nous travaillons tous les deux pour la Meridian Airlines, pas pour la Phil Knight Airlines. Ils seront fous furieux – et c'est un euphémisme – si nous changeons de cap. Nous sommes dans la division internationale, Phil. Ça ne se passe pas comme dans la division intérieure. »

Knight garda le silence.

« Bon, d'accord ! Mais qu'il soit clair, pour l'enregistrement, que j'ai essayé de vous déconseiller cette décision. »

Knight tourna brusquement la tête. « Qu'est-ce que cela signifie ?

— Quoi donc ?

— Ce truc, *clair pour l'enregistrement* ? »

Le copilote eut un geste vers le micro du magnétophone, puis sa main retomba. « Rien. Laissez tomber. » Garth prit le combiné du téléphone par satellite, composa le numéro adéquat, conscient de l'expression meurtrière avec laquelle Knight l'observait. Une voix du centre d'exploitation de Denver répondit, et il résuma rapidement le problème. Il entendit Judy Jackson, sur la PA, qui annonçait aux passagers le détournement de l'avion sur Alger pour « des raisons techniques ».

« Répétez, vol 6, demanda l'homme de permanence à Denver.

— Nous avons une alerte incendie sur le moteur 4, répéta donc Garth. Nous n'avons aucune indication de confirmation, mais le commandant estime que c'est un cas d'urgence et que nous devrions nous détourner sur Alger. »

Il y eut des bruits divers dans l'écouteur, et Garth eut l'impression qu'on passait le combiné à quelqu'un d'autre.

Il y eut une autre voix sur la ligne, tendue, pressante. « Ici le directeur d'exploitation. Quoi que vous fassiez, ne vous détournez pas sur Alger.

— Juste une seconde, monsieur. Je ne suis que le copilote. Je vous passe le commandant Knight. » Garth tendit le combiné au pilote. « Le directeur d'exploitation veut vous parler. »

Knight lui arracha l'appareil des mains sans cacher sa répulsion. « Commandant Knight. » Il écouta, hocha plusieurs fois la tête sans répondre, avant de dire : « Mais j'ai toujours le voyant d'alerte incendie allumé. »

Garth vit le pilote devenir cramoisi. Il entendait, sans distinguer les paroles, le ton qui montait à l'autre bout de la ligne ; mais ce que répondit le commandant était assez clair. « Non, je vous dis que c'est un signal d'alerte incendie en bonne et due forme. Mon intention était de couper le moteur, et Alger me paraissait l'option la meilleure... oui... oui, je comprends, mais le règlement est clair. Pas question d'aller jusqu'au Cap avec un moteur non opérationnel.

167

Qu'est-ce que vous suggérez ? Que nous retournions à Londres ? »

Une volée encore plus bruyante de répliques monta du combiné et Garth vit Knight faire un effort pour ne pas grimacer. « D'accord, s'il reste allumé, nous retournerons à Londres. » Il soupira et acquiesça, se frottant la tempe de sa main libre, puis il coupa la ligne et raccrocha en évitant soigneusement de croiser le regard du copilote.

« Vous n'avez pas pu vous empêcher de les appeler, hein ? demanda Knight après un bon moment de silence.

— Seigneur, Phil, je vous avais bien dit qu'ils auraient cette idée en horreur.

— N'y retouchez pas.

— Je vous demande pardon ? »

Knight se tourna vers Garth et le foudroya du regard. Les veines de son cou saillaient, presque violettes. « Ne retouchez pas à ce foutu téléphone par satellite ! S'il faut appeler, je le ferai moi-même ! Compris ?

— Vous voulez une autorisation pour faire demi-tour ? demanda Garth.

— Oui. »

Depuis l'office de première classe, Judy Jackson observait la réaction des passagers de la classe touriste qui, les yeux écarquillés, avaient écouté son message. Deux de ses hôtesses, l'air tout aussi inquiet à l'idée qu'un des moteurs était en feu et qu'on allait procéder à un atterrissage d'urgence, remontaient l'allée vers elle. Judy prit de nouveau contact avec le cockpit et eut la surprise de tomber sur Garth Abbott, cette fois.

« Faudra-t-il leur faire prendre la position d'atterrissage d'urgence ? demanda-t-elle.

— Non, Judy. Il n'y a pas le feu et nous n'allons pas à Alger. Il semble que le commandant ait l'intention de retourner à Londres, même si c'est une fausse alerte.

— Mais j'ai déjà annoncé que c'était Alger ! protesta-t-elle.

— Eh bien, vous aviez tout faux. Si vous voulez, je peux...

— Non, le coupa sèchement Judy. Je vais le faire. Alors, c'est Londres, à présent ?

— J'en ai bien peur.

— Merde. » Elle coupa l'interphone et brancha la PA.

Mesdames et messieurs, c'est à nouveau votre chef de cabine. Le commandant vient de m'annoncer que le début d'incendie était éteint, et qu'au lieu d'aller à Alger... ce qui vous aurait certainement plu... nous allons faire demi-tour et retourner à Londres. Nous sommes désolés pour les inconvénients que cela créera pour tout le monde, mais les règles de sécurité nous l'imposent, et c'est comme ça. Nous devrions avoir assez de carburant pour retourner à Heathrow.

Elle coupa la PA, retenant un sourire. Sa petite impro sur le risque de manque de carburant allait créer juste ce qu'il fallait de tension apeurée pour qu'ils restent tous bien sages et obéissants.

La réaction fut immédiate : protestations, questions, sonneries d'appel. Judy, d'un index autoritaire, renvoya Ella vers le fond de la cabine. La jeune hôtesse était capable de régler ce chahut sans elle.

20

« Colonel Davyd Byrd ?

– Lui-même... une seconde, s'il vous plaît », dit David dans son micro mains-libres, tandis qu'il réduisait le volume du son de la radio tout en essayant d'éviter la glissière de sécurité qui séparait les deux axes de circulation, sur la voie rapide 301.

La voix de femme se fit insistante. « Colonel ? Ici la sénatrice Sharon Douglas, présidente du Sous-Comité à l'aviation civile. »

Il avait été surpris en train de rêvasser sur le chemin du retour d'Annapolis ; le pépiement de son portable l'avait brutalement tiré d'un agréable songe qui mettait en scène la jeune femme en tenue d'Ève sortie de la chambre de Blaylock. Une fraction de seconde, il imagina la sénatrice dans la même situation – ce qui était un peu idiot, même si le physique de la représentante du peuple était tout à fait avenant. Il ne put retenir un sourire.

« Vous êtes toujours en ligne, colonel ? demanda-t-elle.

– Oui, madame la sénatrice. Que puis-je faire pour vous ?

– J'aimerais que vous veniez raconter à mon Sous-Comité la même chose que ce que vous avez déclaré hier au Sous-Comité de la Chambre. Quelqu'un de mon équipe vous a vu sur C-Span [1] ; il m'a dit que votre cellule spéciale avait fait un remarquable travail en mettant ce problème en perspective.

— Ah, vous voulez parler des passagers exaspérés des vols commerciaux, c'est ça ?

— Exactement. »

La mise en garde du général Overmeyer lui revint tout de suite à l'esprit, de toutes les directions à la fois, déclenchant des petits clignotants d'alerte, tandis qu'elle continuait. Il était déjà beaucoup trop en vue dans le secteur du Capitole. Ça devenait dangereux.

« Permettez-moi de vous expliquer pourquoi cette question est soudain devenue importante pour moi, colonel Byrd. Je viens de faire le voyage Chicago-Londres hier, sur le vol 6 de la Meridian, un numéro qui restera gravé, au moins dans mon souvenir, comme synonyme d'infamie. Le temps que nous arrivions, j'étais sur le point de prendre une hache du kit d'urgence et d'attaquer l'équipage avec une férocité de fauve. » Elle lui décrivit alors ce qu'elle appelait son « voyage en enfer », à commencer par le traitement cavalier auquel elle avait eu droit à l'embarquement, pour poursuivre avec les délais qu'elle avait dû supporter, et finir par la description de l'attitude grossière d'un équipage de cabine surmené.

« Et tout ça alors qu'il y avait la sénatrice responsable de leur Sous-Comité à bord ?

— Oh, oui ! La situation est devenue incontrôlable... David. Puis-je vous appeler David ?

— Mais certainement, madame la sénatrice.

— Dans ce cas, appelez-moi Sharon, de votre côté.

— Très bien », répondit David à contrecœur ; il avait du mal à se faire à l'idée d'appeler un personnage aussi puissant par son prénom. Il commençait à peine à s'habituer à avoir affaire aux membres du Congrès, mais ceux du Sénat... Ils se tenaient quelque part au-dessus des chefs d'état-major inter-armes, à une altitude où un simple colonel n'aurait pas dû avoir accès.

Il y eut un petit rire agréable à l'autre bout de la ligne. « Appelez-moi comme il vous plaît, si vous n'êtes pas à l'aise. Dites-moi simplement que vous viendrez témoigner.

— Madame la sénatrice, je serais ravi de travailler avec vous

_____
1. Chaîne parlementaire.

et votre équipe, mais..., dit-il en revenant sur la voie de droite pour contourner un poids lourd ventousé à celle de gauche.

— Ce n'est pas la réponse que j'attendais », le coupa-t-elle.

Un pick-up rouge cabossé ralentit brusquement devant lui et il dut écraser le frein. Il poussa un soupir et dirigea son véhicule sur le bas-côté pour se garer.

« Eh bien voilà, dit David. Il faudra que ce soit quelqu'un d'autre que moi qui vienne témoigner.

— Je vois. Ce qui doit être le résultat direct d'une intervention d'un ponte du Pentapalace ayant tiré un bon coup sur votre chaîne, au cours des dernières vingt-quatre heures, n'est-ce pas ?

— Euh... disons plutôt que certains gradés de l'Air Force qui sont mes supérieurs n'ont été que très modérément impressionnés de voir un colonel d'active de leur arme faire une apparition devant le Sous-Comité.

— Comme c'est bien dit... Écoutez, je serai de retour à Washington dans quelques jours. Permettez-moi de vous inviter à déjeuner, que nous puissions parler de tout ça. Je ne vous mordrai pas, promis. Mais j'ai besoin de votre aide. Comme vous l'avez vous-même expliqué, David, la situation est des plus explosives. Quelqu'un de chez moi vous appellera pour fixer l'heure et le lieu.

— Entendu.

— Au fait, il vaut peut-être mieux ne pas parler de notre entretien à votre général.

— Croyez-moi, je n'en dirai pas un mot. »

Il entendit la ligne se couper. Lui-même ferma la sienne et enleva son écouteur, conscient de la difficulté qu'il y avait à vouloir contenter deux maîtres à la fois.

À bord du vol Meridian 6

Judy Jackson venait tout juste de passer dans la cabine de première classe quand elle entendit sonner l'interphone de l'office avant. Elle retourna décrocher et trouva Garth à l'autre bout.

« Le voyant d'alerte incendie s'est éteint, Judy. Nous faisons demi-tour et repartons pour Le Cap.

– Vous plaisantez !

– Non, répondit-il laconiquement. Le voyant s'est éteint, et nous reprenons notre route.

– Vous en êtes bien sûr, ce coup-ci ?

– Hé, je ne suis que le copilote. C'est le commandant qui prend les décisions. »

Elle reposa le combiné et s'avança entre les rideaux de séparation, l'estomac noué à l'idée d'avoir affaire à cet incontrôlable toubib, en première. Ou peut-être était-ce l'altercation avec MacNaughton. Ce n'était pas tous les jours qu'elle tombait sur un personnage aussi grossier et agressif.

Espèce d'Angliche prétentieux ! pensa-t-elle. Il n'avait rien dit depuis son éclat verbal de Heathrow, mais celui-ci avait eu pour effet de l'intimider et de mettre un bémol à ses annonces sur la PA. Voilà qui l'irritait. Elle adorait improviser sur la PA. Mentir, même ! C'était créatif. Qu'est-ce que ça pouvait faire, que la reine soit en Inde ou au diable ? Qui s'en souciait ? Les passagers ne désiraient qu'une chose, qu'on leur donne une explication plausible. Elle s'était toujours bien fichue de la vérité.

Elle prit le combiné de la PA et composa le code, puis hésita. Elle était de nouveau envahie par l'impression dérangeante qu'elle perdait le contrôle de la situation. Elle secoua la tête et ferma les yeux pour la chasser. *C'est des conneries,* se dit-elle. *Je suis la championne, question contrôle des passagers.*

Elle enfonça la dernière touche commandant l'ouverture de la PA, tout en surveillant la cabine et les passagers. Le petit déclic, dans les haut-parleurs, déclencha un remue-ménage, tandis que les têtes se redressaient. La vue des passagers attentifs avait d'habitude le don de l'exciter – elle avait le pouvoir de faire se relever trois cents têtes d'un coup, quand ça lui chantait !

OK, mes amis, c'est encore votre chef de cabine. Vous vous rappelez que je vous ai expliqué que nous retournions à Londres parce que c'était ce que nos pilotes m'avaient dit de vous dire ? Eh bien, vous pouvez ranger une fois de plus vos livres sterling, parce qu'il s'avère qu'ils ont encore changé d'idée, dans le cockpit. On est à présent revenu au plan A. Nous allons au Cap, comme prévu.

Elle marqua un temps d'arrêt, soudain prise de court.

Ah... et notre problème de moteur est apparemment réglé, et pour ceux d'entre vous qui trouvaient qu'il faisait trop chaud, j'ai demandé aux pilotes de régler la climatisation au niveau le plus froid. Si c'est trop froid, faites-le-nous savoir.

Parfait, pensa Judy. *Les bonnes vieilles leçons sur la psychologie des foules, y a rien de mieux. Suffit de leur dire qu'ils ont trop froid pour qu'ils aient l'impression d'avoir moins chaud.*
Elle reposa le combiné, ne se sentant pas dans son état normal. *C'est l'annonce la plus étrange que j'aie jamais faite.* Elle sentit un début de rougeur venir colorer ses joues. Puis le tintement des appels des passagers, qui s'énervaient une fois de plus, parvint jusqu'à sa conscience.
Elle se tournait pour regagner l'office de première classe lorsque Ella et Cindy franchirent le rideau, venant à sa rencontre.
« On a besoin d'un coup de main, Judy ! dit Ella.
– Quoi ? »
Cindy tendit le pouce en direction de la cabine touriste. « Plusieurs personnes nous ont demandé s'il s'agissait du moteur qu'il a fallu réparer à Londres, je crois qu'ils ont peur.
– Et moi aussi, j'ai peur », ajouta Ella.
Judy croisa les bras et les regarda pendant quelques désagréables secondes. Ella était une grande blonde aux traits anguleux et Cindy la parfaite petite boulotte brune, mais l'une et l'autre affichaient une mine défaite.
« Ton rimmel a coulé, dit-elle à Ella, ce qui lui valut une réaction de surprise.
– Judy ! insista Cindy, qu'est-ce que nous devons leur répondre ? Les pilotes n'ont rien dit ? »
La chef de cabine se passa la langue sur les lèvres et jeta un coup d'œil vers l'escalier conduisant au pont supérieur et au cockpit avant de revenir à Cindy. « Non. Il faut que je les appelle. Attendez. » Elle prit une nouvelle fois l'interphone, composa les deux chiffres de la cabine et relaya la question de ses hôtesses. Quand elle se retourna, deux autres membres de l'équipage avaient rejoint Ella et Cindy.
« Oui, c'est bien le même moteur, mais le problème n'a

aucun rapport. » Elle leur répéta ce que lui avait dit Garth Abbott sur la fausse alerte incendie.

« Bon, ça vous suffit, les filles ? » demanda Judy, s'autorisant une pointe de sarcasme dans le ton.

Ella regarda ses collègues, puis revint à Judy. « Nous, ça nous suffit, Judy, mais ces gens... ils ne nous croient plus. Ils sont pas mal remontés.

– Ils n'ont pas entendu mon annonce ? »

Cindy hocha la tête. « Si, bien sûr, mais après ce que le type a sorti à Londres, ils... je veux dire...

– Ils ne croient plus un traître mot de ce qu'on leur raconte », acheva Ella pour elle.

Du coin de l'œil, Judy détecta un mouvement et vit, lorsqu'elle se tourna, Janie Bretsen qui franchissait le rideau de première classe. « Judy ?

– Oh, bon sang... Qu'est-ce que tu veux encore, Bretsen ?

– On a quelques problèmes dans la cabine. »

La colère remplaça sur-le-champ l'incertitude et Judy ressentit même un bref éclair de gratitude devant cette interruption. « Si j'ai un problème, Bretsen, c'est bien toi ! Retourne à ta place.

– Non. Ce médecin...

– Je vais m'occuper de ma cabine, merci, la coupa Judy.

– Bon sang, Judy, tu vas m'écouter ? s'écria Janie, faisant sursauter tout le monde. Que cela te plaise ou non, on m'a assignée à cet équipage. Le Dr Logan est sur le point de perdre complètement les pédales, Judy. Je lui ai parlé, et il est dans une rage explosive pour une raison qui...

– Et qu'est-ce qu'on en a à cirer ? S'il se lève encore une fois de son siège, je lui passerai les menottes.

– Très bien vu, Judy. Excellente réponse. Le problème est qu'à chaque fois que tu prends le micro, il devient encore un peu plus tendu, comme la plupart d'entre nous, d'ailleurs. » Janie jeta un regard circulaire sur les hôtesses et revint à Judy. « Au fait, il n'y a que des femmes, dans cet équipage ? »

Judy eut un reniflement de mépris. « Qu'est-ce qui t'arrive, ma cocotte ? La petite Janie aurait-elle envie d'un grand baraqué bien monté ?

– Ça suffit, la cour de récré, Judy ! Tu sais très bien ce que je veux dire. Y a-t-il des stewards ayant une formation en combat rapproché dans l'avion ? Quelqu'un de physiquement dissuasif ? »

Mains sur les hanches, Judy Jackson foudroyait Janie du regard. « Sauf si l'une de mes filles a subi une opération pour changer de sexe pendant son temps de repos.

— Eh bien, poursuivit Janie, je doute sérieusement que l'une de *tes* filles soit capable de tenir tête à quelques-uns de nos passagers, s'ils deviennent violents. On en compte au moins une demi-douzaine qui sont sérieusement exaspérés dans les deuxième et troisième sections de la classe touriste, au cas où tu ne l'aurais pas remarqué. Et deux d'entre eux sont de sacrés gaillards.

— Et alors ?

— Alors, à moins que nous n'ayons deux pilotes taillés comme Schwarzenegger, des types capables de plier une voiture en deux, et à condition que tu parviennes à les convaincre de contrevenir aux dernières règles établies et de sortir de leur cockpit, il n'y a que nous pour faire quelque chose si l'un d'eux pète vraiment les plombs. Et aucun des deux pilotes ne pourrait se permettre de perdre beaucoup de temps en se lançant dans un truc aussi hasardeux, au cas où tu l'aurais oublié ça aussi. »

Une lueur d'inquiétude traversa le visage de Judy. « Et qu'est-ce que tu crois qu'ils vont faire ? »

Janie secoua la tête et jeta un rapide coup d'œil par-dessus son épaule pour s'assurer que personne ne les écoutait. « Je l'ignore, mais j'ai un très mauvais pressentiment. Sais-tu que, par-dessus le marché, nous avons le PDG de l'English Petroleum, en F-3 ?

— Non.

— Eh bien, si. Il s'appelle MacNaughton.

— MacNaughton..., répéta Judy, trahie par l'affaissement de sa mâchoire inférieure.

— Exactement. Et vous avez déjà eu des altercations assez sérieuses en cabine, n'est-ce pas, les filles ? » Janie s'était adressée à Cindy, à Ella et aux deux hôtesses qui les avaient rejointes ; toutes hochèrent la tête affirmativement.

« Bon. Mon conseil est qu'il est urgent que le commandant vienne rapidement calmer le jeu avant que tout ça ne devienne une révolte ouverte. »

Les mains de Judy étaient une fois de plus remontées jusqu'à ses hanches. Elle retrouva aussi son ton dur. « Merci beaucoup, professeur Bretsen. »

Janie soutint le regard hostile de la chef de cabine, bras croisés. « Dis-toi bien, Jackson, qu'il m'est complètement égal que tu m'aimes ou me détestes. Mais si les choses tournent au vinaigre, ce soir, il serait plus prudent de faire équipe. Et pour l'instant, tout laisse à penser que tu ignores jusqu'au sens de ce mot. »

21

Camp David, Maryland
11 h 10, heure locale

Le président des États-Unis jaillit littéralement de la porte du principal chalet, talonné de près par deux hommes en tenue décontractée ; la progression du trio était suivie, contrôlée et coordonnée par plusieurs équipes des services secrets, disposées à des endroits stratégiques du périmètre de Camp David.

Don Nederman, chef analyste à la CIA, se porta à la droite du président, tandis que Ryan Jacobs, directeur adjoint du FBI, ajustait sa foulée à la gauche de celui-ci.

« C'est vraiment superbe par ici, n'est-ce pas ? demanda le président, en quittant l'allée principale pour s'engager dans un sentier qui s'enfonçait dans les bois

— Tout à fait, dit Ryan Jacobs.

— Très bien. Je vous écoute, les gars. Et au fait (le président évita une flaque), je vous remercie d'avoir pu venir dans des délais aussi brefs. La balade en hélico s'est bien passée ?

— Tout à fait, répondit Jacobs.

— Par ici. » Le président leur indiqua le sentier qu'il avait l'intention de prendre et leur jeta un coup d'œil. Il les avait réunis, plusieurs mois avant, en une petite équipe de conseillers spécialisés dans le terrorisme ; leur boulot consistait à filtrer l'avalanche quotidienne d'informations dans ce

178

domaine et à en extraire les menaces réellement sérieuses aux yeux du chef du monde libre.

Ils grimpaient aussi vite que possible un petit raidillon, le président forçant le pas ; il était un peu hors d'haleine. « Bon... très bien. J'ai lu votre compte rendu d'alerte, ce matin, et je suis aussi inquiet que vous. Le Pentagone partage-t-il votre analyse ?

– Oui, monsieur.

– Après tout, c'est leur rôle de vouloir la guerre.

– Nous avons une délégation de tout le monde pour vous briefer, monsieur le président, répliqua Jacobs, légèrement irrité et devant se retenir d'ajouter qu'il connaissait son boulot.

– Très bien. Si j'ai bien compris, c'est du côté de l'Afrique centrale que vous vous attendez à un incident aérien... comment appelez-vous ça, déjà, un cheval de Troie ?

– Oui, monsieur.

– Mais si j'ai bien compris votre message, l'ensemble des services de renseignements que vous représentez ne prend pas la chose au sérieux, parce qu'ils pensent que la cible ne peut être en réalité que l'Amérique du Nord. Exact ? »

Les deux hommes échangèrent un regard et acquiescèrent.

« Je veux m'assurer que j'ai bien compris. Nous avons procédé à deux arrestations majeures, apparemment sans lien, en deux endroits différents, au cours de la semaine passée. Vous deux, en revanche, pensez qu'elles ont un lien, mais qu'il peut s'agir d'un coup monté pour nous égarer sur une fausse piste. Exact ? »

Le trio franchit le sommet de la petite hauteur et le président accéléra de nouveau le pas.

« Oui, monsieur », haleta Ryan Jacobs, qui faisait des efforts pour ne pas se laisser distancer.

Le président s'arrêta soudain et se tourna, mains sur les hanches. « Je vous écoute. »

Jacobs et Nederman s'arrêtèrent.

« Bien, monsieur, dit Jacobs. Cette menace provient à notre avis de ce qui reste des cellules terroristes que nous avons pratiquement exterminées en Irak au printemps dernier. Ils ont bien entendu juré de se venger. Les bruits de bottes et les gesticulations verbales habituels. Mais nous

179

savons aussi que ce sous-groupe dispose encore d'une capacité de nuire et nous n'arrivons pas à mettre la main sur lui. Ils disposent de fonds importants, et nous pensons qu'ils cherchent à créer une diversion. Nous avons cependant l'impression qu'ils ont laissé échapper par inadvertance que l'attaque qu'ils préparent n'aura pas lieu sur nos côtes, mais en Europe. C'est l'opposé de ce qu'ils veulent que nous pensions. »

Le président regarda les deux hommes tour à tour, puis eut un mouvement de tête vers le sentier. « Reprenons notre marche. Et continuez. »

Ryan Jacobs résuma les faits. On avait arrêté au Canada deux hommes qui s'étaient tranquillement présentés dans le port de plaisance de Halifax aux commandes d'un voilier de quarante-deux pieds et avaient essayé de franchir la douane alors qu'ils avaient à bord, caché dans la coque, près d'une tonne d'explosif (du plastic), ainsi que pour une quarantaine de kilos de matériel de laboratoire biologique.

« Je croyais que c'était juste un joli coup de la police, dit le président par-dessus son épaule. Vous savez, le genre officier doué d'un sixième sens...

– C'est tout d'abord ce que nous avons pensé, nous aussi », répondit Jacobs, qui essayait de ne pas haleter et se demandait ce que seraient ses résultats, si jamais il devait repasser les épreuves physiques de l'académie du FBI. Il était dans une forme pitoyable. « À mon avis... c'était ce qu'on attendait que nous pensions... Houlà, on ne pourrait pas ralentir un petit peu, monsieur ? »

Le président se retourna et se mit à rire. « C'est trop vite pour vous ?

– Pas pour la CIA, observa un Nederman narquois.

– Bon, d'accord, je ne suis pas au mieux de ma forme, admit Jacobs, souriant lui aussi. Je tiens plus souvent les rênes d'un bureau que celles d'un cheval. Les détails qui ont alerté l'officier des douanes de Halifax ont très bien pu être mis exprès en évidence, pour obtenir précisément ce résultat.

– Ils *voulaient* être arrêtés ?

– Pas les deux hommes. Ils n'étaient que deux pions, dans l'histoire. Mais ceux qui ont armé le bateau ont certainement fait exprès de créer les petits défauts qui ont attiré l'attention de l'officier ; il s'agissait d'être sûr que les deux hommes

180

soient pris. Par exemple, il y avait deux écoutilles mal construites et curieusement placées – conduisant à fond de cale.

– D'accord.

– L'officier des douanes, une femme, les a remarquées et n'a pu obtenir de réponse satisfaisante de la part des deux hommes ; c'est pourquoi nous pensons qu'ils ignoraient avoir été manipulés. Et si elle n'avait rien remarqué, il aurait suffi d'un coup de téléphone anonyme. Les deux prévenus sont des Pakistanais naturalisés Canadiens, mûrs pour être manipulés, et nous sommes sûrs qu'ils se sont fait avoir.

– Et l'autre incident ? demanda le président.

– Il est encore plus intéressant, monsieur. On a trouvé, soigneusement dissimulé dans les pièces détachées d'un train d'atterrissage pour avion, un élément du piston hydraulique contenant les composants d'un détonateur nucléaire. Ils étaient destinés à une compagnie aérienne basée à Atlanta réputée pour la qualité de son service. Celui ou ceux qui ont envoyé ces pièces détachées savaient pertinemment que les éléments de contrebande seraient découverts par la compagnie, et ils avaient raison. Le FBI a arrêté les deux Japonais porteurs d'une carte de séjour venus prendre possession de l'envoi, mais nous pensons qu'eux aussi sont des dupes dans cette affaire. »

Le président leva une main pour les faire arrêter, puis montra la cime des arbres, au loin. « Un aigle, juste au-dessus des arbres. »

Les trois hommes regardèrent pendant quelques instants, les yeux plissés à cause de l'éclat du jour, puis le président, mains sur les hanches, se tourna vers les deux conseillers. « Si j'ai bien compris, des terroristes envoient en Amérique du Nord du matériel qui pourrait servir à faire des armes de destruction massive, et les cerveaux derrière tout ça ont prévu que ces envois seraient interceptés. Pourquoi ? Pour détourner notre attention de l'Europe ? »

Ryan acquiesça. « Si nous mordons à l'hameçon et concluons que ces deux interceptions signifient qu'ils s'apprêtent à attaquer les États-Unis, ce qui reste du groupe suppose que nous allons devenir hystériques et déployer toutes nos ressources, en termes d'enquête, pour empêcher cette attaque. Pris d'une frénésie de surveillance de nos côtes, nous serons moins à même de voir venir une attaque sur l'Europe, en dépit de toutes les forces que nous avons déployées au Moyen-Orient.

– Monsieur le président, intervint Nederman, nous n'avons tout simplement pas assez d'éléments probants pour que les Britanniques, les Français ou les Allemands s'intéressent à cette théorie. Ils estiment toujours que les États-Unis sont la véritable cible. Toutes les preuves dont nous disposons vont dans ce sens, ce qui laisse le champ libre à ces voyous, pourvu qu'ils ne commettent pas d'erreur là-bas et n'attirent pas l'attention avant d'être prêts à frapper.

– Comment pourraient-ils faire passer une arme de destruction massive en Europe ?

– Par le rail, ou par la frontière, qui est poreuse à certains endroits, poursuivit Ryan. Ou par la voie des airs, le genre de menace que Langley a baptisée « cheval de Troie volant » ; voire même par une série d'envois de plus en plus nombreux utilisant les circuits commerciaux normaux.

– Du genre envoi de l'anthrax par la poste ?

– Presque aussi bizarre, mais nous sommes convaincus que la méthode qu'ils choisiront sera celle de l'avion de ligne ; soit un vol prétendument régulier, soit un véritable vol régulier. L'alerte de ce matin nous fait dire que la menace va se préciser dans les prochaines quarante-huit heures en Afrique centrale. Ça cadre parfaitement. En d'autres termes, nous estimons qu'on y est. Imaginez la chose : expédier une arme en se servant de l'un des milliers de vols réguliers que programment les compagnies. Pas de détournement. Pas de prise d'assaut du cockpit. L'avion est utilisé non pas comme une bombe, mais comme système de livraison. À bord, personne ne sait qu'il y a une cargaison mortellement dangereuse dans la soute ou dans l'un des puits du train d'atterrissage. Il suffit que le vol soit attendu au sol par quelqu'un. Avec une simple radiocommande, il peut faire exploser l'avion pendant son approche au-dessus de Rome ou de Paris, par exemple, ou simplement larguer un sac de poudre qui répandra quelques centaines de kilos d'anthrax ou quelque chose d'aussi terrifiant. Une arme nucléaire est envisageable, mais je penche plutôt pour la menace biologique. Nos satellites repèrent très bien toute matière fissile que l'on déplace, et les autres le savent. Si cette analyse est juste, nous

182

avons alors une chance de parer cette menace parce que nous savons ce que nous devons surveiller.

— À savoir ?

— Tout appareil commercial ou privé assez gros pour transporter une telle arme. Nous avons besoin de votre autorisation formelle pour suivre tout ce qui se dirige du sud vers l'Europe au cours des prochains jours, pour examiner les appareils avant leur décollage, rester en liaison étroite avec les compagnies aériennes concernées, et rechercher tout ce qui sort de l'ordinaire, si minime que ce soit. La VIIe Flotte, en Méditerranée, sera là pour faire tampon, mais nous avons besoin de l'aval présidentiel. »

Le président regarda tour à tour les deux hommes. « Vous l'avez. »

22

À bord du vol de Meridian 6
13 h 15, heure du bord

Judy Jackson franchit les rideaux et, une fois en première classe, se dirigea rapidement vers le petit placard situé dans la partie rétrécie, à l'avant du pont principal du 747. Elle fit semblant d'y prendre quelque chose, referma la porte et revint lentement sur ses pas, cherchant à croiser le regard de tous les passagers tandis qu'elle s'approchait de celui avec qui elle avait eu maille à partir à propos de ses annonces sur la PA. Elle avait remarqué que son porte-documents était parfois au sol, mais plus souvent sur ses genoux, et cette idée la rendait méfiante.

Janie Bretsen était plongée dans des travaux d'écriture, à sa place, près d'un hublot, de petites lunettes de lecture en équilibre sur le nez, et elle leva un instant la tête à l'approche de Judy.

Brian Logan l'avait lui aussi repérée, et ses pupilles se réduisirent à deux têtes d'épingle quand il la vit s'avancer vers lui. Une telle animosité rayonnait du médecin que c'était tout juste si elle ne la ressentait pas physiquement. Janie avait dit qu'il était très près de perdre les pédales et il avait de nouveau son porte-documents de cuir sur les genoux, les mains posées dessus, protectrices.

« Voulez-vous que je le range dans le casier, docteur ?

demanda-t-elle du ton le plus courtois qu'elle fut capable de prendre.

– Non. » Il la fixait toujours du même regard meurtrier.

Elle s'inclina légèrement vers lui. « Je suis désolée que nous soyons partis tous les deux du mauvais pied, docteur, mais vous comprenez certainement la réaction que j'ai eue quand vous vous êtes emparé du micro de la PA. »

Il n'y eut pas de réponse, et elle sentit une bizarre crispation dans le dos. « Alors, je..., continua-t-elle, je voulais simplement m'excuser d'avoir été grossière avec vous. Bien sûr, vous avez été pas mal grossier envers moi, mais...

– Fichez-moi la paix ! lui lança Logan. Allez donc arrêter le reste des passagers. »

Judy se redressa, écartelée entre son sens de la prudence et son envie de répliquer. C'est son vieux démon qui finit par l'emporter.

« *Docteur* Logan, puisque vous êtes insensible à mes excuses, il reste encore une question à régler.

– Nous avons bien plus qu'une question à régler, rétorqua-t-il, d'une voix tellement contenue qu'on l'entendait à peine.

– Je dois vous demander de me montrer le contenu de ce porte-documents. »

Il baissa les yeux sur l'objet, son visage exprimant la stupéfaction, puis releva la tête. « *Quoi ?*

– Votre porte-documents. Je dois savoir ce qu'il contient.

– Et pourquoi ?

– Parce que j'ai le droit de vous le demander, et que... votre façon de le tenir me préoccupe.

– Allez au diable !

– Monsieur ! Je suis responsable de cette cabine, et...

– Touchez à ce porte-documents, et je vous casse la main en deux ou trois endroits bien choisis », gronda Brian entre ses dents, détachant sa ceinture de sécurité. Il se leva, la foudroyant du regard pendant qu'elle reculait. Les têtes se tournaient, en première classe, et elle aperçut MacNaughton qui suivait la scène, l'air inquiet, depuis sa place.

« FOUTEZ-MOI LE CAMP, QUE JE NE VOUS VOIE PLUS ! » tonna Logan. Elle ne put s'empêcher de grimacer. Au moins six autres passagers s'étaient tournés sur leur siège pour voir quelle était la raison de l'altercation, cette fois.

Brian, qui tenait le porte-documents par la poignée, le leva sous le nez de la chef de cabine. « Il faudra me tuer pour que vous ou n'importe qui d'autre de cette compagnie de merde y touche, ou touche à quoi que ce soit qui m'appartienne. »

Judy battit précipitamment en retraite jusqu'à l'office de première classe, tirant le rideau derrière elle. Elle avait cru voir Logan se rasseoir pendant sa fuite, mais elle s'attendait presque à le voir faire irruption entre les rideaux, lancé à ses trousses. Elle eut soudain envie d'être ailleurs, n'importe où, plutôt qu'à proximité de la première classe.

Je vais aller faire une inspection de la classe touriste, se dit-elle.

Elle n'arrivait pas à faire cesser le tremblement de ses mains pendant qu'elle vérifiait sa tenue dans le miroir de l'office. Elle fit demi-tour et prit la direction de la cabine éco, sentant toujours des vagues de fureur monter de la première classe. Elle n'était pas préparée à trouver dans l'alcôve deux de ses hôtesses, les yeux écarquillés, en compagnie de Janie Bretsen.

« Qu'est-ce qui se passe ? Un séminaire ? » éructa Judy Jackson. Ella et Cindy reculèrent d'un pas, prenant une mine coupable. Janie, en revanche, ne bougea pas d'un pouce et lui répondit à voix basse.

« J'ai suivi l'altercation, dit-elle. C'était complètement gratuit, commença-t-elle.

— Et alors ? » répliqua Judy, comme si c'était un simple détail. Elle sentit qu'elle s'empourprait à nouveau.

« Eh bien, si j'étais la responsable du personnel de cabine, je te mettrais sur-le-champ à la porte pour faute grave. C'est la manifestation d'hostilité la plus détestable à laquelle j'aie jamais assisté en vol, à commencer par tes annonces d'une prodigieuse stupidité et tes menaces, le tout couronné par cette agression inutile.

— Va donc au diable ! » répliqua Judy, en grinçant des dents. Elle ne s'était pas attendue à voir Janie l'approuver.

— C'est à peu près ce qu'il t'a dit, en effet. Et si jamais il y avait un objet mortel dans ce porte-documents, on peut dire que tu as fait tout ce qu'il fallait pour qu'il s'en serve avant qu'on ait le temps de s'en rendre compte et de le lui retirer. Très brillant ! »

Judy voulut continuer son chemin vers la cabine, mais Janie se mit en travers. Judy n'hésita pas à la repousser, et sa taille et son poids plus grands lui permirent de déséquilibrer

Janie. Celle-ci, le souffle coupé, alla heurter la porte 2 gauche, mais Judy ne tourna même pas la tête.

L'ambiance d'hostilité qui régnait en classe éco avait quelque chose d'encore plus viscéral qu'en première ; Judy la lisait dans le regard glacial des passagers, au fur et à mesure qu'elle avançait. Ce n'était pas de la haine, comme lorsque le médecin l'avait regardée, mais un mécontentement larvé enrobé d'une méfiance évidente.

Tout ça, c'est de sa faute, se dit-elle, l'image d'un Brian Logan fou de rage lui remplissant encore la tête et la déstabilisant.

Toutes ses filles battaient en retraite à son approche. Elle aperçut Ella qui passait le nez entre les rideaux de l'office du milieu, tandis qu'elle avançait lentement dans l'allée, testant son sourire étudié d'hôtesse de l'air professionnelle sur ceux qui croisaient son regard, sans tenir compte de ce qu'elle déchiffrait sur les visages et qui allait de l'inquiétude à la fureur.

Elle avait affaire à l'échantillonnage habituel : des gens de toutes les races, de tous les âges, certains bien habillés, d'autres non, des femmes en robe, des femmes en jean, l'une d'elles en débardeur (lequel avait du mal à contenir sa poitrine plus que généreuse) et short (révélant des jambes enlaidies par des varices). Une bon Dieu de station de bus volante. Non, pire encore, estima-t-elle. L'une des rares personnes à lui avoir souri à Heathrow détournait à présent les yeux, un homme habillé d'un costume trois-pièces froissé, chauve comme un œuf. Il était assis à côté d'un petit bout de femme en sari blanc qui tricotait à un rythme frénétique. Deux petites filles, ouvrant de grands yeux, étaient assises à côté d'eux.

Judy repéra le jeune couple d'Asiatiques qu'elle avait déjà remarqué. Si le mari était profondément endormi, la femme, bien réveillée, surveillait attentivement les allées et venues de Judy, comme elle l'avait fait depuis le début du voyage.

Judy passa devant l'office du milieu de cabine et se retrouva dans la deuxième section de la classe éco. Les regards étaient toujours aussi hostiles. Comme si une vague de colère la repoussait. Elle décida qu'elle avait été assez loin.

Son œil fut attiré par quelque chose, sur sa gauche et, en se tournant, elle vit un porte-bébé accroché au râtelier à magazines, devant le siège d'une jeune maman. Sous le regard somnolent de la mère, le bébé dormait.

« Qu'est-ce que c'est que ce fichu machin ? » marmonna Judy sans s'adresser à personne en particulier, se penchant pour comprendre comment le porte-bébé avait été installé.

La mère se redressa et eut un geste vers la paroi. « J'ai trouvé ce moyen de le suspendre, comme on le fait dans les autres compagnies aériennes. »

Judy la regarda. Dans les vingt-huit-trente ans, deux gosses, manifestement fatiguée et manifestement dans l'ignorance du règlement.

« C'est interdit ! dit Judy en indiquant le porte-bébé. Enlevez-moi ça d'ici, tout de suite. »

Karen Davidson la regarda, l'air étonné. « L'une des hôtesses m'a aidée, et je l'enlèverai pour les atterrissages et les décollages, bien sûr.

– C'est ridicule ! » s'exclama Judy, plus fort qu'elle l'aurait voulu. Plusieurs passagers regardaient dans leur direction, à présent, se demandant ce que signifiait ce bruit. « Enlevez-le, je vous dis ! Sans quoi, au premier trou d'air, votre enfant va se retrouver par terre. »

Karen Davidson prit une profonde inspiration et se redressa sur son siège. « Excusez-moi, mais vous avez sans doute remarqué que le vol est stable. Il n'y a aucune raison qu'il tombe. Je l'ai solidement attaché. »

Un homme, assis juste de l'autre côté de l'allée, toucha Judy au bras, et elle sursauta.

« Quoi ?

– Qu'est-ce que vous allez faire ? Arrêter le bébé ? Vous ne pouvez pas laisser cette pauvre jeune femme tranquille ?

– Vous êtes avec elle ?

– Non, mais...

– Alors occupez-vous de vos affaires. Cette question ne regarde que le personnel de cabine. »

L'homme se rassit en silence, mais il était furieux. D'autres têtes se tournèrent. Judy se rendait compte que les regards se faisaient plus durs et que l'indignation montait. Mais c'était *sa* cabine, nom d'un chien, et elle n'allait pas se laisser impressionner par ces gens, pas plus qu'elle n'allait laisser Janie Bretsen lui dicter sa conduite.

Elle se tourna de nouveau vers Karen et se pencha vers elle.

« Enlevez-moi... ce porte-bébé de là... TOUT DE SUITE ! Vous avez compris ?

– Non, je n'ai pas compris !

– C'est moi qui commande, ici ! Détachez-moi ce machin de la paroi tout de suite ! Ça vous plairait, si je venais dans votre salon et que je fasse un trou dans votre table pour y faire tenir un verre ?

– *Quoi ?*

– Vous m'avez entendue. Je n'ai jamais vu un passager faire quelque chose d'aussi grossier !

– C'est grossier de s'occuper de son bébé, peut-être ? Quel rapport avec les tables et les salons ? répliqua Karen, secouant la tête.

– Hé, la fliquesse ! lança une voix masculine, trois ou quatre rangs en arrière, on vous dit tous de la laisser tranquille ! »

Judy l'ignora et brandit son index dans la direction de Karen. « Enlevez-le, ou c'est moi qui vais m'en charger !

– Hé ! » Une nouvelle et vigoureuse voix d'homme fit lever la tête à Judy. Elle provenait du passager, de l'autre côté de l'allée, assis à côté du fils de Karen, qui la regardait, sourcils froncés. Il était d'âge moyen et portait un jean et un chandail.

« Vous êtes qui, vous, son mari ?

– Qu'est-ce ça change, bon Dieu ? C'est une question sexiste, mais je vais vous dire un truc : si j'étais son mari, je serais probablement en train de vous étrangler ! Laissez cette femme tranquille. Le porte-bébé ne gêne personne, là où il est. Mais qu'est-ce qui vous prend, à la fin ?

– Ce qui me prend ? Le règlement, répondit Judy en se tournant une fois de plus vers Karen. C'est mon dernier avertissement. Enlevez-moi ça d'ici, ordonna-t-elle, donnant un grand coup de poing dans la paroi pour souligner sa volonté, TOUT DE SUITE ! »

La paroi se mit à vibrer violemment. Le porte-bébé commença à se détacher, catapultant le bébé hors du minuscule matelas. Les yeux de la mère s'agrandirent et elle plongea en avant, mais ses mains ne purent rattraper l'enfant.

Il y eut en même temps un mouvement que Judy ne distingua pas clairement, sur sa droite ; l'homme placé de l'autre côté de l'allée avait bondi devant elle, bras tendus, et rattrapé le bébé juste avant qu'il n'atteigne le plancher. Son buste heurta le côté d'un siège avec un bruit sourd à l'instant même où le porte-bébé touchait le sol.

Instinctivement, Judy s'était agenouillée pour faire quelque chose. Des gens se levaient de partout dans la cabine, les ceintures s'ouvraient avec un claquement.

L'homme qui avait rattrapé la petite fille de Karen Davidson était à côté d'elle, et tendait le bébé à sa mère. Il se tourna ensuite, grimaçant et se tenant les côtes. La jeune femme était aussi à genoux, serrant le bébé contre elle et cherchant en même temps du regard les yeux de son sauveteur. Judy prit conscience des voix, des bruits de pas, des mouvements des cris, puis réalisa que tout cela était dirigé contre elle.

Elle était encore agenouillée et, quand elle leva les yeux, ce fut pour se trouver entourée de visages exprimant la colère. La foule se refermait sur elle. Elle se leva, mais ils ne reculèrent pas.

« Allez vous asseoir ! cria-t-elle.

— Et vous, allez vous faire enculer ! » lui rétorqua quelqu'un.

La foule avançait toujours sur elle. Instinctivement, elle recula jusqu'à l'alcôve située entre les deux sections de la cabine et voulut décrocher l'interphone, mais il y avait au moins une paire de mains qui cherchaient à s'emparer d'elle et elle continua à battre en retraite.

« ALLEZ-VOUS-EN ! NE ME TOUCHEZ PAS ! hurla-t-elle.

— Hé ! ordonna un homme solidement bâti en costume trois-pièces. Retenez-la ici ! » Il y eut d'autres cris tandis que la petite foule continuait à avancer, les visages arborant une expression de rage pure. Son instinct dicta soudain à Judy de fuir. Elle fit demi-tour et partit en courant, en direction de l'escalier conduisant au pont supérieur, n'arrivant pas à croire qu'elle était poursuivie par tous ces pas et ces cris de colère.

Elle passa comme un bolide à hauteur d'un office, bousculant l'une de ses hôtesses, tandis que derrière, une voix masculine furieuse la hélait :

« HÉ, SALOPE ! REVIENS UN PEU ICI QU'ON S'EXPLIQUE ! »

Judy contourna le bas de l'escalier et commença à l'escalader quatre à quatre ; arrivée en haut, elle courut jusqu'au cockpit, manqua d'arracher l'interphone et enfonça la main dans le décodeur.

« Commandant ! Commandant ! Laissez-moi entrer ! »

Elle entendait des voix et des bruits de pas qui montaient dans l'escalier.

« Quoi ? » demanda Phil. Elle connaissait les questions qu'il était supposé lui poser.

« Personne ne me force, personne n'est avec moi. Regardez votre écran ! Le contrôle de ma main est terminé. LAISSEZ-MOI ENTRER ! »

Elle entendit le cliquetis des verrous qui s'ouvraient et se jeta à l'intérieur, claquant la porte dans son dos et prenant le temps de s'assurer que les grosses fermetures étaient bien en place.

« Mais qu'est-ce qui vous arrive ? demanda Phil Knight en se tournant vers elle, une expression affolée dans le regard.

— C'est l'émeute, là en bas ! bredouilla-t-elle, préférant, pour le moment, ne pas lui révéler le petit incident qui avait déclenché toute cette agitation.

— Que voulez-vous dire, l'émeute ? » Le visage du commandant avait perdu toutes ses couleurs. Garth s'était lui aussi retourné et paraissait frappé de stupeur.

« Il y en a toute une bande... Ils m'ont poursuivie dans l'appareil depuis la classe éco !

— *Poursuivie ?* Je ne comprends pas », dit le commandant.

Elle le regarda et secoua la tête, des larmes de colère et de frustration grossissant dans le coin de ses yeux. « Moi non plus, commandant... mais il faut les arrêter. Ils ne veulent plus m'obéir. Ils sont littéralement hors de contrôle.

— Mais... à cause de quoi sont-ils en colère ?

— À cause du retard pris à Londres, de la température... de cette histoire de changement de cap... Bon Dieu, je sais pas ! »

Garth repoussa son siège et commença à défaire sa ceinture de sécurité, puis s'interrompit, regardant Knight. « Si ce n'est pas une tentative pour s'emparer de l'appareil, je devrais peut-être aller voir ce qui se passe, non ?

— Soyez prudent avec ces salopards ! gronda Judy, les dents serrées, en se tournant vers le copilote. C'est à ça que j'ai affaire sur tous les vols, depuis quelque temps. Des bêtes sauvages, qui râlent à propos de tout et de n'importe quoi. Je n'arrive pas à croire qu'ils m'aient agressée.

— Vous ne nous avez pas dit que vous l'aviez été, Judy », lui fit remarquer Garth.

Elle parut prise de court et eut un mouvement de tête comme si elle traitait la remarque par le mépris. « C'était pratiquement une agression. Ces enfoirés me couraient après dans les allées ! »

Phil Knight consulta le copilote du regard, mais sans rien dire ; finalement, ce dernier montra la porte. Knight acquiesça et attendit que le copilote ait vérifié la porte. Il regarda le combiné de la PA et hésita. « Vous... vous pensez que je devrais leur dire quelque chose ?

— Je vous en prie ! s'exclama Judy, de la colère dans la voix. Ils écouteront peut-être un homme. »

Le commandant décrocha et composa le code qui le branchait sur la PA.

C'est votre commandant qui vous parle. S'il y en a parmi vous qui ont des doutes sur qui contrôle légalement ce vol, qu'ils y réfléchissent à deux fois. Lorsque l'une de nos hôtesses vous dit de faire quelque chose, vous devez le faire, c'est la loi. Quant à ceux d'entre vous qui viennent de poursuivre notre chef de cabine dans l'avion... si vous ne vous asseyez pas immédiatement, je vous ferai vraiment mettre en état d'arrestation dès notre arrivée.

Il reposa le combiné, s'attendant à entendre des poings frapper contre la porte du cockpit et se demandant ce qu'il ferait, dans ce cas-là, mais tout était silencieux, de l'autre côté du battant, et l'écran vidéo était vide.

Garth brancha les différentes caméras ; beaucoup de gens étaient debout un peu partout dans la cabine, rassemblés en petits groupes et paraissaient discuter avec animation.

« Ça a peut-être suffi, observa Knight.

— Je ne vois d'activité à caractère menaçant nulle part, ajouta Garth. Mais s'ils n'étaient pas en train de se révolter, votre annonce devrait finir de les décider. »

Le commandant lança un regard meurtrier à son copilote. C'est la voix de Judy qui interrompit cet échange silencieux.

« J'en ai ma claque ! C'est fini pour moi ! Il faudra que cette stupide compagnie triple mon salaire si je dois en plus calmer des émeutes ! Je ne bouge plus d'ici. Je suis tellement folle de rage que je pourrais m'étrangler.

— Restez ici, dans ce cas », lui dit Knight d'un ton neutre, sans quitter Garth des yeux.

23

À bord du vol de Meridian 6
17 h 25, heure du bord

Robert MacNaughton observa attentivement le comportement de Brian Logan, après la piteuse retraite de Judy Jackson. Il le vit qui regardait son porte-documents comme s'il le voyait pour la première fois, puis l'ouvrait et le refermait à plusieurs reprises, déplaçant entre-temps quelque chose à l'intérieur. Le médecin le replaça ensuite sur ses genoux et se mit à pianoter sur le revêtement de cuir.

Pendant que MacNaughton surveillait Logan, trois hôtesses vinrent tour à tour faire une brève apparition dans la cabine de première classe, uniquement pour observer Logan pendant quelques instants. Une employée de Meridian qui n'était pas en service et s'était présentée à lui sous le nom de Janie Bretsen revint s'asseoir à sa place, près d'un hublot. MacNaughton la vit qui jetait des coups d'œil furtifs dans la direction du médecin.

Mais au fond, pourquoi-je suis-je inquiet ? se demanda-t-il. *Les gens vont arriver au Cap bien décidés à se plaindre, il y aura trois cents lettres furibondes... et au pire, il faudra attacher ce malheureux médecin.*

Cependant, son inquiétude persistait.

De toute évidence, prendre un vol commercial avait été une mauvaise décision – une erreur qu'il ne commettrait pas deux fois, quelle que soit l'importance d'une réunion.

Sauf pour le Concorde. Tant que British Airways et Air France feraient voler le Concorde, il l'emprunterait.

Il en était là de ses réflexions lorsqu'il entendit des voix énervées et des bruits de pas provenant de la cabine suivante. Il se tourna et eut le temps de voir Brian Logan bondir sur ses pieds et, laissant le porte-documents sur son siège, courir en direction du tapage. Quand il fut hors de vue, MacNaughton se demanda ce qu'il devait faire. Il se disait que ce qui se passait ne le regardait pas, mais la curiosité fut finalement la plus forte et il se leva à son tour. Il alla se poster près de l'entrée de la première classe, à l'arrière de la cabine, et vit Logan qui s'éloignait vers l'arrière.

MacNaughton regarda autour de lui, l'air de rien, et remarqua le porte-documents abandonné. Il remonta tranquillement l'allée, eut un nouveau coup d'œil circulaire pour vérifier que personne ne l'observait et, se penchant sur le siège, fit sauter les deux fermoirs de la petite mallette en cuir. Il souleva délicatement le couvercle, et vit plusieurs classeurs ainsi que ce qui lui sembla être un paquet de billets d'avion, rangés dans le logement supérieur.

Le logement inférieur ne contenait qu'un seul objet, un petit tube en étain, dont il se saisit. L'objet était léger, et il n'eut aucune peine à dévisser le couvercle. Il n'y avait à l'intérieur qu'une sorte de poudre grise.

Robert MacNaughton remit tout en place et laissa le porte-documents là où il l'avait trouvé, s'interrogeant sur la nature de la poudre qu'il venait de voir.

Judy Jackson avait déjà disparu dans l'escalier menant au pont supérieur lorsque Logan sortit de la première classe. Trois hommes la pourchassaient, mais il retint le dernier par le bras.

« Qu'est-ce qui s'est passé ? » lui demanda Brian.

L'homme eut un mouvement de tête en direction de l'escalier par lequel avait disparu la chef de cabine. « Cette folle a fait tomber un bébé par terre, là-bas. Elle aurait pu le tuer. »

Brian hésita, tandis que l'homme attaquait les premières marches, puis il alla voir par lui-même ce qu'il en était. Au moment même où il entrait dans la section arrière de la classe éco, quelqu'un réclamait un médecin.

« Je suis médecin », dit-il, remarquant un homme allongé sur le sol et souffrant visiblement. Il s'agenouilla pour l'examiner.

« Qu'est-ce qui lui est arrivé ? »

Plusieurs voix, au-dessus de lui, répondirent à sa question.

« ... il s'est fait mal en essayant d'attraper le bébé de cette dame avant qu'il ne touche le sol.

— ... crois qu'il a une ou deux côtes cassées...

— ... heurté le bas de ce siège...

— Comment vous vous sentez ? demanda Brian.

— Ça fait mal, répondit l'homme en ouvrant les yeux. Je survivrai, mais... vous êtes médecin ?

— Oui.

— Bon. Je peux respirer, mais qu'est-ce que ça me fait mal ! Une côte cassée, peut-être. » L'effort qu'il venait de faire pour s'expliquer le fit grimacer de douleur.

Brian l'installa dans une position plus confortable et lui ouvrit sa chemise ; puis, délicatement, il commença ses investigations, lui palpant la poitrine et les côtés. Pendant ce temps, les voix, au-dessus du médecin, complétaient par fragments le récit des événements, racontant comment, dans son énervement, Judy Jackson avait donné un coup de poing dans la paroi.

« Le bébé va bien ? » demanda Brian à Karen Davidson.

La jeune femme commença par acquiescer. « Oui, il l'a rattrapé juste à temps. Sans quoi, il aurait heurté le sol la tête la première. »

Brian essaya de se concentrer sur sa tâche et fut soulagé de constater qu'il ne semblait pas y avoir d'hémorragie interne ni de fracture multiple, ni rien qui aurait exigé la mise en œuvre de ses compétences médicales. S'étant assuré que le passager blessé était installé aussi confortablement que possible, Brian se releva, de plus en plus conscient que les gens qui l'entouraient étaient scandalisés ; il comprenait leur indignation son esprit se focalisant, telle une loupe grossissante, sur Judy Jackson.

« Je reviendrai vous voir plus tard », dit-il machinalement avant de partir à grands pas dans l'allée. Il grimpa les marches de l'escalier quatre à quatre et passa devant les trois hommes qui s'étaient lancés à la poursuite de Judy Jackson ; ils se tenaient à présent à hauteur de l'office du pont supérieur, bras ballants, hésitant sur ce qu'ils devaient faire.

La porte donnant sur le cockpit était devant lui ; au moment où il s'en approchait, celle des toilettes s'ouvrit. Il en sortit un pilote portant trois barrettes sur chaque épaule et une expression dure sur le visage.

« Hé ! Commandant ! » aboya Brian.

L'homme s'immobilisa sur place et se retourna, aussitôt sur ses gardes devant ce client en colère. Il leva la main.

« Je ne suis pas le commandant. Seulement le copilote. »

Brian s'avança jusque dans la petite alcôve, et Garth Abbott se retrouva coincé entre lui et la porte du cockpit.

« Avez-vous la moindre idée de ce qui se passe ici ? »

Le copilote eut un petit reniflement et roula des yeux. « Oui, monsieur. Je crois que je le sais, ce qui se passe ici. Mais je ne suis pas le commandant de bord, et ce n'est donc pas moi qui contrôle les événements. Puis-je vous demander qui vous êtes ? » ajouta-t-il.

Quelque chose, dans la voix du copilote, fit hésiter Logan. L'homme qu'il avait devant lui représentait l'ennemi ; mais à un niveau plus profond, cependant, il avait ressenti pour lui une sorte de fraternité qu'il ne pouvait ni expliquer ni évaluer, et il se rendit compte qu'il lui tendait la main.

« Dr Brian Logan. Grâce à votre chef de cabine, il y a un homme blessé en bas. Je viens de l'examiner à l'instant. Il présente plusieurs côtes fracturées. »

Brian entendit les mots qui sortaient de sa bouche, son ton calme et mesuré, comme si quelqu'un d'autre que lui parlait. Il aurait eu envie de hurler, rager, gesticuler, mais si jamais cet homme était un allié...

Le copilote soupira et secoua la tête. « C'est un phénomène, celle-là. Qu'est-ce qu'elle a encore fait ? »

Brian lui résuma brièvement les événements, puis montra la porte du cockpit. « Je suppose qu'elle est enfermée là-dedans ?

– C'est possible. Qu'est-ce que je peux faire pour vous, docteur ? »

La question était inattendue. Pendant quelques instants, il prit conscience de n'avoir aucune idée de ce qu'il fallait répondre. Ils ne pouvaient lui donner ce qu'il aurait souhaité

– qu'on lui rende Daphne. Mais puisque cela était impossible, ce qu'il désirait de toutes ses forces était de les poursuivre d'une vengeance aveugle. De les mettre en faillite pour ce qu'ils lui avaient fait... ou plutôt fait à sa femme, corrigea-t-il. Il voulait leur argent, il voulait leur peau en tant qu'entreprise, il voulait leur condamnation publique pleine et entière. Il voulait que les gens aient honte que Meridian ait pu passer pour une compagnie aérienne. Il voulait que le commandant de bord qui avait assassiné Daphne soit viré, poursuivi, ruiné.

Et voilà qu'un des pilotes de l'ennemi lui demandait ce qu'il voulait. Le lui demandait !

La bouche de Brian s'ouvrit deux ou trois fois, prête à cracher le venin qui bouillonnait dans son esprit, mais rien ne vint.

« Docteur ? l'encouragea le copilote.

– Je veux que cette femme vienne présenter ses excuses à tout le monde. »

Garth resta quelques secondes sans réagir, puis eut un hochement de tête affirmatif. « Compris.

– Il n'y a pas un passager, dans cet avion, qui n'en ait pas jusque-là de votre personnel. En particulier de cette idiote.

– Vous voulez parler de Jackson ?

– Si c'est bien son nom.

– C'est son nom.

– Alors, où est-elle ? Elle se cache dans le cockpit ? »

Le copilote acquiesça. « En effet. Mais elle dit qu'elle est tellement écœurée par les passagers qu'elle ne veut pas sortir.

– Cette salope mérite d'être virée, dit Brian avec un geste vers le cockpit, pendant qu'Abbott se grattait le menton. Vous rendez-vous compte de ce qu'elle a fait ?

– Moi, oui. Mais pas le commandant... J'ai l'impression qu'il vaudrait mieux qu'il entende ça de votre propre bouche. » Garth regarda la serrure à décodeur de la porte, puis revint sur Brian. « Docteur ? Pouvez-vous, s'il vous plaît, vous asseoir sur ce siège, au premier rang ? Je... je ne peux pas parler au commandant si quelqu'un est à côté de moi. »

Brian alla s'asseoir ; Garth prit le combiné et demanda la permission d'entrer, glissant la main bien à plat dans le décodeur.

« Qui est avec vous ? demanda Knight. Je ne vois personne à l'écran.

– Une personne, mais elle est assise, pour respecter la procédure. Je crois qu'il serait bon que vous l'écoutiez.

– Vous en êtes sûr ?

– Oui. Il faut que vous entendiez cela. »

Le bruit du déverrouillage parvint jusqu'à Brian ; Garth se tourna et lui fit signe de le rejoindre. Il le fit passer dans le cockpit et referma la porte derrière lui.

C'est une Judy Jackson effarée qui leva les yeux, depuis le siège du copilote où elle s'était installée. « Phil ? Judy a quasiment provoqué une révolte, là en bas, mais elle s'est bien gardée de nous dire ce qui s'était vraiment passé. Le Dr Logan va tout vous raconter.

– Vous ! s'exclama Judy, se redressant à demi, foudroyant le médecin du regard.

– Asseyez-vous ! » lui ordonna Brian, tendant l'index vers elle tout en se tournant vers le pilote qui, depuis son siège, regardait alternativement Brian et Garth, lequel affichait une expression étonnée.

« Mais qu'est-ce que c'est que cette histoire, Abbott ?

– Racontez-lui ce qui est arrivé, docteur. »

Brian Logan décrivit les événements qui s'étaient déroulés en classe éco, et vit Phil Knight se tourner vers Judy Jackson, une expression peu amène sur le visage.

« Vous n'auriez pas oublié de me raconter quelque chose, Judy ?

– Ce n'était pas important, se défendit-elle.

– Commandant, reprit Brian, je vous demande de mettre cette femme en état d'arrestation pour avoir agressé un passager, après lui avoir fait présenter ses excuses sur la PA. Et j'exige que vous nous fassiez des excuses par la même voie pour ne nous avoir jamais parlé, et pour toutes les autres choses ridicules qui se sont passées pendant ce vol. »

Knight, qui regardait Brian par-dessus son épaule, fronça les sourcils. « Vous n'avez pas d'ordres à me donner, et vous allez sortir de mon cockpit.

– Non, commandant, répliqua Brian d'un ton plus dur. Vous allez obliger cette salope à s'excuser. »

Knight partit d'un rire nerveux. « Hé ! Pour qui vous prenez-vous ?

– Je parle au nom des trois cents passagers en colère qui en ont par-dessus la tête de cette compagnie de merde, qui en ont assez d'être maltraités, de se faire raconter n'importe quoi et de bouffer des saloperies. »

Phil fit un mouvement pour se dégager de son siège, sans cesser de foudroyer Logan du regard. « Je vous ai dit de sortir de mon cockpit !

– Non ! Pas tant que vous ne nous aurez pas présenté des excuses sur la PA et obligé cette femme à présenter les siennes ! »

Garth posa une main sur l'épaule du médecin, mais celui-ci s'en débarrassa et tendit le doigt vers le commandant, tandis que Judy secouait la tête, dégoûtée.

« Pour tout vous dire, enchaîna Brian, vous n'êtes plus le responsable de cet avion, *commandant*. Nous avons pris le commandement et nous exigeons des excuses immédiates, ainsi que l'arrestation de cette femme. »

Il y eut un rire railleur en provenance du siège du copilote, et Judy roula des yeux. « Ouais, ce qui va arriver, c'est que vous allez en prendre pour dix ans, avec vos exigences qui reviennent à un détournement ! Vous savez ce qu'on en fait, de ceux qui détournent un avion, aujourd'hui ? »

Knight croisa le regard du copilote. « Faites sortir cet homme de là », aboya-t-il, avec un geste vers Brian. Garth essaya une fois de plus de poser une main apaisante sur l'épaule du médecin, mais celui-ci fit brusquement demi-tour et brandit le poing sous le nez du copilote.

« Surtout, ne me touchez pas ! »

Garth Abbott recula, mains en l'air, pensant à la hache de secours montée à l'intérieur de la porte du cockpit.

Brian sentit le changement d'attitude du copilote et se dirigea rapidement vers la porte. Il posa une main sur la poignée et regarda les trois autres occupants du cockpit, sur ses gardes. « Alors, qu'est-ce que vous décidez, commandant ? Le temps presse. »

Phil Knight s'obligea à faire pivoter son siège pour entrer en contact oculaire avec l'homme qui avait fait intrusion dans son royaume. Son cœur battait la chamade et il avait du mal à rester calme.

« Écoutez, elle va rester ici, d'accord ? Je la place en rétention administrative.

— Vous... QUOI ? ragea Judy. Ce n'est quand même pas moi le problème ici, Toto !

— La ferme, Judy, répliqua Knight.

— Allez au diable, rétorqua-t-elle, rejetant la tête en arrière et croisant les bras.

— Désormais, vous ne l'aurez plus dans les pattes, dit Phil. Mais personne ne présentera d'excuses sur la PA. Et maintenant, sortez de mon cockpit ! »

Pendant quelques secondes tendues, les deux hommes ne se quittèrent pas des yeux. Finalement, Brian acquiesça « Pour le moment. Mais vous finirez par vous excuser. › Garth lui ouvrit la porte.

« Quel est votre nom, déjà ? » demanda le commandant, dans une tentative pour regagner un semblant d'autorité.

L'effet sur le médecin fut immédiat. Il fit volte-face, refermant partiellement la porte derrière lui, et il regarda ses trois vis-à-vis tour à tour, une expression hagarde sur le visage.

« Je suis le Dr Brian Logan. Et tant que vous y êtes, décrochez votre téléphone et appelez le siège social de votre compagnie. Et demandez-leur qui était Daphne Logan. »

Puis il se tourna et claqua la porte derrière lui.

Dans le cockpit on n'entendit plus, pendant un moment, que le ronronnement des instruments et le souffle des innombrables ventilateurs. Judy fut la première à laisser échapper un soupir, inclinant la tête vers la porte.

« Vous voyez à qui j'ai eu affaire ? Je n'arrive pas à croire que vous ayez pu le traiter aussi bien.

— Qu'est-ce qu'il a voulu dire ? demanda Garth. Qui était cette Daphne Logan ? »

Judy secoua la tête. « Aucune idée. »

Garth regardait Phil Knight, s'attendant à l'inévitable torrent de reproches dont le commandant allait l'abreuver. Knight secoua la tête et c'est d'une voix tendue qu'il parla. « Joli coup, Abbott. Faire venir ce cinglé dans le cockpit ! Vous allez probablement être viré pour ça.

— Je ne savais pas que c'était un déséquilibré.

— Ce n'est pas une excuse. »

24

Les bruyants pépiements de son portable déclenchèrent les excuses immédiates de David Byrd, qui croyait pourtant avoir mis l'intrus en mode vibreur. Les trois autres personnes autour de la table, tous des amis de la FAA, lui firent signe que ce n'était pas bien grave, et il prit la communication.

« Allô ?

– Dans combien de temps pouvez-vous vous trouver au siège du NRO[1] ? fit une voix masculine autoritaire et immédiatement reconnaissable à l'autre bout de la ligne

– Colonel... Blaylock ? demanda David.

– Et qui d'autre pourrait vous appeler avec mon portable ? Répondez à ma question, je vous prie.

– Dans environ une heure, mais...

– Bien. Il est onze heures trente, et il va me falloir une heure et demie. Je vous retrouve à treize heures sous la grande coupole.

– Attendez ! Pourquoi ?

– Pourquoi ? » Blaylock paraissait incrédule.

« Oui, pourquoi ?

---

1. National Reconnaissance Office : organisme américain qui gère l'imagerie par satellite.

« – Avez-vous si envie que ça que je vous vole dans les plumes ?

– Nullement.

– Alors ne posez pas la question. Faites-moi confiance. Nous sommes sur une ligne sécurité zéro, et je suis un réserviste des plus insécures.

– Je crois que je commence à comprendre.

– Ah, bien. Des insultes. Les fondements de toute amitié solide. À dans quatre-vingt-dix minutes. »

David coupa la communication et, lorsqu'il releva la tête, il vit que ses trois amis avaient chacun le portable à l'oreille.

« Faut que tu y ailles ? lui demanda l'un d'eux.

– Non, pas tout de suite, répondit David, avec un sourire au souvenir des méthodes "éléphant dans un magasin de porcelaine" de Blaylock. Je dois finir mon café, avant. »

John Blaylock attendait lorsque David Byrd pénétra dans le hall d'accueil du NRO ; dans son uniforme tiré à quatre épingles, la nouvelle version de l'homme dont il avait fait connaissance sur un quai d'Annapolis avait un aspect bien différent.

Quelques mèches en bataille, mais dans la limite de tolérance, songea David, tandis que Blaylock redressait son calot et lui indiquait le service de sécurité, retardant l'inévitable avalanche de questions jusqu'à ce qu'ils soient à l'intérieur, et escorté de près par un analyste répondant au nom de George Zoffel.

« Bon, pouvez-vous me dire à présent de quoi il retourne sans risque pour ma santé ? demanda David.

– Je ne sais pas. Ces couloirs sont-ils sûrs, George ? »

Zoffel sourit et acquiesça sans rien dire.

« Qu'est-ce que nous faisons ici ? insista David.

– Un, nous voulons en apprendre un peu plus sur l'état d'alerte qui correspond à ce fameux cheval de Troie ; deux, nous avons besoin de savoir comment l'aviation commerciale s'inscrit dans cette recherche vingt-quatre heures par jour sept jours par semaine ; et trois, vous avez besoin de voir ce que voient les satellites.

– Quelque chose se prépare ?

– Il se prépare toujours quelque chose, David. »

Zoffel s'arrêta devant une porte portant un simple numéro, glissa une carte à puce dans une serrure à code et les fit entrer une fois la porte ouverte.

« Et quoi, en l'occurrence ?

– Quoi ? Un truc qui serait très difficile à expliquer à des civils, blagua Blaylock, mais, en dépit du coût astronomique du matos, Georgie n'a qu'à s'asseoir devant cette batterie d'écrans de contrôle pour consulter en temps réel les images satellites de pratiquement tous les matériaux fissiles qui traînent sur la planète. »

George Zoffel acquiesçait.

David le suivit dans une salle partagée en deux par une longue table de forme incurvée, derrière laquelle une demi-douzaine de confortables fauteuils pivotants faisaient face à un mur, également incurvé, constitué de grands écrans à cristaux liquides. La table elle-même était en réalité une console de contrôle abritant un ensemble impressionnant d'interrupteurs, de boutons et de claviers.

Zoffel commença à faire courir ses doigts sur ce tableau de bord avec l'aisance de l'expérience, entrant des codes d'accès et réagissant à plusieurs ordres, y compris celui de placer la main dans un scanner d'identification. Les écrans s'animèrent, treize d'entre eux affichant une incroyable variété de vues et de cartes.

« Notre couverture européenne actuelle », commenta Zoffel qui leur fit ensuite un rapide briefing sur la recherche permanente de matières nucléaires fissiles et l'impossibilité, depuis l'espace, de détecter des mécanismes comme les détonateurs nucléaires. « Cependant, nous gardons aussi un œil sur tout ce qui transite par les voies commerciales, que ce soit par bateau, par avion ou fer, ou même par camion, dans la mesure où nous le pouvons, lorsqu'ils se dirigent vers des secteurs à haut risque. L'essentiel de cette évaluation est faite par des ordinateurs utilisant des algorithmes ultra-sophistiqués mis au point par nous, mais ils sont loin d'être infaillibles. Nous sommes par exemple incapables de voir une bombe biologique ou chimique comme telle depuis l'espace ; en revanche, nous pouvons détecter des mouvements ou des chargements suspects, et nous croisons constamment nos informations sur les transports commerciaux, nous comparons les plans de vol des avions et les plans de route officiels des bateaux avec ce qui se passe sur le terrain.

— Vous passez votre temps, autrement dit, à chercher une aiguille dans une meule de foin, observa David.

— Exactement. Et en ce moment, ça devient pire. C'est toute une équipe qui travaille vingt-quatre heures sur vingt-quatre pour rechercher cette aiguille. » Il jeta un coup d'œil à Blaylock. « Autorisation accès aux codes de cryptage secrets pour le colonel Byrd ?

— Confirmée, répondit Blaylock.

— Très bien. Vingt minutes avant votre arrivée, messieurs, on nous a demandé de concentrer un maximum de nos ressources sur la surveillance de l'Afrique subsaharienne, où l'on craint une éventuelle incursion terroriste. C'est un changement majeur. Jusqu'à aujourd'hui, c'était avant tout à nos côtes que nous nous intéressions.

— D'où émanait cette directive ? demanda John Blaylock tout en étudiant la carte de la planète affichée par l'un des écrans.

— De la Maison-Blanche. On nous a dit de nous attendre à une attaque terroriste d'envergure sur une grande ville européenne d'ici à quarante-huit heures. »

À bord du Meridian 6
18 h 9, heure du bord

Phil Knight parcourut des yeux le paysage désert du Sahara du Sud, essayant de se convaincre que les quelques heures qui lui restaient avant de rejoindre Le Cap passeraient rapidement. Il n'avait pas adressé une seule fois la parole à son copilote, intentionnellement, au cours des dix dernières minutes ; Garth Abbott, cependant, le voyait qui jetait constamment des coups d'œil furtifs à la grande console centrale d'instruments de contrôle, surveillant les chiffres du moteur 4. Il était sûr que le pilote n'attendait qu'une chose : de mauvais chiffres qui auraient confirmé qu'il avait eu raison depuis le début.

« Aussi stable que le roc, Phil », observa Garth, faisant

exprès de lui mettre le fait sous le nez. Bien entendu, il n'y eut pas de réaction.

Judy Jackson gardait le silence, assise tel un sphinx maussade sur le siège rabattable, derrière le commandant. Elle était encore sous le coup des violentes émotions qu'elle avait vécues en cabine.

La sonnerie du téléphone de bord retentit, et le copilote tendit la main vers le combiné quand il comprit que personne d'autre ne décrocherait.

« Est-ce que c'est le commandant ? demanda une voix féminine tendue.

– Non. Le copilote. Qui êtes-vous ?

– Euh, Cathy, de la classe éco. » *Elle paraît agitée*, se dit-il. « Pouvez-vous faire une annonce pour dire que le signal de la ceinture de sécurité est toujours affiché ? Ils ne veulent pas nous écouter. Un certain nombre de passagers n'arrêtent pas d'aller et venir et refusent de s'asseoir. Pour tout vous dire, même si je sais que vous n'avez pas à le faire, ne pourriez-vous pas venir en personne, vous ou le commandant, pour leur parler directement ? Cela nous aiderait beaucoup. »

Garth Abbott se tourna vers Knight et lui répéta la requête, n'obtenant une fois de plus aucune réaction.

« Bon Dieu, Phil, c'est un comportement infantile ! Répondez à la question, si c'est toujours vous le commandant de bord. Dois-je descendre pour aller voir ce qui se passe, oui ou non ? »

Finalement, le commandant se tourna vers lui, le visage crispé en une expression farouche, les yeux rétrécis par la colère. « Vous voulez que je vous dise ? J'en ai rien à foutre. Mais vous connaissez le règlement. Même si quelqu'un menace de vous égorger je n'ouvrirai pas la porte. Désolé. Je n'ouvrirai pas. »

Garth se retint de lancer la réplique qui lui était venue à l'esprit et se contenta de hocher la tête, tout en défaisant sa ceinture. « Je suis parfaitement conscient de ce que dit le règlement. Je reviens dans quelques minutes. »

Il ouvrit la porte du cockpit et passa dans la cabine du pont supérieur, s'attendant plus ou moins inconsciemment à la réception amicale habituelle. Il n'y avait cependant rien d'amical dans les yeux de ceux qui levèrent la tête. Il avait l'impression d'avoir franchi la coupée d'un bateau et d'être tombé la tête la première dans une eau glacée ; l'atmosphère d'énervement et d'irritation qui régnait était presque aussi détestable que le creuset de haine qu'il venait de quitter. L'idée de s'éloigner de l'ambiance hostile du cockpit avait été attirante, mais ce n'était guère mieux ici. En règle générale, un pilote en uniforme qui entre dans la cabine, pendant un vol, a droit à des sourires et des signes de tête amicaux : il ne voyait que des regards méfiants, ceux de prisonniers observant les mouvements de leur gardien.

Deux des hôtesses l'attendaient dans l'office avant de la classe éco. « Quels sont ceux qui vous posent problème ? demanda-t-il.

— C'est moi qui ai appelé. Mon nom est Cathy.

— Bien.

— Il y a tout un groupe. À commencer par un médecin de la première classe qui est venu juste après le décollage demander qui d'autre en avait assez... comme s'il recrutait des partisans, en quelque sorte.

— Pour faire quoi ? demanda Garth.

— Je ne sais pas. Jamais je n'ai ressenti autant d'hostilité, vous comprenez. Et ils vous ont pris en grippe, vous, les pilotes. Chaque fois que Judy annonce quelque chose, on dirait qu'on leur fait avaler de l'huile de foie de morue, à voir la tête qu'ils font, pour la plupart. Ils crient, ils la conspuent...

— Est-ce vrai qu'ils l'ont poursuivie jusqu'au cockpit ? »

Cathy acquiesça. « Ils étaient une douzaine. Des hommes, tous furieux. Je ne crois pas qu'ils voulaient lui faire de mal, mais ils étaient vraiment fous de rage. Elle a paniqué et est partie en courant.

— Elle se trouve dans le cockpit, pour le moment.

— Il vaudrait mieux qu'elle y reste, poursuivit Cathy. Ces types en avaient vraiment contre elle et s'il faut dire la vérité, elle aurait pu provoquer la mort du bébé... sans compter que l'homme qui l'a rattrapé a vraiment très mal, avec ses côtes cassées. Nous avons perdu le contrôle de la situation, Garth. Nous n'avons plus la moindre autorité. Vous voyez ce que je veux dire ?

— Croyez-moi, je le vois. » Sur quoi il prit le combiné de la PA et la brancha.

Mes amis, puis-je avoir votre attention ?

« Bon Dieu, non ! » lança à pleins poumons un homme qui se trouvait vers le milieu de la première section, tandis que deux autres, dans le fond, se tournaient pour regarder ce qui se passait. Plusieurs voix s'élevèrent ensuite pour lancer des commentaires négatifs.

Euh, voilà, que vous vouliez écouter ou non, c'est le copilote qui vous parle et la première chose que je vous demande est de regagner vos sièges et d'attacher vos ceintures. Nous n'avons pas fini notre montée et le signal est encore allumé.

« Nous n'obéirons aux ordres d'aucun d'entre vous jusqu'à la fin de ce voyage ! cria un homme assis du côté gauche de la cabine. Nous mettrons la ceinture quand nous déciderons qu'il est temps de la mettre, puisqu'il est impossible de vous faire confiance sur quoi que ce soit ! »

Écoutez, monsieur...

Mais l'homme, échauffé, poursuivait sa diatribe. « Hé ? Vous croyez que je blague ? Procédons démocratiquement. » Il se tourna de côté, essayant d'attirer l'attention des passagers qui l'entouraient. « Allez, vous autres ! Le copilote ne veut pas croire que nous en avons jusque-là ! Montrons-lui ce que nous pensons de la manière dont Meridian nous a traités aujourd'hui. Que tous ceux qui sont écœurés par cet équipage et cette compagnie se lèvent, s'il vous plaît ! »

Garth sentit sa mâchoire s'affaisser lorsqu'il entendit le claquement des ceintures de sécurité qui s'ouvraient, dans toute cette section : trois passagers se levèrent, puis cinq, puis plus de la moitié, les femmes avec plus de réticence que les hommes.

« Voilà, enchaîna l'homme. Tout ce que nous vous demandons, monsieur le copilote, c'est l'heure à laquelle nous arriverons au Cap. Sinon, vous pouvez retourner dans votre cage. »

Il y eut une certaine agitation vers l'arrière de la cabine et Garth, regardant au-delà des hommes qui se tenaient debout dans l'allée, aperçut le médecin qui l'avait accosté moins d'une demi-heure auparavant. Celui-ci s'immobilisa, comme pour évaluer la situation, puis se fraya un chemin parmi les passagers qui se tenaient dans l'allée. Il tapota sur l'épaule de l'un d'eux au passage, puis se dirigea directement vers le copilote.

Garth commença à porter le micro à sa bouche, puis il eut l'impression que c'était une mauvaise idée ; il coupa la PA lorsque Brian Logan fut à portée de voix. Il sentit Cathy et sa collègue qui battaient en retraite dans l'office.

« Qu'est-ce que vous faites, docteur ?

– Je cherche à établir un consensus sur le fait que nous sommes tous extrêmement mécontents de cette soi-disant compagnie aérienne – voilà ce que je fais ! répondit le médecin, mâchoire serrée, le menton relevé. Nous allons appeler la télé et les journaux dès notre arrivée au Cap.

– Écoutez, nous avons fait ce que vous nous avez demandé, lui fit observer Garth sans s'énerver.

– J'attends encore les excuses de votre salope de chef de cabine.

– Je m'y emploie. Mais vous ne pourriez pas vous calmer un peu ? » Il soutint le regard de Brian et y trouva la même expression de rage incontrôlée qu'avant. Un effet différent de celui que lui faisait Knight, se dit-il. Phil Knight était simplement irrité, énervé. Les yeux du médecin, en revanche, étaient comme deux lacs de souffrance et d'indignation, et leur intensité, qu'aucun cillement ne venait diminuer, lui donnait des frissons dans le dos.

Brian regarda autour de lui et revint à Garth. « Et qu'est-ce que vous fabriquez ici, au fait ? » Il avait plus ou moins adopté un ton de conspirateur, et la question prit le copilote complètement au dépourvu. Comment pouvait-il expliquer à un passager en colère les problèmes qu'il avait avec le commandant de bord et l'hostilité qui régnait dans le cockpit ? Comment lui faire admettre qu'il ne demandait qu'à répondre franchement aux inquiétudes de tous les passagers, mais que le commandant refusait de le laisser agir ? Comment dévoiler quoi que ce soit et conserver la moindre autorité ? Garth était commandant en second, après tout. Il ne pouvait s'autoriser à sceller une alliance contre nature avec un passager exaspéré, en particulier un passager dont le comportement frisait la piraterie de l'air.

« Écoutez, docteur, qu'est-ce que vous aimeriez que je... que nous fassions ? »

Brian le regarda fixement pendant quelques désagréables secondes avant de répondre. « Dites-moi la vérité. Les décisions stupides qui ont été prises depuis le départ... sont-elles de votre fait à tous les deux, ou seulement de celui du commandant ? »

Garth Abbott déglutit péniblement, la prudence se glissant insidieusement dans l'indignation qu'il ressentait à l'évocation des actes de Knight. « Quelles décisions ?

— Oh, comme l'absence de communication depuis le cockpit, les heures de retard prises à Heathrow, laisser cette femme nous sortir ses invraisemblables bobards sur la PA, nous dire que nous avions un problème et revenions – non, finalement que nous continuions notre route, sans parler de toute une kyrielle d'affronts mineurs.

— Eh bien... c'est essentiellement le commandant », répondit Garth, dégoûté.

Brian acquiesça lentement, sans quitter le copilote des yeux. « C'était mon impression. Vous ne paraissez pas... de la même étoffe. Il ne vous écoute pas, c'est ça ? »

Garth eut un petit reniflement écœuré. « S'il m'écoute ? Pensez, c'est à peine s'il m'adresse la parole. Il est... il s'est fourré dans la tête l'idée stupide que si je lui fais des suggestions, c'est pour le plaisir de saper son autorité. Je parie que si nous étions en approche finale train rentré et que je lui propose de le sortir, il deviendrait blême de colère et m'accuserait de saisir le prétexte le plus futile pour le déconsidérer.

— En d'autres termes, c'est un vrai crétin, ce type ?

— C'est un euphémisme. Croyez-vous que j'aurais pu avoir envie de tourner en rond dans le ciel et de changer de destination, alors que tout ce que nous avions était un problème de jauge mal étalonnée ?

— Je ne savais pas. Et personne ne le savait ici, vu que le cockpit ne nous a informés de rien.

— Il n'a pas voulu me laisser faire, Doc », dit Garth. Il continuait de parler à voix basse, mais se sentait de plus en plus en confiance en présence de cet homme, le souvenir du comportement de Brian se dissipant rapidement pour laisser place à l'espoir d'établir un lien de camaraderie, si ténu soit-il. Brian posa une main sur l'épaule de Garth et le fit pivoter pour qu'ils passent dans l'office, à l'abri des regards meurtriers de tant d'yeux.

« Comment vous appelez-vous ? demanda le médecin.

– Garth Abbott, Doc. »

Brian eut un geste vers le haut. « Il est dangereux, c'est ça ? »

Abbott commença par acquiescer puis secoua la tête, poussé par un réflexe de prudence. « Non, ce serait beaucoup dire », se hâta-t-il de préciser. » La conversation avec sa femme repassa dans sa tête. « Et il n'est pas incompétent, loin de là. C'est simplement...

– Simplement qu'il est capable, par arrogance, de prendre des décisions catastrophiques si vous n'êtes pas là pour le contrer, proposa Logan.

– Oui, j'en ai peur, même si j'ai en horreur de le reconnaître. La compagnie est... sur la pente descendante, depuis quelque temps. Tout l'accent est mis sur l'argent. Ils sont trop occupés à reprendre des parts de marché pour régler les petites choses, comme déterminer si un pilote est vraiment prêt pour l'international.

– Mais comment ce cinglé a-t-il pu devenir commandant de bord ?

– C'est que... non, il n'est pas cinglé. Il a été un excellent commandant de bord sur les vols intérieurs pendant des années. J'ai des copains qui ont volé avec lui. Solide, compétent, très au courant de tous les détails techniques. Mais lorsque vos années d'ancienneté vous permettent de postuler pour un grade plus élevé, beaucoup trop de compagnies ne vous jugent que sur vos capacités à bien piloter. Meridian ne fait rien pour détecter les types qui ont des problèmes avec les langues étrangères, la diplomatie, la complexité des espaces aériens étrangers, et le fait qu'il faut être un bon commandant de bord, c'est-à-dire s'occuper de tout le monde. Aux États-Unis, ils n'avaient qu'à amener sa bétaillère à Tulsa : on ne lui demandait qu'une chose, être à l'heure au terminal. L'international est beaucoup plus exigeant. Phil n'y est pas préparé ; il est mort de frousse, il refuse de l'admettre et il refuse aussi de suivre mes conseils.

– Dans ce cas, dit Brian, je crois qu'il vaut mieux que vous regagniez le cockpit et fassiez votre possible pour nous emmener sans encombre jusqu'au Cap, avant qu'il ne commette l'irréparable avec l'une de ses stupides initiatives. »

Abbott commença à faire demi-tour, puis se ravisa. « Docteur ? Il y a un moment, là-haut, vous avez dit quelque chose... vous nous avez dit de demander à la compagnie qui était Daphne Logan. Je n'en ai pas eu la possibilité.

– Et ? » Le ton était redevenu dur.

« Eh bien... est-ce qu'il s'agit de votre femme... de votre fille ?

– Daphne Logan était ma femme. Ravissante, aimante, Garth. L'amour de ma vie. Mon âme sœur. Et elle est morte d'une hémorragie interne sur l'un de vos avions, l'an dernier, parce que le commandant a refusé d'écouter ses supplications et d'atterrir en urgence pour la faire soigner. » Brian ajouta quelques précisions, voyant une horreur grandissante se dessiner sur le visage du copilote.

« Ah, je suis... je suis vraiment désolé, vraiment...

– Vous voulez que je vous dise ? C'est trop tard. Ça ne sert plus à rien d'être désolé. Mais vous êtes le premier employé de Meridian... non, se reprit-il, repensant à Janie Bretsen. Le premier *pilote* de Meridian qui me le dit avec sincérité. »

Logan fit demi-tour et repartit d'un pas vif vers l'arrière de la cabine principale.

Au moment où le médecin passait à leur hauteur, Brenda Roberts prit son mari par le bras et murmura dans son oreille : « Le revoilà ! »

Jimmy acquiesça.

« Je suis inquiète, mon chéri ! tu as vu, tous ces gens qui se sont levés ? Est-ce qu'on n'aurait pas dû en faire autant ? Est-ce qu'on n'est pas aussi énervés qu'eux ? »

Jimmy secoua la tête et lui parla lui aussi à l'oreille. « Je ne tiens pas à ce qu'on participe à ce climat de colère qui règne dans l'avion. »

25

Quartier général du NRO, Chantilly, Virginie
12 h 20, heure locale

Avant de quitter le siège du NRO, George Zoffel avait fait faire à John Blaylock et David Byrd une visite rapide du bâtiment, évitant seulement les salles les plus secrètes, là où il était possible de faire venir à l'écran, de manière quasi instantanée, une image satellite très détaillée de pratiquement n'importe quel point de la planète.

« J'ai aussi entendu dire, observa David alors qu'ils regagnaient la sortie, que vous aviez le contrôle de plusieurs fusées, toutes en position de pré-lancement, susceptibles de placer un satellite sur n'importe quelle orbite en moins de vingt-quatre heures. »

Zoffel adopta une expression neutre. « Ah, vous avez entendu dire ça ?

— Oui. Vous n'êtes pas au courant ?

— L'idée est intéressante, répondit Zoffel. Elle me rappelle la soi-disant zone 51 du Nevada ou le projet Aurora supposé faire le tour de la Californie à douze mille kilomètres à l'heure.

— Quelque chose comme ça, dit David avec un sourire.

— Vous en savez peut-être plus que nous, répliqua Zoffel.

— Message reçu. » David avait parfaitement compris : l'homme avait détourné la question avec beaucoup d'adresse, sans confirmer ni infirmer l'information.

Zoffel salua les deux officiers de l'Air Force et disparut dans le bâtiment, sur quoi Blaylock eut un geste vers le parking.

« Le moment me paraît bien choisi pour la première libation de la journée, n'est-ce pas, colonel ? Aimez-vous la Guinness à la pression ?

– Bien entendu.

– Si vous m'aviez répondu non, j'aurais éprouvé des doutes sérieux sur votre véritable identité.

– Où aimeriez-vous aller ?

– Je pense à un petit bar miteux d'Alexandria. Et ce soir, si vous voulez bien, nous nous offrirons un somptueux dîner au Willard, pour qu'on puisse bavarder plus à fond. J'espère que vous n'aviez pas d'autres projets ?

– Pas vraiment.

– Parfait ! Voici la carte du bar en question. Il appartient à l'un de mes amis. Un ancien agent – de la CIA, pour être précis.

– Compris.

– On se retrouve là-bas dans une demi-heure. J'ai une course à faire. » Blaylock tourna les talons sans attendre de réponse et se dirigea vers sa voiture d'un pas vif. David regarda la carte et mémorisa l'adresse avant de la retourner d'un geste machinal. Il eut la surprise de voir une petite note écrite au dos.

Colonel Byrd, j'ai l'impression qu'une certaine sénatrice vous a mis en ébullition quand elle vous a appelé de Londres ce matin. Ah, et la prochaine fois que vous rendrez visite à un ancien agent des renseignements, ne le laissez jamais seul en compagnie de votre téléphone portable.

(J'enlèverai le mouchard au bar.)

John Blaylock en était à sa deuxième bière – la meilleure, à son avis, de celles que produisait l'Irlande – lorsque David le trouva dans un box en acajou fatigué, vers le fond du bar ; l'endroit était étroit, enfumé et l'adjectif « miteux », pour le caractériser, n'avait rien d'exagéré. Blaylock lui fit signe et commanda d'une voix tonnante une nouvelle tournée à une serveuse très court vêtue. La jeune femme répondit en lui envoyant un baiser accompagné d'une petite courbette, avant de partir prendre les boissons au bar.

« Alors, colonel Byrd, qu'avez-vous appris aujourd'hui ? »

David posa son portable sur la table, devant Blaylock, affichant un sourire piteux. « Vous avez dû enfreindre au moins une demi-douzaine de lois fédérales, Blaylock, répondit-il en montrant l'appareil. Mais comment avez-vous bien pu faire pour le piéger ? »

John souriait. « Une longue expérience, mon garçon. Quand vous étiez sur mon bateau, si vous vous souvenez bien, vous avez été aux gogues et m'avez laissé seul avec votre portable pendant près d'une minute.

— C'est tout ce que ça prend ? s'étonna David, tirant à lui une chaise de capitaine couturée de cicatrices.

— Il se trouvait que vous aviez un type d'appareil pour lequel j'étais préparé. » Blaylock prit le portable, fit sauter la batterie, en prit une apparemment identique dans sa poche et la mit à la place de la première, puis il tendit le petit téléphone à son propriétaire.

— Le bigorneau est *dans* la batterie ?

— Vous ne vous imaginez tout de même pas que j'aurais pu manier un tournevis et souder quelques fils en moins de soixante secondes, si ? Hé, je suis fortiche, d'accord, mais pas magicien. »

David soupira. « Vous m'avez demandé ce que j'ai appris... eh bien, j'ai appris que je ne devais pas vous tourner le dos un seul instant.

— Non, vous avez appris que nous autres, réservistes, sommes beaucoup plus sournois que vous n'aimeriez le croire.

— Sans doute.

— C'est indispensable. Nous nous farcissons la moitié des responsabilités, et on nous traite comme des citoyens de seconde classe.

— Ce n'est plus tout à fait vrai, John, observa David en essayant de faire preuve d'autant d'autorité que possible devant ce qui était incontestablement un vétéran du Pentagone plein d'expérience. Nous avons fait passer la moitié d'entre vous dans l'active, et depuis qu'il y a un commandement séparé pour la réserve... »

Blaylock le coupa en levant sa grande main. « C'est exact, les choses se sont améliorées, mais c'est toujours la même réalité, David : l'âge et la triche l'emporteront toujours sur la jeunesse et l'enthousiasme. Tel est le credo de la réserve.

— Très bien, me voilà averti.

« – Vous m'avez serré la main. Avez-vous recompté vos doigts ?

– N'en faites pas trop, John, dit David avec un petit rire.

– Parlez-moi de votre divorce, David.

– De mon... *divorce* ?

– Voyons. » Blaylock roula des yeux vers le plafond, comme si le dossier de Byrd s'y étalait. « Vous vous êtes marié en 1985 à Memphis, à une certaine Katie Ann Lewis, une vraie blonde à la silhouette sculpturale, dont le père avocat a été sénateur du Tennessee pendant deux mandats, et dont la mère était pédiatre au Baptist Memorial, l'hôpital où Elvis est mort. Katie était diplômée de l'université du Mississipi, promo 1984, et vous l'avez rencontrée quand l'académie de l'Air Force a joué un match amical des plus curieux contre l'université en question, et que les petits gars du Mississipi vous ont rétamé dans les grandes largeurs.

– Où diable avez-vous...

– Vous êtes vous-même diplômé de l'Air Force, bien entendu, avec mention très bien et sans avoir laissé de grossesses non désirées dans les parages immédiats, du moins pour ce que nous en savons – même si vous avez été très, très inquiet pendant quelques jours, en première année, du retour des règles d'une petite mignonne, une certaine Lucy de Colorado Springs. Vous avez terminé premier de votre formation de pilote à Vance, classe quatre-vingt-cinq-zéro-un, et choisi une affectation sur F-15 à Soesterberg, aux Pays-Bas. Mais avant de partir, bien sûr, vous vous êtes précipité à Memphis pour faire de Katie Ann une honnête femme, alors qu'elle avait vécu en douce avec vous pendant toute votre année de formation de pilote et que vous l'aviez épousée civilement et en secret en 84, chose que même sa mère ignorait. Ce qui signifie que vous respectez les traditions, un bon point pour vous.

– Je ne comprends pas comment vous avez pu apprendre tout ça !

– Voyez-vous, David... c'est vraiment une mauvaise habitude que de nier quelque chose. Que puis-je vous dire ? Je suis un investigateur de première bourre, j'ai retrouvé vos deux certificats de mariage, j'ai parlé avec des gens qui ne demandaient qu'à vous aider à gagner le titre d'"officier de l'année", ma combine favorite pour les faire parler, laquelle combine exige l'exhumation de ses petites faiblesses. Et ce n'est pas tout. Quel dommage que vous et Katie n'ayez pu avoir d'enfants... Peut-être ne se serait-elle pas amourachée de ce jeune capitaine beau parleur de La Nouvelle-Orléans pendant que vous étiez en garnison à Hurlburt en tant que chef d'escadrille de missions spéciales – poste auquel, soit dit en passant, vous avez fait du bon boulot, réussissant à vous tirer de situations délicates tout en ramenant vos garçons à la maison. Vous avez été décoré par deux fois de la Médaille de l'Air. Je suis impressionné. Elle, elle ne l'a pas été. Le divorce a été définitif en 97. »

David secouait la tête et ne souriait plus. « Je me demande pourquoi je prends la peine de vous poser la question. Vous en connaissez manifestement plus long sur moi que moi-même. Je n'arrive pas à y croire.

– Tiens, tiens. Vous êtes offensé, à présent.

– Non. Simplement...

– Si, vous êtes offensé. Surmontez ça. Il fallait que je vous connaisse pour pouvoir vous faire confiance.

– Bon Dieu, John, un CV, c'est une chose, mais on dirait à vous entendre que vous étiez caché sous mon lit ! Je parie que vous devez savoir exactement combien de fois Kate et moi avons baisé ensemble !

– Pour tout vous dire, j'estimerais ce chiffre à moins de huit cents fois sur une période de dix ans, compte tenu de la péréquation entre la chaleur des débuts et la froideur de la fin de la relation, ce qui nous donne une moyenne de coïts hétérosexuels légèrement supérieure à 1,5 par semaine, ce qui est terriblement malsain.

– Vous êtes tout de même un sacré phénomène, colonel, vous savez !

– Mais n'ai-je pas raison ?

– Rien de tout cela ne vous regarde !

– Bien sûr que si, David. Vous êtes en service actif. Vous êtes notre propriété, et une vie sans sexe est une vie malsaine, et il semble que vous ayez vécu comme un moine ces cinq dernières années. Or cela vous rend vulnérable. Vous aviez les yeux qui sortaient de la tête quand Jill a débarqué à poil de la chambre, ce matin. »

David repoussa sa chaise de la table. Il secouait la tête, la mine consternée. « Attendez un peu, nom d'un chien ! Ma vie privée, et ma vie sexuelle en particulier, ne regarde que moi ! J'ai l'impression d'être en entretien d'embauche pour une mission clandestine de la CIA ou je ne sais quoi.

– Eh non. C'est plus important que ça. »

David resta quelques instants sans voix, essayant de mesurer l'impact de cette réponse. « Vous dites ?

– Vous aimeriez décrocher votre première étoile ? Devenir général ?

– Bien entendu. Mais quel rapport avec cette façon que vous avez d'envahir ma chambre ? »

Blaylock se pencha vers David et le regarda intensément. « George Overmeyer est un petit jeunot, pour un type qui a trois étoiles. Il est remarquablement intelligent, et il estime que vous êtes du tout premier choix. Vous l'ignoriez ?

– Non. Ou plutôt, j'avais l'impression qu'il était content de moi, mais on ne peut pas dire qu'il abuse des compliments ou qu'il applique la technique du renforcement positif...

– Non, mon vieux. Il vous éduque pour devenir général et postuler au poste de chef d'état-major. On estime là-haut que vous êtes de l'étoffe des généraux cinq étoiles. Je suis supposé vous servir de mentor. Vous devriez me considérer comme votre entraîneur personnel. Un peu comme le Yoda du Jedi, mais avec des oreilles plus petites.

– *Quoi ?*

– Je ne suis pas seulement un vieil idiot de sybarite en semi-retraite, David. Mon boulot est de préparer quelques élus dans votre genre pour le grand jour. Je vous montre les ficelles du renseignement, je vous injecte une bonne dose de realpolitik, puis je me dissous dans le brouillard comme un cauchemar bizarre... et c'est vous qui ramassez les honneurs, la gloire, les promotions.

– À vous entendre, on dirait un programme.

– C'en est un, plus ou moins. Surtout si par chance vous vous retrouvez le protégé d'un excellent général, comme Jimmy O'Merveilleux.

– Dans ce cas, ma mission actuelle n'en est pas vraiment une, alors ?

– Vous voulez dire l'alerte actuelle ? Oh, que si. Elle est bien réelle. Toutes les branches du renseignement sont sur le pied de guerre depuis l'attaque sur New York et Washington, mais ils en sont aujourd'hui au stade de l'alerte rouge variante para-no ; c'est d'ailleurs l'une des choses dont nous devons discuter, parce que nous nous retrouvons dans ce que j'appelle la "zone à gaffes". Quand le pétard est braqué de cette façon, la moin-dre réaction fautive peut déclencher une guerre pour rien. L'histoire regorge de moments de ce genre : les choses ont par-fois explosé, parfois non. Sarajevo. La crise des missiles russes à Cuba. Berlin. Le quatre-vingt-dix-neuvième lancement d'un missile nucléaire au Kazakhstan.

– Le *quoi* ?

– Je vous raconterai ça un jour. On n'est pas très nom-breux à être au courant. En attendant, ne vous fâchez pas parce que je fais mes devoirs du soir.

– Ouais, bon... je crois que je me suis senti agressé dans mes sentiments par toutes ces révélations personnelles.

– Je comprends. Et il y a quelques années, j'aurais traité cette réflexion par le mépris et repoussé la table, et je vous aurais taxé de chochotte pour seulement vous être rendu compte que vous aviez des sentiments. Mais les temps ont changé. Aujourd'hui, on attend de moi que je vous pose des questions du genre : *Quel effet cela vous fait-il que je sache tout cela ?*

– L'effet... quelque chose entre avoir été violé et mani-pulé. »

Blaylock prit un air faussement scandalisé. « Attendez un peu... vous vous êtes engagé volontairement dans l'Air Force, que je sache ?

– C'est ce qui me semblait. Et on dirait même qu'on a fait de moi un colonel.

– Je peux donc conclure sur ce chapitre. Le terme *Air Force* est synonyme, sur un plan conceptuel, d'être violé et mani-pulé. Vous devriez le savoir. Les types de notre centre du personnel, à Randolph, ne vivent que pour ça. »

David rit, sans en avoir vraiment envie. « Et tout cela nous mène où ?

– Au Willard à sept heures, pour dîner. C'est vraiment trop enfumé, ici. »

David secouait la tête. « Non, je veux dire : d'un point de vue professionnel.

– Moi aussi. J'ai pris la liberté d'inviter quelqu'un dont il serait bon, à mon avis, que vous fassiez la connaissance.

– Très bien.

– Elle... fait partie de l'équipe qui travaille pour le Comité du Sénat sur le service armé.

– Parfait. Elle ?

– Oui. Et en plus, vraiment canon, pour peu qu'elle enlève ses lunettes.

– L'une de... vos nanas, si je puis dire ? »

Blaylock secoua la tête et sourit. « Non. C'est un mystère navrant, mais elle n'est pas impressionnée par les prouesses à la Blaylock. Elle est libre et a une réputation sans tache. »

David se redressa sur sa chaise, l'index pointé sur son vis-à-vis. « Attendez un peu ! Vous n'essayez pas de jouer les entremetteurs, n'est-ce pas ? »

Blaylock se leva, toujours souriant. « Les voies des mentors sont impénétrables.

– Vous confondez, John. Ce sont celles de Dieu.

– Ah, lui aussi ? Intéressant.

– Vous aviez dit que nous devions parler boutique, observa David, toujours assis.

– C'est ce que nous faisons. Il reste encore beaucoup de choses que vous ignorez sur la vulnérabilité du système commercial aérien et les soucis qu'il nous donne. Mais ça peut attendre. »

David se leva et suivit son aîné jusqu'au bar, se tenant à côté de lui pendant que Blaylock payait.

« Écoutez, John... je suis impressionné par ce que vous avez découvert sur ma vie, mais certaines choses sont plutôt... disons, brutes de décoffrage.

– Je n'en doute pas.

– Ce n'est pas une partie de plaisir de découvrir que sa femme couche avec un autre, vous savez. Il m'a fallu quelques années pour me remettre bien droit sur ma quille. »

Une expression exceptionnellement sérieuse s'afficha sur le visage de Blaylock, tandis qu'il posait sa grosse patte sur l'épaule de David. « Cela va peut-être vous faire un choc, Dave, mais dans l'Air Force, nous n'employons jamais d'expressions de la Navy comme *être bien droit sur sa quille.* »

David se mit à pouffer. « Désolé.

– Vous vous êtes plus ou moins jeté à fond dans le travail après votre divorce, n'est-ce pas ? »

David acquiesça.

– J'en ai retrouvé les traces. Vous avez attiré l'attention de tout le monde par des résultats exceptionnels, fondés sur un acharnement au boulot rarement possible quand on a une famille à la maison. Mais voilà, cela peut durer un certain temps, mais pas tout le temps, David. Il n'y a pas que l'uniforme dans la vie.

– Je le sais bien », répondit David Byrd en poussant la porte donnant sur la rue. Puis, se tournant vers Blaylock, il demanda : « Alors, comment s'appelle-t-elle, John ? Cette jolie femme que vous avez invitée volontairement par hasard à dîner avec nous ? »

Blaylock franchit à son tour la porte et jeta un coup d'œil derrière lui. « Elle s'appelle Annette. Comme Annette Funicello.

– Et qui est Annette Funicello ? » demanda David tandis qu'ils se dirigeaient de concert vers le parking.

Blaylock se tourna vers le jeune colonel, sourcils froncés, prenant sa question pour argent comptant. « Quoi ? Vous vous payez ma tête !

– Moi ? fit David, l'expression toujours aussi neutre.

– Oui, vous. Comment pouvez-vous me poser une question pareille ? *Qui est Annette Funicello ?* je vous demande un peu !

– Je... j'ai bien peur de ne jamais en avoir entendu parler, John. Ça doit être un truc de génération. C'est une chanteuse d'opéra, quelque chose comme ça ? »

Cette fois-ci, Blaylock s'arrêta sur place et posa de nouveau main sur l'épaule de David. « Une chanteuse d'opéra ? Hé, où étiez-vous vers le milieu des années cinquante ?

– Demandez donc à mes parents, répliqua David avec un sourire malicieux. Je suis né en 59.

– Doux Jésus ! s'exclama Blaylock, qui laissa retomber sa main et se mit à secouer tristement la tête. Dire que j'en suis réduit à travailler avec des enfants ! » Il roula des yeux, ouvrit sa portière et disparut derrière le volant, se demandant comment l'Air Force pouvait faire confiance à quelqu'un de tellement jeune qu'il n'avait jamais entendu parler d'Annette Funicello[1].

---

1. Star d'une émission de télévision très populaire aux États-Unis entre 1955 et 1959 et chanteuse-vedette des studios Walt Disney dans les années soixante.

26

À bord du vol Meridian 6
19 h 44, heure du bord

Garth Abbott referma la porte des minuscules toilettes situées juste à la sortie du cockpit, mit en place le verrou « occupé » et céda au bien-être, pendant quelques minutes, que lui procurait le silence relatif de cet endroit clos. Le souffle permanent de l'air raréfié de la stratosphère contre l'enveloppe métallique du 747 était toujours audible, mais nettement atténué.

Cela faisait plus de six heures qu'ils avaient décollé, et Garth avait décidé d'aller se reposer dans les toilettes parce que c'était le seul lieu où il pourrait trouver la paix et se détendre. La tension qu'il éprouvait du seul fait d'être assis à côté de Phil Knight était épuisante, et les cabines passagers étaient devenues des champs de bataille pour les membres de l'équipage. Judy Jackson dormait sur son siège, et la plupart des hôtesses s'étaient réfugiées dans le coin-repos réservé à l'équipage, au-dessus de l'office arrière, évitant de se faire voir et comptant les heures que devait encore durer leur supplice d'ici Le Cap.

Abbott vérifia que l'abattant des toilettes était propre avant de s'asseoir dessus, ferma les yeux et se complut à imaginer quel luxe ce serait de disposer d'une chambre privée, dans un jet privé. En termes de bruit, assez proche de ça, se dit-il.

Le bruit de fond était suffisamment lointain pour pouvoir dormir sans être obligé de mettre les boules Quies qu'il utilisait dans le coin-repos à deux couchettes de l'équipage, étroit et peu commode, juste derrière le cockpit. Il ignorait comment Boeing avait conçu son isolation phonique, mais toujours est-il que ce n'était pas suffisant.

Il se remit à penser à Carol, et grimaça à cette évocation. Le coup de fil qu'il avait passé par satellite dix minutes auparavant avait confirmé ses craintes : elle voulait rompre. Une séparation, peut-être même un divorce, lui avait-elle lancé avec colère, lui reprochant de ne pas avoir attendu d'être de retour pour en parler, comme elle le lui avait demandé. Puisqu'il voulait gaspiller le temps d'antenne satellite de la compagnie pour l'obliger à s'expliquer, alors elle allait le faire, lui avait-elle déclaré. Non, elle ne voyait personne, elle ne couchait avec personne d'autre et ça, avait-elle ajouté, était une partie du problème. Et oui, elle aurait bien aimé savoir ce que serait la vie sans un mari pilote et toujours absent.

Phil Knight avait fait semblant de ne pas écouter, sans pour autant prendre beaucoup de peine pour dissimuler son dégoût, regardant par la fenêtre tandis que Garth essayait de parler le plus bas possible.

« C'est toi qui as voulu que je parle, Garth, tu as insisté ! lui avait-elle rétorqué. Tu pouvais pas laisser tomber, hein ? Eh bien, voilà ! »

Il regardait sans les voir les parois de son réduit, à présent, se demandant s'il lui restait la moindre chance de sauver son couple, ou même s'il en avait envie. Que ressentait-il, en dehors d'une sorte d'engourdissement ? Il y avait quelque chose de terrifiant dans le fait de ne pouvoir répondre à cette question.

Il soupira, se leva et satisfit ses besoins naturels, motif, en principe, qui l'avait fait quitter le cockpit. Il venait juste de finir de se laver les mains et s'apprêtait à prendre une serviette en papier pour se les sécher, lorsqu'un grondement assourdi monta du côté droit de l'appareil. Il fut suivi par une embardée très nette et une secousse.

Un deuxième bang, une autre secousse.

Le compresseur a des ratés ! Il se mit à penser à toute vitesse – en particulier à la tendance qu'avait le commandant à couper un moteur à la moindre provocation. Il lui fallait retourner dans le cockpit. Moins de trois secondes s'étaient écoulées, mais son cerveau tournait à toute allure. Knight avait essayé de couper le moteur sans coordonner la manœuvre. Lui n'aurait certainement pas commis la même erreur... ils se trouvaient au beau milieu de l'Afrique, et la nuit allait bientôt tomber.

Il ouvrit violemment la porte des toilettes et saisit l'interphone tout en pianotant sur la serrure à code.

« Phil ! Laissez-moi entrer ! »

La serrure commença à s'ouvrir ; Garth tourna la poignée, poussa le battant et parcourut aussitôt des yeux tous les tableaux de bord.

Knight s'était retourné à l'ouverture de la porte, le visage inquiet de quelqu'un sous le choc. Il avait débranché le pilotage automatique et pilotait donc manuellement le 747. Les quatre groupes de systèmes de mesure donnaient des indications stables, sauf...

Les yeux de Garth s'abaissèrent sur le groupe des poignées des gaz, et vit que le moteur 4 était en position « ralenti ». Il avait senti l'appareil se déporter sur la droite et les chiffres du panneau avant, pour le numéro 4, commençaient à dégringoler au fur et à mesure que baissait le régime du moteur – ce même moteur qui leur avait déjà valu pas mal d'ennuis.

Les yeux de Garth se portèrent alors sur les poignées en T contrôlant une coupure d'urgence de moteur en cours de vol. Un voyant rouge incongru était allumé, alors que la poignée incendie avait été abaissée.

« Qu'est-ce qui se passe ? demanda le copilote en se glissant rapidement sur son siège, qu'il fit coulisser vers l'avant.

– Je vous avais pourtant dit qu'on ne pouvait pas voler avec ce moteur », gronda Knight entre ses dents, la bouche tordue. Abbott lui jeta un bref coup d'œil, vit les dents serrées et la mâchoire crispée du commandant, tandis qu'il manipulait le manche d'avant en arrière, sa nervosité et sa panique engendrant plus d'instabilité en vol qu'elles n'en supprimaient, selon toute apparence.

« Vous avez coupé le 4 ? » demanda Abbott d'un ton incrédule.

Il y avait, dans le regard que Knight jeta à son copilote,

un mélange angoissant de peur et de jubilation incontrôlées. « Vous ne l'avez pas senti qui avait l'air de vouloir se détacher de l'aile ?

— Quoi donc ?

— Il y a eu un pompage compresseur.

— Et ça a commencé... juste comme ça ?

— Non. Il y a eu tout d'abord une alerte incendie, puis le pompage compresseur. »

Les yeux de Garth jouaient au ping-pong entre les différents cadrans et interrupteurs, sautant d'un panneau à l'autre. « Et à ce moment-là... vous avez baissé la poignée ?

— Non. L'alerte incendie s'est déclenchée et j'ai commencé par réduire les gaz. Il s'est mis alors à cogner comme s'il allait exploser. Ce n'est qu'à ce moment-là que j'ai tiré la poignée d'urgence incendie.

— Bon Dieu, Phil !

— Et ne venez surtout pas me raconter que tout va bien.

— Vous avez brutalement réduit les gaz à haute altitude, c'est ça ?

— Et comment ! Le compresseur n'aurait pas dû partir en pompage !

— C'est vrai, mais en réduisant trop brutalement on peut créer un pompage compresseur si le clapet est engorgé, et... »

Garth fut interrompu par la sonnerie du téléphone de bord et s'empara du combiné. « Oui ? Cockpit.

— Office arrière. Nous avons... des passagers qui nous signalent qu'un moteur paraît être en feu.

— Qu'est-ce que vous voulez dire ? Ils ont vu des flammes ?

— Oui, c'est ce qu'ils disent. Sur l'aile droite. »

Knight avait branché son casque sur le téléphone de bord et suivit la conversation. Il s'était lancé dans des hochements de tête agressifs puis avait enfoncé deux ou trois touches sur le clavier de l'ordinateur de vol, d'un geste délibéré.

L'image à l'écran changea instantanément, affichant le nom des aéroports les plus proches.

Garth Abbott était plus ou moins penché sur son manche, réfléchissant à toute vitesse tout en essayant d'apercevoir quelque chose vers l'arrière. « Et est-ce qu'ils voient encore des flammes, maintenant ? » Il leva les yeux vers le voyant incendie du 4. Il était allumé, comme il l'avait été au-dessus de la Méditerranée. À présent, cependant, l'incendie semblait confirmé par cette observation venue de l'arrière.

« Ils... ils disent qu'il est en feu », dit l'hôtesse d'une voix tendue. Knight faisait virer le jumbo sur la gauche et entamait une descente. Garth consulta l'ordinateur de vol du commandant et sentit son estomac se nouer lorsqu'il vit la liste des aéroports vers lesquels ils pouvaient se détourner.

Oh, mon Dieu, il va encore essayer !

« Attendez... attendez un instant, dit Abbott à l'hôtesse avant de se tourner vers Knight. Ne descendez pas encore, Phil. On est au beau milieu de ce foutu continent, ce n'est vraiment pas le moment. »

Il n'y eut aucune réaction en provenance du siège gauche, et le commandant affichait le même air de détermination crispée que Garth lui avait vu auparavant.

Il reporta son attention sur le téléphone de bord. Les renseignements venus de l'arrière étaient tout ce qu'on veut sauf clairs. « Écoutez, dit-il, allez vous-même jeter un coup d'œil par un hublot, voulez-vous ? Le 4.

– Le... le 4 ? Lequel est-ce ? » demanda la jeune femme.

Seigneur ! Est-ce qu'on ne pourrait pas leur apprendre des choses aussi élémentaires ? ragea Garth intérieurement. « C'est le moteur le plus à l'extérieur, sur le côté droit. Pas le côté droit quand vous regardez vers l'arrière, mais le côté droit de l'avion. D'accord ?

– Oui. Et qu'est-ce que je dois chercher ?

– Des flammes, tout ce qui vous paraît anormal. Grouillez-vous ! »

Il y eut un silence, puis il entendit le combiné heurter le sol.

Abbott se tourna vers le commandant. « Phil ? Je l'ai envoyée vérifier...

– J'ai entendu. Mais j'ai déjà déclenché l'extincteur. »

Abbott se sentit envahi par une sorte d'engourdissement, lorsqu'il regarda vers le panneau du pare-soleil avant, et remarqua les voyants jaunes auxquels il n'avait pas prêté attention précédemment. Knight avait sorti l'artillerie lourde et vidé les deux extincteurs de l'aile droite sur le moteur 4. Les voyants jaunes confirmaient qu'ils étaient vides. Sans ces extincteurs en état de marche, ils se retrouveraient cloués au sol dès l'instant où ils atterriraient.

225

« Il y a toujours le feu, dit soudain Knight avec un mouvement de tête vers le voyant rouge.

— Je suis en train de vérifier. Ce n'est pas sûr.

— Il faut poser cette machine, et le plus vite possible.

— Non, écoutez...

— Nous allons atterrir, bon Dieu ! Il y a un aéroport commercial au Nigeria, à environ quatre-vingts nautiques d'ici.

— Vous n'allez pas recommencer, Phil ! Essayons d'abord de déterminer s'il y a vraiment un incendie. »

Knight tourna brusquement la tête. « Et l'histoire du compresseur ? Vous allez peut-être me dire que c'est normal ?

— Non, mais... ça ne veut pas dire qu'il est en feu. Il suffit d'un clapet un peu engorgé et d'une baisse brutale des gaz à haute altitude pour provoquer un pompage de compresseur et les gens, à l'arrière, verront des flammes pendant quelques instants. S'il ne s'agit que de ça, nous avons le temps de rallier un meilleur aéroport avec trois moteurs.

— Tout a commencé avec une nouvelle alerte incendie. Le moteur a fait l'effet de vouloir se détacher, et vous ne voulez toujours pas voir que c'est une situation dangereuse ? Pas question d'avoir à nouveau cette discussion, Abbott.

— Justement, il faut l'avoir, bon Dieu ! » Le copilote voulut décrocher le téléphone par satellite et appuyer sur le bouton appelant automatiquement le centre d'exploitation de Denver. Il ne s'attendait pas à ce que le combiné lui soit arraché des mains.

« Je vous ai pourtant averti de ne plus toucher à ce téléphone, il me semble ! » dit Knight.

La voix de l'hôtesse s'éleva de nouveau sur le téléphone de bord. « Vous m'entendez ?

— Oui, réussit à répondre Garth.

— Bon, je n'ai rien vu brûler là-dehors, mais certains passagers affirment qu'ils voient des flammes.

— Mais qu'est-ce que vous ont dit vos yeux *à vous* ?

— Je... je ne sais pas. On dirait qu'il y a une lueur. »

Garth marmonna un remerciement, envisageant un instant de descendre à toute vitesse pour aller voir lui-même ce qu'il en était, mais ce n'était vraiment pas le moment. Le commandant paraissait bien déterminé à procéder à un atterrissage d'urgence sur un aéroport inconnu, au beau milieu de l'Afrique, juste à la tombée de la nuit, sans parler des dangers qui pouvaient les guetter dans les environs immédiats. Même s'il était revenu de l'arrière de l'appareil prêt à affirmer sous serment, devant un tribunal, que le moteur 4 n'était pas en feu, il n'avait aucune chance d'être écouté par Phil Knight. En fait, tout au fond de lui-même, il avait la certitude que Knight s'opposerait systématiquement à tout ce qu'il suggérerait.

Il devait rester dans le cockpit, mais fallait-il prendre le commandement de l'appareil ? Après tout, Knight n'avait pas entièrement tort. Le voyant de l'alerte incendie s'était de nouveau allumé et le pompage compresseur était bel et bien une réalité. La situation n'était plus du tout la même.

Et s'il avait raison ? se demanda Abbott. Brusquement, l'incertitude le traversa, vive comme une décharge électrique. *C'est un trou-du-cul de première, d'accord, mais s'il avait raison, cette fois ? Je me retrouverais sous les verrous, ma carrière foutue. Meridian ne se ferait pas faute de trouver une tête à couper, et la mienne ferait très bien l'affaire. Non,* conclut-il, *il vaut mieux que je reste ici pour empêcher Knight de nous tuer tous en ratant son atterrissage d'urgence.*

Il laissa échapper un soupir chevrotant et se pencha pour lire le nom de l'aéroport sur l'ordinateur du commandant. « Katsina, Nigeria...

– C'est ça.

– On devrait essayer d'aller à Abuja, Phil. C'est la nouvelle capitale. L'aéroport est récent et grand, et ce n'est qu'à quelques centaines de nautiques au sud.

– Nous avons un moteur en feu. On atterrit à Katsina. Point final. »

Abbott hésita, réfléchissant à toute vitesse aux différentes options envisageables, retombant toujours sur la même réponse. « Très bien, dit-il finalement. Laissez-moi déclarer l'état d'urgence pendant que je cherche les cartes d'approche. » Garth brancha la radio et lança un appel d'urgence. Le contrôleur nigérian réagit aussitôt, demandant quelle était la nature de l'urgence.

« Nous avons un moteur coupé et une indication qu'il serait toujours en feu. Nous allons avoir besoin de matériel de secours prêt à intervenir. Nous entamons notre descente

227

d'urgence et avons besoin de l'autorisation immédiate d'atterrir sur l'aéroport de Katsina.

– Ah... bien compris, Meridian 6. Prenez le cap un-deux-zéro tout de suite et descendez à cinq mille pieds. Savez-vous qu'il n'existe aucun matériel d'urgence à Katsina ? »

Garth avait déjà l'estomac complètement noué, ce qui ne l'empêcha pas de le sentir se serrer encore un peu plus. « Négatif, nous ne le savions pas. Y a-t-il une tour de contrôle ?

– Oh, oui. Mais ils ont des problèmes, en ce moment. Il faudra prendre contact avec eux.

– Bien reçu.

– Deux-un-zéro et cinq mille pieds », répétait Knight en composant le cap et l'altitude sur le tableau de bord.

Garth prit le classeur de cuir Jeppesen contenant les cartes d'approche pour l'Afrique et commença à les feuilleter, à la recherche de celles de l'aéroport de Katsina – si elles existaient. Ses mains tremblaient légèrement, et il se demandait pour quelle raison le commandant paraissait calme, par contraste.

« Vous avez les cartes ? aboya Knight.

– Je... je les cherche. Je ne sais même pas s'ils ont une approche, ici.

– Je crois que j'aperçois l'aéroport, droit devant.

– Il est en pleine jungle, Phil, si je me rappelle bien.

– Vous y avez déjà été ? demanda Knight, une note d'espoir dans la voix.

– Non, je l'ai simplement survolé. Là ! » Il dégagea la carte et les indications d'approche du classeur et les tendit au commandant. « Il n'y a... qu'un radio-phare d'approche non directionnel.

– Vous voulez dire une NDB ?

– Oui.

– Alors dites une NDB[1]. »

Garth ignora cette réprimande. « C'est ça. Et le terrain ne comporte qu'une seule piste, de six mille pieds de long.

– C'est faisable. »

Abbott prit une profonde inspiration et se tourna vers le commandant. « Écoutez-moi, Phil, je vous en prie. Ce que je vais vous dire sera enregistré, si bien que la compagnie et

---

1. Non-Directional Beacon.

le monde entier seront au courant, si les choses tournent mal. Vous commettez une erreur. Vous m'entendez ? Une énorme erreur, potentiellement désastreuse. Le 747 est un gros appareil. Si vous tenez absolument à atterrir, allons à Abuja, là où ils savent s'occuper d'un 747, où il y a toutes les installations de maintenance. Mon avis formel est de NE PAS atterrir à Katsina !

– ÇA SUFFIT ! hurla Knight, sourcils en bataille, l'air d'un fou. VOUS M'ENTENDEZ ? JE SUIS... » Il baissa le ton, mais la fureur faisait toujours chevroter sa voix. « Je suis le commandant de bord. Quoi que je décide, vous voulez toujours faire le contraire, juste pour me contredire. Eh bien, c'est fini maintenant !

– C'est faux, Phil, je... » Abbott s'arrêta au milieu de sa phrase, les yeux fixés sur l'index tendu de Knight, par-dessus la console, un index pointé sur lui et qui tremblait au rythme des mots que le commandant crachait comme un cobra crache son venin.

« LISEZ... LA BON DIEU DE CHECK-LIST... OU SORTEZ DE MON COCK-PIT ! »

Le copilote regarda fixement l'homme assis à sa gauche pendant une éternité, rendu muet face à la kyrielle de décisions stupides prises par celui-ci, par cette irréfutable vérité : il lui revenait à présent d'assurer la sécurité des passagers, et un pugilat dans le cockpit n'était certainement pas le meilleur moyen d'y arriver.

« D'accord, Phil, répondit doucement Garth. D'accord. Calmez-vous. » Il prit la check-list et choisit sa stratégie. Tout d'abord, effectuer la descente et les contrôles d'approche. Puis faire une annonce aux passagers sur la PA, que cela plaise ou non à Knight.

Après quoi, il s'emploierait de son mieux à éviter le crash.

Les à-coups puissants du compresseur, venus du moteur numéro 4, n'avaient pas secoué seulement l'appareil. L'effet sur les passagers avait été radical : ils étaient non seulement calmés, mais pétrifiés sur place. Les conversations s'étaient toutes interrompues, d'un seul coup, et même lorsque les détonations s'étaient arrêtées, pas une voix ne s'était élevée dans la cabine, où chacun des occupants était agrippé à ses repose-bras et se demandait dans quel pétrin, exactement, ils s'étaient fourrés. Les bruits de fond commencèrent à changer sans explication, le sifflement des moteurs diminua, le nez de l'appareil plongea et le 747 vira tout d'abord à gauche, puis à droite. Les passagers avaient compris que l'avion amorçait une descente, et la plupart d'entre eux savaient qu'ils se trouvaient au-dessus de l'Afrique centrale et que la nuit approchait. Et cependant, toujours rien de la part des pilotes. Les minutes passaient en silence ; bientôt les regards effrayés commencèrent à se métastaser en murmures de colère et de révolte. Ceux qui étaient déjà remontés avant l'apparition de Garth Abbott dans la cabine se mirent à appuyer frénétiquement sur leur bouton d'appel et plusieurs se levèrent pour crier aux hôtesses d'annoncer quelque chose. L'outrage dont ils se sentaient victimes ne faisait que renforcer leur noire conviction qu'une bataille se livrait à bord du Meridian 6, une bataille que l'on pouvait résumer ainsi : les passagers contre l'équipage.

En première classe, Robert MacNaughton fit défiler la carte sur le petit écran faisant face à son siège. Il connaissait fort bien cette partie de l'Afrique, ayant fait partie de l'avant-garde de l'industrie pétrolière, dans les années soixante, à une époque où se multipliaient les campagnes pour tenter de détecter les endroits reculés où la nature avait caché ses réserves de pétrole – la matière première pour laquelle l'humanité dite civilisée avait développé une irrémédiable addiction. Comme le savait MacNaughton, le sud du Niger n'était pas aussi dangereux que les pays de l'Afrique équatoriale, sans être pour autant l'endroit idéal pour faire atterrir un appareil de ligne, si on pouvait faire autrement.

L'homme d'affaires se tourna machinalement à gauche, et son regard croisa par hasard, un instant, celui de Brian Logan. Le médecin secoua la tête et pointa un doigt vers le plafond – et le cockpit.

« Si ce clown ne vient pas nous dire avant trente secondes ce qu'il fabrique, je monte là-haut ! »

Presque aussitôt, la voix tendue du copilote s'éleva dans la cabine.

Ah... mes amis... ici le cockpit. Nous avons... nous avons dû couper le moteur extérieur droit à cause des pompages du compresseur

que vous avez entendu il y a quelques instants, et nous nous diri-
geons vers un aéroport du Nigeria pour voir ce qui se passe. Je vous
prie de vérifier que vos ceintures sont bien attachées. Que le personnel
de cabine prépare les passagers à l'atterrissage.

Dans la classe éco, Jimmy Roberts eut un geste incrédule en direction des haut-parleurs, puis regarda sa femme, avant de se tourner vers le couple voisin, derrière eux.

« C'est tout ? C'est tout ce qu'ils ont à nous dire ?

— C'est quoi cette histoire de pompage de je sais pas quoi ? demanda Brenda, les yeux anormalement écarquillés.

— Un terme technique. Probablement des ratés, répondit Jimmy, luttant contre une nervosité grandissante.

— Mais pourquoi qu'il nous dit pas... ?

— Pourquoi *ne nous dit-il pas*, la corrigea-t-il avant même d'y avoir pensé. Pourtant, il ne savait que trop qu'elle avait une conscience aiguë de ses fautes, quand elle parlait, et qu'elle en ressentait une honte profonde. Elle acceptait d'être corrigée par son mari, mais il devait le faire avec gentillesse.

— Voilà que tu me sautes encore dessus, Jimmy Ray, répliqua-t-elle, blessée.

— Je suis désolé, ma chérie.

— Je suis juste une péquenaude. Je ne sais pas parler comme il faut.

— Moi non plus, ma chérie. Excuse-moi. »

Elle le regarda, un début de larme perlant dans son œil. « J'essaie, pourtant, j'essaie vraiment. *Pourquoi dit-il*, pas *pourquoi qu'il dit...*

— Je sais que tu fais des efforts, ma chérie. »

Elle s'appuya sur lui et essaya de sourire. « Tu essaies de me corriger, mais tu peux m'amener nulle part, pas vrai ?

— Tu sais bien que ce n'est pas vrai.

— Tu sais bien que *c'est pas* vrai », le taquina-t-elle. Il rit, chercha sa main et la serra.

« Alors, Jimmy, pourquoi ce pilote ne nous dit-il pas ce qui se passe vraiment ?

— Pour la simple raison, ma chérie, qu'il nous croit trop stupides pour comprendre. »

27

Aéroport de Katsina, Nigeria, Afrique
20 h 5, heure locale

Voilà que ça recommençait. Le grondement aigu de moteurs à turbine.

Jean Onitsa fit signe à ses hommes d'arrêter le feu et d'attendre que, en réaction, diminuent les détonations et les pétarades des armes de petit calibre de ceux d'en face. Ce qui restait des forces gouvernementales, sur le périmètre de l'aéroport, était paniqué et les hommes tiraient à tort et à travers dès qu'ils essuyaient une salve.

Jean tendit l'oreille, cherchant de nouveau à repérer le bruit qu'il avait perçu. Bientôt, il l'entendit qui grandissait à nouveau, venant du nord-est. C'était bien le sifflement d'un jet.

« Qu'est-ce que c'est ? » lui demanda l'un de ses hommes.

Onitsa porta un doigt à ses lèvres et secoua la tête, pour avoir le silence, mais la brutale reprise d'un feu nourri d'arme automatique, venant de l'autre côté de la piste, ramena toute son attention à la situation présente. C'était tout aussi bien. Il aurait fallu être fou pour vouloir poser un appareil civil à Katsina, au milieu du feu croisé des rebelles et des troupes gouvernementales. Le malheureux et unique occupant de la tour de contrôle, à un mille à l'est, devait être planqué sous son bureau, occupé à détourner frénétiquement tout le trafic aérien de son aéroport.

« Un avion du gouvernement ? demanda le lieutenant d'Onitsa.

– Non. » Le chef rebelle lui donna alors le signal pour que son flanc droit se déploie d'une centaine de mètres plus à l'ouest, afin de renforcer la position qu'une partie de ses troupes occupait déjà. Le lieutenant se précipita pour obéir à cet ordre, qu'il relaya ; et c'est courbé en deux et suivi d'une quinzaine d'hommes, tous bien entraînés, qu'ils coururent dans le sous-bois à la vitesse de l'éclair, tenant leur arme comme Jean le leur avait appris.

Onitsa eut un mouvement d'acquiescement et sourit, conscient du tournant incongru qu'avait pris sa vie. Toutes ces années de formation classique en Grande-Bretagne afin de devenir médecin, avec pour noble objectif de revenir dans son pays aider les siens, tout ce long chemin pour se retrouver finalement le chef redouté de forces rebelles... Il était connu pour son sens de l'humour et son flegme – pour son côté impitoyable, aussi – et il était flatté de cette réputation. Un ennemi calme et jovial, manifestant une confiance sereine en soi, énervait toujours l'adversaire.

Mais un *marxiste* ? Il rit intérieurement à l'idée que le gouvernement nigérian tentait de rallier la population contre lui sur la base de cette accusation. Être marxiste était bien la dernière chose au monde dont on pouvait le taxer.

De nouvelles rafales frénétiques, indisciplinées, furent tirées par les troupes gouvernementales clouées sur place ; des troupes, pour tout dire, aux ordres d'un adolescent. Il était presque trop facile de jouer cette partie d'échecs grandeur nature contre une telle absence de réflexion tactique. Une bonne dose de la logique formelle de la guerre telle que définie par Clausewitz, une pincée de la pensée aussi brillante qu'iconoclaste de Sun Tse, le tout mêlé à la discipline tactique de l'armée britannique et à l'emploi habile, à l'américaine, de la technologie – et l'ennemi n'avait plus la moindre chance.

Le grondement du jet passa de nouveau au-dessus de lui. Cela devenait irritant, à la fin. Il releva sa tête puissante, juste assez pour essayer de repérer l'origine du bruit. Il y avait toujours la possibilité, lointaine il est vrai, qu'un appareil de l'armée de l'air nigériane, ou de ce qui en tenait lieu, dans une bouffée momentanée de compétence, soit arrivé en avance ; mais avec les espions grassement payés qu'il avait dans le Sud et jusqu'au cœur du quartier général de l'armée de l'air, être pris par surprise par un avion de combat était encore plus invraisemblable que de se voir débordé par une réaction intelligente des troupes gouvernementales.

Il consulta sa Rolex en or, une President qu'il s'était offerte lors de son dernier séjour à Londres. Encore vingt minutes et ses hommes seraient en mesure de finir le travail, de tuer tous ceux qui se rendraient et de mutiler intentionnellement les corps, de cette manière créative et terrifiante qui avait pour but de torturer psychologiquement l'armée régulière. Après quoi il s'emparerait de la tour de contrôle, prendrait l'aéroport en otage, et entamerait des négociations avec Abuja par téléphone ; et finalement, il battrait en retraite, en toute sécurité, avant l'intervention des renforts venus du Nord.

Jean savait ce qui allait se passer : il faudrait deux bonnes journées à l'armée avant qu'elle ne comprenne qu'elle n'était entourée que d'une poignée de rebelles. En attendant, il pourrait arracher davantage de concessions au gouvernement.

« Chef, chef ! Regardez ! » l'interpella un de ses hommes en se précipitant vers lui, la main tendue vers l'est, où venait d'apparaître un énorme appareil parfaitement aligné sur la piste d'atterrissage. « Qu'est-ce que c'est ? »

Jean étudia attentivement l'avion à travers ses jumelles préférées ; il prit le temps d'analyser sa forme, puis laissa retomber les jumelles.

« Calme-toi. C'est un appareil commercial. Américain, je crois.

– Qu'est-ce qu'on fait ?

– Qu'est-ce qu'on fait ? répéta le jeune homme avec un sourire. On en profite comme d'une occasion miraculeuse, pardi. »

Le commandant Knight releva les volets à quarante degrés et réduisit les gaz, de manière que l'avion géant se stabilise à la vitesse contrôlée par ordinateur de cent quarante nœuds, et mit le cap sur la piste.

« Quarante pieds, dit Abbott, qui suivait la descente de l'altimètre. Trente pieds, vingt... dix... »

Knight repoussa complètement les poignées de gaz en position « ralenti » et cabra l'appareil, changeant la vitesse de descente, jusqu'à ce que les seize roues du train principal heurtent avec un bruit sourd et des grincements le béton en mauvais état de la piste. La main du commandant se posa alors sur les poignées de freinage et les déploya une fraction de seconde avant que le système automatique ne fasse de même ; puis il inversa la poussée et enfonça franchement les pédales de freinage. Le 747, qui pesait encore plus de deux cent soixante tonnes, trembla de toutes ses membrures et ralentit, le système antidérapage ayant beaucoup de mal à empêcher les pneus d'exploser, tandis que Phil, debout ou presque sur les freins, arrêtait l'appareil à peine plus de cent mètres de l'extrémité ouest de la piste.

« Et maintenant, qu'est-ce qu'on fait ? demanda Garth, s'efforçant d'éviter un ton sarcastique. La tour est restée sans réaction. »

Il y eut une bordée de petits éclairs en provenance de la lisière des arbres, sur leur droite, phénomène que Garth enregistra sans y prêter attention, tandis qu'il attendait ce qu'allait décider le commandant.

« J'ai vu une aire de stationnement, là-bas derrière. On va commencer par effectuer un cent quatre-vingts sur la piste. » Il tira à lui la commande de la roue avant et la fit pivoter à fond vers la gauche, et le gros jet venait de s'ébranler lorsque Garth poussa un cri. Il y eut une nouvelle série d'éclairs sur la droite, accompagnés d'un vacarme faisant penser à des pétards. En dépit de l'isolation de la carlingue, le bruit sec résonna à l'intérieur de l'appareil.

« Oh, mon Dieu, on nous tire dessus ! »

L'appareil venait à peine d'entamer son demi-tour que plusieurs silhouettes surgissaient entre les hautes herbes et couraient se placer devant lui. Garth, penché en avant, suivait la progression de ces hommes, les yeux écarquillés, prenant conscience de ce qu'il voyait dans une cascade vasculaire d'adrénaline.

« Oh, bordel, Phil ! Ce sont des soldats, là-bas ! Ils nous font signe de nous arrêter !

– Où ça ?

– Juste sur notre gauche !

– Oh, mon Dieu ! s'étrangla Judy Jackson qui, jusque-là, avait trouvé prudent de se taire. Ils nous tirent dessus ! »

Six hommes en armes se tenaient effectivement sur la gauche, par rapport au cockpit, et l'un d'eux leur adressait un signe éloquent, la main horizontale à hauteur de la gorge. Sur la droite, huit hommes en treillis de combat s'étaient jetés à terre et pointaient leur arme vers le nord ; Garth vit les flammes, en bout de canon, qui accompagnaient les coups de feu. Le 747 avait à peine accompli quinze degrés lorsque Knight freina et l'immobilisa. Les hommes étaient à présent clairement visibles, du côté de Garth ; sous ses yeux, l'un d'eux se leva, se mit à courir et s'arrêta soudain, s'affaissant sur lui-même. On ne distinguait plus qu'une masse sanguinolente à la place de sa tête.

« BON DIEU, PHIL ! C'est la guerre, ici !

– Quoi ?

– Je... je viens juste de voir l'un de ces types se faire tuer ! Oubliez leurs ordres ! Tournez et décollons ! Il faut ficher le camp d'ici ! »

Knight tira sur les gaz, côté droit, et le gros Boeing reprit son virage à gauche.

« Allez, allez, allez, allez, ALLEZ, ALLEZ ! » s'étranglait Garth, essayant de suivre des yeux le petit groupe qui, abandonnant son camarade, détalait tout en continuant à faire feu. Il entendait clairement les détonations d'armes automatiques, à présent, et si les sons étaient étouffés, son cerveau n'en déduisait pas moins qu'ils avaient affaire à une situation indéniablement dangereuse.

« Je vous en prie ! supplia Judy, sortez-nous de là !

– Qu'est-ce que c'est que ce truc, encore ? » s'écria le commandant, immobilisant une deuxième fois l'appareil. Garth regarda sur sa gauche et se rendit compte, avec un frisson de peur, qu'ils étaient pris au piège.

L'appareil n'avait réalisé qu'une partie de son demi-tour et se trouvait maintenant perpendiculaire à la piste, nez pointé vers le sud ; mais sur sa gauche, des hommes en tenue de combat sortaient de véhicules qui bloquaient le chemin, pointant leurs armes vers le cockpit. Ils se disposèrent en éventail et attendirent l'arrivée d'un véhicule plus petit, une sorte de command car qui vint se placer juste sous le nez du

747, en limite de piste. Un homme au buste imposant se leva du siège du passager et monta sur le capot, sans se presser, l'air déterminé, et répéta l'inquiétant signal de la main qu'avait déjà fait l'un de ses hommes. Puis il sourit – d'un grand sourire tout en dents qui paraissait lui couper la figure en deux.

« Il... il nous demande de couper les moteurs, Phil, réussit à dire Abbott.

– OK. Check-list coupure moteur. »

D'une main tremblante, Garth prit la liste des manœuvres et commença à réciter les différents points, s'attendant à tout instant à ce que le pare-brise explose sous une grêle de balles. Il avait l'impression de littéralement trembler à l'intérieur de son corps ; il avait quelques notions sur les mœurs politiques brutales qui régnaient en Afrique centrale et n'ignorait pas que le taux de mortalité des Occidentaux se trouvant au mauvais endroit au mauvais moment était des plus élevés.

Les moteurs s'arrêtèrent progressivement, Knight ayant coupé l'alimentation et l'allumage de chacun d'eux, l'un après l'autre. « Je suppose que ces gens pourraient nous aider à trouver un mécanicien, dit-il.

– Quoi ? fit Abbott d'un ton absent, sans quitter des yeux l'homme toujours debout sur le capot de son espèce de jeep.

– Je disais qu'on pourrait peut-être appeler ces types par l'interphone et leur demander de nous envoyer un mécanicien pour qu'il regarde ce moteur. »

Garth Abbott se tourna et regarda le commandant comme s'il venait de repérer une forme de vie extraterrestre sur le siège de gauche. « QU'EST-CE VOUS RACONTEZ ? »

Knight répéta donc sa remarque une troisième fois, comme s'il avait affaire à un débile, tout en tendant la main vers le téléphone par satellite pour appeler Denver.

« Un mé... mécanicien ? bafouilla le copilote. Bordel de Dieu, Phil ! Ne vous rendez-vous pas compte du beau travail que vous avez fait ? Vous venez d'atterrir en pleine zone rebelle et au beau milieu d'une bon Dieu d'escarmouche ! Estimons-nous heureux si on s'en sort vivants ! »

28

Aéroport de Katsina, Nigeria, Afrique
20 h 30, heure locale

Debout sous le nez du Boeing 747 de Meridian, Jean Onitsa n'en revenait pas de la taille gigantesque de la machine. Il avait bien entendu déjà emprunté souvent ce type d'appareil en tant que passager. Mais il est rare que des passagers aient le loisir de contempler de tels mastodontes depuis le tarmac, et cette vision avait de quoi inspirer un respect quasi religieux.

Il jeta un coup d'œil par-dessus son épaule, impatient de voir revenir l'homme qu'il avait envoyé jusqu'au terminal criblé de balles, afin qu'il en ramène les écouteurs qui lui permettraient de communiquer avec l'équipage, à quinze mètres au-dessus de lui. Le rebelle arriva dans un grincement de freins, sauta de sa jeep et courut jusqu'à son chef, tenant les écouteurs à la main.

Jean le remercia poliment et brancha le cordon dans le petit logement situé sur le côté, à l'avant de l'appareil, comme il l'avait déjà vu faire par des équipes au sol. Ce qui ne l'empêchait pas, en homme expérimenté qu'il était, de surveiller en même temps les soldats qu'il avait postés tout autour de l'appareil, l'arme braquée sur l'avion ennemi. Il n'y avait plus eu de coups de feu et il avait bien l'intention de faire en sorte qu'il n'y en ait plus, tant qu'il n'aurait pas décidé de ce qu'il fallait faire de ce cadeau inattendu, littéralement tombé du ciel.

« Commandant ? Ici le sol », dit Jean en détachant les mots avec soin, la voix d'autant plus sonore que sa cage thoracique était impressionnante et son élocution digne de quelqu'un de cultivé. Son anglais était teinté d'accent africain, bien sûr, mais sa maîtrise de la langue était aussi complète que l'avait été sa formation universitaire en Grande-Bretagne.

Il n'y eut aucune réaction d'en haut, et Jean appuya cette fois à plusieurs reprises sur le bouton d'appel, jusqu'à ce qu'une voix surprise et inquiète retentisse dans ses écouteurs :

« Ici le cockpit.

— Très bien. Êtes-vous le commandant ?

— Oui. Et vous, qui êtes-vous ?

— Général Jean Onitsa. Je commande les forces qui contrôlent à l'heure actuelle l'aéroport, et vous, mesdames et messieurs, êtes mes otages. Vous me pardonnerez donc si je vous demande combien il y a de personnes à bord. »

Il n'y eut pas de réponse, sur le moment, et Jean eut envie de sourire. Il devait régner une certaine confusion effarée, dans le cockpit, cependant que les pilotes essayaient de comprendre ce qui leur arrivait.

« Euh…, reprit finalement la voix dans les écouteurs, nous… nous avons atterri ici, général, parce que l'un de nos moteurs était en feu et que nous avons dû le couper. Nous espérions trouver un mécanicien. »

Le rebelle généreusement élevé au rang de major par Onitsa arriva aux côtés de son chef, faisant une tête en point d'interrogation et ouvrant de grands yeux devant cette scène incompréhensible : le patron qui parlait par écouteurs interposés aux occupants du 747, alors que les troupes du gouvernement, sans aucun doute, avaient leurs armes braquées sur lui. Certes, Jean Onitsa portait toujours un gilet pare-balles, mais sa tête et ses membres restaient vulnérables.

Jean sourit et fit signe au major de garder le silence. « Vous venez de dire que vous avez eu une situation d'urgence, commandant. L'avez-vous déclarée ? »

Il y eut une nouvelle hésitation, puis la voix venue du cockpit répondit que oui.

« Très bien. Dans ce cas, je ne peux pas vous détenir, n'est-ce pas ? Le Nigeria a signé toutes les conventions internationales relatives aux appareils en détresse et à leurs passagers, conventions que je respecterai lorsque je serai au pouvoir dans ce pays.

— Donc... nous ne sommes pas vos otages ?

— Pas pour le moment. »

Le major eut un geste en direction de l'imposante masse qui les surplombait. « Tu ne vas pas les laisser partir, tout de même ?

— C'est ce qu'il faut qu'ils croient, pour l'instant. »

Le major sourit et acquiesça. Il connaissait l'habileté et l'opportunisme de son chef. Une promesse était une promesse, jusqu'au moment où les circonstances la rendaient caduque.

Jean appuya de nouveau sur le bouton de transmission. « Que pouvons-nous faire pour vous, commandant ?

— Pour commencer, général, intervint une voix masculine différente, vous pourriez demander à vos hommes de cesser de braquer sur nous ce qui semble bien être des fusils d'assaut.

— C'est toujours le commandant ?

— Non, son premier officier – le copilote.

— Très bien. » Onitsa donna quelques ordres dans sa radio portable. Les AK-47 – environ une douzaine – pointés sur le Boeing s'abaissèrent et prirent la position du repos, comme à la parade.

« Et nous avons besoin de personnel de maintenance, quel que soit celui dont on dispose ici, ajouta Garth.

— Pour tout vous avouer, monsieur le premier officier, il n'y a plus une seule personne de l'entretien dans l'aéroport, répondit Jean. Je suis désolé d'avoir à vous dire que nous les avons apparemment tous tués. Quel dommage... Mais nous ne savions pas, évidemment, que vous alliez avoir besoin d'eux ; sans quoi nous les aurions laissés en vie, au moins le temps qu'ils réparent votre moteur. »

Dans le cockpit du 747, Garth Abbott jeta un coup d'œil à Phil Knight, se demandant si le commandant mesurait la gravité de ce que venait de déclarer le chef des rebelles. Knight paraissait anormalement calme, comme si la cavalerie était arrivée pour les sauver, et non pas pour les massacrer. Abbott n'ignorait pas que c'était le bref appel par satellite lancé à Meridian Exploitation qui l'avait tranquillisé de manière aussi ridicule. Une fois le choc de l'information passé, le contrôle lui avait promis l'envoi immédiat d'une équipe de maintenance.

« Ils n'ont pas la moindre idée de l'endroit où se trouve Katsina, l'avait averti inutilement Garth.

– Bon Dieu ! On ne peut pas partir sans avoir réparé le 4 !

– Phil ? L'homme à qui nous venons de parler est extrêmement dangereux.

– Pourquoi ? Vous le connaissez personnellement ? ricana le commandant.

– Non, mais j'ai eu l'occasion de lire un article sur lui. Le général Onitsa est très habile, et très brutal.

– Vous l'avez entendu parler, pourtant, Abbott ! Il a été charmant, courtois, même, et il est manifestement cultivé. Il a dit qu'il ne pouvait nous prendre en otage. Alors calmez-vous.

– Pour l'amour du ciel, Phil ! Il n'est pas question de faire confiance à Onitsa ! Il vous a dit lui-même qu'il avait tué les mécaniciens. Nous avons été pris en otages, pendant un moment. Il a simplement changé d'avis, et il pourrait en changer encore. Cet homme a la réputation d'être sanguinaire. »

Knight eut un petit reniflement méprisant, mais il avait tout de même écouté la tirade de son copilote. Celui-ci, encouragé, continua ses explications, parlant vite, conscient de la présence de deux grands yeux effrayés, juste derrière le siège du commandant – ceux de Judy Jackson, réduite au silence par le choc.

« Très bien, Phil, conclut Garth, voilà ce que je vous propose. Je vais descendre au sol par le compartiment de l'électronique et aller jeter un coup d'œil au moteur.

– Vous êtes peut-être un mécanicien qualifié, aussi ?

– Non. Mais si j'arrive à ouvrir le capot, je pourrai probablement voir si le moteur a brûlé.

– Bon... Et ensuite ? »

La voix doucereuse du chef des rebelles s'éleva à nouveau dans leurs écouteurs. « Commandant ? Monsieur le premier

241

officier ? J'attends vos suggestions, messieurs. Que souhaite-riez-vous que nous fassions ? »

Garth appuya sur la touche de communication. « Général ? Pouvez-vous patienter encore une minute ? Nous discutons des choix que nous avons.

– Très bien. Je vais attendre, mais sachez qu'il y a dans les environs des forces adverses armées que je ne peux pas contrôler ; alors faites vite, s'il vous plaît. »

Abbott prit une profonde inspiration et ferma les yeux. Il allait risquer sa vie, en faisant cette sortie, mais il était clair qu'il ne pourrait jamais convaincre Knight de repartir sans une inspection du moteur numéro 4.

« Bon. Je vais me rendre au sol ; en montant sur sa jeep, je dois pouvoir regarder sous le capot. S'il n'y a pas de traces d'incendie et si le clapet ne présente aucun dommage apparent, et que je peux être catégorique sur ces deux points, serez-vous d'accord pour que nous fichions le camp de ce trou ? »

Knight avait parcouru des yeux le paysage environnant, se demandant où pouvaient bien se trouver ces autres hommes en armes. Il acquiesça beaucoup plus rapidement que ce à quoi Garth s'était attendu.

Ce dernier appuya aussitôt sur le bouton de l'interphone. « OK, général, ici le premier officier. M'autorisez-vous à sortir de l'avion pour que je puisse inspecter, avec l'aide de vos hommes, notre moteur défectueux ? J'aurais besoin de me tenir sur l'un de vos véhicules.

– Aucun problème, monsieur le premier officier. Avez-vous besoin d'une échelle ? »

Il y eut une sonnerie d'appel en provenance de la cabine, mais Abbott l'ignora et expliqua à Onitsa que l'appareil disposait d'une petite entrée de soute, juste derrière le puits des roues avant, permettant d'accéder au plancher de la cabine principale. Le général rebelle dit aussitôt qu'il était d'accord, et cette réaction fut loin de rassurer Garth Abbott.

Il retira un petit appareil de radio portable de sa mallette de vol et le régla sur la fréquence de l'avion, puis la brancha sur un haut-parleur du cockpit. « Il est possible que nous ayons besoin de lancer le 4 pendant que je serai là en bas, pour voir ce qui se passe. »

Il sortit du cockpit, ignorant les regards interrogatifs des passagers du pont supérieur et pressant le pas. Un homme le héla, et il se contenta de réagir par un geste négatif de la main.

« Pas maintenant ! » Il dévala l'escalier et se retrouva dans la cabine de la classe éco. Le murmure de conversations angoissées montait de partout et des groupes de passagers, agglutinés aux hublots, essayaient de voir ce qui se passait.

« Hé ! C'est l'un des pilotes ! » s'écria quelqu'un. Les têtes commencèrent à se tourner et les questions se mirent à fuser.

« Pas maintenant ! Je vous expliquerai dans une minute ! » répondit Garth, qui marchait aussi vite que possible, évitant les gens debout dans l'allée pour gagner l'arrière de la section de première classe. Il se mit à genoux à l'endroit approprié et examina la moquette, tandis qu'un petit groupe se rassemblait autour de lui. Quelque part, habilement dissimulée sous une couture, se trouvait une fente qui cachait la trappe donnant dans le compartiment de l'électronique embarquée. Plusieurs hôtesses s'étaient approchées au moment où il la découvrit et repoussa la moquette, mais l'intrusion d'une voix masculine qui lui était maintenant familière le prit au dépourvu.

« Où sommes-nous et qu'est-ce que vous fabriquez, à présent ? »

Abbott releva la tête. Brian Logan le dominait de toute sa taille.

« Pas le temps de vous expliquer, docteur. Je vais descendre jusqu'au sol par cette écoutille, pour voir dans quel état est notre moteur et si nous pouvons repartir d'ici. » Il regarda tour à tour les visages qui l'entouraient. « Nous sommes dans un patelin du nom de Katsina, dans le nord du Nigeria, et malheureusement, nous avons atterri dans un secteur en guerre. »

Une des femmes laissa échapper un petit cri et Abbott leva la main. « Non... ils ne nous tirent pas dessus. Nous avons parlé au chef des rebelles. Il tient l'aéroport, et il nous aide.

— Nous avons entendu tirer, dit un homme.

— Savez-vous, intervint un autre, parlant avec l'accent britannique, qu'un soldat a été tué juste à la droite de l'appareil, au su et au vu de tout le monde, au moment où nous nous sommes arrêtés ?

— Oui, monsieur. Moi aussi, je l'ai vu. C'est pour cette rai-

243

son que je tiens à vérifier que le moteur numéro 4 est en état de marche afin de convaincre ce... le commandant qu'il faut ficher au plus vite le camp d'ici. » Il eut le temps de voir la réaction apeurée des deux hôtesses qui se tenaient à l'entrée de l'office.

« Et qu'est-ce qu'il a l'intention de faire, cette fois ? demanda Logan. Savait-il qu'il y avait la guerre, ici ? »

Abbott s'était remis à la tâche consistant à déverrouiller une trappe rarement utilisée. Il leva de nouveau la tête. « Je n'ai pas l'impression que le Commandant-Dieu Céleste sache seulement épeler le nom "Afrique"... Il ne sait rien du continent. J'avais dit à cet abruti de ne pas atterrir ici ! »

Ces fortes paroles restèrent comme suspendues en l'air, dans le silence qu'elles venaient de créer, et cette réaction déclencha une nouvelle giclée d'adrénaline dans les veines de Garth.

Brian Logan s'agenouilla à côté du copilote et lui posa une main sur l'épaule. « Vous n'avez pas compris qu'il vous envoyait là-dehors pour se débarrasser de vous ? Il va lancer les moteurs et vous laisser sur place.

– Quoi ? Mais non ! C'était mon idée. Il ne ferait jamais ça. Non, jamais... Il... il a probablement raison. Je n'aurais pas dû dire ce que j'ai dit. Nous avons eu une deuxième alerte incendie, et je suis sûr que vous avez senti les ratés du compresseur. »

Brian se tourna vers la foule qui grossissait autour d'eux et répéta ses mêmes explications incendiaires. « Ce pilote est le seul allié que nous ayons dans ce rafiot, et le commandant essaie de le faire tuer ! »

Abbott se releva et leur fit face, les deux mains tendues en un geste d'apaisement qui incluait Brian.

« Écoutez... écoutez-moi, Brian, et vous aussi, les amis. Il s'agit simplement d'un problème de maintenance. Je vous en prie, calmez-vous. J'ai eu des paroles maladroites, OK ? On n'est pas toujours d'accord sur tout, le commandant et moi, mais c'est toujours lui le maître à bord.

– C'est peut-être vous qui devriez l'être, observa l'un des hommes.

– Vous m'avez dit vous-même que ce fils de pute ne vous écoutait même pas, il me semble, dit Brian.

– Oui, c'est vrai, mais...

« – Et n'est-il pas vrai qu'il n'a rien trouvé de mieux que de nous faire atterrir au beau milieu d'une guerre ?

– Peut-être, mais ces gens sont simplement....

– Ouvrez les yeux, à la fin ! Vous avez remis son autorité en question et il n'a qu'une envie, se débarrasser de vous. »

Voilà qui donne une bonne idée de ma fatigue, songea Garth : *les explications totalement délirantes du toubib me paraissent presque convaincantes.* Il essaya de reprendre contact avec la réalité.

« Docteur... mes amis... tout le monde... Je vous en prie, calmez-vous. Le commandant n'est pas incontrôlable ; il est simplement entêté. Je vous en prie... je vais sortir et revenir très vite. Et si, comme je l'espère, le moteur n'a rien, nous repartirons très vite d'ici. Je reconnais que les choses ne sont pas faciles, avec ce type, mais il s'agit juste d'un désaccord entre pilotes. Nous formons toujours une équipe et je vous promets que le commandant Knight n'a aucune envie de piloter seul cet appareil.

– Garth ? demanda l'une des hôtesses d'une voix inquiète et apeurée. Qu'est-ce qui se passe ? »

Le copilote lui résuma les explications qu'il venait de donner et se tourna vers le groupe d'hommes dont l'agitation n'avait guère diminué. « Je serai de retour dans quelques minutes. En attendant, calmez-vous, les amis. S'il vous plaît ! »

Janie Bretsen apparut à cet instant aux côtés de Garth et lui tapa sur l'épaule. « Vous êtes le premier officier.

– En effet. Et il faut que j'y aille.

– Où est Jackson ? Judy Jackson ? »

Abbott lui jeta un regard inquisiteur.

« Je m'appelle Janie Bretsen. L'hôtesse que l'on a ajoutée en cabine pour qu'il y ait le nombre légal.

– Ah, oui.

– Où se trouve-t-elle ?

– Elle se planque dans le cockpit. Elle prétend que des passagers l'ont pourchassée.

– Et comment, qu'on lui a couru après, intervint l'un des hommes. Si c'est bien cette salope dont vous parlez... celle qui a failli tuer le bébé, à l'arrière. »

Janie leva la main pour faire taire l'homme.

« Je n'ai pas le temps pour tout ça. Je reviens tout de suite », s'impatienta Garth.

La dizaine de passagers qui gravitaient autour de Logan suivit le copilote des yeux pendant qu'il disparaissait par la trappe et passait dans le compartiment de l'électronique. Brian se mit à genoux pour suivre sa progression, ainsi que deux autres hommes ; les hôtesses se contentaient d'observer prudemment ce qui se passait depuis l'entrée de l'office voisin.

Abbott commença par trouver l'interrupteur électrique pour éclairer le compartiment ; l'écoutille pressurisée se trouvait dans le plancher. Il l'ouvrit et laissa tomber la petite échelle. Puis il se glissa par l'ouverture et commença à descendre dans la chaleur humide de l'été africain.

Le général à qui il avait parlé était invisible. Trois rebelles s'approchèrent de lui, braquant leur arme sur sa tête et, spontanément, Abbott leva les mains. Des véhicules, camions et jeeps, entouraient l'arrière du 747, et faisaient écran à la partie de la forêt où s'étaient réfugiées les forces gouvernementales.

Il y eut des ordres lancés sur un ton précipité, mais dans une langue locale, et Abbott haussa les épaules pour dire qu'il ne comprenait pas. L'un des trois soldats lui fit signe de se déplacer vers la droite de l'avion, devant l'aile, et il s'exécuta, parcourant le tarmac de coups d'œil frénétiques – mais toujours pas trace du général.

Un ordre coléreux le fit s'arrêter et regarder autour de lui. Les trois soldats lui faisaient signe de s'agenouiller. Il obéit, les mains sur le côté, se demandant ce que devaient penser les passagers, s'ils regardaient. Levant un instant la tête, il vit des visages qui se pressaient, de plus en plus nombreux, contre les hublots ; ils devaient être aussi terrifiés qu'il l'était lui-même.

Robert MacNaughton avait suivi la scène depuis la cabine de première classe. Il se pencha et poussa un cri. Brian Logan et plusieurs autres passagers vinrent aussitôt se masser contre les hublots voisins pour voir ce qui se passait. « Juste ciel, ils vont exécuter ce pauvre vieux, dit doucement MacNaughton. Quand ils ne savent pas quoi faire, voyez-vous, ils tuent. »

Plusieurs autres passagers et deux hôtesses étaient scotchés aux hublots, un peu plus loin, et virent eux aussi un rebelle se détacher du groupe et se diriger vers le copilote, puis braquer le canon de son AK-47 sur la tête du malheureux. Le soldat tenait son arme le plus loin possible de son corps, dans l'attitude de quelqu'un qui s'apprête à tuer un autre être humain à bout touchant.

Dans le cockpit, Judy Jackson ne put retenir un cri à la vue de l'exécution imminente ; elle avait pris place dans le siège du copilote et ne se rendit même pas compte de la présence de Knight à ses côtés ; ne pouvant détacher les yeux du même sinistre spectacle, le commandant murmura alors, d'une voix presque inaudible : « Oh, merde... »

Sur le tarmac, le canon du fusil enfoncé dans la nuque, Abbott venait de comprendre qu'il était tombé dans un piège. Il ferma les yeux et essaya de se concentrer sur l'image de sa femme, convaincu qu'il serait mort ou mourant dans quelques secondes. Il se demanda s'il entendrait la détonation avant de perdre conscience. Il se souvint de Jim Brady, l'ancien attaché de presse de la Maison-Blanche, décrivant l'impact de la balle qui lui avait troué la tête. Il sentait la froideur du canon contre sa peau tandis que les secondes s'écoulaient, et il se surprit à analyser, avec un détachement presque clinique, ce qu'il allait ressentir, ce qui serait détruit.

Une unique détonation d'AK-47 explosa dans sa tête, et il se demanda comment il pouvait encore penser et ne ressentir aucune douleur. C'est alors qu'une voix qu'il connaissait depuis peu s'éleva derrière lui, de quelque part sous le 747, parlant une langue étrangère avec des intonations familières, et il comprit que la balle qui venait d'être tirée était passée à côté de lui.

À moins, se dit-il, qu'il ne s'agisse de quelque céleste plaisanterie. La balle lui avait peut-être traversé le crâne, en fin de compte ; peut-être était-il déjà mort sans le savoir.

Mais comment, dans ce cas, arrivait-il à entendre un bruit, celui de pas qui s'approchaient tranquillement, un bruit qui faisait passer au second plan les battements frénétiques de son cœur ? Ces pas étaient trop réalistes pour être imaginaires – sans parler de ses genoux, qui, à force de peser sur le tarmac, commençaient à être douloureux. La même voix doucereuse passa à l'anglais ; elle venait encore de loin, comme de dessous l'aile.

« S'il vous plaît, monsieur le premier officier, ayez la bonté de ne pas bouger. On ne vous fera pas de mal, mais nous devons laisser croire le contraire aux satellites.

— Les satellites ? » balbutia Abbott. Il y eut une petite poussée du canon contre sa nuque, sans doute parce qu'il avait eu l'audace de parler.

« Oui, les satellites. Nous sommes en train de satisfaire l'appétit vorace des États-Unis pour les images satellites. Elles seront fidèlement relayées à l'armée du Nigeria, contre laquelle je suis en guerre. Je ne me souviens pas du nom de l'engin qui se trouve en ce moment au-dessus de nos têtes, mais il appartient à votre CIA et sera passé d'ici... trente secondes.

— Comment êtes-vous au courant de cela ? ne put s'empêcher de demander Abbott, stupéfait.

— C'est incroyable, ce que les ex-Soviétiques ont à vendre, à l'heure actuelle. Les cartes des orbites de tous les satellites espions, y compris les leurs, par exemple. Une simple disquette d'ordinateur. » Jean Onitsa consulta sa montre numérique. « Ah, très bien, il est passé. » Il lança un ordre. Le copilote sentit le canon du fusil se détacher de sa nuque et plusieurs mains puissantes vinrent l'aider à se relever. En même temps, deux hommes entreprirent de verser un liquide rouge et gluant sur le tarmac, à l'endroit où il avait été agenouillé, puis firent passer un vieux morceau de toile dessus, créant des traces pouvant laisser croire qu'un corps mutilé avait été traîné là.

« Voilà ! s'exclama le général avec un grand sourire. Du Hollywood grand teint, j'en ai peur, mais c'était indispensable. Un autre satellite espion sera à notre verticale dans onze minutes, tous ses objectifs braqués, ce qui ne nous laisse pas beaucoup de temps. Et à présent, monsieur le premier officier, quel est ce moteur que vous vouliez examiner, déjà ? »

29

Centre d'exploitation de Meridian, Denver, Colorado
12 h 40, heure locale

La nouvelle de l'atterrissage d'urgence du Meridian 6, avec de nouveau un problème sur le même moteur, dans un aéroport inconnu perdu au milieu de l'Afrique, avait provoqué la réunion rapide d'une cellule de crise. Il semblait qu'il n'y avait personne avec qui négocier, et les appels urgents au Département d'État n'avaient tout d'abord déclenché qu'une réaction timide. Au bout d'une demi-heure, cependant, le gouvernement des États-Unis commença à prendre très au sérieux le fait que plus de trois cents personnes, avec beaucoup d'Américains parmi elles, se trouvaient coincées quelque part dans le nord du Nigeria.

Le directeur du contrôle des vols, le DCV, avait chargé son équipe de trouver un atelier de réparation à Katsina, mais ils n'aboutissaient à rien. La seule compagnie aérienne à desservir cet aéroport était une entreprise régionale ; personne, cependant, ne répondait au téléphone dans leurs bureaux, et les nouvelles ne firent bientôt qu'empirer, quand le Département d'État fit savoir qu'il était possible que l'aéroport ait été fermé à cause d'une action menée par des rebelles.

« Est-ce que leur numéro 4 est inutilisable ? demanda le DCV au contrôleur maintenance de service.

– Je ne sais pas. Pour l'instant, ils ne répondent pas à nos appels. »

Tiré par la manche, le DCV se tourna et se trouva face à face avec le vice-président chargé de l'exploitation. L'homme, qui affichait une mine funèbre, entraîna le directeur dans la salle de conférences voisine et referma tout de suite la porte derrière eux.

« Qu'est-ce qui se passe ? demanda le DCV.

Je viens de recevoir à l'instant un coup de téléphone de la CIA à Langley. Le vol 6 est allé s'empêtrer dans une petite guerre qui a lieu autour de l'aéroport. Si vous parvenez à rétablir la liaison avec l'équipage, vous devez leur ordonner de décoller immédiatement, si possible. D'après Langley, leur chance de survie est pratiquement égale à zéro si jamais les rebelles s'emparent d'eux.

— Sainte merde ! Mais nous ne savons même pas si le moteur numéro 4 est opérationnel.

— Il doit pouvoir décoller avec trois réacteurs, non ?

— J'en doute. Un DC-8 s'est écrasé à Kansas City en essayant de faire ça, il y a quelques années. C'est fichtrement dangereux. »

Le vice-président eut un mouvement de tête vers la salle de contrôle. « Allez-y. N'en parlez à personne d'autre qu'à l'équipage. Mais sortez-les de là, si vous pouvez.

— Bien compris.

— Je vais vous dire... si personne, là-bas, ne colle une balle dans la tête de ce con de commandant, je m'en chargerai. »

NRO, Chantilly, Virginie
14 h 40, heure locale

La notification – somme toute de routine – faite par le contrôle aérien du Nigeria se bornait à expliquer qu'un appareil commercial parti de Londres s'était détourné pour raisons techniques sur un aéroport africain. La notification arriva au centre du contrôle aérien européen, à Bruxelles, et fut dûment relayée, via Internet, au centre de contrôle de la FAA, à Herndon, en Virginie, puis transmise, par ligne sécurisée cette fois, mais toujours comme message de routine, au quartier général de la CIA à Langley. Là, elle capta immédiatement l'attention (l'accaparant même complètement) d'un algorithme, sur un programme d'ordinateur, qui cherchait précisément ce genre d'anomalies. Au bout de quelques minutes, Langley envoyait une requête au NRO pour obtenir dans les plus brefs délais une image satellite de l'aéroport de Katsina, au Nigeria, secteur assiégé par des forces rebelles, ainsi qu'une autre section obscure de la CIA l'avait déjà signalé, information confirmée par le Département d'État.

Au plus profond de l'immeuble du NRO, à Chantilly, trois analystes (deux femmes et un homme) étaient confortablement installés dans l'une des petites salles de visionnage lorsque arrivèrent les premières images du satellite en orbite.

« Bon, dit l'homme, le 747 est garé à l'extrémité ouest de la piste, mais en travers.

– Je vois deux camions, quelques jeeps et... une sorte de chariot près du nez de l'appareil », ajouta une des femmes pour compléter la description. La vue suivante se mit en place, suivie d'une douzaine d'autres, chacune étant un agrandissement de la précédente au fur et à mesure qu'ils essayaient de préciser le sens des images. Au bout de huit minutes, la petite équipe appelait Langley sur une ligne sécurisée.

« Ce n'est qu'un rapport préliminaire très sommaire, dit l'analyste du NRO. L'appareil semble être entouré de forces rebelles et ne présente pas de dommages apparents. On ne peut évidemment pas voir le train d'atterrissage, et nous ne savons donc pas si les pneus sont intacts. On dirait qu'un des membres de l'équipage, cependant, qui pourrait être un des pilotes, est descendu au sol, sans doute par une des écoutilles de la soute. On ne voit ni toboggan déployé ni escalier de coupée.

– Bien. Est-ce une image en temps réel ?

– Non. Prise au cours du dernier quart d'heure.

– Que voyez-vous ? »

L'analyste de sexe masculin regarda ses deux collègues, qui secouèrent la tête, puis acquiescèrent. Ce que racontaient les images leur semblait clair au point d'en être déprimant.

« Nous avons eu deux passages en l'espace de dix minutes, reprit-il. Sur les premières images, on les voit forcer le pilote à s'agenouiller devant l'avion. Il a trois barrettes à ses épaulettes.

251

– Il doit s'agir du copilote, dit l'analyste de la CIA à son collègue du NRO. Cet appareil vole avec seulement un pilote et un copilote.

– Trois barrettes. Pas d'autre identification.

– Continuez. Vous dites qu'il a été forcé de s'agenouiller. Était-il sous la menace d'une arme ?

– Absolument. Il avait un fusil pointé sur la tête, probablement un AK-47. Onze minutes plus tard, au passage suivant, il y avait ce qui paraît être une énorme tache de sang à l'endroit où il était agenouillé. L'ordinateur est encore en train d'affiner son analyse spectrographique, mais jusqu'ici, tout concorde pour dire que c'est du sang humain. Chargé en fer et de toutes les traces classiques.

– Ah, merde..., fut la réaction de Langley.

– Tout porte à croire que quelqu'un s'est fait exploser la tête pendant ces onze minutes et à cet endroit précis. Étant donné qu'on ne voit nulle part le copilote, il y a de fortes chances pour qu'il soit la victime.

– Pas à cent pour cent ?

– Pas tout à fait. Mais ce n'est ni du pétrole, ni de l'huile, ni de l'eau.

– Et les troupes engagées ?

– Des rebelles. Il semble qu'ils se soient emparés de l'aéroport. On voit des corps partout, autour du terminal, et il ne reste apparemment qu'un élément de la taille d'une section, qui se cache dans un fossé au nord-ouest. Ils sont cernés.

– Bien.

– Cependant, une force beaucoup plus importante, plusieurs centaines d'hommes accompagnés de quelques blindés, se tient au nord. Les rebelles ne les ont pas attaqués. Sans doute les troupes régulières.

– À quelle distance ?

– À portée de canon pour l'instant, mais ils ne se sont pas déployés pour ouvrir le feu. Ils se déplacent lentement vers l'aéroport, dont ils sont à moins d'un kilomètre.

– Il faut absolument qu'on se débrouille pour faire décoller cet appareil.

– C'est peut-être déjà trop tard, ajouta l'analyste du NRO. Il y a encore un détail qui risque ne pas vous plaire.

– Balancez.

– Huit bus, apparemment aux mains des rebelles, se dirigent vers l'aéroport. Suivis d'un nuage de poussière sur le dernier cliché. Chaque bus de ce type peut transporter cinquante personnes. Faites le calcul.

– Vu. Plus que le nombre de passagers d'un 747. Quand votre bidule va-t-il repasser là-bas ?

– Ce sera une image infrarouge. La nuit tombe.

– Oui, mais quand ?

– Dans une demi-heure. Je vous rappellerai. »

30

Aéroport de Katsina, Nigeria, Afrique
21 h 2, heure locale

À peine l'une des jeeps des rebelles avait-elle été mise en position sous le moteur numéro 4 qu'une boîte à outils avait fait son apparition – assez complète pour satisfaire n'importe quel mécanicien de Boeing. Abbott commença à reprendre un peu confiance lorsque deux des hommes d'Onitsa l'aidèrent à ouvrir le capot moteur et qu'il ne vit aucune trace d'incendie dans la lumière de leur lampe-torche. Il avait les jambes encore flageolantes, cependant, à la suite de la parodie d'exécution vécue quelques minutes auparavant et à laquelle il n'avait que trop cru. Son esprit était le lieu d'un affrontement de pensées mortelles et contradictoires, accompagnées d'impulsions presque irrésistibles ainsi, inexplicablement, que d'un flot de larmes dont il ne comprenait pas la raison. L'obscurité grandissante était un soulagement, et il espérait que les hommes d'Onitsa n'avaient rien remarqué.

« Phil ? appela-t-il dans le petit émetteur. S'il y a eu un incendie dans le 4, il n'y en a virtuellement aucune trace. »

Pour le clapet, ce n'était pas aussi évident. Il présentait des marques laissées par des clés, comme si on avait utilisé des outils impropres pour procéder à une réparation ; mais il était incapable de dire s'il était endommagé ou non.

« S'il démarre, dit Garth par radio, il devrait tourner normalement, sauf si on réduit trop brutalement les gaz, une fois de plus, à haute altitude. »

La réponse de Knight fut monosyllabique, et Abbott demanda à son équipe improvisée de l'aider à refermer le capot. L'opération accomplie, il sauta de la jeep et fit signe aux soldats de se mettre à distance du moteur.

« C'est bon, dit-il par radio, on peut lancer le 4. »

Le copilote ne s'était jamais trouvé près d'un moteur de 747 pendant la phase de démarrage ; le gémissement d'une turbine entamant ses cycles, puissant et impressionnant, s'accompagnait du claquement répété des allumeurs chargés de lancer leurs étincelles dans le brouillard de carburant, au cœur de ce que l'on appelait la section chaude du moteur, juste avant que les brûleurs avant ne s'enclenchent et que les gaz surchauffés ne fassent tourner les roues de la turbine encore plus vite pour bientôt atteindre la vitesse de ralenti.

« Que disent les contrôles ? » cria Garth dans l'émetteur saturé de bruit. La réponse de Knight fut inaudible, mais le geste pouce levé que le copilote distingua à travers le vitrage du cockpit était assez éloquent.

« Très bien. Je remonte, à présent. Lancez les trois autres. »

Abbott se précipita vers l'écoutille, sous le nez du 747. Onitsa l'y attendait, flanqué de plusieurs de ses hommes.

« Il reste une dernière petite formalité à remplir, monsieur le premier officier », dit le général.

Garth fut saisi d'une bouffée de reconnaissance et tendit la main au colosse, qui la prit avec un sourire et la secoua gravement. « J'apprécie vraiment votre aide, général !

— Pas de problème. Je voudrais simplement vous emprunter quelque chose. Un de vos toboggans d'évacuation. » Onitsa rit en voyant la mine perplexe du copilote. « Je vous assure, un seul me suffira. »

Abbott regarda Onitsa. Son grand sourire était d'une blancheur presque éblouissante.

« Que voulez-vous dire, général ?

— Je vous demande de bien vouloir déployer et gonfler l'un des toboggans d'évacuation des portes principales. Je vous dirai quand le détacher. »

Les choses deviennent de plus en plus bizarres, se dit Garth.

« Voyez-vous, nous avons une rivière à traverser, reprit

Onitsa, et ces grands toboggans font d'excellents radeaux. Notre ennemi ne s'attend pas à ce type de retraite.

– OK. J'ai pigé. » Le copilote porta le petit émetteur à hauteur de sa bouche et appuya sur « transmission ». « Phil ? Tout va bien. Le général nous demande de lui rendre un dernier service, et nous pourrons partir... » Sur quoi il expliqua la requête d'Onitsa, s'attendant à une réaction de refus, mais Knight accepta sur-le-champ.

« Je donne l'ordre de s'en occuper tout de suite, confirma le commandant.

– Phil ? Il vaudrait mieux vérifier les protocoles de performances, si nous devons décoller d'une piste aussi courte.

– Déjà fait, répondit sèchement Knight. On est juste, mais c'est légal. Et quand vous monterez ici, vous signerez le cahier d'entretien. Après tout, c'était votre idée. »

Abbott ignora la petite vacherie et fit signe au général de le suivre à la gauche de l'appareil. Ils virent la porte 1 s'ouvrir et l'impressionnante masse de plastique et de caoutchouc s'éjecter tout en gonflant rapidement, pour devenir raide au bout de quelques secondes seulement ; elle formait un excellent chemin d'évacuation, depuis une porte située à sept mètres de haut.

« Parfait », dit Onitsa, avec un geste de la main.

Aussitôt, l'une des hôtesses qui avaient assuré la manœuvre tira sur une poignée, et le toboggan promu radeau se détacha de la porte, qui se referma.

Trois des soldats s'en emparèrent et le traînèrent sur le bas-côté de la piste, loin du souffle des moteurs que Knight avait lancés les uns après les autres et qui tournaient au ralenti.

« Vous pouvez partir, à présent, dit Onitsa. Mais n'oubliez pas qu'il y a un important détachement de troupes gouvernementales qui essaie de progresser depuis le Nord, par là, derrière la queue de l'appareil, et que vous risquez de vous trouver pris entre deux feux. Il sera alors trop tard.

– Nous serons déjà loin, répondit Garth, portant le transmetteur à sa bouche. Vous me recevez, Phil ?

– Oui, répondit aussitôt Knight. Qu'est-ce qui se passe, nom d'un chien ?

– Nous sommes autorisés à partir. Je remonte à bord.

– Attendez ! J'ai besoin de vous pour être sûr que je reste

sur le tarmac. Je dois avancer de quelques pieds avant de pouvoir pivoter les roues avant. Je crains que le rayon de braquage ne suffise pas. »

Abbott examina les roues du train avant, qu'il distinguait à la lueur des lampes à vapeur de mercure encore en état de marche, le long des hangars, côté sud. « Je vois ce que vous voulez dire. Les moulins tournent tous rond ?

– Oui. »

Le copilote se précipita sur le côté gauche du nez de l'appareil, allant assez loin pour être vu depuis le cockpit. Onitsa et ses hommes couraient vers leurs véhicules et prenaient la tangente par le côté sud de la piste, plus vite qu'il ne s'y était attendu. « Très bien, Phil. Allez-y, faites-le rouler. Il vous reste encore environ cinq mètres pour braquer complètement à gauche. »

Les puissants moteurs montèrent en régime et l'énorme masse s'ébranla soudain ; le train avant pivota rapidement et le 747 commença à tourner en direction de l'est.

Brian Logan, à l'entrée de la cabine de première classe, entendit l'accélération des moteurs et sentit le mouvement alors qu'il attendait toujours, à côté de l'écoutille, le retour du copilote. Il se tourna, affolé, vers une hôtesse qui se tenait non loin.

« Hé ! lui lança-t-il. Qu'est-ce qu'il fait ? Le copilote est encore dehors ! »

La jeune femme secoua la tête. « Je ne sais pas.

– Appelez le cockpit ! Dites à cet enfoiré de s'arrêter ! »

L'hôtesse ne bougea pas et Brian vit alors Robert Mac-Naughton qui le regardait.

« Quel est le problème ? demanda l'homme d'affaires, de sa voix calme et précise.

– Ce fou furieux de commandant est en train d'abandonner le copilote, comme j'avais averti qu'il le ferait !

– Le commandant sait-il qu'il est encore au sol ? » demanda MacNaughton. Mais déjà Logan se glissait par l'étroite ouverture et descendait la petite échelle pour se retrouver dans le compartiment de l'électronique.

Des deux côtés du réduit, tout autour de lui, s'étageaient des boîtiers noirs fixés à des montants métalliques ; il s'agenouilla à côté de l'écoutille de pressurisation, toujours ouverte. Il entendit des voix, au-dessus de sa tête, tandis qu'il

257

se penchait sur l'ouverture, se retenant d'une main à un montant, pour voir ce qui se passait sous le ventre de l'appareil. Pas trace du copilote. Il se démena pour pouvoir regarder dans toutes les directions, pendant pratiquement la tête en bas, et c'est alors qu'il aperçut Garth Abbott qui courait sur la gauche, un peu en avant de l'aile, cherchant apparemment à rester à hauteur de l'avion.

Avec sa main libre, Logan se mit à lui adresser des signes frénétiques et l'appela, essayant de couvrir le bruit des moteurs pour dire au copilote de remonter, mais celui-ci, bien évidemment, n'entendait rien.

Le médecin avait remarqué, sur l'un des panneaux du compartiment, un téléphone d'un type semblable à celui qu'il avait utilisé plus tôt. Il se redressa et alla le décrocher ; les codes à deux chiffres des différents postes étaient affichés à côté, et il composa celui du cockpit.

« Quoi ? fit une voix en colère.

– Arrêtez ce bon Dieu d'avion !

– Qui parle ?

– Le Dr Logan, espèce de salopard ! Vous voulez abandonner le copilote ici, hein, c'est ça ?

– Mais non, pas du tout ! Je suis en train de lui parler en ce moment même par radio ! Raccrochez tout de suite !

– Laissez-lui le temps de remonter à bord, vous m'entendez ? »

Il n'y eut pas de réponse, mais le bruit des moteurs diminua soudain, tandis que des détonations lui parvenaient depuis l'écoutille ouverte.

À une cinquantaine de mètres, sur la gauche du Boeing, Garth, tout en maintenant le bouton de sa radio en position « transmission », suivait des yeux le nez de l'appareil passant à une distance suffisante des limites du tarmac.

« Continuez... continuez, c'est bon... train avant bien dégagé », disait Abbott tout en marchant à reculons pour rester à la hauteur du 747. Les roues avant reprirent leur position dans l'axe de l'appareil, pendant que celui-ci achevait de décrire son demi-cercle. C'est à ce moment-là qu'éclata une fusillade, du côté nord de la piste, dans le dos du copilote ; surpris, celui-ci se retourna alors qu'on y répondait depuis l'autre côté.

Bon Dieu ! On est déjà pris entre deux feux !

Il voyait la lueur des détonations, aussi bien au nord qu'au sud, et entendait des balles siffler beaucoup trop près de ses oreilles, chose qui balaya toute hésitation éventuelle. Il détala vers l'écoutille de soute, hurlant dans la radio : « ÇA TIRE DE PARTOUT ! PRÉPAREZ-VOUS À DÉCOLLER ! »

– Le vent d'ouest est trop fort, pour une piste aussi courte », répondit le commandant, dont la voix était à peine audible sur le fond sonore des coups de feu – d'autant plus que Garth avait du mal à tenir l'appareil contre son oreille tout en courant, tête baissée, en direction de l'échelle.

« Nous sommes trop lourds, nous devons décoller face au vent, continuait Knight. Il faut que je roule jusqu'à l'autre bout de la piste. »

Il restait moins de vingt mètres à parcourir au copilote lorsqu'il porta de nouveau la radio à sa bouche, criant ce qu'il avait à dire entre deux halètements : « IL FAUT... FOUTRE LE CAMP... D'ICI... PHIL ! METTEZ... TOUTE LA SAUCE... DÈS QUE JE SERAI... À BORD ! »

Il atteignit le pied de l'échelle et balança le talkie-walkie dans la soute sans attendre la réponse.

À quinze mètres au-dessus du tarmac, Knight, la main droite sur les manettes des gaz, appuya sur le transmetteur. « Bien reçu, compris que vous êtes à bord, accrochez-vous ! »

Il poussa les quatre manettes à fond vers l'avant, perplexe et inquiet à l'idée que le chef rebelle avec lequel ils avaient si bien négocié puisse laisser ses hommes tirer à nouveau sur l'avion. Ça ne tenait pas debout.

Abbott venait à peine de mettre un pied sur le barreau inférieur de l'échelle lorsque sa jambe gauche le trahit brusquement, tandis qu'en montait une onde de douleur insupportable ; il se retrouva se débattant avec l'échelle, à laquelle il n'était accroché que d'une main, n'ayant pas compris qu'une balle venait de l'atteindre dans le haut de la cuisse gauche. Son corps se mit à pivoter, et il eut le plus grand mal à agripper l'échelle avec sa main gauche.

Knight sentit les moteurs monter en régime et se rappela qu'il n'avait pas libéré les freins de parking. Il se pencha sur la console centrale et les relâcha, regrettant aussitôt son mouvement impulsif et espérant n'avoir fait tomber personne dans la cabine : le gros jet venait de bondir littéralement en avant.

Juste derrière les roues avant, ce démarrage brutal faillit bien faire perdre sa prise à Abbott. Il se trouva entraîné par l'accélération du Boeing, tout juste capable de rester agrippé, le côté gauche abominablement douloureux avec sa jambe inutilisable, et il se mit à crier à l'aide. Il essaya de gagner un barreau de sa bonne jambe, à cloche-pied, tout en tentant de reprendre prise de la main gauche sur l'échelle, mais l'accélération du jet était trop puissante et il était sur le point de perdre cette bataille.

Dans le compartiment de l'électronique, au-dessus de lui, Brian s'était retrouvé propulsé contre le casier des appareils de radio au moment où les freins avaient libéré toute la puissance de l'appareil. Il voulut s'agripper à quelque chose et sa main se referma sur un paquet de fils qu'il arracha, pendant sa chute, aux boîtes noires auxquelles ils étaient reliés. Sa tête heurta la cloison. Il entendit, en dépit du vacarme des réacteurs, un cri monter de l'écoutille. Il dut déployer de grands efforts, à demi sonné, pour se traîner jusqu'à l'ouverture, d'où il découvrit le copilote suspendu à l'échelle par une seule main. Il se mit à plat ventre et, crochetant le pied d'un des casiers du bras gauche pour se tenir, il se pencha pour saisir la main gauche du copilote. Quelque chose frappa l'échelle à ce moment-là, et il comprit que c'était une balle.

« Tenez bon ! » cria-t-il, encouragé lorsqu'il vit le copilote lever la tête vers lui et s'emparer de sa main ; il put alors le tirer suffisamment pour que Garth arrive à poser le pied droit sur le barreau inférieur. C'est à cet instant que Brian se rendit compte que l'homme avait tout le bas du corps ensanglanté. La balle lui avait peut-être sectionné une artère. Il devait le hisser le plus rapidement possible dans la soute.

Dans le cockpit, Phil Knight jeta un coup d'œil au cadran de la vitesse-sol. Soixante nœuds. *J'inverserai la poussée en arrivant à quatre-vingts,* se dit-il, *je ferai demi-tour au bout et remettrai*

260

la sauce. Un clignotant essayait bien d'attirer son attention sur les panneaux des incidents, et il prit le temps de le regarder ; il signalait un mauvais fonctionnement de l'écoutille, dans le compartiment de l'électronique. *Abbott n'a sans doute pas encore pu la verrouiller comme il faut,* se dit-il. Le voyant allait probablement s'éteindre d'un moment à l'autre.

Soixante-quinze... quatre-vingts. Il tira les manettes des gaz en position « ralenti », évalua la distance qui lui restait jusqu'à l'extrémité de la piste, et freina brutalement.

Brian en était à passer les deux bras par l'écoutille pour hisser Garth dans le compartiment, lorsqu'une terrifiante série de *ping !* contre le montant de l'échelle lui annonça qu'on les mitraillait à nouveau. Le copilote fut pris de convulsions et le médecin comprit qu'un tireur avait réussi à atteindre son autre jambe. Le malheureux ne tenait plus que par les mains, à présent, les deux jambes traînant sur la piste, et Brian se rendit compte qu'il serait incapable de soulever tout seul ce qui était devenu un poids mort.

« Tenez bon ! » cria-t-il une deuxième fois au copilote, tandis qu'il battait en retraite dans le compartiment et s'emparait du téléphone de bord, soulagé, pendant une microseconde, d'entendre les bruits du cockpit à l'autre bout.

« Le copilote est blessé ! aboya-t-il. Arrêtez-moi ce bon Dieu d'avion ! »

Presque instantanément, le nez du 747 plongeait, l'appareil freinait et les flux s'inversaient dans les réacteurs. Le tarmac se mit à défiler plus lentement, sous l'écoutille.

Lâchant le combiné, le médecin s'agenouilla et se mit en position, un pied sur le premier barreau, pour descendre par l'échelle dès qu'ils se seraient arrêtés. Il se sentait capable de soulever le copilote et de le faire passer par l'écoutille, mais il allait falloir faire vite ; il ne disposerait probablement que de quelques secondes.

« Accrochez-vous ! Il s'arrête ! cria Brian, tandis que baissait le bruit des moteurs.

– Je suis blessé ! » répondit le copilote, une octave ou presque au-dessus de la normale.

Brian Logan leva les yeux et vit plusieurs têtes qui regardaient ce qui se passait par l'ouverture donnant dans la cabine principale. Il commença à les interpeller pour qu'on vienne l'aider, demandant que quelqu'un le rejoigne, lorsqu'il y eut de nouveau une série de coups de feu. Il sentit l'échelle se balancer.

Garth Abbott n'était plus en dessous de lui. Il remonta le plus vite qu'il put et s'allongea sur le plancher pour passer la tête par l'écoutille et regarder vers l'arrière de l'appareil, qui roulait de plus en plus lentement ; il finit par le repérer, gisant sur la piste à une trentaine de mètres. Sous ses yeux, une douzaine de soldats en treillis, venant du côté nord, se précipitèrent vers le blessé, s'emparèrent de lui et repartirent en le traînant.

Oh, mon Dieu ! se dit le médecin, envahi par un sentiment scandalisé d'impuissance qui le paralysait presque.

Le 747 s'était pratiquement arrêté et entamait un virage sur la gauche pour se préparer à décoller ; le nez de l'appareil pointa vers l'est, puis vers le nord, puis vers l'ouest.

Brian se préparait déjà à se redresser pour reprendre le téléphone de bord et crier une fois de plus au commandant de s'arrêter, lorsque d'autres soldats firent leur apparition, côté nord de la piste, plusieurs d'entre eux poussant des cris et se dirigeant manifestement vers l'échelle de l'écoutille. Il se tenait encore à plat ventre, la tête dépassant de l'ouverture, et son regard sautait de la forme du copilote blessé, gisant en bordure de piste là où l'avaient laissé tomber les soldats, à ces derniers, qui pointaient leurs armes, et au groupe qui courait vers l'appareil. L'un d'eux, qui se trouvait à moins de vingt mètres de Brian, se mit à le viser à la tête.

Le médecin se redressa vivement et voulut faire remonter l'échelle, mais elle ne bougea pas. Il devait y avoir un verrou de sécurité quelque part, comprit-il, qui l'empêcherait en outre de fermer l'écoutille si l'échelle n'était pas remontée.

Il entendit les cris et les bruits de pas des soldats qui se rapprochaient, tandis que le 747 pointait fermement le nez plein ouest et que les moteurs remontaient en régime. Il se força à se pencher sur l'ouverture et étudia rapidement le haut de l'échelle. Il trouva le mécanisme qui la libérait alors que les bruits de course n'étaient plus qu'à quelques mètres, appuya dessus et commença à la relever aussi vite qu'il pouvait. L'un des soldats eut cependant le temps de sauter sur le barreau inférieur, et l'échelle reprit sa position déployée sous l'effet de son poids. L'homme lança son fusil à l'un de ses compagnons et entreprit de monter. C'est à cet instant que Brian repéra dans le compartiment une bouteille d'oxygène en métal, d'un jaune éclatant. Le soldat avait déjà la tête passée par l'écoutille lorsque le médecin fit sauter les attaches de l'objet contondant et l'arracha à son support. Prenant son élan, il abattit le lourd conteneur sur la tête du soldat, lequel ne portait aucune protection.

L'homme tomba de l'échelle avec un bruit sourd que Brian put entendre. Sur quoi le 747 reprit sa course dans le hurlement suraigu de ses moteurs.

Mais deux autres soldats avaient réussi à s'agripper à l'échelle et entreprenaient de l'escalader. Ils étaient armés et l'un d'eux braqua son arme par-dessus la tête de son camarade, à la recherche de leur attaquant.

Une fois de plus, Brian brandit la bouteille à oxygène ; mais à présent, il était repoussé vers le fond du compartiment par la puissance de l'accélération. Il entendit des grognements coléreux et vit un pistolet précéder le premier de ses assaillants dans le compartiment. Il savait qu'il n'avait qu'une seule chance de les repousser et qu'il ne fallait pas la manquer.

Judy Jackson était restée agrippée au dossier du commandant, les articulations blanchies, jusqu'au moment où Knight se tourna brusquement vers elle.

« Descendez vous assurer que cette écoutille est bien fermée.

– L'écoutille ?

– Oui, celle du compartiment d'électronique. On y accède par la trappe de la cabine. Grouillez ! »

Elle quitta le cockpit à contrecœur et descendit jusqu'à la cabine principale, se forçant à regarder les passagers pendant qu'elle se dirigeait vers l'ouverture dans le plancher. C'était perturbant pour elle, car elle ignorait qu'il en existait une ici. Elle s'agenouilla à côté et essaya de voir, au milieu du dédale d'appareils et de câbles, ce qui se passait en dessous.

« Sortez d'ici, lui ordonna un des passagers qui se tenaient près de l'ouverture. Le docteur est descendu là-dedans pour aider le copilote. »

Elle leva les yeux sur l'homme, de plus en plus incertaine, puis se tourna et passa la tête et les épaules dans l'ouverture pour distinguer quelque chose.

Dans la faible lumière qui régnait à l'intérieur du compartiment, elle aperçut une silhouette agenouillée près de l'écoutille de soute, pendant ce qui parut lui durer plusieurs secondes, le temps que le 747 pivote sur lui-même. Les moteurs commencèrent à monter en régime et elle vit ce qu'elle prit pour la tête du copilote apparaître au niveau de l'ouverture ; à ce moment-là, l'homme agenouillé balança de toutes ses forces un lourd objet jaune sur la tête qui venait de se montrer. Il y eut un craquement sec, qu'elle entendit très bien d'où elle était.

Judy eut le souffle coupé lorsqu'elle reconnut Logan en la personne de l'agresseur. Il faisait tout pour empêcher le copilote de remonter ! Les moteurs étaient à présent au régime maximum et le lourd vaisseau se précipitait en avant dans un énorme grondement. Et voici que Logan recommençait, frappant à plusieurs reprises la tête du copilote ! La bouteille d'oxygène heurtait les membrures métalliques au passage et une gerbe d'étincelles jaillit lorsqu'elle toucha un faisceau de fils.

En quelques secondes, il avait réussi. Sous les yeux effarés de Judy, le médecin remonta l'échelle et referma l'écoutille.

Oh, mon Dieu ! pensa la chef de cabine, qui se redressa en n'ayant qu'une envie, refermer l'ouverture dans le plancher avant que le docteur n'ait le temps de sortir.

Elle bondit sur ses pieds, regarda autour d'elle, l'air féroce, et vit deux des hommes qui l'avaient poursuivie jusqu'au cockpit quelques heures auparavant.

« Le... le médecin vient de faire tomber le copilote de l'avion ! En le frappant ! Je crois qu'il l'a tué !

– Quoi ? s'écria l'un des hommes, incrédule.

– Là-dessous..., répondit Judy, respirant fort et ayant du mal à déglutir. Je l'ai vu... qui donnait des coups sur la tête du copilote alors que Garth essayait de remonter dans l'avion ! Vite, s'il vous plaît ! Aidez-moi à refermer cette trappe ! On se mettra dessus pour être sûrs qu'il ne remonte pas !

264

– Vous voulez enfermer le toubib là-dedans ? Vous êtes folle ! » dit l'un des hommes.

Judy se remit à genoux pour essayer de refermer elle-même la trappe du plancher, mais un des hommes la saisit par un bras et la repoussa.

« Fichez-lui la paix, vous entendez ? »

Elle se tourna et le regarda, sur le point de protester. Son humeur combative, cependant, avait cédé la place à un état de choc et de panique. Elle se contenta de faire demi-tour pour aller se réfugier dans l'office où elle décrocha le téléphone de bord d'une main qui tremblait violemment. La force de l'accélération la repoussait contre la partie arrière du petit réduit.

« Qu'est-ce qui se passe, Judy ? » demanda Cindy, elle-même hors d'haleine. Elle s'assit sur le siège rabattable sans même penser à s'attacher, tant elle était sous le coup de l'émotion.

« Nous... nous avons abandonné le copilote, répondit une Judy suffoquée. J'ai vu le docteur le tuer ! »

Dans la cabine, les passagers encore debout s'agrippaient soudain à tout ce qui leur tombait sous la main ou essayaient de regagner leur siège, tandis que le Boeing s'élançait sur la piste. Mary, l'une des hôtesses de l'office arrière, s'empara du combiné et brancha la PA.

« *TOUT LE MONDE ASSIS ! ATTACHEZ VOS CEINTURES ! NOUS DÉCOLLONS ! NE BOUGEZ PAS !* »

Vingt nœuds, se dit Knight tout en parcourant des yeux les instruments du tableau de bord. Puis il regarda la piste qu'éclairaient devant lui les phares puissants du 747. Il se demandait si une mitraille de balles n'allait pas trouer son cockpit d'un instant à l'autre.

Il y eut un mouvement sur la gauche, à la périphérie de la zone éclairée par les phares, et il s'interrogea fugitivement sur la présence d'un homme en chemisette blanche, allongé en bordure de piste au milieu de ce qui semblait être une mare de sang. Mais il y avait déjà eu tellement de choses à encaisser qu'il ne vit là qu'une horreur incompréhensible de plus à ajouter aux autres. Involontairement, néanmoins, ses yeux revinrent un instant sur la silhouette ensanglantée, et il discerna d'autres détails au moment où le 747 passa à sa hauteur.

Il y avait de petites barrettes dorées sur les épaules de l'homme, et son cœur s'arrêta presque de battre quand, soudain, il le reconnut.

Oh, mon Dieu ! c'est Abbott !

Mais quelque chose en lui refusait de le croire. *Ce n'est pas possible ! Il m'a dit par radio qu'il remontait à bord !*

Il appuya du nez contre la vitre, essayant de voir s'il n'y avait personne d'autre ; à cet instant, la silhouette leva une main dans un appel à l'aide, juste au moment où le faisceau lumineux des phares passait sur elle. Puis cette image de cauchemar se retrouva plongée dans l'obscurité, invisible dans le sillage du jet.

Le jumbo venait de dépasser quarante nœuds, et s'il y avait des véhicules militaires et des soldats des deux côtés de la piste, l'avion ne paraissait essuyer aucun tir.

Il n'avait qu'une fraction de seconde pour prendre sa décision : tout couper et s'arrêter, ou continuer le décollage.

Le commandant devait peser de tout son poids sur les palonniers pour garder le gros appareil bien au milieu de la piste ; il avait la main droite posée sur les poignées des gaz tandis que la vitesse augmentait de seconde en seconde. Il réduisit les gaz à demi-puissance avec l'intention de revenir au ralenti, mais la soudaine perte de poussée fut un tel choc que, malgré lui, sa main renversa de nouveau les manettes.

Il abandonnait son premier officier. Le copilote, blessé, perdant son sang, gisait sur le bord de la piste. Comment était-ce possible ? Il avait signalé lui-même qu'il était remonté à bord, non ? Toutes ces pensées s'agitaient follement sous son crâne, tandis que la vitesse-sol atteignait quatre-vingts nœuds, mais il n'y avait aucun copilote auprès de lui pour le signaler à haute voix. Avait-il le droit de décoller dans ces conditions ? Alors que le premier officier perdait son sang en bord de piste ? Mais pourquoi ?

Une fois de plus, il fut tenté de couper les gaz ; toutefois, le bout de la piste n'était plus bien loin et il résista à la tentation en se disant, dans la même microseconde, qu'il n'avait plus assez de champ pour s'arrêter.

À moins que... Impossible à dire. Il ne voulait pas courir

ce risque. L'indécision, cependant, le déchirait. Et comme il ne savait que faire, il continua.

Il continua, et vit l'aiguille monter au-delà de cent vingt nœuds. Il n'était pas du tout évident qu'il atteindrait la vitesse minimum de sustentation avant la fin de la piste.

Cent trente-cinq nœuds... Il pourrait soulever l'appareil lorsqu'il aurait atteint cent quarante-cinq nœuds et n'aurait que quelques secondes pour le cambrer et donner suffisamment de portance aux ailes. Il n'y avait aucun feu de fin de piste, aucun marquage indiquant qu'on s'en rapprochait. Seulement le vide et l'obscurité en face de lui. Même à cent trente nœuds, le 747 paraissait à peine se déplacer : du haut du cockpit, à quinze mètres au-dessus de la piste, le petit cercle éclairé par ses phares donnait l'impression qu'ils se traînaient.

Cent quarante !

Le bout de la piste se précisait incontestablement dans la lumière des phares, à environ trois cents mètres. Impossible de tergiverser. Knight tira sèchement le manche à lui ; il sentit le nez se relever comme si l'appareil s'apprêtait à bondir, et l'angle d'attaque dépassa bientôt les quinze degrés tandis que la ligne des arbres disparaissait déjà à sa vue. Il ressentit alors la secousse du train quittant le sol et il continua de tirer sur le manche, l'angle d'attaque augmentant régulièrement. Les arbres étaient à présent directement sous l'avion, s'éloignant à plus de cent soixante-dix nautiques à l'heure cependant que le Boeing cherchait désespérément à gagner de l'altitude. Knight crut voir des étincelles de lumière sur sa droite et redouta un instant d'être la cible de coups de feu.

Le train ! Il se pencha vivement sur la console centrale et, en un éclair, plaça le levier en position « rentré ». Il sentit les grandes portes de la soute s'ouvrir, à cinquante mètres derrière le cockpit, et la secousse annonçant que le train commençait à rentrer latéralement.

Puis il y eut une secousse plus tardive qui lui fit courir un frisson glacé dans le dos : et si jamais le train avait effleuré la cime des arbres, si jamais des débris le bloquaient en position à demi sortie ?

Mais les deux témoins verts indiquant le verrouillage du train en soute s'allumèrent simultanément, lui faisant espérer que quoi qu'ils aient pu toucher, ils s'en étaient tirés sans dommage.

Ses yeux se reportèrent sur l'altimètre qui donnait l'altitude absolue au-dessus du sol.

Cinquante pieds... cent pieds... cent cinquante...

Des sonneries d'appel retentirent dans le cockpit, mais il les ignora, comme les précédentes, et se concentra sur sa tâche, continuer de faire grimper le Boeing tout en commençant à rentrer les volets. Son cœur cognait dans sa poitrine et il se rendit compte qu'il souffrait d'une migraine épouvantable et qu'un grondement continu lui emplissait le crâne.

On a réussi ! se dit-il. Mais cette brève bouffée de soulagement fut rapidement aspirée dans les sables mouvants de sa culpabilité. Le siège vide, à sa droite, le narguait, et il n'arrivait pas chasser de son esprit l'image affreuse de Garth Abbott gisant sur le tarmac de Katsina, blessé, appelant à l'aide, tandis que son commandant de bord l'abandonnait à la mort.

Au sol, en bord de piste, Abbott luttait pour garder conscience et essayait de digérer l'image de l'appareil disparaissant dans la nuit. Sur le point de sombrer, affaibli par la perte de son sang et souffrant de douleurs atroces, il entendit soudain courir et parvint à ouvrir les yeux. Plusieurs silhouettes se dirigeaient vers lui dans le faible éclairage en provenance de l'aérogare.

L'effort avait cependant été trop grand, et il referma les yeux, sa dernière pensée consciente étant un *Pourquoi ?* désespéré, auquel il était impossible de répondre. Et il n'entendit pas davantage la soudaine rafale tirée à proximité de lui qu'il ne sentit la botte qui tâtait son corps.

31

À bord du vol Meridian 6
21 h 14, heure du bord

Assis sur le sol, dans la pénombre du compartiment électronique, Brian Logan haletait, toutes sortes de pensées tour-
billonnant dans son esprit. Il se rendit compte, aux bruits et
au mouvement, que l'appareil décollait ; et le grondement
assez terrifiant qui secoua l'étroit logement, au moment où
rentrait le gros train avant (il n'en était qu'à un ou deux
mètres), lui échappa encore moins.

Sa colère se métastasait en une sorte de cancer sans âme,
son indignation devant la manière dont le copilote avait été
traité était décuplée par son ancienne haine contre Meridian
Airlines et les soupçons grandissants qu'il nourrissait à
l'égard du commandant de bord – étant le seul à savoir que
ce dernier avait sciemment abandonné son premier officier
derrière lui.

Le visage du copilote restait comme un souvenir vivace
dans son esprit. *Comment s'appelait-il, déjà ?* se demanda Brian,
frustré de ne pouvoir se le rappeler sur-le-champ.

Ah, Garth. Son prénom était Garth.

Il se souvenait d'avoir averti Garth que le commandant
essayait de se débarrasser de lui. *J'avais raison dès le début.* Il y
avait bien quelque chose d'un peu illogique, mais il rejeta
cette idée. Il avait été le témoin direct de ce qu'avait fait le
commandant, non ?

Il m'a pourtant entendu. Je lui ai dit au téléphone que le copilote était grièvement blessé et qu'il devait arrêter l'avion, et il a tout de suite freiné. Il le savait donc. Et pourtant, ensuite il a décollé.

Brian secoua la tête, comme pour chasser sa fatigue, son indignation, sa confusion. Il savait que tout au fond de lui, la frontière qui séparait ce qui était arrivé à Daphne et la réalité qu'il vivait se brouillait dangereusement ; mais il était trop épuisé, d'un point de vue psychologique, pour résister à la fureur qui l'envahissait. Il ne parvenait pas à chasser l'image de ce corps abandonné au bord de la piste, et tout ce qu'il éprouvait comme souffrance, culpabilité et impuissance finit par avoir raison de ses dernières forces, le copilote venant se substituer à sa femme et à son fils. Dans l'étreinte poisseuse de Meridian, ils se confondaient tous les trois. Il aurait tout aussi bien pu s'agir de Daphne et de son fils, agonisant sur cette piste au fin fond de la brousse, abandonnés par un autre commandant assassin de Meridian.

Et, une fois de plus, il n'avait pas eu la possibilité de les sauver.

Il se redressa, s'obligeant à retrouver le présent. La situation actuelle était bien réelle et toujours aussi critique ; il se trouvait dans les entrailles d'un jumbo plein de passagers dont la vie avait été mise en danger. C'était trop tard pour Garth, comme il avait été trop tard pour Daphne ; or, si c'était le même genre de pilote désinvolte qui était aux commandes de l'appareil, il lui restait cependant une chance de pouvoir faire quelque chose. Tous ces gens, au-dessus de sa tête, avaient le droit de savoir ce qui s'était passé – ce qui se passait.

Brian se mit en position accroupie et regarda vers le puits de lumière, au-dessus de lui, calculant ce qu'il devait faire. L'idéal aurait été de remplacer le commandant de bord, mais qui d'autre pouvait piloter l'appareil, à présent que celui-ci avait si efficacement éliminé le copilote ? Il devait bien y avoir un autre pilote à bord. Il lui fallait en trouver un, et vite.

Mais pourquoi un pilote voudrait-il se débarrasser de son copilote ? se demanda Brian. Tout cela ne tenait pas debout. Il ne faisait aucun doute que la Meridian était une pépinière de pilotes je-m'en-foutistes et haineux, mais qu'est-ce qui avait bien pu pousser celui-ci à atterrir dans un secteur en guerre et à se débarrasser de son copilote ?

Une réponse s'immisça dans son esprit par le biais de sa formation médicale. S'il n'était pas psychiatre, il avait suivi les cours de psychologie obligatoires pour tout futur médecin et il se rappela certaines choses, des signes avant-coureurs qu'il n'avait pas remarqués sur le moment.

Il repensa à deux terribles accidents d'avion qui avaient fait la une de tous les journaux de la planète ; dans le premier, un copilote égyptien suicidaire avait écrasé son Boeing 767 peu après avoir décollé de New York ; dans le deuxième, un commandant de bord singapourien, apparemment tout aussi neurasthénique, avait crashé son 737 quelque part au-dessus de la Malaisie.

Et s'il envisageait de se supprimer ? Oh, mon Dieu, ça doit être ça ! Il va se suicider et tous nous entraîner avec lui ! Sinon, comment expliquer sa conduite ? se dit Brian. Des intentions suicidaires expliqueraient alors toutes les réactions bizarres du commandant. *Je parie que je suis le seul, à bord, à comprendre ce qui se passe vraiment, le seul qui ait été témoin de quelque chose prouvant qu'il a des intentions meurtrières.*

Cette idée le glaça encore plus. *Je suis le seul à comprendre le danger que nous courons.*

Il fallait changer ça. Il lui fallait trouver le moyen d'arracher le contrôle du Boeing 747 à cet homme avant qu'il ne les tue tous.

Le médecin se leva, regarda autour de lui et vit la bouteille à oxygène et les fils arrachés quand il s'était bagarré pour repousser l'ennemi. Ce fut sur des jambes encore flageolantes qu'il regagna la petite échelle donnant dans la cabine principale. Quand il surgit de la trappe, il se trouva entouré de quelques-uns de ceux qui s'étaient déjà ralliés à lui ; leur visage trahissait inquiétude et curiosité, et ce fut un tourbillon de questions et d'exclamations qui s'abattit sur lui, tout le monde voulant savoir ce qui s'était passé et ce que le copilote était devenu.

« Le commandant l'a laissé pour mort sur la piste », répondit Brian, qui, à sa grande surprise, fondit en larmes. Il dut serrer les dents et faire un effort pour retrouver son calme. Plusieurs mains se tendirent vers lui pour l'aider à sortir de la trappe, mais il les refusa et, d'un geste, réclama le silence.

« Nous sommes dans une situation catastrophique. Le commandant est suicidaire. »

271

Cette fois-ci, il y eut un silence complet autour de lui, chacun essayant de digérer ce qu'il venait de déclarer.

« Excusez-moi, mais que voulez-vous dire exactement ? demanda l'un d'eux.

– Je vous répète que le commandant est dans une logique suicidaire. Je ne l'avais pas compris, sur le moment, mais c'est la seule explication rationnelle que j'aie pu trouver. »

Il y eut des échanges de coups d'œil inquiets pendant que Brian décrivait la manière dont le copilote était tombé de l'échelle, le refus du commandant d'interrompre le décollage. Les visages devinrent pâles, autour de lui, et il se prit à espérer qu'ils allaient comprendre que ce qu'il disait était vrai. Il y en aurait beaucoup d'autres à convaincre.

« Nous devons chercher s'il y a un autre pilote à bord capable de prendre les commandes. Nous devons faire vite », ajouta Logan.

Le PDG de l'English Petroleum se tenait un peu à l'écart du groupe mais il suivait attentivement cet échange. Jouant des coudes, il s'avança. « Vous êtes tout à fait certain, docteur, que le commandant savait que le copilote était blessé ? » Robert MacNaughton vit que le médecin le reconnaissait.

« Oui, il le savait, confirma Brian en hochant énergiquement la tête. Je lui ai dit, par le téléphone de bord, que Garth était grièvement blessé, qu'on lui avait tiré dessus, qu'il fallait arrêter l'avion – et effectivement, il s'est arrêté. Vous n'avez pas senti son freinage, juste avant de faire demi-tour ? »

MacNaughton acquiesça, l'air grave, ainsi que plusieurs autres.

« OK. Il a freiné à l'instant précis où je venais de lui raconter ce qui s'était passé. C'est alors que cet immonde salaud a fait demi-tour et a décollé, laissant ce malheureux se vider de tout son sang sur la piste.

– Doux Jésus ! s'exclama MacNaughton. Il était si gravement blessé que ça ?

– Lorsque vous avez reçu plusieurs balles de fort calibre dans le corps et que vous avez probablement une artère sectionnée, vous avez toutes les chances de vous vider complètement de votre sang si on ne vous soigne pas tout de suite. J'aurais sans doute pu le sauver, mais... » Ces mots lui firent horriblement mal lorsqu'il les prononça et il grimaça,

272

essayant de contrôler une respiration haletante qui frisait dangereusement l'hyperventilation.

La femme, petite et jolie, qui s'était présentée quelque temps auparavant comme une hôtesse voyageant uniquement pour que l'équipage soit au complet, le prit par l'avant-bras, son regard cherchant celui du médecin.

« Qu'est-ce qui vous fait penser au juste que le commandant est dans un état d'esprit suicidaire ? »

Brian se tourna vers elle. « Le copilote m'en a dit beaucoup sur ce qui s'est passé dans le cockpit depuis le départ de Londres. C'était à couteaux tirés entre eux. Le commandant cherchait à atterrir dans les endroits les plus dangereux et je comprends à présent que c'était pour se débarrasser du copilote. Quand on met tout ça ensemble, le suicide... avec notre mort à tous... devient l'explication la plus vraisemblable. »

Logan sentit une fois de plus la panique l'envahir lorsque, parcourant le petit groupe des yeux, il comprit qu'ils ne le suivaient pas sur ce terrain.

« C'est une conclusion peut-être un peu hâtive, vous ne croyez pas ? » observa MacNaughton. Janie Bretsen garda le silence, mais sans quitter Logan des yeux.

Le médecin regarda de nouveau rapidement autour de lui, comme si les soldats qu'il avait repoussés allaient sortir du compartiment électronique et le mettre hors de combat aussi efficacement que leurs doutes paralysaient sa capacité à les sauver.

Ils ne comprennent pas... ils me croient cinglé ! songea-t-il.

« Écoutez, je ne suis pas psychiatre, d'accord, reprit-il vivement. Je peux certes me tromper sur ses motivations, mais cela ne change rien à la réalité de ce qu'il a fait et continue de faire. Je suis sûr que vous comprenez cela. Il y a, dans le cockpit, un pilote incontrôlable, un pilote qui nous a déjà fait courir de grands dangers à plusieurs reprises depuis notre départ ; et à l'heure actuelle, il est seul là-haut, alors que nous sommes en l'air, et il peut faire ce qu'il veut. Il fait nuit, on est au milieu de l'Afrique, on s'est fait canarder et Dieu seul sait quels systèmes nous avons peut-être perdus ; pour couronner le tout, personne n'est là pour surveiller ce fou. Nous savons qu'il a volontairement abandonné le copilote alors qu'il était mourant. Ce que je vous dis, c'est qu'il

273

faut trouver un moyen de le contrôler avant d'arriver au Cap. Vous n'êtes pas d'accord avec ça ? »

Grâce au ciel ! se dit Brian lorsqu'il les vit tous hocher affirmativement la tête, à l'exception de l'hôtesse, qui paraissait toujours sceptique.

« Et que proposez-vous de faire ? demanda Janie Bretsen d'un voix douce et précise qu'accompagnait un regard inquisiteur, perçant – tel un laser velouté.

– Je... je suppose qu'on peut utiliser la PA sans qu'il nous entende. Nous pourrions passer par elle pour essayer de trouver des pilotes.

– Pourquoi ? demanda Janie, d'un ton plus sec. Vous voudriez mettre quelqu'un de qualifié pour piloter un Cessna 150 aux commandes d'un Boeing 747 ? Le moins qu'on puisse dire, c'est que ce serait risqué. »

Brian regarda l'hôtesse dans les yeux et se rendit compte qu'elle lisait derrière sa façade de sang-froid affiché, tandis que les autres suivaient attentivement l'échange.

« Non, répondit-il sans s'énerver, il ne s'agit pas de l'évincer. Simplement qu'il y ait quelqu'un pour surveiller ses gestes. Ce n'est qu'en dernière extrémité, s'il voulait crasher l'avion, qu'il faudrait envisager de le remplacer. »

Janie finit par acquiescer, elle aussi, et Brian se sentit traversé par une petite onde de soulagement.

Judy Jackson s'était enfuie de l'office avant au moment précis du décollage, quelques minutes avant que Brian n'émerge du compartiment électronique. Elle était passée rapidement devant les visages fermés aux regards accusateurs des passagers et avait regagné le pont supérieur et le cockpit ; Phil Knight n'avait fait aucune difficulté pour la laisser entrer, tout en respectant la procédure. Elle referma la porte derrière elle et vérifia les serrures.

« Vous avez laissé le copilote », dit-elle d'un ton neutre en s'asseyant dans le siège rabattable.

Le commandant se retourna, essayant de deviner son expression dans la pénombre. La lueur des instruments de bord se reflétait dans les yeux de la chef de cabine, dont le regard se perdait dans l'espace.

Il acquiesça. « Je le croyais à bord. Pendant le décollage,

je... je l'ai vu sur le côté de la piste. Je ne pouvais plus m'arrêter.

– Je sais. J'ai vu ce qui s'est passé.

Il se tourna de nouveau. « Ce qui s'est passé ?

– Le médecin – vous savez, Logan. Il a assommé Garth quand il a voulu remonter à bord. Avec une bouteille à oxygène.

– QUOI ? »

Judy agrippa le haut du dossier de Knight avec des mains qui tremblaient.

La tête de Knight n'arrêtait pas de pivoter, allant constamment des panneaux d'instruments à Judy Jackson. « Mettez-vous dans le siège du copilote et regardez-moi. Qu'est-ce que vous me racontez là ? »

Judy obéit et, une fois dans le siège de droite, répéta ce qu'elle venait de dire.

« Mais pourquoi aurait-il fait cela, au nom du ciel ? demanda-t-il.

– Je... je ne sais pas.

– Pourquoi vouloir tuer le copilote ?

– Il est fou, commandant. J'ai essayé de vous le dire à tous les deux, mais vous n'avez pas voulu m'écouter. Tout ça a quelque chose à voir avec sa femme. Je crois qu'il a décidé de nous tuer. »

Knight était blême lorsque, une fois de plus, il se tourna vers elle. « Vérifiez que le cockpit est bien fermé, Judy. Il faut prendre contact avec la compagnie.

– J'ai mis tous les verrous. »

Knight prit le combiné du téléphone par satellite. Le petit écran s'alluma, mais il eut beau refaire le numéro, il ne put avoir la ligne, et il n'entendait que le chuintement venu des étoiles dans l'écouteur.

« Bon Dieu !

– Qu'est-ce qu'il y a ? » demanda-t-elle d'une voix qui chevrotait.

Il la regarda comme si elle était à l'origine de sa mauvaise humeur. « Impossible d'accrocher le satellite. Et sans ce téléphone, je ne peux pas appeler l'exploitation.

– Qu'allons-nous faire ? » demanda Judy d'une voix de plus en plus chevrotante. Elle se sentait oppressée par le grondement de l'air contre la carlingue, plus sensible dans le cockpit. « Les passagers sont avec lui. »

Phil parcourut les instruments des yeux, pour vérifier que l'avion continuait à grimper. Tous les voyants « ouverture des portes » étaient éteints et même le moteur 4 tournait régulièrement ; mais les événements lui donnaient l'impression de se refermer sur lui, de le suffoquer et de l'empêcher de penser. S'il devait en croire Judy, ils avaient un fou homicide à bord, un homme qui aurait assommé le copilote pour le faire tomber de l'avion, et il se retrouvait seul aux commandes de l'appareil. Au moins la porte du cockpit était-elle conforme au nouveau modèle : blindée et à l'épreuve des balles. C'était en tout cas ce qu'on lui avait dit. Mais, si c'était insuffisant, il n'avait même pas un pistolet pour se défendre.

Comment vais-je expliquer que je l'ai abandonné ? La question l'assaillait de ses morsures, comme un serpent surgissant des recoins les plus sombres de ses pensées. Il ferma les yeux une seconde et chassa la question. Il verrait plus tard.

L'idée qu'un passager ait pu attaquer Garth Abbott et le balancer par-dessus bord paraissait trop bizarre pour être vraie. Devait-il croire la version des faits de Judy Jackson ?

Cependant, il avait vu, vu de ses propres yeux, le copilote gisant sur le bord de la piste !

D'un autre côté, Abbott lui-même lui avait fait savoir, par radio, qu'il était remonté à bord. *Je l'ai entendu le dire.* Abbott serait remonté à bord pour se retrouver finalement sur le tarmac, et ce fait rendait le récit de Judy d'autant plus crédible.

Et n'était-ce pas Judy qui avait vu Logan disparaître dans le compartiment électronique ? Pourquoi y descendre, sinon pour attaquer le copilote ?

C'est surréaliste ! se dit Knight, consultant le panneau des niveaux de carburant et faisant un rapide calcul mental en tenant compte de la distance, du temps et du débit. Puis il se rendit compte que ne pas avoir assez de carburant pour se rendre jusqu'au Cap était un problème secondaire. Y arriver avec une marge de sécurité suffisante allait dépendre des vents. S'il gardait cap au sud et se trouvait à court de kérosène, où allait-il atterrir ? Ils devaient sans aucun doute être encore plus près de l'Europe que de la pointe australe de l'Afrique.

Je devrais peut-être faire demi-tour, se dit-il.

Il pensa alors aux contrôleurs aériens du Nigeria. Il était encore sur leur fréquence en VHF, mais il n'avait pas communiqué avec eux. Il se sentit gêné. Il grimpait dans le ciel du Nigeria sans autorisation de vol ni même avoir fait un simple appel radio. *Initiative stupide !* se morigéna-t-il. Il enfonça le bouton « transmission » et appela à plusieurs reprises, sans obtenir de réaction. Il passa sur d'autres fréquences, essaya à nouveau, toujours sans résultat. Il ne disposait manifestement plus d'alimentation radio.

Et qu'est-ce que je fais, à présent ? se demanda Knight.

« Qu'est-ce qui se passe ? voulut savoir Judy.

— Nous n'avons plus de radio ! Je n'ai pu avoir aucun contact. » Il sentit sa main trembler légèrement sur le manche. La panique commençait à le gagner. Il fallait qu'il se calme.

« Qu'est-ce que... euh... nous allons faire, commandant ? insista Judy.

— Vous m'avez déjà posé la question ! » rétorqua-t-il. Le téléphone de bord retentit une fois de plus, et la pression des événements parut plus oppressante que jamais ; elle le contrôlait, le forçait à débattre des décisions qu'il fallait prendre de toute urgence. Il s'empara du combiné et le porta à son oreille, s'attendant à tout sauf à entendre la voix de Brian Logan.

« C'est le commandant ? demanda le médecin à voix basse, mais d'un ton menaçant, respirant fort.

— Oui. Qui êtes-vous ?

— Vous savez très bien qui je suis, espèce d'assassin ! Et vous savez très bien ce que vous avez fait ! »

Il y eut quelques secondes d'un silence tendu avant que Knight réagisse. « Qu'est-ce que vous racontez, docteur ? Et que voulez-vous ?

— Vous avez laissé votre copilote mourir là-bas ! Ils lui ont tiré dessus par deux fois ! Je vous ai dit d'arrêter pour que je puisse aller le chercher. Vous m'avez entendu, mais vous avez continué.

— Je ne comprends rien à ce que vous racontez, Logan, vous délirez ! Il y a suffisamment de témoins qui vous ont vu faire pour vous envoyer dans le couloir de la mort. Personne n'a tiré sur Abbott. Vous l'avez assommé à coups de bouteille d'oxygène, et vous irez dans la chambre à gaz pour cela. »

Il y eut de nouveau un long silence à l'autre bout du fil. « C'est vous qui êtes cinglé, dit finalement Logan. J'essayais simplement d'empêcher les soldats de monter. C'étaient des soldats que j'assommais, abruti !

— Dans ce cas, où est mon copilote ?

— Vous l'avez laissé sur place ! Écoutez. Je ne sais pas ce qui va pas chez vous, mais dites-vous bien qu'il y a trois cents passagers, là en bas, qui ont décidé de prendre les commandes dès maintenant. Et vous allez faire exactement ce que nous vous dirons, sans nouvel arrêt imprévu, sans nous mentir, sans nouveau coup tordu.

— Ou bien ? Vous allez assommer toutes mes hôtesses à coups de bouteille d'oxygène et vous viendrez prendre les commandes à ma place ?

— Prenez la direction du Cap et volez aussi vite que vous pouvez. Vous comprenez ça ?

— Mais c'est exactement ce que je fais ! Vous... asseyez-vous et laissez mes gens tranquilles.

— Avez-vous l'intention de nous tuer tous, commandant ? Voulez-vous vous suicider ?

— QUOI ? »

Brian Logan répéta sa question, se méprenant sur le silence en provenance du cockpit.

« Bien sûr que non, Dieu m'est témoin ! finit par dire Knight. Je fais au contraire tout ce que je peux pour assurer la sécurité de tous. Nous avons eu un problème de moteur et nous avons dû atterrir dans ce trou...

— Nous contrôlons à présent cet avion, le coupa Logan. Et nous allons vous envoyer plusieurs pilotes qui se trouvent être à bord. Ils vous surveilleront, et si vous tentez encore autre chose, votre misérable carcasse sera éjectée de son siège et quelqu'un d'autre prendra les commandes ! Pour qui vous vous prenez, salopard ?

— Personne n'entrera dans ce cockpit, Logan. »

La voix du médecin augmenta de volume ; il postillonnait dans le micro et le venin qu'il y avait dans ses paroles avait de quoi glacer le sang. « Vous n'êtes rien qu'une espèce de petit César à la manque, commandant ! Parfaitement capable de rester là-haut assis sur votre trône et de laisser crever les gens, vu que vous vous en fichez. Un copilote, un pauvre type avec des côtes fracturées, un bébé – vous n'en avez rien à foutre ! Vous ne pensez qu'à vous supprimer et vous vous souciez comme d'une guigne des vies que transporte cet avion. Votre malheureux copilote a été salement touché aux deux jambes et aurait eu grand besoin de votre aide, mais vous l'avez laissé crever comme un chien ! Il faut bien qu'il y ait quelqu'un pour arrêter les ordures dans votre genre. Et cette fois-ci, vous avez à bord un volontaire prêt à s'en charger. »

La voix de Knight s'étrangla elle aussi sous l'effet du stress : « Ce... ce que vous voulez faire... est un acte... un acte de piraterie aérienne... sans parler de l'agression du copilote... punissable de la peine de mort !

– Que m'importe ! Je suis déjà mort en dedans, grâce à vous.

– DE TOUTE FAÇON, JE SUIS ARMÉ ! J'AI UN AUTOMATIQUE ! hurla Knight, pris de terreur, conscient de ne plus se contrôler et incapable de retrouver son sang-froid. Si vous essayez de franchir la porte du cockpit, je vous abats à vue ! » Le commandant raccrocha brutalement, sans attendre la réaction de Logan. Ses mains tremblaient lorsqu'il se tourna vers Judy Jackson ; la chef de cabine le regardait intensément, la peur se peignait sur son visage.

« Vous... vous avez une arme ? » demanda-t-elle.

Il secoua la tête. « Non, mais je tiens à ce qu'il le croie. » Knight haletait, s'attendant presque, d'une seconde à l'autre, à ce qu'une bande d'excités tente d'enfoncer la porte du cockpit.

Il tendit de nouveau la main vers le combiné et composa, d'un doigt brutal, le code de la PA.

Ici votre commandant de bord. Écoutez-moi attentivement. Nous nous dirigeons vers Le Cap et nous avons beaucoup de chance d'être en vie. Restez assis à vos places, sans quoi je serai contraint d'atterrir sur le premier aéroport disposant d'un service de sécurité. Et n'en bougez pas ! Je ne tolérerai pas d'émeute ! Une dernière chose. Il y a parmi vous un forcené que je vous conseille vivement de neutraliser. Il s'appelle Logan. Ne le laissez pas vous convaincre de prendre quelque initiative stupide.

Knight reposa le combiné et se tourna vers Judy. « Vous êtes bien sûre que c'est Logan qui a assommé Abbott ?

– Je l'ai vu en personne, et je sais ce que j'ai vu ! J'en suis sûre.

– Très bien. Allez prendre la hache d'urgence qui est derrière nous, sur la porte, Judy.

– Qu'est-ce que vous voulez en faire ?

– Je dois piloter. Le reste vous concerne.

– Qu'est-ce qui me concerne ?

– De les empêcher d'entrer dans le cockpit. S'ils me touchent, nous sommes tous morts. » Il regarda vers la console centrale, essayant de réfléchir. Il lui fallait communiquer avec le monde extérieur, faire savoir qu'ils étaient victimes d'un détournement.

Un détournement d'avion – n'était-ce pas de ça qu'il s'agissait, en somme ?

Le code, en cas de détournement ! Il jeta un coup d'œil au transpondeur, l'émetteur radio qui réagissait à n'importe quel radar de tour de contrôle en renvoyant les informations qui identifiaient l'appareil. La petite lumière verte clignotait régulièrement depuis qu'ils étaient au-dessus de dix mille pieds. Un radar, quelque part, les « surveillait », preuve que l'appareil fonctionnait. Il pouvait donc composer le code international de détournement. Si rudimentaires que soient les installations radar africaines qui le captaient, les contrôleurs identifieraient le code.

Le commandant se pencha sur les commandes et se mit à manipuler les petits poussoirs avec l'intention de passer en code « détournement » ; mais au lieu de cela, il tapa le code « radio hors service ».

Très bien ! pensa-t-il. Que ça gueule un peu ! Le monde entier va le savoir.

Ses yeux se portèrent sur l'ACARS, le système de télémétrie qui communiquait en permanence par satellite avec la compagnie. La console comportait une petite imprimante pour les informations météo et les messages, ainsi qu'un clavier pour en envoyer. Peut-être était-il encore en état de marche. Knight brancha le pilote automatique et commença à taper, lentement, le texte qui devait impérativement parvenir à Denver.

Révolte de passagers en colère à bord. Suis menacé physiquement. Premier officier Abbott apparemment gravement blessé et jeté sur tarmac au moment décollage Nigeria par passager Logan à la tête de la révolte. M'a menacé et ordonné de continuer jusqu'au Cap, mais dois faire secrètement demi-tour et revenir à Londres par manque de carburant. Demande intervention armée à l'atterrissage. Chef de cabine barricadée avec moi dans le cockpit, la hache à la main. J'ignore s'ils ont des armes, mais les crois capables d'utiliser la force. D'autres pilotes à bord menacent de me remplacer. Toutes les radios en panne.

Le message achevé, il appuya sur « transmission » et vit, au bout de quelques instants, apparaître le petit symbole confirmant que le message avait été envoyé aux satellites.

Il parcourut de nouveau les tableaux de bord et regarda à l'extérieur. La nuit était sans lune et on ne voyait pratiquement rien au sol, sinon les maigres lumières, ici et là, de villages africains éloignés les uns des autres.

Il saisit alors le bouton commandant le cap et se mit à le tourner lentement, d'un degré à la fois. Le 747 s'inclina légèrement sur la gauche et, de manière imperceptible, commença à se détourner du plan de vol de l'ordinateur.

32

CIA, Langley, Virginie
15 h 15, heure locale

L'équipe de la CIA, grossissant à vue d'œil, se répartit autour d'une table dans une salle de conférences sécurisée et rétablit la liaison avec le National Reconnaissance Office, lequel se trouvait à moins de vingt kilomètres de Langley, à Chantilly. Chris Marriott, chef analyste ayant vingt ans d'Afrique derrière lui, dériva l'appel sur les haut-parleurs et s'identifia.

« C'est Sandra Collings, Chris, répondit une voix féminine depuis Chantilly. Avec les dernières données transmises, la situation devient de plus en plus étrange, même si nous n'avons pas tout le trafic aérien d'Afrique sous surveillance. Le 747 a repris l'air et apparemment remis le cap sur l'Afrique du Sud, mais l'équipage n'a pris aucun contact radio et la compagnie elle-même n'arrive pas à les joindre sur le téléphone par satellite. Ils ont décollé sans autorisation et ont commencé à lancer le code de panne radio, le 7600, par leur transpondeur. À Katsina, le précédent passage satellite montrait les bus à proximité de l'aéroport. Quarante-trois minutes plus tard, ces mêmes bus *quittaient* l'aéroport en direction du sud, avec, semble-t-il, des personnes à bord. Plusieurs bras dépassent des fenêtres. Ils ont l'air d'Occidentaux. Par ailleurs, près de la piste de l'aéroport, on peut voir un toboggan abandonné.

— Si je comprends bien, dit Chris, parcourant des yeux les

visages qui l'entouraient, les rebelles auraient obligé les passagers à descendre par ce toboggan pour les faire monter dans les bus ?

– Oui. Mais c'est une interprétation qui reste à confirmer, répondit Sandra Collings, même si toutes les pièces du puzzle sont là. La question est de savoir pour quelle raison l'appareil a repris l'air alors que les otages n'étaient plus à bord. Si le copilote est bien mort, comme tout semble l'indiquer, le commandant est donc seul dans le cockpit. La compagnie confirme qu'il n'y avait, à sa connaissance, ni pilote remplaçant, ni pilote passager sur ce vol. Meridian confirme aussi que ce pilote n'est pas du genre à prendre des risques, même si, à mon avis, il a pu paniquer et décider de mettre les voiles *pronto*. Ce qui m'intrigue, c'est leur silence radio. Comment se fait-il qu'on ne les entende pas hurler sur toutes les fréquences possibles ? Qu'ils n'essaient pas d'expliquer ce qui s'est passé à leur compagnie ?

– Avez-vous l'appareil en direct sur vos écrans, si je puis dire ? demanda Chris Marriott.

– Oui. Nous utilisons plusieurs satellites et une méthode de composition numérique à partir des différentes sources, ce qui nous permet de le surveiller ; les quatre moteurs paraissent tout d'un coup fonctionner parfaitement. De plus, nous nous demandons si le 747 aurait pu décoller de la piste relativement courte de Katsina avec tous ses passagers à bord. On en comptait un peu plus de trois cents, ce qui fait environ vingt tonnes. C'est pourquoi nous estimons que l'hypothèse d'un appareil reparti sans ses passagers, et peut-être même sans son équipage, est de plus en plus vraisemblable.

– Sans son équipage ? Vous voulez dire *sans ses pilotes* ?

– Peut-être. N'oubliez pas que nos ennemis sont capables de trouver un pilote de 747, s'ils le veulent. Soyez sûr qu'ils n'ont pas été formés par nous, depuis l'attaque sur le World Trade Center ; mais en y mettant le prix, il est toujours possible de trouver un équipage.

– Voyons, Sandra ! Piloter un avion pour le compte d'une organisation terroriste est un crime passible de la peine de mort, ou au moins d'un emprisonnement à vie dans tous les pays civilisés de la planète, depuis un an !

– C'est vrai, mais les pilotes ne savent peut-être pas pour qui ils travaillent. Et le fait est que quelqu'un pilote cet appareil. Je ne sais pas très bien ce que tout cela signifie, mais nous surveillons les bus, et le prochain satellite couvrira la région avec une résolution assez bonne pour nous aider d'ici environ huit minutes. Je dis donc que si nous voyons toute une foule de gens descendre quelque part de ces bus, c'est que nous avons affaire à une prise d'otages conçue par un chef rebelle particulièrement habile. Onitsa est bien connu pour ne pas faire de prisonniers et tuer les otages, une fois la rançon touchée.

— Exact, répondit Chris. Il faut avertir immédiatement le gouvernement. Il va devoir informer les Nigérians qu'ils ne vont pas tarder à se trouver face à une crise majeure, avec prise d'otages et demande de rançon.

— Je suis d'accord. Nous nous en chargeons et nous vous rappelons dans dix minutes. Ah, une dernière chose qui pourrait vous intéresser, Chris, et qui concerne l'état d'alerte actuel de la Maison-Blanche et du Pentagone.

— Allez-y.

— Nous avons fait appel à George Zoffel. Vous le connaissez ?

— Il ne me semble pas.

— C'est notre expert numéro un concernant le scénario du cheval de Troie. Juste au cas où tout ceci commencerait à avoir l'air d'une menace sur l'Europe. »

Chris raccrocha, et une des femmes qui avaient suivi cet échange prit alors la parole.

« Ce George Zoffel n'a peut-être pas tort, Chris. Pas de passagers, pas de contacts radio, un copilote mort : il suffit d'un conspirateur capable de piloter cet appareil pour avoir une bombe volante terroriste.

— Soit, mais un décollage de l'appareil sans ses passagers pourrait-il être le *résultat* d'une prise d'otages ? Ça paraît vraiment tiré par les cheveux.

— Non, il n'en est pas le résultat. Le détournement de l'avion fait partie du plan, intervint un des hommes de l'assistance. Je connais Onitsa et ses méthodes. Il adore ce genre de scénario à tiroirs. Imaginons qu'un groupe le contacte avec un plan. Ils disposent d'un pilote marron qui s'arrangera pour créer de toutes pièces les conditions d'un atterrissage d'urgence en Afrique. Si les hommes d'Onitsa sont prêts à récupérer les passagers en tant qu'otages et à aider ce groupe à charger l'avion d'un système d'arme de destruction massive quelconque, ils y gagnent tous les deux. Lui, une monnaie d'échange sous forme d'otages, le groupe, un avion légalement immatriculé pouvant faire office de bombe volante – et nous, nous avons notre cheval de Troie.

– D'accord, mais c'est tout de même se passer la corde au cou en déclarant la guerre aux États-Unis et au reste du monde pour avoir participé à une action terroriste ! Cet homme ne cherche qu'une chose, s'emparer du pouvoir au Nigeria et se faire accepter par la communauté mondiale. Il ne tient pas à devenir un second Saddam Hussein.

– Attendez, attendez, intervint Chris. N'oubliez pas que cet appareil se dirige pour le moment vers Le Cap. L'alerte qui nos rend si nerveux ne concerne que l'Europe.

– Oui, *pour le moment.* Pour le moment, nous sommes devant un mystère. Mais si jamais l'appareil remet cap au nord, nous avons notre cheval. »

À bord du vol Meridian 6
21 h 25, heure du bord

Les rumeurs, accompagnées des variantes les plus folles, sur l'assassinat supposé du copilote, puis son abandon, se répandirent parmi les passagers du vol 6 comme une traînée de poudre.

Les hôtesses étaient restées à l'écart du groupe formé par Logan et ceux qui le suivaient. Judy Jackson les ayant laissées en plan sans leur dire ce qu'elle avait vu, elles ne savaient qui croire. Cindy et Cathy avaient entendu l'essentiel de ce que Brian Logan avait déclaré après être remonté de la soute, et elles étaient ensuite allées se réfugier avec Ella dans l'office de première classe, d'où elles avaient appelé Judy Jackson, dans le cockpit.

« Qu'est-ce que vous voulez ? leur avait demandé sèchement Judy.

– Ce que nous voulons ? Des informations et des conseils, pardi ! Peux-tu au moins nous dire ce qui se passe ?

– Le médecin a assommé et tué Garth et il a jeté son corps

sur le tarmac avant le décollage. Nous devons l'empêcher d'attaquer le commandant.

– Le *médecin* ?

– Oui.

– Mais... il est juste en train d'expliquer à tout le monde que c'est le commandant qui l'a fait... Qu'il a laissé Garth là-bas !

– Je l'ai vu de mes propres yeux ! rétorqua Judy, avant de résumer la scène à laquelle elle avait cru assister.

– D'après lui, il se battait contre des soldats qui essayaient de monter dans l'avion. Il pense que le commandant veut se suicider.

– Des conneries. Il va très bien. »

Le silence se prolongea quelques instants, puis Cindy reprit la parole. « Qu'est-ce que nous devons faire, ici en bas, Judy ?

– L'empêcher de franchir la porte du cockpit. En principe, elle est blindée, mais Phil m'a demandé de la surveiller avec la hache à la main. Tâchez de convaincre quelques hommes de s'emparer de lui. Il y a des menottes parmi les fournitures. Appelez-moi quand ça sera fait. »

Un *clic* mit fin à la conversation et les trois femmes échangèrent des regards perplexes, comme si chacune espérait trouver chez les autres une indication sur ce qu'elle devait faire.

« Bon... Qui faut-il croire ? » demanda Cindy au bout de quelques secondes de silence.

Ella secoua la tête. « Pas la moindre idée. »

Brian fouilla dans le compartiment en hauteur situé juste à côté de l'office et finit par trouver ce qu'il cherchait : un porte-voix sur piles. Il le détacha de son support et s'avança dans la section avant de la cabine éco, accompagné de huit hommes et deux femmes. Quand il brancha le mégaphone, le bip électronique lui valut l'attention immédiate de tout le monde.

Mes amis, je suis le Dr Brian Logan. Vous avez eu droit à différentes versions de ce qui s'est passé au sol, et je voudrais juste... eh bien... vous dire ce qui est réellement arrivé, et ce qui se passe réellement en ce moment. Vous savez tous que notre copilote est sorti de l'appareil par une écoutille de soute, dans le compartiment avant. Ce que vous ne savez pas, c'est qu'il a été touché par des coups de feu en essayant de remonter à bord, et que le commandant... l'a tout simplement laissé mourir sur place. J'étais moi-même dans ce compartiment et j'ai tenté de l'aider à y remonter. À un moment donné, j'ai appelé le commandant par le téléphone de bord et je l'ai supplié d'arrêter l'avion, mais il a refusé. Ce pilote est un fou furieux, un assassin, et nous ne savons pas ce qui le pousse à agir ainsi. Il y a une autre chose que vous ignorez, c'est que le copilote a essayé, depuis le début du voyage, de raisonner le commandant. C'est ce qu'il m'a expliqué avant de rejoindre le sol pour aller vérifier la prétendue panne, sur le même moteur que celui qui nous a valu de prendre autant de retard à Londres. Il s'appelait Garth, et nous l'avons abandonné là-bas les deux jambes brisées par des balles, se vidant de son sang...

La voix de Brian s'étouffa et il resta quelques secondes silencieux, les yeux clos, essayant de retrouver son sang-froid.

Garth était sincèrement de notre côté. À présent, il n'y a plus personne dans le cockpit pour surveiller le pilote. Nous ne savons pas ce qu'il mijote, et nous ignorons ce qui a pu le pousser à mettre volontairement nos vies en péril au Nigeria. Vous avez vu que nous avons atterri en pleine guerre civile, n'est-ce pas ? Il y a quelques minutes, j'ai essayé de communiquer avec ce pilote par le téléphone de bord. Je lui ai dit que nous exigions tous qu'il nous conduise au Cap, comme prévu, et qu'il pouvait considérer que nous nous étions emparés de l'avion, mais je ne sais pas s'il ne nous prépare pas un autre de ses coups. Ce qui est sûr, c'est que nous avons besoin, désespérément besoin, de pilotes qualifiés capables de le surveiller et de s'assurer qu'il ne fait rien de dangereux, du genre atterrir n'importe où avant Le Cap... ou pire encore. Si vous êtes pilote, faites-vous connaître. En particulier si vous êtes pilote militaire. Notre vie en dépend. Tant qu'il sera seul dans le cockpit, il pourra tous nous tuer comme un rien.

Un homme à la chevelure argentée, en tenue décontrac-tée, leva la main à deux rangées de là.

« Vous êtes pilote ? » demanda Brian.

L'homme secoua la tête. « Non. Mais qu'est-ce qui vous fait penser qu'un commandant de bord pourrait vouloir mettre nos vies en danger ? »

Logan soutint le regard de l'homme. « Vous vous rappelez Egypt Air ? »

Le passager se pétrifia et ses yeux s'écarquillèrent. Il baissa la main et hocha la tête.

Le téléphone de bord carillonna dans le cockpit, et Knight décrocha.

« Oui ?

— Commandant ? C'est Mary, de l'office de queue. Le docteur est en train de s'adresser aux passagers à l'aide d'un porte-voix.

— Qu'est-ce qu'il leur raconte ?

— Il essaie de trouver des pilotes pour aller prendre les commandes de l'appareil. Il dit que vous avez tué le copilote. Je me cache dans le coin-repos, au-dessus de l'office, avec Lori Cunningham et Barb Weston... nous avons très peur. Nous avons besoin de savoir ce que nous devons faire. Et pourquoi diable Judy n'est-elle pas là ? »

Phil tendit le téléphone à Judy, sans faire de commentaire. La chef de cabine le prit à contrecœur.

« Oui ? dit-elle d'une voix distante. On vous agresse ?

— Non, mais... qu'est-ce que nous devons faire ? Parce que enfin, on nous a peut-être formées pour négocier avec des pirates de l'air suicidaires, mais on ne nous a pas appris à faire face à une émeute de passagers, et ces gens sont en train de se révolter, Judy ! Ils nous haïssent ! Je ne sais peut-être pas exactement ce qu'est une émeute, mais ils sont tous d'accord avec ce que leur dit le docteur, et il y en a plusieurs autres qui baratinent les gens dans le même sens.

— Je ne peux pas descendre, répondit Judy. Faudra vous débrouiller toutes seules.

— Ah, je vois. Je croyais pourtant que c'était vous la chef de cabine, lança Mary, sans dissimuler son mépris.

— Je vais vous dire ce que je suis, petite morveuse ! éructa Judy. Je suis écœurée par tous ces abrutis, et je ne vais pas me risquer à essayer de les raisonner. Que ces enfoirés se révoltent, si ça leur chante. Vous, vous n'avez qu'à faire comme dit le règlement. »

Il y eut un bruit grossier à l'autre bout. « Où ça, dans le règlement ? Il n'y a rien là-dessus dans le règlement, que je sache ! »

Mais Judy avait déjà rendu le combiné à Knight, qui le replaça aussitôt sur sa fourche.

33

C'est à peine si David Byrd prêta attention à la route en se rendant à Capitol Hill après avoir quitté l'abreuvoir préféré de John Blaylock, à Alexandria. Il était trop occupé à digérer ce que lui avait révélé le colonel de réserve.

On me forme pour devenir général ?

Cette perspective l'excitait tout autant qu'elle l'inquiétait. Et plus étrange encore que l'idée d'avoir Blaylock comme instructeur, était la haute opinion que le général Overmeyer avait apparemment de lui. Il avait été saisi d'une soudaine bouffée de fierté, aussitôt atténuée par un réflexe de prudence et suivie de l'image ridicule de Blaylock sous les traits du Yoda de *La Guerre des étoiles*.

David se rendit brusquement compte que la conductrice, dans la voiture qui se trouvait à la hauteur de la sienne, lui souriait – en réaction au fait de l'avoir vu secouer la tête et gesticuler au gré des pensées qui l'agitaient. Il lui rendit son sourire et éclata de rire, roulant des yeux pour lui montrer qu'il partageait sa bonne humeur. Il lui adressa un petit geste de la main lorsqu'il tourna à gauche, sortie L'Enfant[1] Plaza,

---

1. Du nom de l'architecte et urbaniste français de Washington.

avant d'accélérer vers le Capitole et son domicile, situé à quatre rues de l'édifice officiel. ·

L'achat de cette maison vieille de cent cinquante ans avait été salué comme un acte de folie par ses collègues du Pentagone, mais il avait mis beaucoup d'argent de côté, depuis son divorce, et il n'avait pas eu de problème à le financer. Sans compter qu'il pourrait toujours la louer, par la suite. Même en tenant compte du coût de la restauration (et de quelques surprises onéreuses), il n'avait jamais regretté cette décision.

« On a très bien compris ce que ça veut dire, l'avaient asticoté ses amis de la FAA. Quand un divorcé avec de beaux restes fait ce genre d'achat, c'est pour une raison précise. Draguer les jeunes et jolies conseillères auprès des membres du Congrès.

– Non. Ce sont les parlementaires elles-mêmes que je drague. Carrément », avait-il rétorqué. Le mot prenait un sens particulier, à vrai dire, depuis le coup de téléphone et l'invitation qu'il avait reçus de la sénatrice Douglas.

Fait exceptionnel, il y avait une place de parking libre en face de sa maison. Il s'y glissa et bondissait déjà sur les marches du perron, les clefs à la main, lorsque son portable sonna à nouveau. Il prit le temps d'ouvrir et de passer dans son séjour superbement lambrissé en noyer, avant de décrocher.

« Allô ?

– Oubliez le dîner au Willard, mon vieux. Ce dont nous parlions il y a quelques heures est en train de se produire en ce moment même. Ils sont sur le sentier de la guerre. »

Cette fois-ci, il n'avait eu aucun mal à reconnaître la voix de Blaylock.

« Vous voulez dire... le cheval de Troie, John ?

– Il faut l'avouer, vous savez parler des sujets sensibles par allusions, vous. Mais qu'est-ce que ça peut faire ! Oui. Il s'est passé quelque chose et ils grimpent aux rideaux, à Langley et au Pentapalace. Pouvez-vous retourner au NRO ? Je crois que ça devrait être très instructif.

– C'est l'heure des embouteillages, John. J'en ai au moins pour une heure, même si je roule comme un dingue. Et plus longtemps, si je respecte le code de la route.

– Je savais que vous alliez me répondre ça. C'est pourquoi c'était le plan B.

– Je me demande si j'ai envie de savoir quel est le plan A.

– Pourquoi ? Vous avez peur de monter dans un hélico ?

– Bien sûr que non. Je suis pilote, non ?

– Ouais, mais sur voilure fixe. Pas sur voilure tournante. Les pilotes de voilures fixes ont en général des réserves sur les voilures tournantes, et pour de sacrées bonnes raisons. D'après le plan A, vous vous rendez sur-le-champ au Hangar 5 de Reagan National, où un hélicoptère civil, un Bell Jet-Ranger, pourvu d'un pilote d'hélicoptère breveté, s'emparera de votre personne dûment consignée pour la trimbaler jusqu'ici.

– Compris. Je suis déjà parti.

– *Ex*-cellent, comme disent les enfants qui ont eu la cervelle réduite en poussière sous l'influence de *Wayne's World* et MTV. »

David ferma les yeux et secoua la tête. « Qu'est-ce que vous racontez, John ?

– Je vous parle de l'effondrement de la culture américaine, et de la langue de plus en plus triviale et gutturale qu'on entend. Mais c'est un sujet qui peut attendre. Nous allons essayer de ne pas déclencher la Troisième Guerre mondiale sans vous. »

À bord du vol Meridian 6
21 h 45, heure du bord

Janie Bretsen n'aurait pu dire exactement quand elle avait atteint son point de rupture mais, dans les minutes qui suivirent le petit discours chargé d'émotion de Brian Logan, il lui sembla pratiquement impossible de rester assise sans rien faire pour combler le vide laissé par la fuite de Judy Jackson. Elle était déjà écœurée depuis longtemps par l'ambiance qui régnait au sein du personnel de cabine et par sa totale incapacité à régler les problèmes avec les passagers.

À présent, elle était sérieusement inquiète.

Elle se rendit dans l'office avant déserté et utilisa le téléphone de bord pour joindre Judy.

« Au nom du ciel, Judy, qu'est-ce que tu fabriques dans le

cockpit ? lui demanda-t-elle. Où as-tu vu dans le manuel que le chef de cabine devait se planquer là-haut ?

— Je n'ai pas le choix, répondit Judy, s'abritant derrière l'ordre donné par le commandant de bord de défendre la porte du cockpit la hache à la main.

— Alors moi non plus, je n'ai pas le choix. Je suis la première sur la liste en termes d'ancienneté et je prends le contrôle du personnel de cabine. Tu peux rester dans ta planque et moisir sur place, je m'en contrefiche.

— Va donc au diable, Bretsen ! »

Janie raccrocha et, lorsqu'elle se tourna, elle se trouva nez à nez avec une Cindy Simons qui ouvrait de grands yeux.

« Où sont les autres filles ? » lui demanda Janie.

Cindy lui montra simultanément l'avant et l'arrière de l'appareil. « Elles se cachent plus ou moins.

— Eh bien, c'est terminé. Je prends les choses en main. Des objections ? »

Cindy roula des yeux. « Vous blaguez, non ? Vous n'imaginez pas quel soulagement ce sera d'avoir des directives et de l'aide.

— Va chercher Ella et les autres. Nous allons avoir une petite réunion d'urgence. Dis-leur de préparer un inventaire des réserves de nourriture et de boisson, à l'arrière, avant de venir. D'accord ?

— D'accord ! » répondit Cindy, qui partit comme une flèche. Janie entreprit de contrôler ce qui restait sur les chariots et dans les compartiments réfrigérés. On était beaucoup plus enclin à protester quand on était affamé, assoiffé et terrorisé, sans parler d'être maltraité – ce qui était le cas de la plupart des passagers de Meridian, depuis quelque temps, se dit-elle. L'affreuse étape Chicago-Londres s'était située dans la moyenne, mais là... la situation devenait incontrôlable. Il y avait déjà un mort et un passager blessé. Elle n'en était même plus à penser en termes de responsabilité pénale : un groupe de passagers faisait tout ce qu'il pouvait pour enrôler les autres et leur faire prendre des initiatives stupides pour se débarrasser d'un pilote qui les avait effectivement mis en danger.

Par la fente entre les rideaux, elle regarda en direction de la cabine principale pour tenter d'évaluer l'état des choses.

Elle n'entendit pas Robert MacNaughton s'approcher et elle sursauta lorsqu'il lui posa une main légère sur l'épaule.

« Oh, désolée...

– Nous nous sommes déjà rencontrés, Ms Bretsen, mais je n'ai toujours pas compris si vous faisiez ou non partie de cet équipage, dit-il.

– Oui, j'en fais partie. » Elle lui relata les événements, sa prise de bec avec la chef de cabine et comment celle-ci avait battu en retraite dans le cockpit. « J'ai donc décidé de prendre sa place.

– Bien. La situation est devenue critique, je dirais.

– Je voudrais vous poser une question très directe, Mr Mac-Naughton, étant donné que... je vous ai vu vous entretenir avec le Dr Logan, il y a un certain temps.

– Je vous en prie.

– Comment le considérez-vous ? »

Robert MacNaughton étudia le visage de l'hôtesse pendant quelques secondes, tandis qu'il cherchait comment formuler sa réponse. « Très bien. En premier lieu, le Dr Logan a une forte propension à haïr cette compagnie, et cela pour de bonnes raisons pour autant que je puisse en juger ; il était déjà dans un grand état d'énervement en montant à bord. »

Janie hochait la tête. « Oui, j'ai entendu parler de ce qui est arrivé à sa femme.

– Donc, reprit MacNaughton, on peut s'attendre à ce qu'il fasse une montagne du moindre problème.

– C'est également mon opinion.

– Cependant... il est aussi indubitable que notre drôle de pilote a effectivement abandonné son copilote, de façon apparemment volontaire, et tout aussi indubitable que nous sommes dans une situation très bizarre et très dangereuse ; si bien que le docteur a probablement raison lorsqu'il affirme que nous avons affaire à un navigant incompétent, sinon suicidaire. Dans un cas comme dans l'autre, nous ne pouvons pas rester les bras croisés, à attendre sa prochaine lubie. »

Janie secoua la tête. « Suicidaire ? Je n'y crois pas.

– Logan n'en a pas moins eu une bonne idée lorsqu'il a suggéré que l'on trouve un pilote qualifié pour le surveiller, vous ne trouvez pas ? »

Janie hésita, puis acquiesça. « Dans certaines limites.

293

« – Bien entendu.

– Le problème... c'est que nous ne pouvons pas coincer le commandant et courir le risque de le voir se lancer dans une manœuvre dangereuse en réaction.

– Comme atterrir au beau milieu d'une guerre civile ? » MacNaughton laissa la question en suspens et regarda Janie qui déglutissait et détournait un instant les yeux.

« Vous marquez un point, admit-elle.

– Je dois vous dire qu'en dehors de vous et de deux ou trois autres hôtesses, c'est le pire personnel de cabine que, pour mon malheur, j'aie jamais rencontré. En particulier Miss Jackson. J'espère ne pas vous avoir offensé.

– Pas du tout. Et vous avez raison, en ce qui concerne le service et les décisions prises par le commandant.

– Encore une chose. Si notre bon docteur revient les mains vides, c'est-à-dire sans avoir trouvé de pilote de jumbo, il se trouve que je suis moi-même pilote, bien que non qualifié pour un appareil de cette taille.

– Quel est le plus gros appareil que vous sachiez piloter ? »

Elle crut le voir esquisser un sourire lorsqu'il répondit : « Un Boeing 737. »

La double note feutrée d'un appel de cabine retentit alors, et Janie se tourna pour voir d'où il provenait, mais quelqu'un, dans la première section, poussa un cri à ce moment-là. Elle franchit le rideau et vit Brian Logan se précipiter dans sa direction, dans la foulée d'un homme plus petit et chauve qu'elle n'avait pas encore remarqué. Ce dernier s'était arrêté et montrait quelque chose par l'un des hublots, penché sur deux passagers.

« Vous voyez ? Nous faisons demi-tour ! » s'exclama l'homme.

Janie s'avança, tandis que plusieurs autres personnes collaient le nez aux hublots, essayant de voir ce qui avait attiré l'attention du chauve.

« Où ça ? demandait Logan.

– Là. Vous voyez cette constellation en forme de W ? Elle se déplace vers la gauche. Nous tournons très lentement, mais il a déjà changé de cap de quatre-vingt-dix degrés. Cassiopée était exactement dans l'axe de l'aile gauche quand il a commencé. »

Brian acquiesça et quitta le hublot, le visage blême, mais il trouva Janie Bretsen lui barrant la route.

« Veuillez m'excuser, dit-il.

– Quel est le problème, docteur ? » demanda Janie sans bouger d'un pouce.

Il la regarda pendant quelques secondes, l'air intrigué, avant de répondre : « Il change complètement de cap. Nous sommes supposés aller plein sud. »

Janie prit une profonde inspiration et jeta un coup d'œil à Robert MacNaughton par-dessus son épaule. Le patron de l'English Petroleum suivait la scène en silence. Elle revint sur Logan. « Qu'est-ce que vous envisagez de faire ?

– Appeler ce salopard et essayer de deviner ce qu'est sa dernière trouvaille », répondit Brian, la repoussant doucement pour passer et aller décrocher le même téléphone de bord qu'il avait déjà utilisé. L'hôtesse ne fit rien pour l'en empêcher, tandis qu'il consultait les numéros imprimés au revers du combiné et composait celui du cockpit.

Phil Knight décrocha et grommela quelque chose.

« Qu'est-ce que vous avez encore inventé, commandant ? éructa Logan

– Je... je dois contourner des orages.

– Il n'y a pas le moindre orage en vue.

– J'ai un radar, moi, et j'en vois. Je préfère les éviter.

– Un changement de cap de quatre-vingt-dix degrés pour éviter des orages ? Vous y allez fort. Nous sommes plein est.

– C'est comme ça, au-dessus de l'Afrique. Et maintenant, tirez-vous de ce téléphone.

– Comprenez bien ceci, commandant, dit Brian, conscient que Janie Bretsen se tenait à ses côtés et l'écoutait attentivement. Il y a plusieurs personnes, ici, capables de lire les étoiles et donc capables de dire à tout moment quelle est notre direction. Si nous ne reprenons pas très rapidement celle du Cap, nous montons.

– Et je vous brûlerai la cervelle, Logan, si seulement vous essayez d'ouvrir cette porte. Compris ? » répliqua Phil, mais on avait déjà raccroché à l'autre bout.

Knight garda le silence. Il s'efforçait de se rappeler les astuces employées par d'autres équipages pour tromper des pirates de l'air. Une de ces méthodes, en particulier, l'avait frappé par son habileté. Peut-être pourrait-il aussi s'en servir. Après tout, il avait bien affaire à des pirates de l'air, non ? Logan avait été on ne peut plus explicite, sur le téléphone de bord, ce qui signifiait que ses déclarations avaient été enregistrées sur le magnétophone du cockpit ; or le 747 était doté du nouveau modèle, celui qui conservait intégralement tous les échanges, y compris les appels radio et les coups de téléphone, en plus des propos tenus dans le cockpit. Et pas seulement ceux de la dernière demi-heure.

Il en a dit assez pour se retrouver dans le couloir de la mort, se dit Knight, jetant un coup d'œil au tableau supérieur et calculant déjà les différentes étapes par lesquelles il devait passer. Le procédé impliquait des risques sérieux pour les passagers, mais ceux-ci n'étaient-ils pas les premiers responsables de la situation ? Oui, conclut-il, il avait parfaitement le droit de courir de tels risques.

« Judy ? lança-t-il d'un ton sec.

— Oui ? » Elle avait répondu d'un ton circonspect, mais peut-être pourrait-il l'obliger à agir.

« Nous allons mettre un terme à cette révolte. Tout de suite. »

34

Accueilli dans le hall d'entrée par un employé du NRO, David Byrd accrocha un badge d'identification et suivit le jeune homme. Le trajet effectué à grande vitesse jusqu'à l'aéroport Reagan puis le vol encore plus rapide en hélicoptère jusqu'à Chantilly s'étaient traduits par un tourbillon d'images fuyantes et de sons qui l'empêchait de s'adonner pleinement à sa curiosité grandissante.

Ils parcoururent plusieurs corridors d'un pas vif, puis l'employé l'introduisit dans une salle sécurisée légèrement plus grande que celle qu'il avait visitée le matin même. Trois analystes du NRO, dont George Zoffel, étaient installés devant la console circulaire et penchés sur le clavier de leur ordinateur. S'avançant, David repéra John Blaylock assis derrière eux, à une table au second rang, et lui adressa un salut de la main. Blaylock, d'un geste, lui indiqua la chaise la plus proche de la sienne et lui tendit le même modèle d'écouteurs ultralégers que portait tout le monde ; puis, à voix basse, il lui expliqua qu'une discussion serrée avec une équipe de Langley avait lieu en ce moment même.

Blaylock régla plusieurs boutons devant lui, et sa voix grave retentit soudain dans les écouteurs de David :

« Vous m'entendez ? »

— Oui, répondit David avec un mouvement de tête vers les autres.

— Ils ne peuvent pas nous entendre tant que nous restons en mode privé. Au fait, c'est Sandra Collings qui se trouve à côté de George Zoffel. Je ne connais pas le troisième.

— Qu'est-ce qui se passe, John ? Qu'est-ce que nous faisons ici ?

— Situation très étrange, évolution rapide, impliquant un 747 commercial », répondit Blaylock, qui rapporta ensuite les éléments essentiels : atterrissage sur un aéroport du Nigeria, puis décollage après ce qui paraissait être l'assassinat du copilote et l'enlèvement de tous les passagers. Quelque chose, dans la discussion tendue qui se déroulait en fond sonore, attira l'attention du colonel de réserve ; il leva la main pour que David attende avant de lui répondre. « Une seconde !

— Serrez un peu plus, ordonna George Zoffel, lorsque apparut une nouvelle image électronique sur les écrans. C'est l'autre extrémité de la piste... la partie est... à presque deux kilomètres de l'endroit où le copilote a apparemment été tué... où, du moins, nous l'avons vu pour la dernière fois.

— OK, fit une voix venue de Langley.

— Il s'agit d'un cadrage pris au moment où l'appareil était en phase ascensionnelle, cap à l'ouest, juste avant qu'il mette cap au sud. On voit un corps sur la piste et on échange des coups de feu entre les côtés nord et sud.

— Pris littéralement entre deux feux, c'est ça ? demanda Sandra Collings.

— C'est ce que je dirais. Mais regardez l'agrandissement en lumière naturelle, sans l'apport des infrarouges... Le corps est apparemment masculin, en pantalon, chemise blanche... il saigne abondamment. Serre encore sur les épaules, Ray, demanda Zoffel, concentré sur l'image qui grossissait. Ah, c'est trop flou.

— Attendez un instant, dit l'analyste répondant au nom de Ray. Je vais améliorer numériquement la résolution. J'en ai pour une seconde. » Il tapa quelques touches sur son clavier et tous, gardant le silence, virent les pixels de l'écran migrer les uns vers les autres pour constituer, pas à pas, une image plus piquée. Il y avait des sortes de taches noires sur les épaules de la chemise, et lorsque l'ordinateur en fut à la sixième ou septième étape du processus, l'une de ces taches commença à apparaître formée de bandes.

« Oh, merde ! C'est bien ça, marmonna Zoffel en s'enfonçant dans son siège.

— Quoi donc ? voulut savoir la voix de Langley.

— Vous avez l'image. là-bas ? demanda Zoffel.

— Oui, mais c'est quoi, le merde-c'est-bien-ça ?

— Vous voyez ces taches noires sur la chemise ? Ce sont les épaulettes que portent les pilotes civils. C'est comme ça que nous avons identifié le copilote. Il n'y avait que deux pilotes à bord. Comme je vous l'ai dit, nous avons tout lieu de penser que le copilote a été tué à l'extrémité ouest de la piste, juste après l'atterrissage. Voici maintenant l'autre pilote. Je suis incapable de dire si l'épaulette est à trois ou quatre barrettes, mais si c'est quatre, ce que nous voyons est un commandant de bord décédé ou grièvement blessé dont l'avion vient de décoller. Sans lui.

— Difficile à dire sous cet angle, ajouta Ray, qui tentait toujours de convaincre son ordinateur d'améliorer l'image. Mais je ne peux pas aller plus loin. Pas si mal pour une prise de vue faite de nuit à deux cents milles.

— Autrement dit, reprit la voix de Langley, vous pensez que les deux pilotes ont été tués et abandonnés sur place ?

— Je classerais cette hypothèse avec un indice de certitude de huit sur dix, répondit Zoffel. Mais du coup, cela soulève une petite question technique. Qui diable est aux commandes du 747 de la Meridian ? »

Blaylock vérifia que David et lui étaient toujours en mode de communication privée et se tourna vers le jeune colonel qui, comme lui, avait suivi attentivement cet échange.

« David ? Il pourrait bien s'agir de l'attaque qui nous a tous mis en alerte rouge. Le jet a décollé, apparemment sans passagers ; il y a environ une demi-heure, une prise de vue en direct a montré qu'il changeait de cap : il volait vers l'est au zéro-sept-cinq, c'est-à-dire à peu près vers le Yémen, lieu parmi d'autres où nous n'avons pas que des amis. C'était le dernier cliché pris par satellite. Pour le moment, ils tentent de réacquérir l'appareil avec un autre satellite.

— Comment savons-nous que les passagers ne sont plus à bord ? » demanda David.

Il y eut un petit cri, venu de quelque part, et ils se tournèrent tous les deux.

« OK, nouveau changement de cap, les gars, dit Ray. Plein nord ! » Ils virent apparaître l'image infrarouge fantomatique du Boeing 747, la chaleur des réacteurs laissant quatre longues traînées blanches derrière eux.

« À votre avis, George, vers où se dirige-t-il ? demanda la voix de Langley.

Zoffel partit d'un petit rire sans joie et secoua la tête. « Oh, grosso modo, il est en route pour Londres, comme dans le message. Mais il pourrait tout aussi bien aller sur Rome, ou sur Paris... pour ne pas parler de Genève, de Bruxelles, d'Amsterdam et, pourquoi pas, de Copenhague.

– Il ne peut pas prendre tous ces caps simultanément, objecta Langley.

– Non, bien sûr, mais avec de légers changements, il a encore le temps de choisir n'importe lequel.

– Matériaux de fission, toujours négatif ? »

Zoffel acquiesça avant de répondre. « Nous n'avons décelé aucune trace de matériaux nucléaires sur cet appareil... pour le moment. Mais voilà, ils peuvent être protégés par un blindage exceptionnel. Il est possible qu'il faille plusieurs heures avant qu'un satellite détecte suffisamment de particules ionisantes.

« Prochains clichés dans soixante secondes », intervint Ray.

Blaylock se tourna vers David et, parcourant des yeux les écrans, lui en indiqua un, en haut à gauche. « Nous venons aussi d'avoir celui-ci. Les bus dont nous pensons qu'ils transportent les passagers font toujours mouvement ; ils étaient sur une route aboutissant à ce qui paraît être un entrepôt lorsque le dernier satellite donnant une image en direct est passé au-delà de l'horizon. Et pour couronner le tout, le 747 s'est mis à nous crachouiller le code 7600.

– Code de panne radio, murmura David.

– Exact.

– A-t-il eu son autorisation de décollage ? demanda David pendant que ses yeux parcouraient les écrans et scrutaient les images.

– Il ne l'a jamais demandée, répondit Blaylock. Et pas davantage de communication satellite avec sa compagnie, après un appel initial depuis le sol. Cependant, il... ou quelqu'un... a envoyé un message mystérieux par le système ACARS. Nous l'avons eu ici il y a environ vingt minutes. » Blaylock poussa une copie papier du message de Phil Knight vers David et en lut les premières phrases : « "Révolte de passagers en colère à bord. Suis menacé physiquement. Premier officier Abbott apparemment gravement blessé et jeté sur tarmac au moment décollage Nigeria par passager Logan à la tête de la révolte. M'a menacé et ordonné de continuer jusqu'au Cap, mais dois faire secrètement demi-tour et revenir à Londres par manque de carburant..."

– Doux Jésus !

– Ce n'est pas tout. Il demande une intervention armée dès son arrivée, et il affirme que toutes ses radios sont en rideau.

– Ce qui est tout de même dans la logique du code 7600, John.

– Exact. Il peut bien balancer tous les codes qu'il veut, mais le fait qu'il n'utilise que celui de la panne de radio est intéressant en soi. Le détournement est la grande priorité, c'est le moins qu'on puisse dire, et le code radio est exactement ce qu'il faut pour faire croire qu'on rentre au bercail sans que personne puisse analyser la voix ou vérifier qui est aux commandes. N'oubliez pas qu'ils ignorent probablement que nous pouvons détecter les barrettes sur les épaulettes des corps abandonnés sur la piste. Or ce message ne fait aucune mention du débarquement des passagers ; il parle de la perte du copilote mais le pilote qui est supposé être aux commandes de l'appareil est plus probablement l'aviateur que nous avons vu mort ou mourant sur l'aéroport de Katsina.

– Ou peut-être pas. Nous ne devons pas conclure trop vite qu'il s'agit d'un terroriste.

– Je suis d'accord, il est encore trop tôt pour en décider. En revanche, il n'est pas trop tôt pour étudier cette hypothèse et prendre quelques mesures, par précaution. »

David Byrd secoua lentement la tête et, quittant à regret les écrans des yeux, se tourna vers Blaylock. « N'oubliez pas ce que vous m'avez expliqué vous-même ce matin, John, sur l'improbabilité d'utiliser un vol commercial comme cheval de Troie. Comment avez-vous dit, déjà... le principe de la conservation de la parano ?

– Vous écoutez bien, colonel Byrd.

301

– J'essaie.

– Mais ni vous ni moi n'avons envisagé l'hypothèse de quelqu'un créant l'*illusion* d'un incident avec passagers mutinés en vol pour dissimuler un cheval de Troie. Seulement de terroristes se servant d'un véritable incident, une émeute spontanée, pour créer une diversion.

– Les types dont je vous ai parlé dans le bureau du général Overmeyer ne pensaient pas à une diversion, John. Ils se rongeaient les sangs à l'idée que les restes d'un groupe terroriste puissent faire monter la mayonnaise d'un incident mineur, par manipulation, pour en faire une arme mortelle.

– J'estime sincèrement qu'il s'agit ici d'autre chose. » Blaylock se tourna à nouveau vers les écrans tout en se frottant le menton. « Nous n'avons aucune preuve tangible qu'il y ait eu une crise avec les passagers, mis à part ce message, lequel est très vraisemblablement bidon et a été soigneusement préparé d'avance. Sans compter que l'affaire implique le Dr Onitsa, ce qui signifie qu'elle est fort complexe, ce qui signifie aussi qu'elle a été pensée de bout en bout, qu'elle est généreusement financée et qu'ils sont très bien informés sur la meilleure manière d'appuyer sur le bouton "mutinerie en vol".

– Attendez... vous avez bien dit le *docteur* Onitsa ? »

Blaylock ouvrit l'un des dossiers posés devant lui et en tira deux feuilles tamponnées secret défense qu'il tendit à David. « Il se fait appeler général, à présent, mais il est médecin – très fort en tant que chef rebelle. Il est en train de rendre les Nigérians cinglés. »

David parcourut rapidement les notes et releva la tête. « Jamais entendu parler de lui jusqu'à aujourd'hui. Ce n'est pas une raison, John, pour perdre de vue l'éventualité que ce message du cockpit soit authentique, n'est-ce pas ?

– Non. Ils le savent. C'est toujours possible. Mais dans ce cas, d'où sort le pilote mort ou mourant sur la piste ? répondit Blaylock en jetant un coup d'œil à David.

– Est-ce qu'on a vérifié la liste des passagers ? Et d'où est parti ce vol, au fait ? Je ne sais pourquoi, je trouve quelque chose de familier à cet appel.

– Non, nous n'avons pas encore la liste des passagers, admit Blaylock.

– Vous savez ce qui m'inquiète ? demanda David en se

tournant lui aussi vers les écrans. La manière dont ce message est tourné. Ça sonne très américain. Cent pour cent américain. Et dans ce cas, c'est qu'il y a un pilote américain à bord.

– À moins qu'ils n'aient dans leur équipe un renégat américain au courant de nos habitudes linguistiques. Savez-vous que dans les années quatre-vingt, vous pouviez avoir un double titulaire d'un passeport à votre nom, en formation à Moscou ?

– Pardon ?

– Nos bons vieux adversaires, ces chers Soviétiques, avaient plus d'un tour dans leur sac. L'un d'eux consistait à sélectionner et former des personnes qui ressemblaient physiquement à des officiers ou à des hauts fonctionnaires des services américains correspondants. On leur faisait suivre un cursus d'américanisation pratiquement sans faille, à l'université du KGB. S'ils avaient jamais besoin d'en injecter un dans la réalité, ils se contentaient, par exemple, d'éliminer le vrai major Byrd pour mettre à la place leur imposteur. Leurs linguistes traînent toujours dans le secteur, ainsi que leurs étudiants. Ne jamais écarter une hypothèse tant qu'elle n'a pas fait son temps.

– Nous avons des images », intervint Ray, tandis que l'écran principal s'animait à nouveau. Sous les yeux attentifs de l'assistance, un petit curseur fit son apparition.

« OK, c'est moi qui tiens le curseur, dit Zoffel. Il semble que nous ayons là un grand hangar... sans doute un toit en tôle ondulée. Dimensions, quelque chose comme trente mètres sur vingt, peut-être un peu plus.

– De quoi abriter trois cent vingt personnes, commenta Sandra.

– Ouais... et... les bus sont garés à l'extérieur, et... attendez ! Il y a des gens assis en rang d'oignons à l'extérieur du bâtiment !

– Combien ?

– Pouvez-vous passer en direct, Ray ? demanda Zoffel.

– Oui, en infrarouge non filtré. » Ray tapa quelques touches et une version plus floue de l'image apparut à l'écran, des silhouettes de feu allant et venant entre les personnages assis.

– Il s'agit bien d'êtres humains, assis les uns à côté des

303

autres. J'en compte environ vingt-cinq. Pourrait-il s'agir de soldats ? »

Ray revint à l'image fixe retravaillée et l'agrandit, éliminant l'infrarouge pour ne garder que la lumière normale. « Ils disposent d'un éclairage électrique, là-dedans, dit-il, continuant à agrandir l'image jusqu'à ce qu'on puisse distinguer nettement les montres-bracelets, les bagages de cabine et les vêtements de style occidental. J'ai bien l'impression qu'il y a une génératrice sur la droite.

— Et en matière de couleur raciale ? S'il s'agit de passagers de Meridian, on devrait avoir un mélange de peaux blanches et noires.

— Et c'est ce que nous avons, observa Ray. Il y a incontestablement des gens à peau blanche. Les peaux noires sont moins nombreuses. Il y a trop de Blancs pour qu'on puisse penser qu'il ne s'agit que des quelques mercenaires recrutés par Onitsa. »

La porte de la salle s'ouvrit, et un employé s'approcha rapidement de George Zoffel, à qui il tendit un message plié. Zoffel le lut, puis se tourna vers Blaylock et David, auxquels il fit un signe de tête tout en s'adressant à son alter ego à Langley via son micro.

« Eh bien, mesdames et messieurs, nous venons juste de recevoir un nouveau petit missile qui confirme le cauchemar. Le Département d'État nous fait en effet savoir que le général Onitsa vient de contacter le gouvernement nigérian par téléphone satellite. Il exige le versement d'une rançon de trois cents millions de dollars sur un compte offshore d'ici deux heures, sans quoi il commencera à exécuter ses trois cent vingt otages. Il prétend qu'il a laissé repartir les pilotes.

— Sauf que nous savons ce qu'il en est, en réalité, observa Sandra.

— En d'autres termes, enchaîna la voix de Langley, quoi que transporte le Meridian 6 en route vers l'Europe, il ne s'agit pas des passagers avec lesquels il est parti.

— Je ne vois aucune autre explication plus convaincante pour le moment, reconnut Zoffel avec un soupir fatigué. C'est le moment de sonner le clairon à la Maison-Blanche et au Pentagone. Il semble bien que nous ayons affaire à la chose. La vraie. »

35

Janie Bretsen prit l'un des combinés et composa le code
de la PA sous les yeux de Cindy, qui l'observait avec une
expression apeurée. Il était déjà assez grave que la majorité
des trois cents passagers, entassés, fatigués, en colère, en
soient au stade de la révolte passive contre le commandant
et l'équipage. Mais leur attitude collective dérivait en plus
vers quelque chose de pire, et Brian Logan en était le cataly-
seur. Il allait et venait dans les allées, répondait aux questions
sur le copilote et le commandant, expliquait comment il avait
perdu sa femme du fait de l'incurie de cette même et sinistre
compagnie aérienne.

Janie prit une profonde inspiration avant de commencer.
Le moment d'agir était arrivé, même si le risque qu'elle avait
décidé de prendre était grave et sans précédent.

La mise en route des haut-parleurs provoqua l'arrêt du
brouhaha des conversations, tandis que les têtes se redressaient.

Mes amis, je vous demande de bien vouloir m'écouter avec
attention.

Son cœur cognait dans sa poitrine, et elle imaginait déjà la réaction scandalisée de la direction de Meridian, dans les semaines à venir, lorsque l'enregistrement livrerait les propos qu'elle allait tenir. *Je peux tout de suite dire adieu à ma carrière,* songea-t-elle.

Une nouvelle chef de cabine vient de prendre la tête de l'équipe, et cette chef de cabine, c'est moi. Je vous promets que les choses vont aller beaucoup mieux. Je m'appelle Janie Bretsen. Je n'étais pas de service sur ce vol, mais étant donné ce qui est arrivé et la manière dont Miss Jackson, la précédente chef de cabine, vous a grossièrement insultés, manipulés et menti, et cela dès le moment où nous avons quitté le terminal de Londres, j'en suis venue à la conclusion que je ne pouvais davantage le tolérer. Je serai probablement fichue à la porte, mais j'ai relevé Miss Jackson de ses fonctions. Je parle de la personne que certains d'entre vous ont pourchassée il y a un moment.

Il y eut, dans la cabine une vague de mouvements faite de coups d'œil échangés, et certains commencèrent à la regarder dans les yeux ; mais personne ne maugréa, personne ne vint vers elle.

Très bien. Écoutez, je suis... tout autant dégoûtée que vous, et j'ai aussi peur que vous. Je ne comprends pas davantage que vous ce qui est arrivé depuis notre départ. Mais croyez-moi, je vous en supplie, si je vous dis que le personnel en cabine n'est pas le problème. Nous ne sommes pas vos ennemies. À l'exception de Judy Jackson, évidemment. En fait, les hôtesses avaient reçu l'ordre de Judy Jackson de ne vous servir ni rafraîchissement, ni café, ni nourriture, sauf quand elle l'aurait décrété. Et elles étaient menacées d'un rapport si jamais elles désobéissaient. Je suis à présent responsable de la cabine, et nous allons faire tous les efforts possibles et imaginables pour vous servir toutes les boissons que nous avons, tous les plateaux-repas que nous pourrons trouver et pour mettre le commandant sous contrôle.
Aucun de nous ne comprend comment nous avons pu perdre Garth Abbott, le copilote, ni comment le commandant a pu l'abandonner ainsi. Nous ne comprenons d'ailleurs pas grand-chose aux décisions prises par ce commandant. J'ai cependant une requête importante, extrêmement importante, à vous soumettre. Je sais que certains d'entre vous parlent ouvertement de forcer la porte du cockpit. Je vous en prie... si furieux que vous soyez... n'essayez surtout

pas de franchir cette porte. Nous voulons tous vivre, et déclencher une bagarre en l'air avec le seul et unique pilote qui nous reste pourrait être fatal pour nous tous – sans parler du fait que le commandant est toujours légalement maître à bord, et que ce genre de tentative pourrait faire l'objet de poursuites criminelles.

J'ai une deuxième grande requête à vous soumettre. Efforcez-vous de rester le plus possible assis, avec votre ceinture attachée. En échange, je vous promets que nos hôtesses, placées sous mes ordres, ne vous mentiront plus sur quoi que ce soit, et que nous ferons de notre mieux pour assurer le meilleur confort possible jusqu'au moment où nous pourrons quitter cet appareil.

« Nous comprenons que nous avons votre sympathie, Janie, lança un passager du fond, d'une voix de stentor. Mais êtes-vous *avec* nous ? »

Janie porta de nouveau le combiné à sa bouche, mais hésita avant de se prononcer, calculant les conséquences des différentes réponses qu'elle pourrait faire. Il valait mieux, conclut-elle, être leur allié et essayer de calmer le jeu de l'intérieur. C'était la meilleure façon de conserver un semblant de contrôle sur les événements.

Le comportement de ce commandant n'est pas le reflet de ce que souhaite notre compagnie. Alors, oui, je suis avec vous. Nous devons cependant être prudents dans nos initiatives, tant la situation est dangereuse. Mais mon équipe d'hôtesses et moi-même sommes en effet avec vous.

L'homme qui avait lancé sa question se leva et commença à applaudir lentement, bruyamment, les autres passagers se joignant peu à peu à lui jusqu'à ce que la plupart d'entre eux soient debout et frappent dans leurs mains.

Janie répondit d'un mouvement de tête et reposa le combiné, se sentant gratifiée de voir que pratiquement tout le monde se rasseyait et mettait sa ceinture. Elle se demanda si le commandant avait écouté son petit discours, depuis le cockpit. Avoir discuté avec les hôtesses de ce petit complot démagogique visant à reprendre le contrôle de la cabine pourrait lui épargner les sanctions que Meridian voudrait sans aucun doute prendre contre elle, mais son geste n'en était pas moins un pari risqué, même si elle n'avait pas eu tellement le choix. Jusqu'à maintenant personne, sinon Brian Logan, n'avait contrôlé les passagers.

Elle vit un homme de petite taille, complètement chauve, penché sur des passagers et regardant par l'un des hublots. Il adressa un signe à Logan, et celui-ci vint le rejoindre rapidement.

Janie Bretsen se trouvait assez près d'eux pour entendre leur échange.

« Il a fait demi-tour, disait le petit homme chauve. Il a pris un cap qui est d'environ dix degrés à la gauche du nord.

— Autrement dit, nous retournons à Londres », répondit Brian.

L'homme commença par acquiescer, puis secoua la tête, tout en parcourant les passagers des yeux. « Ou n'importe où le long de ce trajet. Il pourrait aussi bien vouloir se poser en plein Sahara... ou encore en Libye. »

Logan se tourna et croisa le regard de Janie ; il montra le hublot et secoua la tête. La colère lui pinçait les lèvres, mais elle lui fit néanmoins signe de venir vers elle, et vite.

Il hésita et regarda autour de lui avant de se résoudre à s'avancer.

« Allons là-dedans, lui dit-elle, avec un geste vers les rideaux qui fermaient l'office.

— Pourquoi ? rétorqua Brian, sur un ton des plus soupçonneux.

— Parce que vous et moi essayons de reprendre plus ou moins le contrôle de la situation. » Elle lui avait répondu comme si leur coopération était un objectif sur lequel ils étaient déjà d'accord. Elle retint sa respiration et se tourna sans attendre la réaction du médecin, franchit les rideaux et alla se placer dans le fond de l'office avant de faire volte-face pour voir si il l'avait suivie.

Il était là.

« Cet enfant de salaud a encore changé de cap, Janie, dit Logan en s'approchant d'elle. Nous volons en ce moment plein nord.

— Croyez-vous qu'il cherche à retourner à Londres ? »

Logan respirait fort et sa main droite battit l'air en un geste d'impuissance, tandis qu'il jetait un coup d'œil dans les deux directions. Puis il revint sur elle.

« J'ignore où il veut se rendre, mais il y a par contre une

chose que je sais : on ne peut absolument pas lui faire confiance.

– Peut-être, mais nous n'avons aucun autre pilote à bord et sans lui, nous sommes morts. Telle est la réalité, nous sommes bien d'accord ? » répondit-elle d'un ton calme, sans le quitter des yeux.

Il hésita, puis acquiesça. « C'est ce qui me rend fou. Nous sommes ses otages, en quelque sorte ! »

Janie le toucha doucement au bras gauche, puis referma sa petite main, autant qu'elle le put, autour de l'avant-bras du médecin. Elle fut un instant déstabilisée par une bouffée de désir qui la laissa incrédule. Il la regardait intensément, et elle se demanda s'il ne ressentait pas la même chose – idée qu'elle s'empressa de repousser.

« Docteur... Brian... tant que nous nous sommes en l'air et que nous nous dirigeons vers un aéroport sûr, est-ce qu'il ne serait pas plus prudent de nous contenter d'attendre ? J'ai peur de le paniquer. »

Il ne chercha pas à se dégager et elle sentit qu'il se détendait – au moins un tout petit peu. On pouvait lui parler. Elle allait devoir gagner peu à peu sa confiance, mais il n'était pas inaccessible. *Grâce au ciel,* se dit-elle en détournant enfin les yeux des siens.

« Nous ne pouvons pas laisser cette espèce de salopard arrogant nous tuer, disait Brian.

– Cependant... cependant..., dit-elle en lui serrant légèrement le bras, si nous essayons de nous emparer du cockpit, alors que nous n'avons aucun autre pilote qualifié sur 747... » Elle laissa en suspens le reste de la phrase, chassant la pointe de culpabilité qu'elle ressentait à utiliser un détail technique pour masquer un mensonge. Robert MacNaughton, en effet, n'était pas qualifié pour piloter un 747, mais il l'était pour tenir les commandes d'un 737, si bien qu'il possédait une bonne connaissance des gros avions et de leurs systèmes. Cependant, mettre MacNaughton à la place de Knight ne pouvait être qu'un ultime recours au cas où tout le reste aurait échoué. « J'admets que le pilote est un salopard et pire encore, Brian, mais il faut voir les choses en face : ce serait différent si nous avions un pilote de 747 à bord. Sauf que ce n'est pas le premier venu qui peut faire atterrir un appareil de cette taille. Sans compter que la porte du cockpit est blindée et que je n'en ai pas la clef. Il n'y a aucun moyen d'y pénétrer, puisque l'ouverture est commandée par le pilote, et il leur est formellement interdit d'ouvrir, même si quelqu'un menace un des membres de l'équipage.

– Je sais tout ça ! » s'exclama Logan, grinçant des dents. Il ferma les yeux, et Janie sentit son inquiétude remonter. La colère s'emparait à nouveau de lui, sa frustration menaçait de déborder. Elle tira sur sa manche pour qu'il la regarde, mais il refusa de tourner la tête. Puis elle le vit se pincer le nez et souffler comme s'il se débouchait les oreilles, tout en secouant légèrement la tête.

Et soudain il se tourna vers elle, ayant retrouvé toute sa méfiance.

« Mes oreilles ?

– Pardon ? dit Janie, sincèrement déconcertée.

– Vous ne sentez pas ? La pression change.

– Non, je ne sens rien.

– Pourquoi la pression de la cabine change-t-elle ? »

Deux hommes, à ce moment-là, franchirent les rideaux de l'office.

« Hé, Doc ! lança le premier. Y a Hickson qui nous dit qu'il veut aller en Libye, maintenant ! »

Brian fit brusquement demi-tour, s'arrachant à la prise de Janie, mais il ignora l'information. « Vous n'avez pas les oreilles qui tintent ? »

Les trois hommes échangèrent des regards tout en vérifiant l'état de leur ouïe. L'un d'eux haussa les épaules. « Je n'ai pas l'impression... »

Mais un autre commença à acquiescer énergiquement, les yeux agrandis. « Hé, ouais ! Les miennes bourdonnent. Qu'est-ce que ça veut dire, Doc ?

– Est-ce que vous avez été obligé de faire un Valsalva pour les déboucher ? demanda Brian d'une voix tendue.

– Un... un quoi ?

– Un Valsalva. On ferme la bouche, on se pince le nez et on souffle jusqu'à ce que les oreilles soient dégagées.

L'homme le regarda un instant. « Ah, non, c'était juste un petit bourdonnement. »

Brian alla ouvrir les rideaux de l'office et parcourut la cabine et ses passagers des yeux.

« Mais qu'est-ce que ça veut dire ? » demanda l'un des hommes, derrière lui.

Brian se tourna vers Janie, qui était encore sous le coup de la rupture du contact qu'elle avait établi entre elle et lui. « OK, Janie, qu'est-ce que ça veut dire ?

– Je... je ne sais pas, répondit-elle, son esprit évoquant les hypothèses les plus folles. Il change probablement d'altitude. Pourquoi ? »

Logan eut un mouvement de tête vers la cabine. « Parce qu'ils sont tous en train de se déboucher les oreilles, là-dedans, et parce que les miennes continuent à tinter, et que je n'ai pas entendu les moteurs changer de régime.

– Alors, je ne sais pas, admit Janie. Mais ne vous inquiétez pas. Changer d'altitude en vol est une manœuvre courante. Les pilotes sont... je suis sûre qu'il essaie d'éviter des turbulences. »

Brian laissa retomber le rideau et se tourna de nouveau vers elle, secouant la tête. « On n'a senti aucune turbulence.

– Eh bien... je ne sais pas, alors.

– Vous mentez, n'est-ce pas ? gronda-t-il.

– Non ! » protesta l'hôtesse. Elle avait la tête qui tournait légèrement et ses oreilles s'étaient mises à tinter.

Le médecin montra le plafond en se rapprochant lentement de Janie. « Il est en train de préparer je ne sais quel coup tordu avec la pressurisation, et vous voulez me faire croire que vous ne l'avez pas compris ? » Les autres s'écartèrent du passage et il se retrouva devant la petite hôtesse, la dominant de toute sa taille, mains sur les hanches, le regard dur et coléreux.

« Qu'est-ce qu'il est en train de nous faire, Janie ? RÉPONDEZ ! »

Elle secoua la tête, tendant les mains en un geste implorant de frustration. « Je n'en ai aucune idée, aucune ! Sincèrement ! Mes oreilles me font mal, à moi aussi. Soit nous montons, soit... soit...

– Soit quoi ? » lui renvoya Brian, la respiration de plus en plus rapide.

Janie sentit sa propre respiration accélérer, mais pas parce qu'elle avait peur. Quelque chose n'allait pas du tout, mais le phénomène était progressif ; il ne pouvait donc s'agir d'une dépressurisation brutale.

« Attendez », dit-elle avec un geste vers l'entrée de l'office. Elle passa devant lui et écarta les rideaux pour regarder à son tour les passagers. Il y en avait environ une vingtaine qui dormaient, constata-t-elle. C'est alors que, sous ses yeux, la tête d'une femme âgée assise au premier rang s'affaissa de côté, comme si elle était prise d'une brusque somnolence.

Janie lâcha le rideau et sentit une boule commencer à lui nouer l'estomac. Elle fit demi-tour pour partir dans la direction de la première classe, écarta le rideau et regarda si les masques à oxygène n'avaient pas commencé à tomber.

Au fait, quand tombent-ils ? se demanda-t-elle. La réponse, répétée au cours d'années de formation continue, lui vint tout de suite à l'esprit. *À douze mille pieds, bien entendu. Quand la cabine atteint douze mille pieds, les masques se déploient automatiquement. Mais on peut parfaitement bien respirer en dessous de douze mille pieds. Et donc, s'ils ne se sont pas déployés...*

Elle se tourna pour faire de nouveau face à Brian et aux deux autres hommes. « Est-ce que vous n'avez pas la tête qui tourne ?

— Si, dit l'un des deux nouveaux arrivants.

— Moi aussi, je crois », ajouta l'autre.

Logan les regarda, puis se tourna vers Janie. « Il nous dépressurise, n'est-ce pas ? »

Elle hocha la tête, lentement et à contrecœur, incapable de répondre autrement. Il était inutile de mentir, estimait-elle. Si le phénomène continuait, les masques allaient tomber d'une seconde à l'autre. « C'est bien possible, dit-elle, bien que les masques ne se soient pas déployés. Nous devons donc être à une altitude-cabine inférieure à douze mille pieds. » Elle leur expliqua rapidement le mécanisme. « Pas de masque, pas de problème. On peut avoir plus ou moins le tournis, mais il ne peut pas provoquer d'évanouissement par manque d'oxygène, sauf si l'altitude-cabine est beaucoup plus élevée. Une altitude-cabine de vingt-cinq mille pieds, par exemple, serait très problématique ; mais même là, on pourrait tenir sans difficulté une demi-heure sans masque et peut-être une heure avec de l'oxygène. Bien entendu, s'il fait monter l'altitude-cabine au-dessus de vingt-huit mille pieds, c'est une autre histoire.

— Pourquoi vingt-huit mille ? » voulut savoir Brian.

Janie se mordit la lèvre et le regarda, consciente de tout

déballer. Mais c'était le b.a.-ba de la physiologie des transports aériens ; elle se rappela la séance de formation à l'altitude de l'Air Force qu'elle avait suivie jadis, sur l'insistance de son petit ami de l'époque, lui-même pilote de chasse. Il estimait indispensable qu'elle ait ces connaissances, si elle devait passer une bonne partie de sa vie à plus de trente mille pieds du sol, et il avait été stupéfait que cette formation ne soit pas obligatoire pour tout le personnel de cabine.

« Au-dessus de vingt-huit mille pieds, reprit Janie, il nous faudrait de l'oxygène sous pression, avec des masques spéciaux et des détendeurs, comme ceux des pilotes. L'oxygène n'est pas sous pression dans les masques des passagers. Si bien qu'au-dessus de cette altitude, nous perdrions connaissance au bout d'environ une minute.

Trois autres passagers, deux hommes et une femme, franchirent les rideaux de séparation, et Logan se tourna vers eux. « Avez-vous trouvé un autre pilote, là-derrière ? »

Les trois nouveaux venus secouèrent négativement la tête. « Nous avons demandé à tout le monde, dit la femme. Il y a bien deux brevetés en classe éco, mais ils n'ont jamais piloté que des monomoteurs. Ils affirment qu'ils seraient incapables de prendre les commandes d'un jumbo. »

Janie reconnut l'un des hommes comme étant un passager du vol Chicago-Londres. Il avait mis du temps à se mettre en colère, mais il était venu la voir vers la fin du trajet pour se plaindre de l'attitude de l'équipage et elle l'avait aidé à rédiger sa lettre de réclamation. Il portait un nom très courant... Brown, oui, c'était ça, Dan Brown.

« Vous avez bien dit à ce cinglé de se rendre au Cap, n'est-ce pas ? demanda Brown. Et voilà qu'il nous défie et met cap au nord.

– Oui. Mais nous avons un autre problème. »

Logan expliqua alors pour quelle raison la pression baissait en cabine.

« Il ne nous reste plus qu'à monter là-haut et à l'affronter, commenta Dan Brown.

– Il prétend qu'il a une arme et que la porte est blindée », objecta Brian tout en regardant inconsciemment vers le plafond, pendant que sa respiration s'accélérait. Puis il se tourna vers Janie, l'air accusateur. « Ça donne l'impression d'avoir largement dépassé les douze mille pieds. »

Janie jeta un nouveau coup d'œil dans la cabine, entre les rideaux, mais aucun masque n'était encore tombé, ce qu'elle dit à Brian. « Nous ne pouvons donc pas être au-dessus d'une altitude-cabine de douze mille pieds. Il doit sans doute essayer de nous rendre tous somnolents, mais je ne peux pas croire qu'il cherche à nous rendre inconscients.

– Moi, je le peux, rétorqua Logan. Auriez-vous oublié que c'est ce même type qui a laissé son copilote pour mort, il n'y a pas une heure ? »

Janie regarda le petit groupe qui l'entourait, et ce fut un mélange de panique et de colère qu'elle déchiffra dans leurs yeux.

« Je me sens déjà en hypoxie, reprit Brian. Janie ? Êtes-vous sûre que le système qui fait tomber les masques est automatique ?

– Oui, répondit l'hôtesse, tout en réfléchissant à toute vitesse.

– Mais comment ça marche ? Comment leur chute est-elle déclenchée ?

– Électriquement, peut-être. Je ne suis pas sûre. »

Brian la regarda pendant plusieurs longues secondes.

« Si le système est électrique, fit remarquer Dan Brown, il est forcément protégé par un coupe-circuit.

– Probablement, admit Janie.

– Situé dans le cockpit ? demanda Brian.

– Je... je ne sais pas. C'est possible. La plupart des choses sont contrôlées depuis le cockpit. Sauf le matériel des offices, bien entendu.

– Ça doit être ça, murmura Brian, qui haletait et se sentait de plus en plus faible. Cette ordure a débranché le coupe-circuit, si bien que les masques ne peuvent pas tomber. Il va faire monter l'altitude-cabine jusqu'à ce qu'on se retrouve tous dans les pommes par hypoxie, ajouta-t-il en se tournant vers les autres.

– Qu'est-ce que c'est ? demanda Brown.

– Manque d'oxygène dans le sang. Se traduit tout d'abord par de la confusion, puis par une perte de conscience. L'hypoxie prolongée peut entraîner des dégâts au cerveau... et finalement la mort cérébrale. »

La stupéfaction se peignit sur le visage de Brown. Brian

314

éleva alors la voix pour que tous ceux qui étaient rassemblés autour de lui l'entendent.

« OK. Voilà quel doit être son plan : dépressuriser la cabine jusqu'à ce qu'on soit tous évanouis. Il ne sait probablement pas qu'il risque de nous tuer.

– Brian..., commença Janie, mais le médecin l'interrompit.

– Vous avez des bouteilles d'oxygène individuelles quelque part, non ?

– Oui, mais pas beaucoup.

– Où sont-elles ? »

Janie secoua la tête. « Écoutez, Brian, commençons par l'appeler...

– Non. On n'a plus le temps. Il n'écouterait pas. Il faut agir tout de suite.

– Il est armé, fit remarquer Janie. Je vous le répète, une bagarre avec le seul et unique pilote que nous avons à bord serait de la folie. Et de toute façon, vous n'arriverez jamais à franchir cette porte. Vous avez entendu ces gens : il n'y a pas d'autre... » Elle s'interrompit brusquement, se souvenant de Robert MacNaughton. Le moment était venu de parler de lui, comprit-elle.

« Nous sommes de toute façon tous morts là-dedans, s'il continue comme ça », disait Brian Logan, pour justifier sa tentative de prendre le contrôle de l'appareil par la force ; les autres l'écoutaient et acquiesçaient de plus en plus. L'étroit espace de l'office ne suffisait plus aux passagers qui s'y pressaient ; tous respiraient de plus en plus vite, tous étaient de plus en plus angoissés.

La main de Logan se referma fermement sur le bras de Janie. « La situation est des plus graves ! L'altitude-cabine a probablement déjà dépassé les dix-huit mille pieds. Il n'a peut-être pas conscience de ce qu'il fait, mais si nous y restons trop longtemps, c'est un appareil rempli de cadavres qu'il pilotera.

– Que voulez-vous dire, docteur ? demanda l'un des derniers arrivés, un homme au visage empourpré.

– Vous vous rappelez l'histoire de golfeur dans un avion en perdition, Payne Stewart ? »

Tout le monde acquiesça.

« Pareil. »

La sonnerie du téléphone de bord retentit. C'était un

appel de l'office de queue, et Janie, par habitude, souleva le combiné. Une voix familière et plaintive lui parvint. « Janie ? Ella s'est évanouie et nous sous sentons toutes très mal. Qu'est-ce qui se passe ? Les masques ne sont pas tombés, et pourtant on dirait une décompression rapide.

– Sortez les bouteilles d'oxygène et asseyez-vous. Respirez tour à tour », lui ordonna Janie. Puis elle coupa la communication et composa le code du cockpit.

La sonnerie électronique se prolongea, mais personne ne décrocha.

« Vous l'avez appelé mais il ne veut pas répondre, c'est ça ? » demanda Brian.

Elle acquiesça et s'apprêtait à reposer le combiné lorsque Logan le lui prit des mains, composant de mémoire le code de la PA.

Commandant ? Si vous m'entendez, je suis le Dr Logan. Nous avons compris ce que vous essayez de faire avec la pressurisation. Soit vous arrêtez immédiatement et repressurisez la cabine, soit nous enfonçons la porte du cockpit et nous vous sautons dessus. Est-ce assez clair, espèce de salopard ? Pressurisez la cabine ! Tout de suite !

Le médecin attendit quelques instants, puis, après avoir ouvert les rideaux, porta de nouveau le micro à sa bouche.

Mes amis, le commandant essaie de nous faire perdre conscience en jouant sur la pressurisation. C'est ce que vous ressentez. En d'autres termes, il essaie de nous tuer.

L'écho de ces paroles eut l'air de se prolonger dans la vaste cabine du 747, tandis qu'il remettait le combiné en place. Logan se rendait parfaitement compte que ses déclarations avaient dû terrifier les passagers du Meridian 6.

« Allons nous occuper de ce fils de pute », gronda l'un des hommes.

Janie se tourna vers lui, haletante, mais le ton plus dur. « Et ensuite, qu'est-ce que vous ferez ? »

C'est Brian qui répondit à la place de l'homme, posant une main apaisante sur l'épaule de l'hôtesse. « Si nous arrivons à trouver le coupe-circuit qu'il a débranché, nous pourrons déjà faire tomber les masques, avant de rétablir la pressurisation de la cabine.

— Attendez une minute, attendez ! Il y a peut-être une autre solution. Je reviens tout de suite. »

Brian la suivit un instant des yeux, puis revint vers les autres. « Très bien. Retournez tous en cabine et ouvrez les compartiments en hauteur. Ramenez-moi toutes les bouteilles d'oxygène que vous trouverez. »

Dan Brown et quatre autres passagers se dispersèrent aussitôt dans la cabine principale ; Logan se retourna et eut juste le temps de voir la silhouette féminine de Janie Bretsen disparaître en première classe. Il eut un bref éclair de perplexité, pendant lequel il s'étonna qu'un cerveau à court d'oxygène ait pu prêter soudainement attention à une image aussi agréable, tout en se demandant pourquoi elle paraissait avoir du mal à conserver l'équilibre.

Janie s'arrêta à l'arrière de la section de première classe, ouvrit un compartiment en hauteur, en retira une bouteille à oxygène et un masque, puis se dirigea rapidement vers Mac-Naughton, qui dormait dans son siège. Elle s'agenouilla à côté de lui et le secoua par l'épaule. Il bougea, mais faiblement, et elle fut traversée par une bouffée d'inquiétude ; elle se remit à le secouer, de plus en plus fort.

Finalement, MacNaughton se réveilla en sursaut. « Oui ?

— Mr MacNaughton ? C'est Janie Bretsen.

— Oui ? » Il se redressa et se frotta les yeux. « Je me sens tout bizarre.

— Vous avez dit que vous étiez qualifié pour piloter sur 737, n'est-ce pas ? »

Il la regarda et acquiesça lentement. « Qu'est-ce qui se passe ?

— Rien, pour l'instant, mais nous manquons de temps. Il est vraiment devenu fou, là-haut. » Elle lui résuma rapidement la situation. « Si jamais ils réussissent à enfoncer la porte du cockpit, vous êtes la seule chance qui nous reste.

— Vous voulez... que je prenne les commandes ?

— Oui, monsieur.

— Cela pourrait être considéré comme un acte de piraterie aérienne caractérisé, vous comprenez.

— Oui, monsieur. J'en ai conscience. Mais je fais ce que je peux pour essayer de contrôler les événements, et...

– Curieuse manière de les contrôler pour un membre du personnel de cabine », dit-il, se frottant toujours les yeux.

Janie se redressa brusquement, et se sentit osciller sur place, frappée par la justesse de cette observation. *Mon Dieu, à quoi je pense ?*

« Ne bougez pas. Je reviens tout de suite. » Elle dut faire un effort pour retourner à l'office, laissant la bouteille d'oxygène sur le siège à côté de MacNaughton. Elle se fraya un chemin jusque dans le minuscule espace et trouva Brian Logan qui tenait une bouteille à oxygène et s'apprêtait à enfiler un masque.

« OK, Janie. Nous montons. C'était quoi, ce truc urgent à faire ? » demanda-t-il avec un geste vers la première classe.

Elle ignora la question et se força à prendre le téléphone de bord. Elle dut s'y reprendre à plusieurs reprises avant de composer correctement le code du cockpit. Ses doigts lui obéissaient mal, et sa frustration se diluait progressivement dans le brouillard qui l'envahissait.

Phil Knight, cette fois-ci, décrocha à la deuxième sonnerie.

« Oui ? dit le commandant d'une voix manifestement assourdie par un masque à oxygène.

– Euh... commandant ? » commença-t-elle, haletante. À cet instant, Brian glissa le masque entre sa bouche et le micro. Elle respira profondément à plusieurs reprises, se demandant pourquoi, tout d'un coup, les couleurs semblaient plus brillantes autour d'elle. Puis elle repoussa le masque. « Ici, Janie Bretsen, commandant, de votre personnel de cabine.

– Oh, de *mon* personnel de cabine ? J'ai entendu votre annonce, Bretsen. Vous êtes virée. Jamais entendu prononcer le mot *mutinerie* ?

– Commandant, vous devez faire redescendre l'altitude-cabine. Tout de suite. Ils ont compris votre intention, et si vous ne le faites pas, il y a un groupe qui va monter là-haut. Je ne pourrai absolument rien faire pour les arrêter.

– Le premier qui commence à taper contre cette porte recevra une balle dans la poitrine. Expliquez-leur ça. »

Elle ne tint aucun compte de la menace.

« Vous allez finir par tuer des passagers, commandant. Certains se sont déjà évanouis. Vous ne pouvez pas faire ça !

– Et comment que si, je le peux ! » aboya-t-il.

Elle se sentit de nouveau hors d'haleine. La cabine était

de plus en plus froide. Elle essayait de trouver comment répliquer, comment le convaincre. Elle sentait une colère sourde monter en elle, et sa voix prit des intonations étranges lorsqu'elle éleva la voix dans le combiné, criant presque : « ÉCOUTEZ-MOI, BON DIEU ! J'ESSAIE D'ENDIGUER LA RAGE QUI MONTE AUTOUR DE MOI ! »

Les passagers qui l'entouraient eurent un mouvement de recul devant la férocité avec laquelle elle s'était exprimée. Elle sentit de nouveau la tête lui tourner, et elle s'obligea à reprendre un ton normal. « Commandant ! Je fais tout ce que je peux, tout, mais je perds le contrôle de ces gens, et ils vont s'en prendre à vous si vous vous entêtez... sans compter qu'il y a autre chose que vous devez savoir.

– Et quoi donc ? répliqua Knight d'un ton méprisant.

– Nous avons un autre pilote de Boeing à bord, prêt à prendre votre place si vous n'écoutez pas. »

Il y eut un simple *clic* à l'autre bout du fil, et elle prit conscience du silence qui l'entourait soudain.

« Vous avez trouvé un autre pilote ? demanda un Brian Logan incrédule. Qui ça ? »

Elle se tourna vers lui, essayant de décider ce qu'il fallait dire. MacNaughton se présenta à ce moment-là à l'entrée de l'office, équipé de la bouteille à oxygène et du masque.

« J'ai bien peur que ce ne soit de moi qu'elle parle, dit-il. Et à en juger par la vitesse à laquelle les gens tombent dans les pommes, ajouta-t-il avec un regard circulaire, je dirais qu'il ne nous reste que peu de temps. »

Brian étudia MacNaughton tout en prenant une longue bouffée d'oxygène avant de passer le masque à Janie. « L'altitude-cabine est probablement supérieure à vingt mille pieds, actuellement. D'après Janie, au-dessus de vingt-huit mille, nous sommes foutus.

– En gros, oui », répondit MacNaughton.

Brian regarda l'hôtesse. « Avez-vous la clef du cockpit ? »

Elle secoua la tête. « Nous ne l'avons plus. C'est devenu de l'histoire ancienne, depuis l'attaque du World Trade Center. Seuls les pilotes peuvent faire entrer quelqu'un dans le cockpit. Sans parler du détecteur d'empreinte manuelle.

– Dans ce cas, nous enfoncerons la porte. On y mettra le temps qu'il faut. Dès que nous nous serons assurés qu'il n'a pas d'arme, ajouta Brian en s'adressant à MacNaughton, vous

319

entrez, vous prenez le siège de droite et vous stabilisez les choses pendant que nous sortons le cul de cet enfoiré du siège de gauche.

– Je suis enclin à accepter, répondit Robert.

– C'est de la folie ! s'exclama Janie, regardant les deux hommes tour à tour. Et si jamais il coupait le pilotage automatique au moment où vous entrez ? Qu'est-ce qui se passerait ?

– Dans ce cas, je ne disposerais que de quelques secondes, dit Robert MacNaughton.

– Nous ne disposons déjà que de quelques secondes. Que tous les autres restent ici. » Il fit demi-tour et partit à grands pas vers l'escalier menant au pont supérieur, grimpant deux marches à la fois, suivi de MacNaughton et, plus difficilement, de Janie. Deux des autres hommes voulurent les accompagner, mais ils ralentirent bientôt ; le premier se laissa tomber sur la première marche, hors d'haleine, tandis que le deuxième glissait tranquillement au sol, inconscient.

Arrivé en haut, Brian se tourna et vit avec consternation que MacNaughton s'était immobilisé à mi-chemin.

« L'oxygène ! lui cria-t-il, lui faisant signe d'enfiler le masque et de brancher la bouteille. Enfilez votre masque ! »

L'homme d'affaires paraissait de plus en plus perplexe ; sa main droite – celle qui tenait le masque – hésitait, comme s'il ne savait qu'en faire. Janie arriva à ce moment-là derrière lui, elle aussi de plus en plus confuse.

« Je... je vais m'en occuper », dit-elle, haletante, prenant le masque des mains de MacNaughton. Elle brancha le détendeur, prit plusieurs grandes bouffées et posa ensuite le masque sur le nez de Robert.

Brian vit le président de l'English Petroleum qui reprenait peu à peu vie ; il tendit la main à Janie et l'aida à grimper les dernières marches avant de se tourner vers le cockpit.

Ils traversèrent rapidement la cabine et Brian, conscient du peu de temps qu'il leur restait, sentit son cœur battre plus fort. Il y avait des passagers inconscients tout autour d'eux. Arrivé à la porte, il brandit la bouteille d'oxygène en acier, lui fit décrire un grand arc et l'abattit sur la poignée.

Rien ne bougea, mais il entendit des cris de surprise en provenance de l'intérieur et s'écarta un instant, s'attendant à ce que des balles trouent le battant.

Rien.

Il abattit une deuxième fois la bouteille contre la poignée, mais sans plus de succès. Le coup ne l'avait même pas entamée.

Le gros jet s'inclina brusquement à gauche, ce qui projeta Brian dans l'autre direction. Il alla heurter lourdement la porte des toilettes et se laissa rouler au sol, tandis qu'augmentait l'angle d'inclinaison et que des objets commençaient à dégringoler vers la gauche. Il eut le temps d'apercevoir Janie qui s'agrippait à une rambarde et manquait de peu de perdre pied sous l'effet de l'inclinaison.

MacNaughton avait perdu l'équilibre avant d'avoir atteint le petit espace dégagé qui précédait le cockpit. Il moulina inutilement des bras, au ralenti, et sa bouteille d'oxygène se détacha de lui, bientôt suivie du masque, tandis qu'il tombait sans pouvoir se retenir, tête la première, contre la paroi de l'avion. La bouteille tomba sur le sol où elle se mit à rouler dans tous les sens.

Janie lâcha alors sa rambarde et se laissa glisser vers MacNaughton, agrippant le masque à oxygène au passage et réussissant à l'enfiler.

On ne voyait que l'obscurité la plus totale par les hublots, ce qui n'empêcha pas Logan d'avoir l'impression qu'ils volaient sur le dos. Cependant, Janie et MacNaughton étaient toujours allongés sur le sol, tandis que le mouvement de bascule continuait. Elle essaya de secouer l'homme d'affaires pour le réveiller, mais en vain. Elle se tourna alors vers Brian, secoua la tête et retira son masque, le temps de lui crier quelques mots.

« Il est dans les pommes ! Nous n'avons plus de pilote ! »

Il y eut le *clic* de la PA et la voix du commandant emplit la cabine.

OK... bon Dieu de Dieu... j'avertis celui qui cogne contre la porte du cockpit que j'exécuterai autant de manœuvres qu'il le faudra pour l'empêcher d'entrer... Et que s'il me fait faire encore un tonneau, l'appareil pourrait se briser en vol... et nous tuer tous. Personne ne rentrera dans ce cockpit ! Alors, DU BALAI ! C'est compris ? J'en ai plus qu'assez ! Je parle pour vous, Logan, et pour tous ceux qui sont là dehors !

Brian se sentait gagné par l'engourdissement, ce qui n'avait pas de sens. Il portait son masque et respirait de l'oxygène pur, mais il avait le cerveau rempli de coton et, apparemment, Janie, à quelques mètres de là, n'allait pas beaucoup mieux. Il voulut, en dépit de l'avertissement, balancer une deuxième fois la bouteille contre la porte, mais le conteneur devenait anormalement lourd ; et lorsque son regard passa par hasard sur la petite jauge de pression, c'est d'une manière presque détachée qu'il se demanda par quelle étrange aberration l'aiguille se trouvait pratiquement sur zéro.

Il essaya de respirer plus fort dans le masque. L'oxygène venait, mais pas en assez grande quantité, et il fut soudain traversé par un frisson glacé. Il perdait sa concentration, il dérivait, et ça lui paraissait sans importance. Au fait, qu'est-ce qu'il essayait de faire ?

Le cockpit ! Ouais, il faut que... que j'y entre ! pensa-t-il. C'était sa mission, mais il avait du mal à simplement formuler la chose dans son esprit. Il était question d'une bouteille, mais il avait oublié ce qu'il devait en faire. Il se laissa glisser sur le sol, appuyé contre la paroi. Il se sentait assez bien, au fond. Détendu.

Pas de souci, vieux ! Qui a dit ça ?

La porte. Une porte, quelque part. Il devait balancer cette bouteille d'une tonne contre une porte, ou contre quelque chose.

Mais, décida-t-il, ça ne lui ferait pas de mal de commencer par un petit somme.

36

William Sanderson, chef d'état-major à la Maison-Blanche et ex-amiral d'escadre de la Navy, fidèle à ses habitudes, fit son apparition en salle de crise avant l'heure à laquelle il avait dit qu'il arriverait.

Son équipe, cependant, ne fut pas prise au dépourvu, ayant appris depuis des mois que, où que soit attendu le chef d'état-major, il arriverait avant l'heure, aussi discret et furtif qu'un bombardier du même nom.

Sanderson se glissa sur le siège vide, au bout de la petite table de briefing ; la salle elle-même, située dans le sous-sol, n'était pas très grande. Il eut un geste vers le mur d'écrans et d'appareillage électronique sur lequel clignotaient des images en direct ultra-confidentielles et encore brouillées, en provenance de Chantilly.

« Je connais l'essentiel, dit-il. Qu'est-ce qui fait penser à Langley et au NRO qu'il pourrait s'agir d'un cheval de Troie ? »

Le patron de la cellule de crise fit glisser plusieurs feuilles portant le coup de tampon rouge « secret défense » devant le chef d'état-major.

« Monsieur, voici les données qui viennent renforcer les conclusions initiales. D'après Langley, le général Onitsa aurait conclu une sorte d'accord, mais nous ignorons avec qui. Jusqu'ici, il n'avait jamais flirté avec les terroristes et ne s'était jamais mis dans notre collimateur. Mais s'il y a bien eu arrangement, cela veut dire qu'il retient trois cent vingt otages et que l'organisation dans le coup avec lui dispose d'un endroit, quelque part, où elle a pu préparer un appareil commercial, portant un numéro de vol authentique, en l'équipant d'une arme de destruction massive quelconque. Nous avons la preuve, grâce aux photos satellites, que les passagers sont bien au sol et retenus en otages ; des photos, aussi, de deux pilotes morts restés sur la piste, alors que l'appareil n'en comptait pas d'autre. Nous avons un 747 qui a repris l'air avec une panne de radio générale, qui n'arrête pas de balancer le code panne radio, et nous avons un message numérique d'une remarquable habileté dans lequel le commandant prétend que l'appareil aurait été détourné par les passagers qui, d'après Langley, sont encore au Nigeria. Et il y a quelques minutes à peine, le NRO nous a fait savoir qu'un de ses satellites aurait repéré des traces de matière fissile à bord de l'appareil.

— Comment ça ? Ils ont détecté un dégagement de neutrons ?

— Pas exactement, monsieur. Seulement quelques traces, mais qui pourraient provenir d'une charge bien protégée sur l'appareil ; ce n'est cependant peut-être rien du tout. En d'autres termes, cette information reste sujette à caution, mais il n'est pas impossible qu'il y ait une arme nucléaire dans l'avion. Le NRO signale aussi qu'aucune trace de matériel nucléaire sur l'aéroport nigérian n'a été repérée avant l'atterrissage. Mais évidemment, il a pu être très bien protégé.

— N'en tirons aucune conclusion tant qu'il n'y aura pas confirmation dans un sens ou dans l'autre, observa le chef d'état-major. Il pourrait tout aussi bien transporter des armes bactériologiques ou chimiques.

— En conclusion, poursuivit le directeur de la cellule de crise, Langley recommande d'informer immédiatement le président. »

L'amiral releva brusquement la tête des papiers qu'il examinait. « Et pour lui demander quoi ?

— L'autorisation d'alerter l'OTAN et le SHAPE, ainsi que

les Israéliens, au cas où l'appareil mettrait brusquement cap à l'est, l'autorisation de permettre au Département d'État de contacter tous les pays, en Europe, pouvant se trouver sur l'itinéraire du 747.

– Ça fait du monde, marmonna Sanderson en revenant à ses papiers. Je vois que le Dr Onitsa a déjà présenté ses exigences. Qu'est-ce que les Nigérians comptent faire ?

– Ils attendent de savoir si nous voulons donner l'argent. Sinon, ils attendront de voir ce qu'Onitsa exige des militaires. Le premier délai – celui de la demande de rançon – expire dans quelques minutes.

– Et le Pentagone, dans tout ça ?

– Il attend la suite, amiral, et il a alerté la VIIᵉ Flotte, en Méditerranée, juste au cas où. »

Sanderson releva de nouveau les yeux et sourit. « Bien. Nous en aurons peut-être besoin, en effet. L'*Enterprise* est déjà sur site, ainsi que l'*Eisenhower* et... j'ai oublié lequel.

– Chef des opérations navales un jour, chef des opérations navales...

– Toujours, et comment ! l'interrompit l'amiral en rendant les papiers au directeur. Parfait, où se trouve *Air Force One*[1], à l'heure actuelle ?

– D'après les Trans, près de Des Moines. Le président est en ce moment en ligne avec son épouse.

– Interrompez-les, raccordez-vous et que le Pentagone soit prêt à le briefer dans la seconde qui suit. Vous savez qu'il a l'habitude de me demander tout de suite ce qu'en pense le Pentagone ? Eh bien, si jamais nous devons abattre un appareil commercial américain au-dessus de la Méditerranée, je tiens à ce que tout soit bien clair dès le début. »

Le directeur hésita. Manifestement, il ne s'était pas attendu à une telle perspective. « Vous... vous pensez qu'on peut en arriver là ? »

William Sanderson se leva et alla se préparer une tasse de café (la machine était placée sur une petite table, dans un coin de la pièce) avant de répondre par-dessus son épaule.

« Si nous ne pouvons être à cent pour cent certains que cet appareil ne constitue pas une menace, nous risquons de ne pas avoir le choix. Le président a déjà donné l'autorisa-

---

1. Avion du président des États-Unis en fonction.

tion, d'avance, d'abattre un appareil civil au-dessus du territoire national, si nécessaire. Mais au moins, contrairement à ce vol de la Quantum, il y a quelques années, qu'on soupçonnait de transporter des virus, il n'y a pas de passagers à bord. C'est un souci de moins. »

Quartier général du NRO, Chantilly, Virginie
16 h 45, heure locale

George Zoffel fit pivoter sa chaise pour pouvoir regarder John Blaylock dans les yeux et lui montra l'écran principal, sur lequel on voyait l'image fantomatique du Meridian 6, suivi de ses quatre traînées de chaleur plus claires.

« Qu'en pensez-vous, John ? Est-ce bien une sorte de tonneau qu'il vient d'effectuer ? »

Blaylock acquiesça énergiquement. « Tout à fait. Et je vais vous dire un truc : vous ne trouverez jamais un pilote commercial assez cinglé pour exécuter ce genre d'acrobatie avec un 747, puis virer à des angles aussi vertigineux. Le type qui est aux commandes n'est pas un gars de Meridian. Voilà qui nous en dit davantage que toutes vos images de pilotes morts sur la piste ou que les ultimatums d'Onitsa.

— Vous avez été vous-même commandant de bord sur 747, n'est-ce pas ?

— Oui, et plus longtemps que je n'ai envie de l'admettre. Il est *possible* de faire un tonneau avec cet appareil. Ce n'est pas le problème. Le problème, c'est que pas un pilote de 747 ne le ferait volontairement. »

C'est un David Byrd très attentif qui se pencha vers les deux hommes et leva un doigt.

« Vous avez un commentaire à faire, colonel ? lui demanda Sandra Collings.

— Eh bien... je ne suis qu'un simple observateur, ici, mais il y a quelque chose de très troublant dans tout ça, me semble-t-il.

— On vous écoute.

— Tout d'abord... imaginons qu'il y ait une révolte des passagers à bord. Un tonneau est-il une manœuvre totalement

326

impensable, si un affrontement violent est en cours ? Rappelez-vous : le jour de l'attaque sur le Pentagone et New York, un groupe de passagers héroïques s'est attaqué aux pirates qui avaient pris les commandes et a réussi à faire s'écraser l'avion ailleurs que sur sa cible.

— Je vois mal comment on pourrait avoir une révolte de passagers sans passagers, colonel », objecta Sandra avec un geste vers un écran où l'on voyait, en plan fixe, le camp du général Onitsa et les bus alignés.

David soupira, parcourut une fois de plus l'image des yeux et se tourna vers Sandra. « D'accord, mais... il se trouve que je ne suis pas totalement convaincu que les passagers aient débarqué. Nous ne les avons pas vus descendre de l'avion. Nous ne les avons pas vus monter dans les bus – même si tout cela, techniquement, a pu se faire entre deux passages de satellite. De plus, si le général Onitsa s'est entendu avec notre mystérieux Groupe X, il est évident que le groupe en question ne cherchait pas simplement à s'emparer d'un 747... un engin assez difficile à cacher, au demeurant. Dans ce cas, quels sont ses objectifs ?

— Son objectif le plus évident est celui que nous soupçonnons déjà, observa Sandra. Tirer parti du fait qu'il s'agit d'un appareil commercial dûment enregistré, sur un vol régulier, et simuler une situation critique comme diversion pour transporter une arme quelconque. C'est une idée géniale, d'autant plus convaincante qu'ils se sont arrangés pour donner l'impression qu'il y a un malheureux pilote seul à bord, devant faire face à une révolte de passagers tout en cherchant un endroit où se poser d'urgence.

— Oui, mais attendez un peu, dit David, montrant l'écran. Là-dessus, on a la confirmation visuelle que les passagers ne sont pas à bord. C'est bien ça ?

— C'est bien ça, répondit Zoffel.

— Bon. Cependant, si le plan d'Onitsa était de s'emparer des passagers et de l'équipage pour les échanger par la suite contre une rançon, son associé, le Groupe X, savait qu'il allait le faire. Après tout, tel était l'avantage que retirait Onitsa de leur accord : les otages en échange de concessions et d'argent de la part du Nigeria. Autrement dit, le Groupe X savait qu'Onitsa, à un moment ou un autre, allait proclamer *urbi et orbi* que le 747 dont ils venaient tout juste de s'emparer n'avait plus personne à bord, sauf des pilotes. Or, que fait le Groupe X ? Il envoie un communiqué, très soigneusement rédigé, qui prétend qu'il y a une émeute de passagers et que ceux-ci se sont emparés de l'appareil, ce qui, je l'admets, est très habile et sans précédent. Mais au même moment, leur stratagème est dévoilé et complètement discrédité par la déclaration d'Onitsa, disant qu'il détient les passagers en question comme otages ! Ma question est donc : pourquoi le Groupe X se mettrait-il dans une telle situation d'échec ?

– Qui dit qu'ils sont en situation d'échec ? demanda George Zoffel. Ils ont déjà réussi à capter toute notre attention.

– Certes, mais que souhaitent-ils nous faire croire ? Vous voyez bien que quelque chose cloche dans notre raisonnement. »

Jusqu'ici, Blaylock s'était contenté de sourire et de garder le silence ; mais soudain, il se mit à pouffer et David se tourna vers lui, légèrement irrité.

« Qu'est-ce qu'il y a, John ? »

Blaylock secoua la tête. « Je suis désolé... ce n'est pas vous, David... c'est le général Onitsa. Ou plutôt, le *docteur* Onitsa.

– Je ne comprends pas, dit David, réprimant sa mauvaise humeur devant ce qui semblait être de la suffisance de la part de son aîné. Je sais parfaitement que je suis un bleu, en matière de renseignement au niveau international, mais la logique est la logique. »

Blaylock regarda la table et s'éclaircit la gorge. Son sourire s'évanouit, et il ne riait plus. « Je connais l'histoire de ce type et sa personnalité. Ce bon docteur est un maître dans l'art de duper et doubler les gens, et il est bien trop intelligent pour se mettre en un instant les États-Unis à dos alors qu'il est en opération. Qu'est-ce qu'il fabrique, dans ce cas-là ? Je suis prêt à parier un B-1 qu'il a roulé le Groupe X dans la farine, prêt à parier aussi que le Groupe X ne s'en doute même pas encore.

– Cette fois, je n'y comprends plus rien du tout, avoua David.

– Moi non plus, je ne comprends pas, ajouta Zoffel avec un sourire madré. Vous ne possédez pas de B-1, que je sache, John ?

– Bien sûr que si, répliqua Blaylock. C'est le plus beau modèle réduit sorti de mon atelier. »

Il se leva et se redressa de toute sa hauteur, puis eut un mouvement de tête vers l'écran où l'on voyait le 747 continuer sa route vers le nord. « C'est un plan d'une grande habileté, mesdames et messieurs. Le Groupe X, comme vous dites, a décidé de libérer un agent biologique, ou de faire sauter une bombe atomique, au-dessus d'une grande ville européenne. Je pencherais pour l'arme biologique. Les pilotes ne sont probablement pas suicidaires. Ils ne savent probablement pas non plus ce qu'ils transportent, ou ce qui va se passer. Mais pour que la mission aboutisse, il faut la dissimuler derrière, l'écran de fumée qu'ils ont essayé de créer, à savoir qu'il y a une émeute de passagers à bord et que le pilote est assiégé dans son cockpit, dans lequel il s'est barricadé avec, comme c'est pratique, une hôtesse de l'air. Il ne fait aucun doute qu'Onitsa a promis-juré au Groupe X, quand ils ont conclu leur marché, qu'il attendrait qu'ils aient balancé leur anthrax ou fait sauter leur bombe avant de présenter ses exigences au gouvernement du Nigeria, détruisant ainsi l'illusion que les passagers étaient à bord. À ce moment-là, le sort des passagers aurait peu importé au Groupe X. Leur mission aurait été accomplie. Les États-Unis, par ailleurs – soit qu'ils aient à déplorer la mort de millions de personnes, soit qu'ils craignent que la pandémie ne fasse à peu près autant de victimes – seraient tout particulièrement soulagés d'apprendre que les trois cents passagers de Meridian sont en fait en vie au Nigeria. Je nous connais, et nous serions prêts à payer n'importe quoi pour les récupérer. Onitsa a son argent, les passagers sont libérés, et le Groupe X peut tranquillement faire disparaître quelques millions de personnes à Rome, Genève ou Londres et repasser dans la clandestinité après avoir montré du doigt Bagdad ou Téhéran, espérant avoir semé la panique et la pagaille dans la population civile et porté un coup sérieux à la coalition mondiale contre le terrorisme. Voilà qui pourrait servir de base à l'accord conclu par Onitsa. » Blaylock s'était mis à faire les cent pas à travers la pièce. Il eut un geste théâtral. « Mais...

– Je me doutais qu'il allait y avoir un *mais*, le coupa Sandra avec un clin d'œil en direction de David. Il y a toujours un *mais* avec ce cher John.

— Ayez la bonté de ne pas interrompre vos aînés, ma jeune dame, rétorqua Blaylock avec un clin d'œil, levant le doigt pour réaccaparer la parole. Mais notre petit malin de Dr Onitsa a un défaut qui, jusqu'ici, lui a été fatal : il soigne... il est médecin ! Cet homme qui a prêté le serment d'Hippocrate s'est donné pour mission de sauver son peuple. Il n'aime pas vraiment tuer, même s'il sait fort bien s'y résigner, à l'occasion. C'est avant tout un grand comédien et, militairement, un bon tacticien ; il a réussi à se tailler une réputation de terrible tueur sanguinaire, alors qu'en réalité il a épargné autant de vies qu'il a pu, depuis la guerre civile qu'il a déclenchée, il y a huit ans de cela. Rayer Londres, Genève ou Paris de la carte ne le séduit guère : il aime ces villes et l'Europe, d'une manière générale.

— Vous voulez dire..., commença David.

— ... qu'il sait exactement quels sont les projets meurtriers du Groupe X, et qu'il a intentionnellement avancé sa demande de rançon auprès du gouvernement nigérian, car il savait que nous serions au courant et mis aussitôt sur l'affaire. Il sait enfin que nous comprendrions que le 747 est devenu une bombe à retardement volante bien avant qu'il atteigne les rives méridionales de la Méditerranée.

— Il y a un autre point pas très clair, John, objecta Zoffel. Comment s'y sont-ils pris pour récupérer l'appareil ? Comment diable ont-ils fait pour convaincre deux pilotes d'aller se poser sur un aéroport au fin fond de la jungle, comme Katsina ?

— Ça paraît assez évident, George. Ils se sont débrouillés pour déclencher un quelconque problème de maintenance juste au bon moment, pendant le survol du Nigeria, ou alors l'un des appareils de chasse nigérians tombés entre leurs mains a détruit un de ses moteurs — mais ça, je n'y crois pas. Trop risqué. Sans doute disposaient-ils d'un émetteur radio plus puissant que ceux des tours de contrôle du Nigeria et ont-ils ainsi dirigé l'appareil vers Katsina. Dans un cas comme dans l'autre, ils étaient obligés de supprimer les pilotes, une fois au sol, même si Onitsa et le Groupe X ont un peu salopé le boulot en ne tenant pas compte de nos satellites. »

George Zoffel acquiesçait. « Ça tient à peu près debout pour l'essentiel — non, tout tient debout.

— Ainsi, grâce à l'aimable concours du docteur-général

Onitsa, nous pouvons maintenant abattre le 747 vide dès qu'il survolera la mer, ce qui signifie que, d'une manière plutôt tordue, Jean Onitsa est devenu notre allié objectif. Quant à moi, ajouta-t-il en écartant les bras et en faisant une petite courbette, je conclurai là-dessus. Merci de votre attention. »

Zoffel et Sandra Collings se mirent à rire et à applaudir à petits coups, bientôt imités par David Byrd. Mais si ce dernier était plutôt épaté par le démontage de la machination, la démonstration lui paraissait garder une certaine incohérence, sans qu'il puisse dire en quoi.

« C'est pour cette raison que mes services valent si cher, mes amis, dit John, même si je préférerais de beaucoup être payé en nature... par quelques blondes. »

Sandra se racla la gorge et roula des yeux, faisant pivoter son siège pour se retrouver face au mur d'écrans, tandis que Zoffel décrochait la ligne directe pour la salle de crise de la Maison-Blanche.

« Vous allez raconter tout ça là-bas ? » demanda Blaylock.

Zoffel acquiesça.

« Parfait. Dites-leur que si on s'est trompés, c'est la faute d'un colonel du nom de Byrd. Un bleu. »

37

À bord du vol Meridian 6
22 h 45, heure du bord

Plusieurs minutes s'étaient écoulées depuis le coup violent frappé contre la porte du cockpit. Phil Knight se tourna vers Judy Jackson. L'hôtesse ouvrait de grands yeux remplis de peur par-dessus le masque à oxygène qui lui recouvrait la bouche et le nez, et elle s'agrippait à la hache qu'elle tenait toujours sur les genoux.

Knight se pencha alors dans l'autre direction pour régler le débit d'oxygène de Judy sur cent pour cent, comme pour lui-même ; il voulait être sûr qu'elle resterait consciente.

Il consulta à nouveau les contrôles de pressurisation. L'altitude-cabine venait juste de dépasser les trente mille pieds et sa respiration lui faisait un effet bizarre, comme si l'oxygène forçait le passage de ses poumons et l'obligeait à exhaler à chaque fois par un effort conscient. Il avait entendu parler de ce phénomène au cours de sa formation, sous les termes de « pression positive » et de « respiration inversée », mais il avait oublié les détails.

Le contrôle de la pressurisation en cabine était en position manuelle, et il le modifia légèrement, jusqu'à ce que la grosse vanne de régulation à l'arrière de l'appareil, en se fermant légèrement, ramène la vitesse ascensionnelle de la cabine à zéro. Trente mille pieds, c'était largement suffisant, supposait-il. Encore à peu près dix minutes sans supplément d'oxygène, et même les bouteilles individuelles seraient vides ; seuls lui et Judy Jackson seraient réveillés. Il enverrait alors l'hôtesse passer les menottes en plastique à Logan et l'immobiliser. Il avait vu le médecin sur l'écran de contrôle, quand il avait inutilement tenté d'enfoncer la porte et il le voyait encore, effondré sur le sol du petit espace dégagé.

Knight s'intéressa alors au tableau de bord avant et à l'indicateur d'assiette. Ils étaient toujours inclinés sur l'aile de vingt-cinq degrés. Il ramena le 747 à un cap de trois cent cinquante degrés et rebrancha le pilotage automatique, le cœur battant encore comme si la porte allait subir un nouvel assaut.

Son œil fut attiré par quelque chose sur l'écran radar et il se rendit compte que, trop obnubilé par les événements qui venaient de se dérouler, cela faisait un moment qu'il ne l'avait pas consulté. Ils volaient à trente-neuf mille pieds et les puissantes ondes radar que le Boeing lançait dans la nuit lui renvoyaient des preuves électroniques manifestes de la présence d'énormes nuages d'orage à un peu plus de cent quatre-vingts milles. Sous ses yeux, une importante ligne nord-sud jaune, criblée de grosses taches rouges, s'étira sur l'écran, indiquant une activité de convection importante au-dessus du Sahara occidental. Autant de rouge, à une telle distance, ne pouvait signifier qu'une chose : la tempête était colossale. Il allait devoir la contourner.

Il tourna alors le bouton à droite, sur le tableau du pilotage automatique, se détournant de cinq, dix, puis vingt degrés de son cap initial, tout en étudiant l'écran radar pour être sûr que sa trajectoire passerait largement à l'est de la zone active. Le sommet de ces monstres atteignait couramment des altitudes supérieures à soixante mille pieds, et il en avait évité des milliers de fois, au-dessus du centre des États-Unis ; au-dessus du Sahara, se dit-il, ça ne pouvait être que pire.

Où sommes-nous exactement ? se demanda-t-il, s'apprêtant à consulter la carte aéronautique pour y renoncer presque aussitôt. C'était sans importance : il survolait un désert sans repères et se moquait bien du pays auquel il appartenait. Sans compter qu'il émettait régulièrement son code d'urgence et que tout le monde était dans l'obligation légale de lui laisser faire toutes les manœuvres qu'il jugerait nécessaires pour rejoindre le sol en toute sécurité.

De l'autre côté de la porte du cockpit, Brian Logan retrouva une vision normale des choses tandis qu'une bouffée d'oxygène forçait son chemin jusque dans ses poumons. Les couleurs se mirent à devenir éclatantes au fur et à mesure qu'il reprenait ses esprits, et il se rendit compte que quelqu'un pressait fortement un masque sur le bas de son visage.

C'est à ce moment qu'il croisa le regard de Janie Bretsen. Elle avait de grands yeux verts expressifs, observa-t-il, des yeux qu'on remarquait d'autant plus qu'un masque à oxygène dissimulait le reste de ses traits.

Elle écarta le masque, le temps de poser une question. « Vous m'entendez, Brian ? »

Il hocha la tête.

« Surtout, gardez votre masque. Nous respirons sous pression. Votre bouteille s'est vidée. » Elle remit son propre masque en place et inspira profondément, à plusieurs reprises, avant de le soulever à nouveau. « Nous ne disposons que de quelques minutes, s'il ne fait pas redescendre l'altitude-cabine. Nous devons être les deux derniers encore conscients. Il ne reste pas grand-chose dans les bouteilles. »

C'était au tour de Brian de parler, et l'apport d'oxygène frais dans son cerveau lui fit comprendre très clairement que tenter à nouveau de forcer la porte du cockpit ne ferait qu'affoler un peu plus le commandant et le pousser à se lancer dans de nouvelles acrobaties. Sans parler de cet ennuyeux détail : la serrure était toujours intacte. S'ils ne disposaient que de quelques minutes de conscience, négocier était la seule solution qu'il leur restait.

Il écarta son masque. « Où est le téléphone de bord, ici ? »

Janie regarda autour d'elle et en repéra un à quelques pas. Lui laissant la bouteille d'oxygène, elle se leva et décrocha.

« Gardez votre masque. Vous n'avez peut-être pas plus de trente secondes d'état conscient sans lui. »

Il acquiesça et remit son masque.

« Vous voulez l'appeler ? » demanda-t-elle avec un geste vers le cockpit.

Il hocha vigoureusement la tête. Elle composa le numéro et lui tendit le combiné.

Knight hésita à décrocher. Il estimait que tout au plus une ou deux hôtesses pouvaient être encore conscientes, tirant sur les dernières bouffées délivrées par leur bouteille d'oxygène, mais l'inquiétude le reprenait : peut-être avait-il mal calculé ? C'est cependant la curiosité qui l'emporta. Il porta le combiné à son oreille et eut la surprise d'entendre la voix de Logan. Il jeta un coup d'œil à l'écran de la vidéo. Le médecin avait disparu du champ de l'appareil.

« J'ai assez de bouteilles pour avoir le temps d'enfoncer cette porte et vous tuer sur place. D'autant qu'on a un autre pilote à bord capable de prendre votre place. Cependant. je préfère conclure un accord avec vous.

– Quoi ? demanda Knight après quelques secondes d'un silence tendu. Quel accord ?

– Ramenez l'altitude-cabine à dix mille pieds ou moins tout de suite et nous... nous vous ficherons la paix. Mais... vous devez aussi nous promettre que vous allez réellement à Londres, ou à un endroit acceptable par nous.

– Mais je vais à Londres, bon sang ! Je vous l'ai déjà dit.

– Et finies les acrobaties !

– Entendu.

– Branchez aussi les écrans... ceux avec les cartes qui indiquent où nous nous trouvons. Ainsi nous serons sûrs que vous ne nous racontez pas d'histoires.

– Je dois pouvoir faire ça.

– Alors... accord conclu ? » demanda Brian.

Nouveau silence, tandis que Knight essayait de calmer le tumulte de son esprit pour prendre l'offre en considération. Plus de tentative pour forcer sa porte en échange d'oxygène. Il risquait des ennuis très graves, si jamais un des passagers de Meridian l'attaquait en justice ; s'entendre avec Logan était peut-être une bonne solution.

« Bien compris, Logan, répondit finalement le pilote. Mais si jamais vous revenez sur votre parole, je coupe aussitôt la pressurisation et vous vous retrouverez directement à trente-neuf mille pieds. Vous vous évanouirez pratiquement sur-le-champ.

– Ouais. Je comprends. Bien entendu, je vous aurai rompu le cou avant, mais j'accepte. Alors, accord conclu ?

335

– Tant que vous le respecterez », dit Knight, loin d'avoir perdu toute méfiance. Il crut entendre le murmure d'une voix féminine, en fond sonore, évoquant les masques à oxygène des passagers. Puis la voix de Logan revint.

« Entendu. Dites-moi, vous avez agi sur le coupe-circuit des masques des passagers, non ?

– Oui, répondit Knight d'un ton hésitant.

– Rebranchez-les. »

Quelques secondes passèrent, puis un bruissement parcourut toute la cabine supérieure tandis qu'une forêt de masques à oxygène jaunes dégringolaient des panneaux supérieurs.

« C'est rebranché. Les masques sont-ils tombés ?

– Oui. J'espère seulement que vous n'avez tué personne. Pour l'instant, ils sont tous évanouis et incapables de les mettre.

– J'ai autorité pour faire tout ce qui est nécessaire pour mettre un terme à une mutinerie à bord de mon avion, rétorqua Knight.

– Abaissez l'altitude-cabine. Vite. Je veux sentir mes oreilles tinter, et tout de suite ! »

Le pilote tendit la main vers le tableau supérieur et brancha les différents circuits, puis il vérifia sur l'altimètre de cabine que la pression recommençait à monter.

« C'est fait. La pressurisation est en cours.

– Vous avez probablement rendu pas mal de gens à moitié fous, en cabine, espèce de cinglé. Vous en avez conscience ?

– Allez vous faire foutre, Logan ! Vous vous retrouverez de toute façon dans la chambre à gaz pour piraterie aérienne ! *Vous en avez conscience ?* »

Il s'ensuivit un silence de plusieurs secondes. Chacun des deux hommes se demandait comment sortir de l'impasse et contenir la rage qui l'animait.

« Écoutez, reprit Brian. Vous avez dit, il y a un moment, que vous n'aviez pas l'intention de vous suicider.

– Bien sûr que non !

– Dans ce cas, vous devez avoir un plan. Je veux le connaître. Pourquoi avez-vous fait demi-tour, alors qu'on vous avait dit d'aller au Cap ? »

Knight eut un reniflement de mépris. « Vous étiez tellement occupé à brandir vos menaces, Logan, que vous ne m'avez pas écouté. Nous n'avions plus assez de carburant pour nous rendre jusqu'au Cap. C'était aussi simple que ça. Nous retournons à Londres, comme je vous l'ai dit, et même ainsi, j'espère que je n'aurai pas trop d'orages à contourner, car sinon, nous devrons peut-être atterrir à Paris. »

Brian jeta un coup d'œil circulaire dans la cabine du pont supérieur. Aucun des passagers n'avait encore bougé, mais il éprouvait déjà le besoin de se déboucher les oreilles – signe que la pression de l'air augmentait.

« Vous devriez faire une annonce à la PA. Que tout le monde se débouche les oreilles, suggéra le médecin.

– Puisque vous aimez tant vous en servir pour foutre le bordel, Logan, faites-le vous-même ! »

Quelques répliques bien senties vinrent à l'esprit de Brian, mais le commandant venait tout juste d'accepter leur accord ; celui-ci était encore fragile, et il valait mieux rester prudent. Il préféra donc contenir l'avalanche d'insultes et d'invectives qu'il aurait tant aimé lui corner aux oreilles.

« Très bien », répondit simplement Brian. Il coupa le téléphone de bord pour brancher la PA.

Mes amis, c'est le Dr Logan. Écoutez-moi ! Réveillez-vous ! Réveillez-vous ! On repressurise la cabine, mais vous devez ménager vos oreilles. Quand vous les sentirez bourdonner, pincez-vous le nez, fermez la bouche et soufflez par le nez. Vous allez entendre des petits clic *dans vos oreilles et elles vont se dégager. C'est ce qu'on appelle un Valsalva. Faites-le à peu près toutes les minutes.*

Après avoir coupé la PA, Brian recomposa, pour des raisons qui lui échappaient complètement, le code du cockpit.

Knight décrocha aussitôt.

« Ouais ?

– Je voudrais vous demander quelque chose.

– Quoi, encore ?

– Pourquoi avez-vous laissé le copilote là-bas ? Il saignait à mort. Comment, au nom du ciel, avez-vous pu faire une chose pareille ?

– Mais je ne l'ai pas laissé ! Je ne l'ai vu qu'au moment du décollage ! Et au cas où vous ne l'auriez pas remarqué, j'avais aussi la responsabilité de plus de trois cents personnes. Je le croyais à bord quand j'ai entamé le décollage. C'est la vérité pure et simple.

– Je vous ai dit qu'il n'y était pas et qu'on lui avait tiré dessus !

– Je ne vous ai jamais entendu me dire ça ! Ou plutôt, nous étions déjà en l'air et vous me hurliez dans les oreilles.

– Bon Dieu ! s'énerva Brian. Vous mentez ! Je le sais, parce que je vous ai dit d'arrêter et que vous avez aussitôt freiné.

– Je ne vous ai jamais entendu me dire d'arrêter, Logan.

– Pourtant, vous avez eu la bonne réaction. J'entendais même les bruits du cockpit.

– C'est bien possible, mais le combiné était par terre. J'essayais de contrôler cette foutue machine, je n'avais pas le temps de parler au téléphone. Figurez-vous que l'extrémité de la piste était en vue et que je roulais beaucoup trop vite. Je devais impérativement ralentir pour faire demi-tour. Sinon, j'en sortais. Rien à voir avec vous.

– Vous prétendez que vous ne m'avez pas entendu ?

– Non, je ne le prétends pas, je l'affirme, bon sang ! Mais par contre, j'ai très bien entendu ce que m'a dit la chef de cabine sur ce que vous avez fait à Garth, mon copilote.

– J'ai essayé de le sauver.

– Ouais, tu parles !

– Attendez un peu. Qu'est-ce que Jackson vous a raconté ?

– Elle vous a vu en personne l'assommer et le faire tomber du compartiment électronique, ou du moins faire en sorte qu'il ne puisse pas monter et finisse par tomber.

– QUOI ? Bon Dieu, mais c'est du délire !

– Ne... ne le niez pas, Logan, répliqua Knight. Elle est assise juste à côté de moi et confirme. Elle vous a vu taper sur le copilote avec une bouteille d'oxygène.

– Ce n'était pas le copilote, espèce d'idiot ! Je vous l'ai déjà dit. C'était... Le copilote, gravement blessé aux jambes, n'a pas pu tenir. Deux soldats, ensuite, ont essayé de monter à bord. C'est eux que j'ai frappés ! »

Il y eut un silence prolongé de la part du cockpit.

« Et pourquoi devrais-je vous croire, Logan ?

– Mais pourquoi diable aurais-je voulu tuer le copilote ? Il m'avait déjà expliqué le genre de trouduc que vous étiez. En admettant que je veuille assommer un pilote, c'est plutôt vous que j'aurais choisi, étant donné tout ce que vous nous avez fait subir.

– Surtout, restez où vous êtes, répliqua Knight avec de nouveau de la tension dans la voix. Je peux encore faire regrimper l'altitude-cabine en appuyant sur un simple bouton. »

Brian voulut répondre, mais il y eu un *clic* sec. Le commandant avait coupé la communication.

38

Quartier général de l'armée libyenne, Tripoli, Libye
23 h 5, heure locale

L'atterrissage d'urgence effectué au Nigeria par le vol bihebdomadaire régulier, connu sous le nom de Meridian 6, n'avait pas échappé aux services de sécurité libyens, dotés de solides moyens d'écoute – d'autant plus que ce vol, qui passait à proximité de l'espace aérien libyen, était automatiquement contrôlé. La soudaine réapparition du Meridian 6 mettant cap au nord, alors que sa route était le sud, avait tout de suite soulevé l'intérêt de la Libye, et cela bien avant que le contrôle aérien du Nigeria n'informe le monde que le vol Meridian 6 avait été détourné.

Les radars de l'armée de l'air libyenne commencèrent à se tourner vers le sud pour acquérir le vol 6, tandis que la curiosité faisait place à l'inquiétude ; mais lorsque le 747 fit enfin son apparition sur les écrans, les contrôleurs se rendirent compte que les pilotes avaient encore changé de cap et se dirigeaient à présent, sans autorisation, vers la frontière sud-ouest de la Libye.

Cette partie du pays a beau être constituée de l'un des déserts les plus inhospitaliers de la planète, l'approche d'un appareil américain détourné était plus qu'un simple affront pour le très intransigeant et sourcilleux dictateur de la Libye, le colonel Kadhafi : une véritable autorisation de tirer à vue, étant donné la guerre que l'Amérique avait déclarée au terrorisme. Plus question, avait décrété Kadhafi depuis longtemps, que des appareils américains de l'Air Force reviennent bombarder Tripoli, comme l'avaient fait des F-111 au début des années quatre-vingt, le manquant lui-même de très peu. La simple possibilité que le vol de la Meridian soit une bombe volante suffit à déclencher une réaction immédiate, en particulier lorsque les services de renseignements libyens eurent appris ce qui s'était passé dans le nord du Nigeria.

Au bout de seulement quinze minutes, les portes d'un baraquement, sur une base de l'armée de l'air libyenne située au fin fond du Sahara, s'ouvrirent brusquement et quatre pilotes de chasse coururent sur le tarmac poussiéreux, dans la nuit, jusqu'à leurs Mig 21 (des appareils anciens, mais puissamment armés) afin de prendre l'air et de se préparer à une interception.

Leur ordre de mission était simple, et émanait de Kadhafi lui-même : si jamais le 747 violait l'espace aérien de la Libye, ils devaient l'abattre.

Cellule de crise, la Maison-Blanche, Washington DC
17 h 15, heure locale

L'image du président des États-Unis, assemblée numériquement, apparut en couleurs sur l'écran de cristaux liquides qui couvrait tout le mur du fond, à l'autre bout de la petite table de conférence. Les multiples caméras numériques embarquées sur *Air Force One* prenaient le président sous suffisamment d'angles différents, à son bureau dans les airs, pour qu'un ordinateur superpuissant puisse regrouper et transmettre un courant continu d'informations en trois dimensions, lesquelles étaient ensuite réassemblées et projetées sur l'écran de la salle de la cellule de crise. La reconstitution était tellement bien faite, comme tout le monde le remarquait, qu'on aurait dit que le président se trouvait de l'autre côté d'une paroi de cristal, et non pas quelque part dans le ciel à bord d'*Air Force One*. Ce système ultramoderne avait été installé un an avant l'attaque sur le World Trade

Center, lorsque l'avion présidentiel avait été obligé de se rendre au vieux quartier général du Strategic Air Command, près d'Omaha, pour que le président puisse bénéficier d'un système de visioconférence avec la salle de crise de la Maison-Blanche.

William Sanderson, le chef d'état-major, salua son vieil ami, toujours aussi émerveillé à l'idée que les vingt-huit objectifs des caméras qui le filmaient lui-même faisaient partie, sans être visibles, de l'écran de cristaux liquides. Le système fonctionnait mieux que prévu.

« Très bien, Bill, dit le président. Quelles sont les dernières nouvelles ? »

L'amiral Sanderson eut un petit rire et secoua la tête. « Désolé, monsieur le président. Je n'arrive pas à m'habituer à vous voir vous matérialiser de cette façon. On dirait que vous êtes là. Cette technologie est fabuleuse, vous savez.

— Ouais, c'est pareil ici. J'ai même cru un instant que vous étiez un passager clandestin... Bon, reprit le président en déplaçant quelques papiers, où en sommes-nous ?

— Le Meridian 6 a changé de cap. Il se dirige à présent droit sur la frontière sud-ouest de Kadhafiland, et notre cinglé de colonel a lui-même envoyé quatre de ses Mig 21 l'attendre au tournant. »

Le président changea de position et inclina la tête de côté.

« Vraiment ?

— Oui, monsieur.

— D'après l'image que j'ai ici, il y a une importante zone d'orages le long de la frontière algéro-libyenne. » Il se pencha pour étudier un coin de l'écran. « Ou plus précisément, ces orages s'étendent sur une ligne nord-sud qui se trouve peut-être à une centaine de milles à l'ouest de cette frontière.

— En effet.

— Si bien que la question est de savoir si le pilote a l'intention de violer l'espace aérien libyen, ou simplement de contourner ces orages sans se rendre compte de ce qu'il fait.

— Il est difficile de croire, répondit Sanderson, qu'un individu capable de piloter un 747 n'ait aucune idée de l'endroit où passe la frontière de la Libye, en particulier s'il s'agit d'un terroriste bien formé.

— Peut-être ne s'agit-il pas d'un terroriste bien formé.

— Ah bon ?

– Il se peut que celui qui est aux commandes de cet appareil ne soit qu'un cinglé un peu naïf, avec toutes les qualifications requises, à qui on a promis une somme d'argent faramineuse en lui faisant croire qu'il s'agissait d'une simple mission de contrebande et qu'il vivrait assez longtemps pour toucher son argent.

– C'est toujours possible. Qu'un pilote accepte aujourd'hui de participer à une mission terroriste en connaissance de cause, voilà qui paraît difficile à admettre.

– Et qu'est-ce qu'ils en pensent, à Langley ? demanda le président avec un geste vers un autre homme assis à la table de conférence. Jeff, c'est ça ?

– Oui, monsieur le président, c'est bien ça. Notre hypothèse de travail est que la cible de l'appareil est européenne, comme je l'ai mentionné il y a une heure, lors de notre premier contact. S'il s'agissait d'une opération libyenne, l'appareil ne volerait pas vers la Libye, car Kadhafi ne sait que trop bien ce que seraient les sanctions au cas où il serait impliqué dans une telle attaque. On ne peut pas exclure complètement une participation de Tripoli dans cette affaire, mais nous n'y croyons pas.

– Et s'il s'agissait d'une simple erreur de la part du pilote ?

– Kadhafi l'abattra dès qu'il aura passé la frontière. N'oubliez pas que l'avion est d'immatriculation américaine, ce qui le rend de facto hostile, et ce coin du Sahara, à la limite de l'Algérie et de la Libye, fait l'objet d'une contestation entre les deux pays. Avec les nouvelles règles mondiales sur la lutte contre le terrorisme, un appareil commercial détourné ne réagissant pas aux appels radio doit être abattu bien avant d'atteindre les zones habitées.

– OK. Qu'en dit le Pentagone ?

– Nous ne sommes pas en liaison pour le moment, monsieur le président, mais je peux vous briefer là-dessus, répondit Sanderson en consultant quelques papiers. Nos forces navales en Méditerranée sont en alerte, sur vos ordres, comme vous en avez déjà été informé. Mis à part l'envoi d'avertissements par radio au pilote du 747, ce qui pose un problème puisqu'il ne répond pas, nous n'avons aucun moyen de lui interdire l'espace aérien de la Libye du Sud-Ouest. Même si nous le voulions, nous ne le pourrions pas.

« – Il y a autre chose à prendre en considération, monsieur le président, intervint Jeff.

– Allez-y.

– Étant donné que nous pensons que ni les passagers ni l'équipage d'origine ne sont à bord, que ce qu'il transporte a toutes les chances d'être un système d'arme de destruction massive, nucléaire, chimique ou bactériologique, et que nous nous préparons à l'intercepter et à l'abattre en Méditerranée...

– ... ce serait parfait si Rififi-Kadhafi le faisait à notre place, c'est ça ? l'interrompit le président avec un petit rire.

– Oui, monsieur.

– Bon. Il semble que nous en soyons pour l'instant réduits au rôle d'observateurs impuissants, mais au cas où il arriverait jusqu'au-dessus de la Méditerranée, je me sentirais beaucoup plus à l'aise si nos F-14 pouvaient aller l'étudier de près. Avant de prendre la décision de l'abattre, autrement dit.

– C'est certainement prévu par les terroristes, monsieur le président, répondit Jeff. Ce que nos pilotes apercevront par les hublots du jumbo devrait être fait pour renforcer l'idée qu'il s'agit d'un vol commercial plein de passagers, ne représentant une menace pour personne.

– Peut-être, mais cependant...

– Puis-je suggérer autre chose, monsieur le président ?

– Je vous écoute.

– Si... Kadhafi en vient à penser que cet avion se dirige sur Tripoli, il y a des chances pour que ses pilotes reçoivent l'ordre de l'abattre avant même qu'il ne survole le territoire libyen...

– Ce qui, enchaîna le président, constituerait un acte répréhensible, en violation directe avec je ne sais combien de règles de droit international, sans parler de la violation du territoire national algérien, où aurait lieu le crash.

– Exactement.

– Et vous voudriez que je signe une autorisation, c'est ça ?

– Non, monsieur. Ce n'est pas ce que j'ai dit. Je me demandais simplement si nous ne devions pas faire très, très attention à ce que cette idée ne vienne pas à l'esprit de Kadhafi, ou si nous ne devrions pas au contraire le laisser interpréter nos communications dans le sens qu'il veut ? »

Le président regarda William Sanderson, par le biais de

l'écran, et Sanderson lui rendit son regard, sourcil droit légèrement relevé, attitude de désapprobation qui lui était habituelle et que le président connaissait bien.

« Très bien, Jeff, répondit ce dernier, revenant à l'homme de Langley. Je ne signerai aucun décret autorisant la CIA à faire croire faussement à la Libye que cet appareil se dirige sur Tripoli avec des intentions hostiles, et je n'approuve pas l'idée qu'on cherche à attirer les Libyens hors de leur espace aérien. Cela dit... si jamais ils se méprenaient bêtement sur un... message *privé* envoyé par nous qu'ils auraient illégalement intercepté, cette méprise se ferait à leurs risques et périls.

– Bien, monsieur.

– Vous dites que la VIIe Flotte est prête, Bill ?

– Elle est prête, monsieur.

– Combien de temps avant que l'appareil n'atteigne la Méditerranée ?

– Un peu moins de quatre-vingt-dix minutes, monsieur le président.

– Très bien. Nous reprendrons cette conférence dans quatre-vingt-dix minutes. Les décisions à prendre seront graves. Dès que nos pilotes pourront intercepter cet appareil en toute sécurité au nord de l'espace aérien de Kadhafi, je veux savoir ce qu'ils voient. Qu'ils soient prêts à tirer, cependant. Cette question réglée, il faudra s'occuper de nos concitoyens retenus en otages au Nigeria. »

39

À bord du vol Meridian 6
23 h 15, heure du bord

Dans la petite alcôve située derrière la porte du cockpit Janie Bretsen attendit, assise à côté de Brian Logan, pendant ce qui sembla durer une éternité, respirant le peu d'oxygène que contenait sa bouteille pendant que le médecin en faisait autant et que tous deux se débouchaient les oreilles. Quand il fut évident que la pressurisation était suffisante, Janie fit signe à Brian de la suivre jusqu'à l'endroit où était tombé Robert MacNaughton ; ils lui enfilèrent un masque sur le visage et lui donnèrent un coup de fouet avec l'oxygène qui leur restait, jusqu'à ce qu'il commence à bouger.

« Que... je veux dire... où est-ce que..., marmonna-t-il en les regardant tour à tour.

– Nous sommes stabilisés pour le moment », lui répondit Brian. Puis le médecin lui raconta brièvement ce qui s'était passé.

« Bonté divine ! s'exclama MacNaughton en se massant le front. Les autres sont-ils réveillés ?

– C'est ce que je vais aller voir », répondit Janie. Elle se releva et parcourut les allées, adaptant, un par un, les masques jaunes au visage de ceux qui étaient encore inconscients ; pendant ce temps, Logan aidait MacNaughton à se relever.

« Ça, c'est vraiment la goutte d'eau... », commenta l'homme d'affaires.

Ils descendirent l'escalier et Janie demanda à Brian de l'aider à mettre les masques aux passagers de première classe, pendant qu'elle se mettait à la recherche du personnel de cabine et aidait à ranimer le reste des gens endormis. Quand il arriva en première classe, le médecin fut soulagé de voir que presque tous les passagers se levaient ou se frottaient les yeux.

« Tout le monde va bien ? » demanda-t-il.

Il y eut des acquiescements, mais surtout des questions, et Logan mit rapidement toute la cabine au courant.

« Il a fait ça *exprès* ? » s'étonna l'un des passagers, l'air incrédule.

Brian le confirma ; la colère scandalisée qui les gagnait lui fit froid dans le dos.

Il y avait des toilettes disponibles entre les classes touriste et affaires, et une soudaine protestation de sa vessie l'obligea à s'y enfermer.

Dans la cabine principale, les passagers auxquels on avait mis un masque commençaient à ouvrir les yeux et à reprendre conscience, tandis que ceux qui n'en avaient pas restaient évanouis. Beaucoup s'étaient retrouvés dans des positions des plus inconfortables, à moitié enroulés sur les repose-bras, le buste pendant dans l'allée, ou dans les bras de leur voisin – alors qu'ils étaient parfois de parfaits inconnus les uns pour les autres. Lentement, ces derniers commencèrent aussi à se réveiller, les oreilles souvent douloureuses à cause du changement de pression, et tous profondément choqués d'apprendre ce qu'avait voulu faire le commandant.

Dan Brown s'était effondré près de la porte 2 gauche pendant que sa femme s'évanouissait dans son siège, où elle resta aux abonnés absents jusqu'à ce que Janie passe et lui mette le masque sur la figure. Le petit apport d'oxygène accéléra son retour à la conscience, et la vue du siège vide de son mari la poussa à se lever pour le chercher dans les allées. Elle avait fait un cauchemar dans lequel on hurlait dans sa tête ; il y avait eu des coups de feu et quelque chose de terrible lui était arrivé. Elle avait un goût de panique dans la bouche quand elle le repéra, endormi sur le sol.

Il y avait un masque à oxygène libre dans le compartiment

situé au-dessus du strapontin réservé aux hôtesses ; elle le prit et l'appliqua sur le visage de Dan, très soulagée de constater que son pouls battait régulièrement. Elle lui massa les mains et le vit reprendre progressivement conscience.

« Mon chéri ? Tu vas bien ? »

Il avait le regard encore un peu vitreux, quand il ouvrit les yeux, et son cerveau se remit laborieusement en route. Au bout d'une minute, il put cependant se redresser en position assise.

« Qu'est-ce qui est arrivé ?

— Je ne sais pas.

— On est toujours en l'air ?

— Oui. Je me suis évanouie, moi aussi. Comme tout le monde, je crois.

— Les masques sont tombés », observa-t-il, regardant autour de lui. L'élancement qui lui troua la tête le fit grimacer.

« Je suis un peu nauséeuse, mais à part ça, ça va. Et toi ? demanda Linda Brown.

— Je suis dans le brouillard... j'ai entendu quelque chose... sur la PA, je crois... le docteur a dit que le commandant montait l'altitude-cabine, non ?

— Il me semble, répondit Linda.

— Bon sang... l'enfant de salaud ! » Dan se redressa encore un peu pour pouvoir se relever, puis hésita : il avait l'impression que l'avion ondulait autour de lui. Il se frotta le crâne et se rassit.

« Je vais t'aider à rejoindre nos places, mon chéri, proposa Linda.

— Attendons un peu. » Il ouvrit de nouveau les yeux et prit une profonde inspiration. « Non. Il est allé trop loin, cette fois. Où est ce toubib ?

— Je ne sais pas. Pourquoi ?

— Est-ce que tout le monde sait ce qui s'est passé ?

— Je n'en suis pas sûre. »

Il y eut un bruit de pas derrière eux et une main masculine se tendit pour aider Dan à se remettre debout.

« Ça va ? » demanda l'homme.

Dan Brown acquiesça.

« Et vous, ma petite dame ? »

Linda sentit une bouffée de colère, devant cette expression

sexiste. Levant les yeux, elle reconnut une grande gueule qu'elle avait déjà remarquée. Son regard disait tout.

Elle se leva et parcourut la cabine des yeux, surprise de voir autant de gens debout, lancés dans des discussions animées et arborant des expressions de colère, au fur et à mesure qu'ils apprenaient ce qu'avait dit – et fait – le commandant de bord : suppression de l'oxygène, virages acrobatiques sur l'aile et tonneau. Leur stupéfaction initiale se cristallisait en une indignation croissante. Et redoutable.

« Exprès ! Il l'a fait exprès ! C'est ce que j'ai entendu dire.

– Qu'est-ce qu'il a crié, sur la PA ? J'étais déjà pratiquement dans les pommes, lorsque...

– Je vais vous dire. Je n'étais pas en faveur d'une intervention avant ça, mais cet enfoiré de pilote de mes deux va finir par nous foutre en l'air si on ne fait pas quelque chose. »

Les hôtesses assignées à l'arrière de la cabine s'avançaient dans les allées, mais elles étaient accueillies par des groupes de gens survoltés qui les bombardaient de questions en leur montrant les quelques passagers qui n'étaient pas encore réveillés. Pour la première fois, le tumulte des voix commença à rivaliser avec le bruit de fond de l'air frottant sur la paroi extérieure.

Dan Brown, à présent parfaitement réveillé, était incontrôlable. Il avait repéré l'endroit où étaient rangés les mégaphones et alla en prendre un, le brancha et fit face à la mer de visages scandalisés qui se tournaient vers lui.

Hé ! Quelqu'un a-t-il encore des doutes sur le Dr Logan ?

Un chœur bruyant de *Non !* lui répondit.

Vous vous rendez bien compte, vous tous, que ce fils de pute planqué dans son cockpit vient juste d'essayer de nous tuer ?

Un *Oui* plus clairsemé parcourut les rangs des passagers ; mais, s'il était moins massif, on y sentait autant de détermination.

Robert MacNaughton était entré dans la cabine de la classe éco au moment où Dan Brown avait brandi son mégaphone ; il avait attendu en silence, à quelques pas, jusqu'à ce que l'orateur improvisé se tourne vers lui et l'aperçoive. Mac-

Naughton fit un signe de tête vers le mégaphone, et Brown le lui confia, mais il ne s'attendait pas aux flots de vitriol qui sortirent de la bouche de l'homme d'affaires lorsqu'il leur présenta son nouveau plan pour arracher le contrôle de l'appareil à Knight.

Lorsque Brian Logan sortit des toilettes, il se retrouva dans un chaudron de colère bouillonnante et fut salué par une ovation spontanée de la part de ceux qui étaient les plus proches de lui. Robert MacNaughton ouvrait la marche et esquissa pour Brian les grandes lignes de son nouveau plan pour prendre le cockpit d'assaut tandis que, derrière eux, se pressaient les autres passagers, hommes et femmes. Logan repéra Janie Bretsen, sur sa gauche, le visage blême ; un peu plus loin, deux hôtesses, mêlées à la foule, partageaient l'émotion qui régnait. L'une d'elles brandit même un poing menaçant, comme ceux qui l'entouraient, lorsque MacNaughton, s'adressant au groupe, demanda une autre réponse unanime.

« Mais... c'est impossible, lui murmura Logan, s'efforçant de n'être entendu que de lui.

— Si. Nous pouvons et devons le faire, lui répliqua le patron de l'English Petroleum. Ce commandant nous fait courir un risque majeur.

— Cependant... » Brian s'arrêta, lorsqu'il vit la colère qui brillait dans les yeux de tous ceux qui les entouraient.

« On aurait dû vous écouter, docteur », lui dit un homme qu'il ne reconnut pas.

Nouveau et bruyant chœur approbateur, tandis que MacNaughton reprenait son briefing sur son plan d'attaque, dont le dispositif principal était le maniement, par cinq hommes, d'un bélier constitué d'un des chariots de service. L'astuce consistait à enfoncer la porte d'un seul coup, sans avertissement.

« Des commentaires ? demanda MacNaughton, fixant Logan des yeux. Vous vous sentez parfaitement bien, docteur ?

— Quoi ?

— Je vous demandais si vous vous sentiez parfaitement bien. Nous devons agir sur-le-champ. »

Brian eut l'impression que la cabine ondulait violemment sous ses pieds. Ils étaient trente ou quarante passagers furieux, sinon plus, qui n'attendaient que sa réponse, qui n'attendaient que de le voir se mettre à leur tête. L'initiative de Robert MacNaughton proposant une nouvelle technique d'assaut ne lui donnait qu'un leadership tactique ; il était évident que tous considéraient que c'était lui, Brian Logan, le chef de la révolte. Elle était son œuvre, sa rébellion, ils étaient ses volontaires, tous hors d'eux et enragés. Tels étaient les gens qu'il avait tout fait pour convaincre, directement ou indirectement, pendant des heures, d'agir pour s'opposer à l'arrogance et au mépris de Judy Jackson, au personnel, au commandant de bord ; les gens qu'il avait incités à se soulever et à refuser de se laisser maltraiter par les agents et employés de l'entité qu'il haïssait le plus au monde : Meridian Airlines.

Et il avait réussi. Mais à quoi, exactement ?

Il saisissait à présent le phénomène dans toute son ampleur et le trouvait écrasant ; c'était une collision de réalités mouvantes, de perceptions changeantes. Même ses échanges les plus acerbes avec le commandant avaient ébranlé ses anciennes conclusions sur Meridian.

Le copilote, en particulier, s'était révélé un homme honnête et correct. Et Janie... Janie, qui se tenait à quelques pas de lui, s'était montrée une alliée pleine d'attentions. Seuls Judy Jackson et le commandant étaient restés dans son collimateur et la sombre possibilité se profilait dans son esprit, lointaine mais réelle, que Knight n'ait effectivement pas compris que le copilote se trouvait sur le tarmac, grièvement blessé, et non dans l'avion.

Il regarda de nouveau la foule en colère, fin prête pour entrer en action sous l'impulsion de l'homme qui était pourtant peut-être le plus maître de soi, le plus érudit, le plus sensé dans ses jugements de tout le vol, Robert MacNaughton. Sa rage avait-elle été jusqu'à aveugler MacNaughton lui-même ?

Mon Dieu, qu'est-ce que j'ai fait ? Les mots se formèrent dans l'esprit de Brian, et il en comprit instantanément l'importance.

Il prit une brève inspiration et leva la main, jetant un coup d'œil à MacNaughton, puis à la foule.

« Attendez ! Attendez une minute ! Je... je n'avais pas

351

encore eu le temps de vous dire que nous avions obligé le commandant à conclure un accord.

– Un *accord* ? lança quelqu'un d'un ton sarcastique. Un accord avec cette ordure ?

« Attendez ! Écoutez-moi ! » Brian s'avança d'un demi-pas, obligeant MacNaughton à s'écarter.

« Qu'est-ce que vous fabriquez, mon vieux ? grommela MacNaughton d'un ton irrité. Nous perdons du temps ! »

Brian ignora la question, une main toujours levée pour contenir la foule, tandis que, de l'autre, il s'emparait du mégaphone et le mettait en marche.

OK, tout le monde, attendez ! Je sais bien que l'enfoiré du cockpit a essayé de nous assommer tous et qu'il a bien failli réussir. S'il n'y est pas arrivé, c'est que nous étions là-haut à cogner à sa porte. J'ai donc conclu un accord avec lui. N'oubliez pas qu'il lui suffit de pousser sur un simple interrupteur pour que nous nous évanouissions tous en quelques secondes. J'ai accepté d'arrêter d'essayer d'enfoncer sa porte, en échange de quoi le commandant m'a promis de continuer à faire route pour Londres, de maintenir la cabine pressurisée et de ne pas faire de nouvelles acrobaties. De toute façon, je n'ai même pas réussi à ébranler la porte.

Brian relâcha la commande du son, conscient qu'une onde de réactions négatives traversait la foule qui lui faisait face.

« Hé ! Avez-vous oublié que c'est en Afrique du Sud que nous allons ? lui cria l'un d'eux.

– Et le copilote que, d'après vous, il aurait laissé pour mort ? » demanda un autre.

Il affirme ne plus avoir assez de carburant pour aller jusqu'au Cap. C'est pourquoi nous retournons à Londres. Il... il m'a aussi juré qu'il ne m'avait pas entendu quand je lui ai dit par téléphone d'arrêter l'avion, au Nigeria. Il m'a juré qu'il croyait que le copilote était à bord et qu'il ne s'est rendu compte qu'il n'y était pas qu'au moment du décollage.

MacNaughton tenait Brian par le bras, sa main serrant comme un étau.

« Docteur ? L'élément de surprise est vital. Nous devons agir tout de suite.

– Et s'il était inutile d'en passer par là ? Il peut toujours nous tuer, si nous tentons de l'extraire de sa tanière. N'oubliez pas qu'ils ont au moins une hache, dans le cockpit, et qu'il prétend être armé, même si j'ai quelques doutes là-dessus.

– Si nous faisons suffisamment vite, répliqua MacNaughton, ni lui ni cette gourde d'hôtesse n'auront le temps d'organiser leur défense. La porte est peut-être blindée, mais si nous nous y mettons à plusieurs pour l'enfoncer comme j'ai dit, nous entrerons et nous l'éjecterons.

– Écoutez, Robert... Ils sont tous tellement exaspérés qu'ils n'arrivent plus à penser. La situation devient incontrôlable.

– Nous n'en avons jamais eu le contrôle, docteur. En fait, nous essayons de le prendre.

– Hé, les gars, qu'est-ce que vous vous racontez, tous les deux ? lança un homme qui se tenait à quelque distance. On y va, oui ou non ? »

MacNaughton se tourna et leva une main. « Un instant. Nous discutons tactique.

– Je suis désolé, Robert, poursuivit Logan, mais il faut arrêter ça. Je crois plus sage d'attendre en le surveillant. Je lui ai parlé, et je reconnais que j'avais tort. Cet homme est une nullité en tant que commandant de bord, c'est le moins qu'on puisse dire, mais il n'est pas suicidaire, sans quoi nous serions déjà morts. »

L'homme d'affaires regarda Brian droit dans les yeux. « Vous pensez que nous sommes devenus un peu hystériques, c'est ça ? »

Logan acquiesça. « Oui. Mais moi aussi. J'étais devenu *trop* hystérique.

– Je veux bien, mais puis-je vous rappeler que, sauf erreur, ce n'est pas vous qui avez décidé d'aller faire cet invraisemblable et apparemment inutile atterrissage au Nigeria ? Que ce n'est pas vous qui avez torturé les passagers pendant des heures, qui nous avez menti, comme vous l'avez vous-même fait remarquer, à Londres, à propos de la reine et sur presque tout le reste ?

– Je sais.

– Et ce n'est évidemment pas vous qui avez tiré sur le copilote. Dans ces conditions, est-ce que nous exagérons, face à un commandant de bord qui a essayé de nous tuer en nous privant d'oxygène ?

– Je ne suis pas sûr...

– Pas sûr qu'il essayait de nous rendre inconscients d'une manière qui aurait pu nous tuer ?

– Il ignore peut-être les effets mortels d'une hypoxie prolongée, Robert. Comme la plupart des gens. Le copilote m'avait averti que Knight était loin d'être brillant, comme personnage. »

Mâchoire serrée, MacNaughton changea de position et se tourna pour parcourir des yeux le groupe qui les entourait, avant de finir par revenir sur Brian, qui eut l'impression que cette inspection n'en finissait pas.

« Très bien. Je suppose que vous avez réussi à me faire oublier une de mes règles personnelles de conduite – ne jamais agir sans réfléchir. » MacNaughton se tourna alors vers les passagers, élevant la voix. « Nous allons attendre ! Le Dr Logan a raison. Une intervention par la force ne sera peut-être pas nécessaire, mais j'aimerais que ceux d'entre vous qui sont volontaires pour enfoncer la porte restent prêts, au cas où ça redeviendrait nécessaire. »

Peut-être était-ce la prestance de l'homme, ou son accent raffiné et autoritaire, se dit Brian, mais les paroles du PDG d'English Petroleum firent immédiatement retomber la tension, pourtant explosive, qui régnait dans la cabine.

La plupart d'entre eux ne savent même pas qui il est, songea le médecin.

Puis MacNaughton passa au milieu du groupe de passagers, expliquant la décision et calmant les plus excités. Janie croisa le regard de Brian et lui adressa un bref sourire. Il le lui rendit, presque submergé par le besoin de réexaminer tout ce qu'il avait dit et fait depuis Londres, se sentant en porte-à-faux et gêné.

Il leva de nouveau les yeux vers l'endroit où elle se tenait, mais l'hôtesse s'éloignait déjà dans l'une des allées, et il la perdit de vue.

Un éclat lumineux en provenance d'une paroi attira l'attention de Logan, qui constata alors avec soulagement que le commandant avait tenu une autre de ses promesses et rebranché la figuration du plan de vol. Il se déplaça pour mieux voir la carte, qu'il étudia pendant une minute. Ses yeux repérèrent la Méditerranée, en bleu, et suivirent la côte de l'Afrique du Nord et de l'Ouest, puis repérèrent la petite icône symbolisant leur 747, pointée vers le nord. Il était encore trop sous le coup de l'émotion pour bien saisir le sens des différentes lignes et des symboles, sur le moment, mais quelque chose essayait d'attirer son attention. Frustré, il se concentra sur la carte électronique et ce qu'elle lui montrait : un itinéraire théorique sur le point de franchir la frontière sud de la Libye dans moins de cent milles... un itinéraire qui aboutissait à Tripoli.

40

Siège d'Associated Press, New York
17 h 20, heure locale

Le message électronique l'avertissant de l'arrivée d'un e-mail s'afficha sur l'écran de Robert Hensley, juste au moment où se profilait la perspective d'un dîner pris de bonne heure, agréable répit après une veille ennuyeuse.

Hé, c'est quoi encore ce truc, se dit-il en reposant son veston sur le dossier de la chaise. Il se rassit et, d'un clic, appela le texte à l'écran. Il y avait toujours la possibilité que le message contienne cet élixir si rare qui procure aux journalistes leurs plus grands moments d'euphorie : la nouvelle inattendue et sensationnelle sur laquelle on est le premier. La perspective d'être ce premier informé dans le panier de crabes électronique exerçait un attrait aussi puissant que celui de toucher le jackpot pour un joueur, ou l'espoir d'avoir une relation sexuelle pour les mâles en rut de l'espèce.

L'adresse d'origine de l'e-mail, constata-t-il, lui était vaguement familière. Cliquant sur son carnet d'adresses, il fit une rapide recherche et découvrit qu'il s'agissait d'un contact auquel il faisait rarement appel, un homme qui travaillait pour Meridian Airlines à Denver. Il prit note de son nom et revint au message.

« Nous avons une urgence bizarre en cours au-dessus de l'Afrique », avait écrit le contact, donnant les détails sur le vol Meridian 6, son incompréhensible atterrissage au Nigeria, et le message émanant du cockpit, reproduit textuellement. Robert Hensley se redressa et relut le passage. *Quoi ? Un 747 piraté par ses propres passagers ? C'est bien ce que raconte le commandant ?* Il essaya de se représenter trois ou quatre cents passagers en révolte.

Le correspondant de Robert avait ajouté que si son nom était révélé à Meridian, il serait mis à la porte.

Dans ce cas, pourquoi vouloir baiser son propre employeur ? se demanda Robert, mais l'homme avait anticipé sa question.

Si cette compagnie était la Meridian Airlines que nous respections tous autrefois, je ne vous aurais jamais refilé ce tuyau. Mais qu'il y ait une révolte de passagers ne me surprend pas, aujourd'hui. Nous les traitons tellement mal que je suis surpris que cela n'arrive pas tous les jours. Sans parler des mensonges que nous accumulons. J'en suis malade à crever. Nous avons accepté l'argent de nos concitoyens après l'attaque du World Trade Center pour pouvoir rester à flot, après quoi nous nous sommes appliqués à baiser ces mêmes concitoyens. J'ai confiance en vous, Robert, et sais que vous ne révélerez pas vos sources. Mais en tout état de cause, ne me rappelez pas ici. Je vous envoie ce message sur mon Palm Pilot PDA.

Robert se leva et fit quelques pas autour de son bureau, en se demandant qui joindre en premier, puisqu'il ne pouvait rappeler son correspondant. Meridian Airlines nierait certainement tout en bloc, même s'il allait devoir les contacter.

Allez, vieux, réfléchis ! Qui, à Washington, pourrait avoir accès à cette information ? Bon, la CIA, peut-être le FBI... le Pentagone... le NRO...

Un souvenir assez ancien lui revint à l'esprit. Son correspondant avait employé le terme ACARS, pour décrire l'appareil utilisé par le commandant du Meridian 6 pour envoyer son appel au secours. Les signaux ACARS voyagent par satellite, et il avait eu l'occasion de visiter l'une des principales installations de l'organisme qui assurait ce service auprès des compagnies aériennes.

Il retourna à son bureau, composa le nom d'appel de la compagnie, sentant déjà l'excitation le gagner. Avec un peu de chance il pourrait obtenir le recoupement dont il avait besoin et balancer l'information sur le réseau en une vingtaine de minutes.

Il avait soudain oublié son dîner.

Quartier général du NRO, Chantilly, Virginie
17 h 28, heure locale

Le colonel David Byrd avait quitté la salle de contrôle sécurisée tout autant pour réfléchir que pour aller aux toilettes. Il s'installa dans la salle de repos voisine où, constata-t-il avec soulagement, il n'y avait personne. Il lui en coûta un dollar pour prendre un Coke dans le distributeur et il s'assit un moment, perdu dans ses pensées, s'efforçant de mettre le doigt sur ce qui le dérangeait dans les conclusions qui avaient eu droit à la bénédiction générale à l'autre bout du couloir.

Tu n'es ni agent secret ni analyste, n'arrêtait-il pas de se dire. *Ne te mêle pas de tout ça.*

Mais ça n'en continuait pas moins à le travailler.

Il fit sauter l'opercule de la boîte et se mit à siroter son Coke, tambourinant machinalement sur la table tout en passant en revue les éléments du puzzle. Des passagers en colère s'emparant d'un avion tout en exigeant qu'il se rende... à sa destination d'origine. Le message était plein de contradictions, avant même d'en arriver au tableau encore plus spectaculaire des otages retenus au sol et de l'avion faisant demi-tour. Est-ce que ces « passagers en colère » étaient synonymes de « passagers enragés » ? Le commandant parlait-il de tous, ou de quelques-uns seulement ? Plus important, comment des terroristes étrangers auraient-ils pu utiliser cette façon de s'exprimer ?

J'oublie, se dit-il, *que nous avons des photos de deux pilotes sérieusement blessés gisant sur cette piste.*

Il repensa à sa première impression, lorsqu'ils étaient entrés et qu'on les avait mis au courant des derniers retournements de situation. Il s'était attendu à ce que John Blaylock soit plus sceptique ; or le vieux colonel paraissait n'éprouver aucun doute et c'était lui, le petit bleu, qui se sentait bizarrement incertain.

C'est pour ça que je n'ai pas voulu faire du renseignement ! pensa-t-il en pouffant intérieurement. *Trop de nuances de gris.*

Les certitudes étaient plus satisfaisantes – comme un interrupteur : ou c'est branché, ou ça ne l'est pas.

La voix tonnante de Blaylock s'éleva dans son dos, le tirant brusquement de ses réflexions et le faisant se retourner.

« Notre histoire a donc quelque chose à voir avec la société Coca-Cola ?

– Quoi ? »

Blaylock tira une chaise à lui, la fit pivoter, s'assit dessus à califourchon, les coudes sur le dossier, et lui montra la boîte de Coke. « Vous étiez perdu dans sa contemplation comme si elle détenait le secret de la vie.

– C'est ce que pense Coca-Cola. Pepsi n'est pas d'accord.

– Il y a quelque chose qui vous chiffonne sérieusement dans tout ça, colonel Byrd. Ça se voit. De quoi s'agit-il ?

– Je ne sais pas, avoua David avec un soupir. C'est le problème. Un drame terrible est en train de se dérouler à l'autre bout du monde et nous n'avons pas la moindre idée de ce qui se passe vraiment. Ces gens sont-ils ou non dans l'avion ? Je viens de perdre cinq minutes à passer les faits en revue dans tous les sens, et je n'arrive pas à trouver de faille logique dans votre raisonnement, John. Et cependant, c'est vrai : quelque chose me chiffonne.

– Quand ce genre de truc m'arrive, j'épluche les éléments du problème un par un. Nous avons avancé pas mal d'hypothèses, aujourd'hui. Reprenez tout ça pour voir laquelle présente un défaut. »

David partit d'un petit rire. « Vous voulez dire, du genre : est-on sûr qu'il ait réellement atterri à Katsina, ou était-ce une maquette en carton ?

– C'est un début.

– Rien de nouveau, John ?

– Si. Quand je suis sorti, il y a deux ou trois minutes, notre 747 en cavale se trouvait précisément à quarante milles de l'espace aérien libyen ; c'est alors qu'il a brusquement changé de cap de vingt degrés sur la gauche. D'après la projection, ils vont approcher la frontière à deux ou trois milles d'ici environ un quart d'heure, puis il y aura une deuxième rencontre avec le territoire de la Libye dans quarante-cinq minutes, à un endroit où il avance en pointe dans l'Algérie.

– Et comment Kadhafi prend-il l'affaire ?

– Ses p'tits gars sont à l'affût au point de passage le plus proche prévu, et vous pouvez être sûr qu'ils sont armés et ne demandent qu'à tirer. Iront-ils jusqu'à franchir la frontière pour abattre le Boeing ? Qui sait ? Qui sait quelles communications délirantes Tripoli a pu écouter ? On verra bien. Au fait, les chaînes d'information viennent juste de diffuser l'histoire du 747 détourné par ses propres passagers. CNN et tous les autres vont lancer des avions équipés de caméras d'une minute à l'autre. Un de ces jours, ils vont même avoir leur propre réseau de satellites d'observation.

— Je n'en doute pas. » David garda le silence pendant quelques secondes. « Et quelle est votre opinion, John, sur ce changement de cap ?

— Que c'est une confirmation supplémentaire du fait que le type qui tient le manche n'est pas un pilote de ligne, répondit-il en se relevant. Vous revenez ? Ça risque d'être marrant de voir comment tout cela va se terminer.

— Je ne voudrais surtout pas manquer ça... mais j'aimerais bien trouver un téléphone avant. »

Blaylock acquiesça et fouilla dans sa poche, en retirant une carte. « George y avait pensé. Il vous fait dire d'utiliser son bureau, au bout du couloir. » Il fit glisser la carte portant le numéro de la pièce sur la table. « Une petite brune craquante répondant au nom de Ginger s'y trouvera, émettant des litres de phéromones et tenant le rôle de la secrétaire efficace mais ayant tendance à vous faire penser à autre chose. »

David sourit et secoua la tête. « Vous arrive-t-il de penser à autre chose qu'à cette autre chose, colonel Blaylock ?

— Jamais, colonel Byrd, jamais ! À quoi d'autre pourrais-je penser ? Les femmes et le sexe – et de préférence ensemble – sont ce qui fait tourner le monde. En réalité, c'est l'objectif final de pratiquement tout ce que nous faisons d'autre en tant que mâles. Ne vous y trompez pas.

— Ginger, eh ?

— Elle vous attend. Soyez gentil avec elle.

— Oh, ça va, John.

— Vous n'avez pas la moindre chance. On se retrouve en salle sécurisée. »

Il fit demi-tour et disparut dans le couloir. David ramassa la carte et se leva, remâchant la contradiction qu'il y avait entre les photos prises par satellite et le message plaintif envoyé depuis le cockpit du Meridian 6. Pour avoir des passagers en colère, il faut commencer par avoir des passagers. Ensuite, qu'ils soient en colère pour *quelque chose*. Qu'est-ce que lui avait dit la sénatrice Douglas, ce matin même, sur le système qui partait en quenouille ?

David était déjà dans le corridor, à la recherche du bureau de George Zoffel, lorsque le souvenir lui revint soudain. Il s'immobilisa sur place.

Une minute, une minute ! La sénatrice Douglas vient juste de faire le voyage Chicago-Londres sur un vol de Meridian Airlines et elle en garde un souvenir exécrable. Elle a dit qu'elle était elle-même à deux doigts d'agresser l'équipage, ou quelque chose comme ça. Quel était le numéro de ce vol ?

Il accéléra le pas, poussé par un sentiment croissant d'urgence. Il semblait être le seul à éprouver des doutes, mais il avait besoin de les dissiper, et vite. La chasse de deux porte-avions n'attendait qu'un ordre pour abattre le vol connu sous le nom de Meridian 6.

Siège de CNN, Atlanta, Géorgie
17 h 38, heure locale

Six minutes. Six minutes entre le moment où arriva l'information d'Associated Press et la première annonce faite sur les antennes de CNN. Une info faisant état d'un 747 américain détourné par ses propres passagers était un scoop de première ; au bout de quinze minutes, les différents bureaux, services et correspondants des journaux télévisés d'une douzaine de pays étaient sur le pied de guerre pour répondre à cette exigence typiquement américaine : accomplir l'impossible, et de préférence hier. Tandis que les autres chaînes, ABC, NBC, CBS et Fox News, se joignaient à la curée, on louait des jets, on tirait des équipes de cameramen de leurs lits et on négociait des visas diplomatiques pour elles, en partant du principe que, quoi qu'il arrive au vol Meridian 6, cela ne pourrait se produire qu'en direct, sous l'objectif des caméras de télévision de toute la planète. Il ne faisait aucun doute, pour les caciques des différentes salles de rédaction, que ce genre de détournement n'allait pas se régler en vingt-quatre heures ; de plus, l'avion retournait vers Londres, un endroit idéal pour une couverture en direct. Mais il était aussi évident que l'itinéraire de l'appareil allait le faire passer près de l'Italie (ou de l'Espagne, on ne savait pas très bien), sans doute au-dessus de la France, ou de la Suisse, ou de la Belgique, sans parler de Malte. Tous ces sites possibles d'atterrissage devaient être couverts.

Les débats étaient comme d'habitude houleux, en salles de rédaction, pour déterminer ce qu'on pouvait dire et ne pas dire des éléments supposés connus de l'affaire. Devait-on faire savoir qu'un copilote (le seul du bord) du nom d'Abbott avait été grièvement blessé et abandonné quelque part en Afrique ? Sa famille avait-elle été avertie ? Et même si on ne donnait pas son nom, sa femme, ses enfants, sa famille et tous ceux qui avaient de l'affection pour lui n'allaient-ils pas, au seul numéro de vol, comprendre tout de suite que c'était lui ?

Les agences de Londres, en particulier, lancèrent leurs équipes avec autant de précipitation qu'une caserne de pompiers devant une alerte générale. En moins d'une heure, leurs correspondants jonglaient avec les téléphones pour réveiller un certain nombre de dormeurs, ceux qu'on avait fini par appeler les « suspects habituels » dès qu'il y avait un problème en aviation commerciale. Pour Meridian Airlines, le premier sur la liste était le directeur d'exploitation de Londres-Heathrow, James Haverston. Il s'assit à contrecœur sur son lit, se frottant les yeux, obligé de faire face à un flot de requêtes, de demandes d'informations qu'il ne détenait pas et d'interviews qu'il n'avait pas le droit de donner.

« Allez-y et parlez-leur, James, mais tenez-vous-en aux éléments de base », lui répondit le vice-président responsable du service des relations avec les médias, quand il put enfin le joindre au siège de la société pour lui demander son avis.

« Vous avez bien conscience que le vol 6 a eu pas mal de retard au départ de Heathrow ?

– Oui, mais comme je vous ai dit, les faits, rien que les faits. »

James raccrocha, dégoûté. Des années d'expérience lui avaient appris à se méfier de ces belles paroles et de ces instructions des plus vagues. S'il s'en tenait aux faits et mettait

Meridian en délicatesse avec les médias, le rapport du vice-président à ses supérieurs était couru d'avance : *Je ne lui ai jamais demandé de dire ça !* Et c'est James qui paierait les pots cassés. Les responsables de longue date de Meridian, suite à d'amères expériences, savaient qu'il valait mieux se trouver frappé d'amnésie sélective en de tels moments, même si esquiver les médias finissait toujours, à terme, par se révéler contre-productif.

Il se rendit à la cuisine pieds nus et se servit une tasse de café instantané, y mettant trop de crème, la tête ailleurs, tellement occupé qu'il était à se demander ce qu'il allait bien pouvoir dire. Le retard de Londres avait eu pour cause un problème sur un moteur qui leur avait coûté près de trois heures de temps, mais il n'y avait eu aucun message radio, de la part de l'équipage, faisant état de difficultés avec les passagers. Après le départ du vol, c'était de toute façon à Denver de répondre à toutes les questions. Il savait qu'il y avait un risque pour que l'appareil soit obligé de revenir à Londres, bien entendu. On aurait dit que, par mails interposés, toute la compagnie ne parlait que de ça. Et avant de quitter son bureau de l'aéroport, il avait entendu parler de l'inquiétant détournement vers un aéroport africain. Officiellement, cependant, il n'en savait rien.

La perspective de faire face aux caméras de télé ne l'effrayait pas particulièrement ; il avait dû les affronter à plusieurs reprises au cours des années à la suite d'accidents. Ce qui le mettait mal à l'aise, il le reconnaissait lui-même, était le souvenir singulier du beau visage de Janie Bretsen manifestant fatigue et dégoût à l'idée de repartir pour effectuer le long trajet Londres-Le Cap. Ça, et le fait que Judy Jackson était à bord. Judy Jackson, la « chef de cabine » qui se cacherait maintenant avec le commandant dans le cockpit du vol 6.

James soupira et consulta sa montre. Dans environ une demi-heure, les équipes de télé commenceraient à s'impatienter. Il se demandait si Janie allait bien. Elle était une excellente chef de cabine, consciencieuse et amicale tout en sachant se faire respecter. Mais une révolte de passagers ? C'était peut-être ce vieux béguin qu'il continuait d'éprouver périodiquement pour elle qui lui nouait l'estomac. Ou encore, « le ballon avait fini par s'envoler », comme auraient dit ses amis américains. L'attitude arrogante de Meridian avait peut-être fini par pousser un groupe de passagers à franchir le seuil de tolérance.

Une désagréable sensation monta de ses entrailles, accompagnée de la sombre et déprimante prémonition que tout cela allait mal finir.

Le message du commandant incluait le nom d'un passager qui aurait attaqué le copilote. Le nom ne lui avait rien dit, sur le coup, puis il s'était souvenu d'une note qu'il avait laissée sur son bureau.

Mon Dieu, pourvu que ce ne soit pas ce nom ! se dit-il.

Il vida sa tasse, courut à sa voiture et emprunta l'itinéraire familier jusqu'à Heathrow par des rues désertes, en cette heure de la nuit. Il se rappelait le nom de l'homme en colère dont le visage brûlait encore dans son souvenir. Il n'eut aucun mal à se rappeler quelle était l'origine de la colère de cet homme ; et la note glaciale de Meridian sur le listing de l'ordinateur mentionnait la mort de sa femme et de l'enfant qu'elle portait. C'était le passager qui l'avait inquiété, au moment de l'embarquement, au point qu'il avait même fait venir quelqu'un de la sécurité.

James, néanmoins, avait décidé de le laisser monter à bord. Sa décision. Sa responsabilité.

Avait-il eu tort ?

Pour la deuxième fois, une petite vague nauséeuse l'assaillit.

Tout cela pourrait-il être ma faute ? se demanda-t-il. Cette idée le mit très mal à l'aise. Le copilote avait-il vraiment été blessé et abandonné sur cet aéroport perdu au fin fond de l'Afrique ? James se souvenait de son visage, lors de leur brève rencontre, à l'embarquement. Il lui avait paru amical. Rien à voir avec l'attitude froide et sévère de Knight, le commandant de bord.

Il se gara et hésita avant d'ouvrir la portière. *Et si le nom du type sur la note est bien Logan ? Qu'est-ce que je vais raconter à la presse ?*

La réponse était évidente : rien.

41

Une image en direct (après avoir été convenablement brouillée, codée, transmise par fibre optique, puis décryptée et reconstituée sur l'écran de cristaux liquides dans la salle de réunion de crise) retenait l'attention de tous ceux qui étaient présents depuis une demi-heure. Le chef d'état-major de la Maison-Blanche, l'amiral Bill Sanderson, lassé de soulever et de reposer toutes sortes de modèles de téléphone, avait opté pour un jeu d'écouteurs ultralégers, sans tenir davantage compte du préjugé snob mais tenace voulant que seuls les petits fonctionnaires et les secrétaires s'affublent de ces appareils.

« Des conneries », avait déclaré à ce propos l'amiral, le jour où son responsable des communications avait fait le point, quelques semaines auparavant, lors d'une autre crise liée à la guerre en cours contre les cellules terroristes restantes du Moyen-Orient.

« Monsieur ? dit d'une voix calme le directeur de la cellule de crise. Vous avez le président, ligne 1. »

Sanderson appuya sur le bouton correspondant. « Je vous écoute, monsieur le président. »

Il hochait la tête pendant que le président parlait, les yeux rivés sur l'image infrarouge du Meridian 6 et sur celles en blanc de quatre Mig 21 volant en formation approximative, à cinq milles à l'est. « Nous savons... ou du moins le NSA[1] nous assure... que Tripoli écoutait lorsque le message approprié est passé. Il n'était pas d'une grande habileté, mais Kadhafi n'est pas non plus très subtil. Toujours est-il que ses quatre chevaliers sont toujours en formation d'attente. Le point le plus proche de la frontière sera atteint par le 747 dans environ deux minutes ; étant donné la trajectoire suivie, il ne devrait pas s'en approcher de plus de deux milles, autrement dit ne pas violer l'espace aérien de la Libye. S'ils ont l'intention de franchir la frontière et de l'abattre, c'est leur dernière chance de le faire et de prétendre ensuite que Meridian a pénétré en territoire libyen. »

L'amiral Sanderson cala sa grande carcasse longiligne dans le fauteuil et acquiesça en silence pendant que le président continuait.

« Je vois en ce moment les mêmes images que vous. Je reste en ligne, monsieur le président. » Il appuya sur un bouton et jeta un coup d'œil autour de lui avant de tendre la main vers celui qui le mettrait en communication directe avec la salle des opérations, au Pentagone, où l'équipe était au complet. Si le 747 détourné survivait au passage près de la frontière libyenne, ce serait à la VIIe Flotte d'occuper le devant de la scène. Regrettable, songea-t-il. S'il avait bien suivi la pensée du président, il aurait mieux valu que les Libyens détruisent l'avion, ce qui aurait permis de les noyer sous un déluge de protestations, que de demander à la Navy de le faire.

Sanderson jeta un coup d'œil au jeune major de l'Air Force qui avait été intégré à l'équipe de la salle de crise, essayant de se souvenir à quel âge il avait eu le grade équivalent – *lieutenant commander* – dans la marine. C'était parfois perturbant, quand se posaient des problèmes d'ordre militaire, d'être à la fois l'ancien chef des opérations navales et d'avoir à réagir en civil en tant que chef d'état-major de la Maison-Blanche.

« Monsieur ? Ils se rapprochent, lui dit le major, montrant l'écran.

– Quelle distance de la frontière, à présent ?

– Les Mig passent dans l'espace aérien algérien. Le Meri-

---

1. National Security Agency . Agence pour la sécurité nationale.

dian en est encore à six milles, mais dans six milles il ne sera plus qu'à deux milles de la frontière, à très peu de chose près.

– Il sera néanmoins toujours à l'extérieur de l'espace aérien libyen, n'est-ce pas ?

– Oui, monsieur. Sans aucun doute. Le NRO nous a fait savoir qu'ils ont vérifié et revérifié les projections d'itinéraires et tous leurs magnétoscopes tournent. »

L'image électronique de la frontière libyenne montrait que son tracé formait une sorte de doigt pointé vers l'ouest ; c'était à hauteur de l'extrémité de ce doigt que le 747 serait le plus près de la frontière. Les quatre Mig 21 vinrent rapidement se placer derrière le Boeing, pénétrant indiscutablement dans l'espace aérien algérien, mais la couverture radar de ce secteur par l'Algérie était trop médiocre pour permettre de vérifier qu'il y avait violation.

« Le NRO signale qu'au moins deux missiles air-air sont en mode acquisition de cible », dit le major de l'Air Force, qui avait lui-même passé huit ans aux commandes de F-15 Eagle. Ils ont l'écho. En d'autres termes, un missile a terminé l'acquisition... Un deuxième... et maintenant, un troisième. »

Bill Sanderson prit une profonde inspiration, sans perdre des yeux le spectacle de cette géométrie variable et mortelle.

« Combien de temps nous reste-t-il sur ce satellite ? » demanda Sanderson, sachant que sa question irait aussi directement à Chantilly. Il eut d'ailleurs une réponse presque immédiate.

« Quatre minutes, mais il n'y aura pas de solution de continuité. Le suivant est déjà au-dessus de l'horizon.

– Acquisition terminée pour cinq missiles... six... sept... et huit. Huit missiles parés. »

Les Mig volaient à présent de front sur un seul rang, à huit milles derrière le 747.

« Trois milles de la frontière, dit le major. Passage au plus près dans quarante secondes.

– Vous allez voir qu'ils vont s'arranger pour que l'avion aille s'écraser en Libye, maugréa Sanderson. Je vous parie tout ce que vous voudrez qu'ils se sont verrouillés sur les moteurs droits pour obliger le 747 à tourner à droite après l'impact. Ils vont tirer les quatre premiers de ce côté, et le finiront quand il sera clairement au-delà de la frontière. »

Il y avait bien eu des éclairs rouges de balises à l'est, dans le ciel nocturne, au cours des dix minutes précédentes, mais personne, à bord du Meridian 6, ne l'avait remarqué dans la confusion qui avait régné après la tentative de dépressurisation. Soudain, un passager qui regardait par son hublot sursauta et montra ce qu'il voyait à son voisin. La nouvelle qu'ils n'étaient pas seuls se propagea dans la cabine comme une traînée de poudre.

Cindy fut la première personne de l'équipage à l'apprendre, et la première à se pencher par le hublot : elle vit, en effet, ces mêmes lumières qui clignotaient régulièrement au loin, côté droit du 747. Elle transmit l'information à Janie, qui demanda à Robert MacNaughton de regarder.

« Difficile de dire ce que c'est. On distingue plusieurs balises. Ce sont sans doute les avions de chasse du pays que nous survolons qui nous suivent. » Il retourna à son siège et brancha le petit écran affichant l'itinéraire, modifiant l'image pour faire apparaître une vue plus proche de l'Afrique du Nord avec la matérialisation des frontières. Il laissa échapper un sifflement bas.

« Bonté divine ! » marmonna-t-il dans sa barbe, n'ayant pas remarqué que Brian Logan se tenait le nez écrasé contre un hublot et regardait la même chose.

« Quoi donc ? » demanda Janie.

Robert tapota l'écran. « La Libye. Nous en sommes terriblement proches, et c'est très dangereux. Et ça m'étonnerait fort que notre cinglé de commandant ait demandé une autorisation de survol.

— Qu'est-ce qui risque de se passer ?

— Vous vous souvenez de l'appareil de la Korean Airlines, le 007, dans les années quatre-vingt ? Il s'était égaré au-dessus des îles Kouriles et les Soviétiques l'avaient abattu », répondit MacNaughton en se levant.

Janie hocha affirmativement la tête.

« Eh bien, c'était aussi un 747, et Kadhafi est encore plus cinglé. » Il montra l'office. « Où est ce téléphone de bord ? »

Dans l'esprit de Phil Knight, apprendre par la cabine qu'ils étaient suivis par des chasseurs devint tout de suite secondaire, par rapport à cette autre information : celui qui l'appelait était le pilote prêt à prendre le contrôle de l'appareil dont lui avait parlé Logan.

Le médecin n'avait donc pas bluffé, songea Knight. Cet homme avait une trop grande maîtrise des termes aéronautiques et des procédures pour être un simulateur. Il avait parlé de choses que seul un pilote d'avion à réaction de ligne pouvait connaître. Du coup, il mit un peu plus longtemps à digérer le fait que MacNaughton était également le président de l'English Petroleum.

Attends, attends, se dit-il. Il prétend être le MacNaughton président de l'EP... mais c'est sûrement faux. C'est un pilote, d'accord, mais MacNaughton est un bon Dieu de PDG qui se balade partout en jet privé. Il doit à peine savoir conduire une voiture. Alors, piloter un avion...

N'empêche, MacNaughton ou pas, celui qui l'avait appelé s'inquiétait de voir qu'ils se rapprochaient trop de la Libye. Pourquoi donc ? Même la Libye devait respecter un appareil commercial en détresse. Le monde entier devait savoir, à l'heure actuelle, que le Meridian 6 avait été détourné et n'était pas responsable de l'itinéraire que son commandant de bord avait été obligé de suivre.

Il se tordit le cou pour essayer d'apercevoir les balises rouges qu'on lui avait signalées, mais il lui fallut détacher sa ceinture et se pencher au-dessus du siège du copilote pour regarder vers l'arrière à droite.

Ah, là-bas ! Derrière l'aile droite, et à une grande distance à l'est. Voilà qui, à ses yeux, ne représentait pas un bien grand danger.

Probablement l'escorte classique d'un avion détourné.

En reprenant place sur son siège, Knight effleura le système de contrôle ACARS dont il s'était servi pour transmettre son message de détresse à la compagnie. Il se rendit alors compte, avec inquiétude, que la lumière signalant un message était allumée ; il avait arrêté la sonnerie sans vérifier de quoi il s'agissait. Il déclencha l'imprimante et attendit qu'elle ait fini avant d'arracher la feuille et de brancher le plafonnier pour lire le message.

Destinataire : Commandant de bord, vol 6, exploitation Londres prêt à vous recevoir avec services de sécurité comme requis. Veuillez noter qu'aucune tour de contrôle n'a eu de contact avec vous, et que vous ne disposez pas non plus d'autorisation de vol. Pouvez-vous passer par nous ? Pouvez-vous nous décrire la nature de la panne radio ? Pouvons-nous lancer l'alerte générale d'ici ? Réponse urgente.

Knight se tourna vers Judy Jackson, qui était assise derrière lui. Elle dormait et ronflait légèrement, la tête appuyée au cadre de la fenêtre. C'était tout aussi bien, pensa-t-il. Elle s'agrippait toujours à la hache posée sur ses genoux, mais les menaces qu'il avait proférées avaient manifestement ramené le calme, en dessous. Autant la laisser dormir.

Les lumières, sur sa droite, commencèrent à l'inquiéter. L'exploitation avait dit vrai : il n'avait aucune autorisation de vol d'une tour de contrôle quelconque, étant donné qu'il émettait en continu le code « panne radio ». Il allait leur répondre dans une minute.

Où est passée cette foutue carte ? se dit-il, tout en cherchant dans le fouillis qui régnait sur le plancher du cockpit. Il se souvenait qu'elles avaient toutes dégringolé pendant qu'il se livrait à ses acrobaties pour tenir Logan en échec.

Ah, voilà ! Il dégagea la carte et l'ouvrit sur le secteur qu'ils traversaient, la tendant sous le plafonnier resté allumé. Il vérifia longitude et latitude sur l'ordinateur de vol et les reporta sur la carte.

Ici... nous sommes juste ici.

Il se redressa, réfléchissant à toute vitesse. La frontière algéro-libyenne courait selon un axe approximatif sud-est/-nord-nord-ouest. Il était resté jusque-là nettement au-dessus de l'Algérie, mais devant lui, la frontière faisait une incursion marquée à l'ouest avant de reprendre son tracé général. On aurait bien dit qu'ils allaient passer juste au-dessus de la pointe.

Il vérifia à nouveau. Plus que quelques milles à parcourir. Il regarda sur la droite, mais les feux clignotants avaient disparu, et il se demanda si ses poursuivants avaient renoncé à le suivre ou s'étaient simplement laissé distancer.

Il avait lu un article sur la Libye, au cours de la semaine passée, mais tous ces noms de pays se mélangeaient dans sa tête. Libye, Tchad, Soudan, Égypte... et quoi encore ! Il était suspendu en plein ciel au-dessus d'un désert sans fin. Qu'est-ce qu'on pouvait bien avoir à foutre d'une frontière, dans ce bled ? Cela faisait plus d'une heure qu'il volait au-dessus de l'Algérie, d'ailleurs, sans qu'il leur soit rien arrivé.

Mais ce nom, Libye, avait une connotation sinistre, et c'était le territoire de la Libye qui s'étendait juste devant lui.

Le commandant tendit la main vers le tableau du pilotage automatique et débrancha le mode navigation par ordinateur. Puis il enfonça la touche « sélection cap » et fit lentement tourner la manette vers la gauche, d'environ quinze degrés, avant de laisser le Boeing se redresser. Précaution qui devait être parfaitement inutile, se dit-il, mais autant passer un peu plus au large de la Libye.

À bord d'Air Force One, 120 milles à l'est de Boise, Idaho
16 h 12, heure de Boise

Pendant dix minutes, le président avait suivi attentivement ce qui se passait sur son écran, grâce aux images numériquement améliorées qui lui étaient retransmises, via un satellite militaire sécurisé, depuis Chantilly ; il avait vu la silhouette fantomatique en infrarouges du 747 devenir la proie des quatre Mig 21 qui le suivaient, missiles armés et en statut acquisition de cible. L'idée d'assister en direct à la destruction d'un avion de ligne américain avait provoqué chez lui quelques états d'âme angoissés, mais il les avait à chaque fois surmontés en revenant à la réalité : il n'y avait ni passagers ni membres d'équipage, pour autant qu'il le sache, à bord de l'appareil. Il avait au contraire toutes les raisons de penser que le Meridian 6 était une arme de destruction massive volante, et dans ce cas, pourquoi ne pas être ravi, si les Libyens se chargeaient eux-mêmes de le pulvériser en plein ciel ?

Il n'en était pas moins resté dans un état de veille inconsciente, attendant avec anxiété la première trace lumineuse indiquant qu'un des Mig venait de lancer un missile.

À la dernière seconde, cependant, le 747 avait commencé à virer à gauche et à s'éloigner de la frontière, toujours talonné par les chasseurs libyens.

Le président se redressa dans son fauteuil et reprit le combiné téléphonique. « Bill ? Qu'est-ce qu'il fabrique ?

371

– Je l'ignore, monsieur le président... il change de cap, mais...

– Juste à la hauteur de cette saillie de la frontière !

– Il allait la rater d'à peu près deux milles... mais ce sera maintenant plutôt de trois ou quatre. Le plus important, c'est que même s'ils tirent sur les moteurs de droite, il peut très bien ne pas se crasher en Libye.

– Bon sang ! Est-ce qu'ils sont toujours à sa poursuite ?

– Attendez... nous parlons avec Chantilly... Ils captent des communications radio excitées entre les pilotes et leur poste de commandement. »

Le président posa la main sur le micro du combiné et se tourna vers son conseiller sur les questions de sécurité nationale. « J'étais persuadé qu'ils allaient le descendre. J'en viens à présent à me demander si ce n'était pas une opération montée par la Libye, et si ce ne serait pas un piège. » Il répéta la question pour la cellule de crise.

« Chantilly est encore sous le coup de leur changement de cap, répondit Sanderson. OK, attendez... Les Mig décrochent... acquisitions radar coupées.

– Je le vois, Bill, je le vois. Les Mig repartent vers l'est. Et merde !

– Que voulez-vous, monsieur, les meilleurs plans...

– *Leurs* plans, pas les nôtres, Bill.

– Alors, prêt pour le plan B ?

– Quel plan B ? Le plan A, oui.

– Bien compris, monsieur le président.

– Prévenez la VIIe Flotte. Qui est aux avant-postes ?

– Le premier groupe d'interception partira de l'*Enterprise*. L'*Eisenhower* est prêt, lui aussi, mais je suis sûr que nous n'en aurons pas besoin. Contact dans environ quarante minutes. Vous... vous tenez toujours à une inspection visuelle préalable ?

– Sauf s'il y a une bonne raison de penser que cela mettrait nos pilotes en péril, la réponse est oui. Maintenant qu'ils ont échappé aux Libyens. Tenez-moi au courant minute par minute, Bill. »

À bord du vol Meridian 6
0 h 15, heure du bord

C'est avec un mal de tête effroyable que Jimmy Roberts avait émergé, confus, du brouillard de l'inconscience hypoxique. Sa femme était effondrée dans son siège, à côté de lui. On leur avait placé un masque à oxygène sur la figure, à tous les deux, mais elle resta encore inconsciente pendant plusieurs minutes terrifiantes, tandis qu'il lui massait le visage et les mains et l'appelait par son nom, luttant contre la peur insidieuse qu'il allait peut-être la perdre.

Brenda Roberts finit cependant par émerger à son tour, sachant, sans pouvoir dire comment, qu'ils venaient d'échapper à un grand péril. Elle pleura sans discontinuer pendant plusieurs minutes, tandis qu'il la tenait dans ses bras, la laissant sangloter et se débarrasser ainsi, autant que ce fut possible, de sa peur.

« Bon, dit-elle après avoir séché ses larmes et s'être mouchée. Je ne veux plus entendre parler de rien de ce qui se passe, ni de ce commandant, ni de quoi que ce soit. Où sont les boules Quies ?

– Tu veux dire les écouteurs, ma chérie ? demanda Jimmy.

– Oui, les programmes censés nous distraire. »

Jimmy repéra les écouteurs de Brenda sur le sol (il était plus ou moins assis sur les siens) et il les brancha.

« On doit pouvoir changer de chaîne avec ce petit bouton, il me semble.

– C'est là-dessus ? » demanda-t-elle. Elle lui montra le petit écran à cristaux liquides incrusté dans le dossier du siège, devant elle, qui venait soudain de s'animer et de se colorer, pendant que Jimmy parcourait les différentes émissions en cours. Brenda se mit à étudier le bristol plastifié comportant la liste de stations disponibles. Soudain elle releva la tête.

« Jimmy ? Il paraît qu'ils auraient CNN. Comment est-ce possible ? CNN au milieu de nulle part ?

– Vraiment ?

« — En direct... par satellite, d'après la notice. Essaie le canal 39. »

Il composa le code, mais c'est une image complètement brouillée qui apparut sur l'écran, et les écouteurs ne retransmettaient que le chuintement d'un bruit de fond discontinu. Puis, soudain, tout se stabilisa. L'un des journalistes de CNN, à Atlanta, était en train de présenter une information avec la représentation, à l'arrière-plan, d'un avion :

... pas plus de détails de la part du pilote restant et, en fait, il n'y a pas eu d'autres communications depuis l'appareil au cours de l'heure écoulée, d'après des sources proches de ceux qui suivent cette affaire. En résumé, une émeute de passagers, sur un Boeing 747 de la compagnie Meridian Airlines, au-dessus de l'Afrique, un peu plus tôt dans la soirée, s'est apparemment soldée par le détournement de l'avion par les passagers en question. Le commandant et une des hôtesses se seraient barricadés dans le cockpit pour tenter de garder le contrôle du vol. Les responsables de Meridian se refusent à tout commentaire sur les préparatifs d'une prise d'assaut de l'appareil et de l'arrestation de toutes les personnes à bord, quand il atterrira à Londres. Quoi qu'il se passe en réalité à bord, l'éventualité qu'un grand nombre de passagers soient mis en accusation pour piraterie aérienne serait un événement sans précédent dans l'histoire aérienne des États-Unis. La piraterie aérienne est un crime capital devant la loi fédérale, punissable de la peine de mort.

Jimmy Roberts sentit ses entrailles se contracter tandis que, sous le choc, les yeux de Brenda cillaient de plus en plus vite.

« Jimmy ? C'est... c'est de nous qu'il parle, hein ?

— Bon Dieu, marmonna-t-il, sentant à quel point sa réponse était sans rapport avec ce qu'il aurait voulu dire. *La peine de mort ?* Doux Jésus, Brenda, ils nous considèrent tous comme des pirates de l'air ! »

42

Dans le bureau de George Zoffel, David Byrd reposa le combiné et resta assis, se sentant de plus en plus frustré et se demandant ce qui arrivait au Meridian 6 et s'il valait la peine de suivre son intuition. Retrouver la sénatrice Sharon Douglas au milieu de la nuit s'était révélé beaucoup plus difficile qu'il ne l'avait prévu. Elle était toujours à Londres et devait sans aucun doute dormir, mais il y avait bien trop d'excellents hôtels dans la ville et bien trop peu de temps pour les appeler les uns après les autres.

Un téléphone sonna et David vit le voyant de l'une des lignes clignoter. Ginger, la secrétaire de Zoffel, décrocha et lui fit aussitôt signe, deux doigts tendus, par la porte ouverte.

David appuya sur la ligne 2.

« Colonel Byrd ? Ron Olson, directeur administratif de la sénatrice Douglas. Je viens juste de recevoir un appel de la Maison-Blanche me disant que vous aviez besoin de lui parler de toute urgence. »

David formula sa réponse avec soin. Ils étaient sur une ligne non sécurisée. « Effectivement, c'est... extrêmement urgent et cela ne peut attendre.

— Vous ne pouvez pas me dire à quel sujet ?

— Non, Mr Olson, je ne peux pas.

« – Et vous voulez cependant que je la réveille à... euh... trois heures du matin à Londres ?

– Si vous ne le faites pas, monsieur, il y a des chances pour qu'elle vous fasse fouetter. Écoutez, c'est absolument vital. Donnez-moi simplement le numéro de son hôtel, je l'appelle-rai moi-même.

– Et comment diable puis-je être sûr que vous êtes bien celui que vous dites être ?

– Réfléchissez un peu. Qui vous a appelé pour vous dire de me joindre ? » demanda David.

Olson mit quelques secondes à réagir. « Oh, oui. Le central de la Maison-Blanche. Très bien. Restez en ligne, le temps que je vous trouve ce numéro. »

Quand il revint, il dicta à David une liste interminable de chiffres.

La personne qui décrocha, dans la chambre d'hôtel de Londres, eut du mal à contrôler le combiné. Il heurta la table de nuit et finit – apparemment – par se retrouver par terre, déclenchant un grognement de mauvaise humeur avant de rejoindre ce qui devait être l'oreille de Sharon Douglas.

« Euh... allô ? »

David s'identifia et s'excusa de la déranger à une heure pareille avant de lui dire en deux mots pourquoi il avait besoin de son aide. Il y eut un soupir à l'autre bout de la ligne et le bruit d'un combiné qu'on passe d'une main à l'autre.

« Qui, dites-vous ? David... Byrd ?

– Oui, madame.

– Le type de l'Air Force à qui j'ai parlé hier... euh, avant-hier ?

– Oui, madame la sénatrice.

– Quelle heure est-il ?

– Très tôt, et je suis désolé...

– Au fait, où suis-je, ici ? Il fait noir.

– À Londres.

– Ah oui, c'est vrai. Qu'est-ce que je peux faire pour vous, David ?

– Vous vous rappelez, ce vol effroyable Chicago-Londres dont vous m'avez parlé ? Vous souvenez-vous du numéro de vol ?

– Oui. Meridian 6. Ça n'aurait pas pu attendre demain matin ? »

David retint sa respiration. « C'était bien ce qu'il me semblait.

– Mais... » Elle s'éclaircit la voix. « Pourquoi avez-vous besoin de le savoir ?

– Il y a... certains aspects de la question dont je ne peux parler sur une ligne non sécurisée. Permettez-moi de vous faire un petit exposé rapide. »

Il la mit au courant de l'odyssée du Meridian 6 depuis que l'avion avait quitté Heathrow. Pendant qu'il parlait, il comprit, aux bruits de fond qu'il entendait, qu'elle se redressait dans son lit. Puis elle s'éclaircit de nouveau discrètement la voix.

« Bonté divine ! L'avion a été détourné ? Et vous dites... par les passagers ?

– C'est ce que vous pourriez m'aider à déterminer, mais il faut faire vite. Le commandant a signalé une révolte à bord, qui a tout à fait l'air d'avoir la forme de la "rage en vol" dont nous avons parlé, et j'essaie de voir si ça tient debout. » David lui décrivit le message ACARS envoyé par le vol 6. « Le problème est que, officiellement, nous ne croyons pas qu'il émane du commandant.

– Qui est ce "nous", David ?

– Ah... madame la sénatrice, je ne peux pas vous le dire. On vient juste de me nommer sur une cellule de crise concernant ce vol, et tout ce que je peux vous dire est ceci : j'ai besoin de déterminer s'il y avait une chance sérieuse de révolte de passagers sur ce vol. Avez-vous entendu parler de manifestations de colère de la part de passagers, par exemple, au départ de Londres ?

– Vous plaisantez, non ? S'il se trouve encore un seul passager venu de Chicago sur cet avion, vous avez toutes les chances d'avoir des manifestations de fureur. On a tout fait, sur ce vol, pour nous mettre à cran. Et pour tout vous dire, j'ai vu moi-même un couple agresser verbalement le commandant sur la passerelle, quand il est sorti... et il me semble qu'ils continuaient sur Le Cap.

– Bon.

– Je n'ai évidemment aucune idée de ce que vaut l'équipage qui est parti de Londres ; il était peut-être totalement

377

différent de la brochette d'abrutis avec lesquels il nous a fallu voler. Non, l'une des hôtesses n'était pas une abrutie, mais c'était l'exception. Écoutez... il se trouve que j'ai le numéro du chef d'exploitation de la compagnie à Londres. Je crois que c'est celui de son portable. » David entendit des bruits de feuilles qu'on tournait. « Il m'a appelée hier après-midi pour se confondre en excuses, et il m'a fait envoyer du vin et des fleurs. Il a vraiment fait tout ce qu'il a pu pour redorer l'image de sa compagnie à mes yeux. Mais sincèrement, je crois que c'est un combat perdu d'avance. Tenez. »

David nota le numéro qu'elle lui donnait.

« Merci infiniment, madame la sénatrice.

— Encore une chose, dit-elle. Pourriez-vous avoir la gentillesse de me rappeler lorsque vous l'aurez joint ? Je suis non seulement réveillée, à présent, mais aussi très inquiète. »

David promit, raccrocha, et composa aussitôt le numéro de James Haverston. Le chef d'exploitation lui répondit d'un ton sec, bien réveillé, qui surprit David.

« Oui, nous avons eu un retard important au départ de Londres, mais c'est tout ce que je peux vous dire. Je ne suis au courant d'aucun incident particulier de ce genre sur ce vol. Qui êtes-vous, déjà ?

— Colonel David Byrd, de l'Air Force des États-Unis.

— Écoutez, colonel, je ne doute pas que vous soyez la personne que vous dites être, mais mon boulot consiste aussi à protéger ma compagnie des petits malins de la presse. Avez-vous un numéro de téléphone où je puisse vous rappeler ? Ça me rassurerait beaucoup.

— Ne bougez pas. »

David se leva et passa dans le bureau où se trouvait Ginger, afin de se faire donner le numéro du central du NRO et de ses extensions, puis il retourna le dicter à Haverston.

Ginger apparut sur le seuil alors qu'il attendait d'être rappelé.

« Mr Zoffel vous fait dire qu'il n'y a pas eu d'incident avec la Libye et qu'il continue vers la Méditerranée.

« Merci. » Il lui adressa un bref sourire et s'autorisa à vérifier, de visu, que le colonel Blaylock n'avait pas eu tort. Elle était ravissante.

Le téléphone sonna et Ginger alla décrocher, puis se

378

tourna vers David, le nombre de ses doigts levés lui indiquant la ligne à brancher.

« Colonel ? James Haverston. J'ai à présent toutes les raisons de penser que vous n'êtes pas journaliste, mais je ne suis pas convaincu de pouvoir vous aider.

— Vous pourriez déjà m'en dire un peu plus, peut-être. »

Le chef d'exploitation lui parla de la présence du PDG d'English Petroleum à bord. « Tout cela va rapidement faire un scandale, j'en suis sûr, mais j'ignore si c'est significatif. Vous m'avez aussi demandé si le message était valide.

— En avez-vous vu une copie ?

— Je suis en route pour l'aéroport où je dois tenir une conférence de presse, colonel, et on m'a lu ce message au moins deux fois.

— Pourrait-il être valide, à votre avis ? A-t-il pu se produire un incident majeur de "rage en vol" sur le Meridian 6 ?

— Je ne sais pas. Je ne sais rien de plus que ce que je vous ai dit sur Mr MacNaughton. » David sentit une longue hésitation et garda le silence. « Bien entendu, mon opinion personnelle est qu'à chaque fois qu'un gros appareil commercial plein de passagers souffre de deux retards consécutifs en une journée...

— Deux ? »

Haverston raconta alors ce qui s'était passé avant le décollage. « Mais je n'ai aucune idée de ce que l'équipage a raconté aux passagers, ni de ce qu'était l'ambiance dans la cabine. Il a fallu cependant deux heures pour régler le problème de maintenance.

— Écoutez, Mr Haverston, ceci est extrêmement important. Vous allez devoir faire un acte de foi, si jamais vous savez autre chose. Je ne peux tout simplement pas vous révéler pour quelle raison je vous pose cette question, mais si je le pouvais, j'ai la certitude que vous remueriez sur-le-champ ciel et terre pour me répondre. Si nous ne pouvons pas démontrer que le message du Meridian 6 est logique et cohérent, et qu'une révolte des passagers n'avait rien d'invraisemblable sur ce vol-ci, on risque de faire perdre la vie à tous ceux qui se trouvent à bord.

— Je vous demande pardon ?

— Je ne peux vous en dire davantage. Réfléchissez seulement à ceci : le gouvernement de la Grande-Bretagne, ceux de la plupart des pays d'Europe ainsi que celui des États-Unis sont très... comment dire ? *excités* lorsqu'un gros appareil comme ce Boeing 747 met le cap sur une grande métropole sans communiquer.

— Je ne comprends pas, colonel. Que me demandez-vous ?

— Je crois qu'il y a quelque chose que vous ne me dites pas, Mr Haverston, et cela pourrait se révéler fatal pour vos passagers et votre équipage. Je vous en prie. Que s'est-il passé d'autre ?

— Je suis en train de me garer à l'aéroport, et il y a une note, sur mon bureau, que j'ai besoin de voir avant de vous répondre.

— Dites-moi pourquoi. »

Il y eut, en fond sonore, un claquement de portière, puis un bruit de pas et un tintement de clefs.

« Sur cette note figure un message donnant le nom d'un passager qui, selon le commandant, aurait agressé physiquement le copilote.

— Oui. Et le nom de ce passager est Logan.

— En effet. »

David entendit les bruits d'une porte qu'on ouvre. « Voyez-vous, il y avait un médecin américain en colère qui embarquait sur ce vol, hier. Il me faut vérifier si le nom que j'ai écrit est bien celui de cet homme.

— Logan ?

— Oui.

— Vous avez eu un problème avec lui ? »

Haverston résuma le rapport de Meridian sur la mort de l'épouse du médecin. « Ce fut une rencontre des plus déplaisantes, mais nous... je... j'ai jugé qu'il ne constituait pas un danger et je l'ai laissé embarquer. Ça y est, je suis à mon bureau. Une seconde. »

David entendit un bruit de papier, puis plus rien.

« Mr Haverston ? »

Toujours rien.

« Monsieur ?

— Bon sang de bonsoir !

— Vous dites ?

— Je n'arrive pas à trouver ce foutu papier. Je croyais pourtant l'avoir laissé ici.

— Et vous ne vous souvenez pas du nom avec certitude ?

– Non. Je suis sûr, cependant, que c'est un nom différent, colonel. Je vous rappelle si je le retrouve.

– Je vous en prie ! À la seconde même où vous l'avez retrouvé, joignez-moi sur mon portable. » Il lui donna le numéro, reposa le combiné et se mit à réfléchir à toute vitesse. *Je n'y arriverai jamais tout seul...*

Il passa à grands pas devant Ginger et fonça vers le corridor, sans se rendre vraiment compte que la jeune femme avait bondi de son siège et lui courait après.

« Colonel ? Il faut que je vous ouvre !

– Oh. » David la laissa passer devant lui, essayant de ne pas trop s'attarder sur le mouvement de ses hanches tandis qu'elle arpentait le corridor. Elle tapa le code de la porte et dut peser de tout son poids – qui n'était pas bien grand – sur le battant pour l'ouvrir.

« Merci, Ginger », dit-il, ressentant une bouffée de chaleur quand elle lui sourit au moment où il passait devant elle pour entrer. Il reprit son siège et enfila aussitôt son casque.

« Où en est-on ? demanda-t-il.

– Il se rapproche de la côte », répondit Blaylock avant de lui résumer, sur la ligne privée, comment la rencontre avec les chasseurs s'était terminée sur leur brusque départ. « Il sait exactement ce qu'il fait, David. Le pilote peut très bien être libyen et ces Mig avoir été une escorte de protection. Auquel cas, ils ont procédé à l'acquisition radar pour faire plus réaliste.

David se mordillait la lèvre inférieure tout en étudiant les différents écrans.

« Combien reste-t-il de temps ? demanda-t-il.

– L'*Enterprise* est en train de lancer ses F-14 Tomcat. Le plan est le suivant : interception, tentative de contact radio et, en cas de résultat négatif, l'obliger à retourner vers l'Afrique du Nord. Il y a un aéroport, loin au sud d'Alger, que les autorités algériennes mettent à notre disposition. Mais si le type qui est dans le cockpit ne veut ni parler ni faire demi-tour, il ne va pas vivre longtemps. Les Tomcat ont déjà leurs consignes. »

43

À bord du vol Meridian 6
0 h 18, heure du bord

Jimmy Roberts dit à sa femme de ne pas bouger et se leva. S'avançant rapidement dans l'allée, il gagna la cabine de première classe, se moquant bien de savoir s'il avait ou non le droit d'y pénétrer. Il avait horreur d'arriver quelque part où il se sentait déplacé ou fraîchement accueilli – accueilli tel un chien dans un jeu de quilles. D'ordinaire, il évitait ce genre de situation comme la peste, mais aujourd'hui, c'était différent. Lui, Brenda et tous les autres étaient accusés d'un crime, et il avait peur.

Les vastes sièges de la première classe avaient de quoi intimider, mais il se força à avancer, parcourant les visages du regard jusqu'à ce qu'il ait repéré celui du médecin qui avait été le moteur de la révolte dont ils parlaient aux informations. Penché sur des sièges, à la droite de la cabine, il regardait par un hublot dans la nuit ; un autre homme, passager de la classe éco comme Jimmy, faisait la même chose dans la rangée précédente et parlait avec la femme qui s'était présentée comme la nouvelle chef de cabine, Janie.

« Docteur ? Veuillez m'excuser », commença Jimmy Roberts, se fourrant les mains dans les poches.

Vu de près, songea-t-il, le médecin lui faisait moins l'effet d'être un géant. L'homme lui avait paru monumental, quand il arpentait la cabine, le mégaphone à la main.

Brian Logan se tourna. On lisait de la fatigue dans ses yeux et il avait mauvaise mine. Il se redressa et regarda Jimmy.

« Oui ?

— Euh, écoutez... je m'appelle Jimmy Roberts et je suis en classe éco, et ma femme et moi on vient juste de capter un bulletin d'info de CNN, et le type parlait de notre avion et disait que tous les passagers étaient des pirates de l'air, et je ne suis... euh, nous n'en sommes pas, et j'aimerais savoir ce qui peut bien se passer, en réalité.

— Des *pirates de l'air*? répéta Logan.

— Oui. » Jimmy rapporta du mieux qu'il put les paroles du journaliste. L'autre homme penché sur le hublot et la chef de cabine l'avaient entendu et s'étaient rapprochés.

« Ce qui nous fait peur, à ma femme et à moi, enchaîna Jimmy, c'est quand il a dit qu'on allait tous être arrêtés et poursuivis pour piraterie aérienne. Je ne sais pas pour vous, les gars, mais nous, nous n'avons rien fait, là en bas. On est en voyage parce qu'on a gagné un prix et on ne s'occupe pas des affaires des autres. »

Robert MacNaughton se leva, tendit la main à Jimmy et se présenta.

« Heureux de faire votre connaissance, Mr MacNaughton, dit Jimmy en lui serrant la main.

— Ne vous inquiétez pas pour ces absurdités, Mr Roberts, dit le PDG. Les seules activités qu'on pourrait à la rigueur qualifier de criminelles, à bord de cet appareil, sont celles du pilote, non celles du Dr Logan ou de moi-même. Il se peut... euh, qu'il y ait des explications à donner à la police à notre arrivée, mais je peux vous assurer qu'on ne viendra pas vous accuser de quoi que ce soit, vous et votre épouse.

— Mais pourquoi ont-ils dit cela ? insista Jimmy, regardant MacNaughton droit dans les yeux. J'ai bien entendu ce que vous avez dit sur la PA, vous en particulier, Dr Logan. Que vous preniez le commandement de l'appareil.

— C'était simplement, fit remarquer MacNaughton, la main levée, pour faire comprendre au pilote qu'on exigeait de lui qu'il continue vers la destination prévue. Ce n'est certainement pas comme si... comme si... » Il hésita, tandis qu'il revenait sur les événements des heures précédentes, les examinant d'un point de vue juridique. Embarrassé, il se tut.

« Écoutez, intervint Logan, on ne peut pas prétendre qu'il

383

s'agit d'un détournement, puisque nous avons exigé qu'il se rende à la destination prévue. C'est ridicule ! Il est évident que le commandant a balancé ça par radio, sans qu'aucun de nous soit là pour donner notre point de vue, mais ça ne tient pas debout !

— J'espère, dit Jimmy. Vous comprenez, nous n'avons pas l'habitude de prendre l'avion, ni de tout ça, ma femme et moi. »

Brian acquiesça, mais il n'avait pas réellement fait attention à la dernière remarque de Jimmy. Il étudiait attentivement Robert MacNaughton, qui gardait toujours le silence et se grattait le menton.

« Mr Roberts ? demanda Janie.

— Oui, madame.

— Je vais vous raccompagner. Comme ça, je pourrai rassurer votre femme.

— Ah, c'est une bonne idée », répondit Jimmy, qui se laissa entraîner entre les rideaux qui séparaient les deux classes.

Logan s'adressa alors au PDG. « Qu'est-ce qui ne va pas ?

— De la bouche des enfants, ou, dans ce cas précis, d'un innocent, sortent parfois de douloureuses vérités. »

Le médecin, se tenant au dossier du siège, étudia l'expression de MacNaughton. « Que voulez-vous dire ? »

Le PDG d'English Petroleum poussa un soupir et se rassit dans son siège, croisant les mains sur son estomac. Il leva les yeux vers Logan et secoua la tête. « Ça ne me fait pas plaisir de le reconnaître, mais j'ai bien peur que notre ami Jimmy n'ait raison, docteur. Vous et moi avons tenté de prendre le contrôle de cet appareil, et, quelles que soient les raisons qu'on ait eu d'agir, cela correspond à la définition minimale de la piraterie aérienne – indépendamment de ce que nous avons demandé au commandant de bord.

— Mais non ! C'est absurde !

— Je ne suis pas avocat, bien sûr, mais j'ai à traiter régulièrement des questions de droit et de légalité, et j'ai bien peur que non. Cela ne signifie pas pour autant qu'il y aura des mises en accusation, cependant...

— Cependant quoi ?

— Eh bien, étant donné que vous avez conseillé tout à l'heure l'usage de la force contre l'équipage, et que j'ai voulu moi-même enfoncer la porte du cockpit, un peu plus tard, je dirais que nous devrions adopter tous les deux profil bas et espérer que le cinglé, là-haut, nous ramènera à Londres en un seul morceau. Il sera toujours temps de s'expliquer avec la police à ce moment-là.

– La police ? »

MacNaughton inclina la tête tout en étudiant le visage du médecin. « Comment... aviez-vous envisagé que tout cela finirait, docteur ? Je reconnais que moi-même je n'y ai pas pensé, sinon pour réagir en patron belliqueux. J'avais plutôt imaginé que c'était nous qui allions livrer le pilote aux autorités, en arrivant, mais j'en viens à me dire avec inquiétude que c'est l'inverse qui risque fort de se passer.

– Vous... vous ne suggérez pas sérieusement que j'ai... que nous... ou que quelqu'un a commis un crime ?

– Veuillez me pardonner, docteur, mais c'est précisément ce que je suggère. »

Dans le cockpit, Judy Jackson se réveilla en sursaut, se rappelant où elle était... et pour quelles raisons. Elle jeta un regard inquiet autour d'elle, mais personne n'avait pénétré dans le cockpit pendant son sommeil. C'était elle et le commandant contre tous les passagers – et le reste de l'équipage. Janie Bretsen y avait veillé.

La vue du siège vide du copilote était presque une provocation, lui rappelant que le cauchemar n'était pas terminé. Des passagers en colère, un atterrissage d'urgence au milieu d'une bataille rangée, et les moments de sa vie professionnelle dont elle avait le plus honte, tout cela créait un mélange effrayant.

Apparemment les assiégeants, de l'autre côté de la porte, avaient renoncé à enfoncer celle-ci. En dépit de ce qu'elle avait déclaré au commandant, elle avait eu moins peur pour sa vie qu'elle n'avait été gênée de se terrer comme une froussarde.

Le souvenir la fit rougir, en particulier celui du vide total dans sa tête, elle qui avait toujours su trouver, et sur-le-champ, les meilleures excuses du monde pour justifier ses bévues. Elle n'avait eu aucune excuse, cette fois, et elle n'arrivait même pas à s'expliquer comment les choses avaient pu en arriver là. Comme si Judy, la chef de cabine, n'avait été qu'une fragile construction de verre qui, confrontée à cette explosion de rage et de haine, venait de s'écrouler, réduite en morceaux.

Elle se redressa dans son siège rabattable et donna une petite tape à Knight sur l'épaule. Le commandant se tourna pour la regarder du coin de l'œil.

« Oui ?

— Désolée, dit-elle — non sans se demander pourquoi elle s'excusait tout en le sachant très bien. Où sommes-nous ? Je ne sais pas pendant combien de temps j'ai dormi.

— Nous allons bientôt arriver au-dessus de la côte sud de la Méditerranée. Il nous reste moins de trois heures de vol pour Londres.

— Qu'est-ce que nous allons faire, commandant ? Je veux dire, une fois que nous serons à Londres ?

— Ils arrêteront tous les passagers, j'imagine, et nous devrons rendre compte de ce qui s'est passé. »

Judy poussa un long soupir, essayant de se représenter l'ampleur d'une telle arrestation.

« Nous avons plus de trois cents passagers. Ils ne peuvent tout de même pas arrêter tout le monde, si ? »

Knight haussa les épaules. « Tout ce que je sais, c'est ce que n'a cessé de répéter Logan : qu'il les représentait tous, et je sais aussi qu'ils vous ont poursuivie jusqu'ici ; qu'un petit groupe a même essayé d'enfoncer la porte du cockpit. C'est pourquoi je dis que oui, il devrait y avoir trois cents arrestations.

— Mais tout le monde n'était pas impliqué, vous savez.

— À eux de faire le tri. Logan, en tout cas, encourra la peine de mort pour piraterie aérienne.

— Je ne connais pas la loi..., commença-t-elle, sans terminer sa phrase.

— Tout va dépendre de votre témoignage sur ce que vous avez vu se passer entre Abbott et Logan.

— Mon témoignage ?

— Vous m'avez dit que vous l'aviez vu, de vos propres yeux, assommer Abbott à coups de bouteille d'oxygène dans la soute.

— Oui.

— Vous êtes absolument sûre que c'était bien Abbott, pas quelqu'un d'autre essayant de monter à bord ?

– Oui. »

Knight se tourna un peu plus pour la regarder droit dans les yeux, peu satisfait du laconisme de ses réponses.

« Judy ?

– Oui ! répéta-t-elle, sur la défensive.

– Savez-vous que Logan m'a dit, par le téléphone de bord, il y a un moment, que c'était sur des soldats qu'il frappait et qu'Abbott était déjà tombé au sol, à ce stade ? Vous savez que vous êtes le seul témoin de cette scène, n'est-ce pas ?

– Je sais ce que j'ai vu. »

Il hésita, la scrutant toujours, conscient qu'elle avait détourné les yeux vers la fenêtre, sur sa gauche.

« Vous savez aussi que je vous ai fait confiance là-dessus. Je l'ai dit à la compagnie, et Dieu seul sait qui est au courant, à présent. Je n'ai pas dit *Judy m'a dit*, je l'ai juste rapporté comme un fait établi. »

Il entendit le claquement d'une ceinture de sécurité qu'on ouvrait, et Judy se catapulta hors de son siège pour se tenir juste devant la porte. Elle tremblait de tout son corps, mais elle avait les mâchoires serrées et foudroyait le commandant du regard.

« Mais bon Dieu de Dieu ! Puisque je vous ai dit ce que j'ai vu ! Qu'est-ce qui vous prend de me rabrouer comme ça, vous êtes malade, ou quoi ?

– Mais non, Judy, je...

– Ce fils de pute ne va pas s'en tirer comme ça !

– Parce qu'il vous a défiée ?

– Oui ! Non. Non, je veux dire... en racontant n'importe quoi... autre chose que ce que j'ai vu. Et je sais bien ce que j'ai vu : il a tué le copilote.

– Très bien, très bien. Calmez-vous et asseyez-vous.

– Il faut que j'aille aux toilettes, dit-elle, se tournant pour jeter un coup d'œil par le judas. Vous me laisserez rentrer ?

– Oui. La procédure habituelle. » Elle regarda encore pendant plusieurs secondes par le judas, déglutit péniblement et se tourna un instant vers Knight.

« Je... je crois que c'est bon.

– Allez-y. Il n'y a rien sur l'écran de contrôle, la voie est libre. J'irai faire comme vous quand vous serez revenue. »

Trouver quelque chose de drôle à la situation était bien la dernière chose qu'il avait à l'esprit, mais la manière dont

387

Judy Jackson réagit à l'idée de se trouver seule dans le cockpit pendant qu'il irait pisser faillit le faire rire. Elle acquiesça d'un staccato de hochements de tête avant d'ouvrir lentement la porte du cockpit, qu'elle ne referma qu'après avoir ouvert celle donnant dans les toilettes.

Une fois de plus, le même voyant lumineux rouge clignotait sur le tableau de bord. Il s'était déclenché périodiquement, au cours des deux heures précédentes, et il avait annulé l'alerte machinalement, vérifiant simplement la température du moteur et essayant de ne plus y penser.

Bon Dieu de numéro 4 !

Ce moteur était à l'origine de tous ses problèmes, et Abbott avait eu raison, apparemment. L'alerte-incendie qui n'arrêtait pas de s'allumer était de toute évidence fausse. Le quatre tournait aussi régulièrement que les trois autres moteurs, rendant ridicules toutes les décisions qu'il avait prises jusqu'ici, et la perte de Garth Abbott encore plus dérisoire.

La présence de l'enregistreur numérique des données de vol, sur la queue du 747, était quelque chose qui allait de soi pour tous les pilotes ; mais à présent, ce n'était pas sans dégoût que Phil y pensait. À chaque fois que l'alerte-incendie s'était déclenchée, le signal avait été enregistré dans la boîte noire. Il se rendit compte que sa main droite était toujours crispée, prête à s'emparer de la poignée commandant les extincteurs du quatre. Il avait déjà surmonté cette impulsion, et il la surmonta à nouveau. C'était d'autant plus inutile qu'il les avait déjà vidés.

Janie Bretsen, aidée des hôtesses, s'était activée à distribuer tout ce qui restait de bouteilles d'eau et de plateaux-repas, ainsi que tout ce qu'elle possédait en matière d'aspirine dans l'avion, pour lutter contre les maux de tête induits par les brusques changements de l'altitude-cabine. Trois passagers présentaient des signes d'accident de décompression ; ils ressentaient des picotements aux coudes, et une femme ne pouvait se retenir de se gratter le bras – une forme bénigne du « mal des caissons », comme le savait Janie. Le plus stupéfiant, en dépit du stress produit par la décompression sur les trois cents et quelques passagers de tous les âges, du nouveau-né à l'octogénaire, était que tout le monde paraissait se calmer devant l'attention constante dont chacun était l'objet de la part de l'équipage de cabine – celui de Janie Bretsen, à présent.

La nouvelle chef de cabine brancha la PA, et prit la parole d'un ton doux et chaleureux.

Mes amis, je sais que vous êtes nombreux à être aussi fatigués que moi. Que ceux qui souhaitent que je baisse les lumières de la cabine lèvent la main, s'il vous plaît. Ce serait plus facile pour ceux qui veulent dormir, et il y a toujours les lampes de lecture individuelles pour les autres.

Plus de la moitié des mains se levèrent.

Merci. Est-ce que ceux qui n'ont pas levé la main ont des objections à présenter, si je baisse les lumières ?

Personne ne broncha. *Bien,* se dit-elle. *Si on peut tenir encore comme ça deux ou trois heures, on est tirés d'affaire.*

OK. Je les baisse. Merci.

Elle entra dans l'office devant lequel elle se tenait et manipula quelques interrupteurs, puis s'adossa un moment à la paroi latérale et ferma les yeux pour reprendre un peu de forces. Elle aurait eu bien besoin d'un deuxième souffle, mais celui-ci ne venait pas.

À vingt mètres de là, vers l'arrière de la cabine, Jimmy Roberts avait relevé l'accoudoir qui le séparait de Brenda et pris sa femme dans ses bras, après avoir éteint le petit écran de télé. Elle avait accepté les explications qu'on leur avait données. Ils n'étaient pas concernés. Janie, l'hôtesse avec qui Jimmy était revenu, lui avait paru si gentille et consciencieuse qu'elle l'avait crue. À présent, elle dormait paisiblement dans les bras de Jimmy, lequel prit peu à peu conscience d'un petit bruit périodique, rappelant un crépitement d'électricité statique, venant de derrière. Bruit qui lui faisait penser aux appareils de radio qu'il utilisait dans son atelier de Midland. Des crépitements, des voix, des crépitements. Le tout distant, à peine audible, mais excitant beaucoup trop sa curiosité pour qu'il puisse s'endormir. Il éprouvait en outre le besoin de se libérer de l'énergie nerveuse accumulée à rester coincé pendant des heures sur son siège. L'inactivité faisait tressaillir ses muscles.

Il abaissa les yeux sur sa femme et commença à la déplacer vers la gauche, lentement, avec précaution, puis il ajusta un oreiller pour lui caler la tête contre le bord du hublot. Elle avait un sommeil d'enfant, quand ils dormaient ensemble, et il avait l'habitude de dire en plaisantant que le passage d'un train de marchandises ne l'aurait pas réveillée. Mais les rares fois où il avait dû travailler jusqu'à l'aube sur un camion à réparer d'urgence, il l'avait retrouvée les yeux rougis et épuisée, le lendemain matin : elle avait passé la nuit à se réveiller au moindre bruit.

Il lui posa une couverture supplémentaire sur les épaules, défit sa ceinture en silence et se glissa dans l'allée. Il n'eut à remonter que trois rangées pour tomber sur ce qui était, dans la pénombre, la forme d'un jeune garçon assis près d'un hublot. Le siège voisin était libre, et il y avait assez de lumière pour que Jimmy puisse évaluer son âge : une quinzaine d'années. Il était penché sur les contrôles numériques d'une petite radio raccordée par un écouteur à son oreille. C'était bien la source du bruit qui avait alerté Jimy. Le garçon le remarqua et leva la tête.

Jimmy lui sourit et montra l'appareil. « C'est quoi, ce truc ?

– Oh, juste un scanner de la police.

– Je peux m'asseoir ?

– Bien sûr », répondit le garçon. Jimmy se glissa sur le siège.

« Tu arrives à capter des messages de la police jusqu'ici ?

– Non, pas vraiment. Surtout des trucs d'aviation. Des fois, je n'y comprends rien.

– Je peux écouter ?

– Bien sûr. »

Le garçon débrancha son écouteur et baissa le volume. Une voix masculine se mit à crépiter, ordonnant à quelqu'un de tourner à droite, et recevant une réponse rapide.

« Qu'est-ce que c'était ? demanda Jimmy.

– Je ne sais pas. Pour le moment, je suis dans la bande radio de l'aviation, mais l'appareil scanne un tas de fréquences. Il doit s'agir d'une tour de contrôle. On dirait qu'ils parlent espagnol. »

Une autre voix, aux intonations distinctement américaines, s'éleva alors au milieu des parasites :

Meridian 6, Meridian 6, ici patrouille Navy, patrouille Navy, répondez sur un vingt et un point cinq. Je répète, Meridian 6, ici patrouille US Navy, répondez immédiatement sur un vingt et un point cinq...

« Attends une minute... », dit Jimmy. Mais déjà l'adolescent acquiesçait.

« Ouais. C'est notre avion, mais le commandant ne répond pas. Ça dure depuis un moment. »

44

Cellule décisions stratégiques, USS Enterprise, CVN-65
0 h 23, heure locale

Comme toujours quand des opérations aériennes étaient en cours, le silence du centre nerveux électronique de l'*Enterprise* avait été régulièrement troublé par le *wooooush* des catapultes à vapeur du pont, expédiant dans la nuit ses patrouilles de Tomcat F-14 en configuration de combat. Vingt minutes s'étaient écoulées, et les chasseurs s'étaient postés à trente-sept mille pieds pour attendre leur cible, tandis que le bateau continuait à diffuser un même message, sur de nombreuses fréquences, afin d'obtenir une réaction du pilote aux commandes du 747 détourné. Le Meridian 6 approchait du point médian, au-dessus de la Méditerranée, et il était prévu de l'abattre dans cette zone, aussi loin que possible des terres.

Dans le cockpit du Tomcat de tête, le chef de la patrouille de quatre, le capitaine Chris Burton, nom de code radio « Critter », vérifia une dernière fois sa position et entama un virage vers le sud. La tache du 747 apparaissait déjà sur l'écran radar de son coéquipier, le lieutenant Luke Berris, responsable des systèmes d'armes de l'appareil. Le plan de Burton était de voler plein sud pendant trente milles, puis de tourner à cent quatre-vingts degrés pour se retrouver derrière le Boeing ; une autre patrouille de quatre chasseurs, stationnée à trente-neuf mille pieds, ne viendrait en renfort que si nécessaire. Ce serait au capitaine Burton de rapporter ce qu'il verrait par les hublots de l'appareil, s'il y avait quelque chose à voir, ainsi que d'obliger le 747 à virer au sud. Mais les paroles que son chef de mission lui avait confiées en privé à la porte de la salle de briefing, juste avant de partir, avaient donné un tour spécial à sa mission. « Le pacha tient à ce que vous sachiez qu'il est possible que la description que vous donnerez soit retransmise directement à *Air Force One*. Le président veut être en direct. »

Dans le cockpit du Tomcat, Burton activa son micro. « Quelle distance, Blackberry ? » demanda-t-il, utilisant le nom de code complet de son coéquipier, et non le « Berry » plus familier habituel.

– Bientôt à quatre-vingt-dix. Virage dans cinq minutes. »

Quartier général du NRO, Chantilly, Virginie
18 h 23, heure locale

David Byrd se leva et alla murmurer à l'oreille de Blaylock : « Il faut que je vous parle, mais pas ici. C'est urgent. »

Le colonel le regarda, hésita, puis acquiesça et s'adressa à George Zoffel en se levant.

« Nous devons sortir une minute, George. Comment fait-on pour rentrer ? »

Zoffel répondit sans quitter les écrans des yeux. « Servez-vous du téléphone à côté de la porte. Je viendrai vous ouvrir. »

Les deux hommes passèrent dans le corridor et s'assurèrent que la porte de la salle sécurisée était bien refermée derrière eux.

« John ? Je sais que c'est vous l'expert et que je n'y connais pas grand-chose en renseignement, commença David Byrd, mais on est en train de commettre une énorme gaffe, là-dedans, et il faut que nous trouvions comment arrêter ça.

– Pourquoi ? Une intuition, peut-être ? »

– Oui, une intuition. Tout comme vous, j'ai beaucoup pratiqué l'Air Force et l'aviation, et je crois encore à la valeur de certaines intuitions.

– Je n'ai pas dit qu'elles ne valaient rien, David. Mais il faut me convaincre. Dites-moi pourquoi, alors que nous avons la preuve photographique que les passagers ne sont plus dans l'avion et que les deux pilotes sont morts, sans parler de tous les avertissements que les services de renseignements ont retransmis sur l'imminence d'une opération terroriste, nous devrions nous abstenir de faire sauter cette bombe en plein ciel avant qu'elle ne réduise en cendres ou contamine la moitié de l'Europe ?

– Parce que les choses ne sont pas ce qu'elles ont l'air d'être.

– C'est-à-dire ?

– Je crois que le commandant est toujours en vie et à bord.

– Dans ce cas, c'est peut-être lui, le complice des terroristes. Il s'imagine sans doute qu'il survivra à l'opération qu'on lui fait faire.

– Ah oui ? Et où sont vos preuves à vous ?

– Mes preuves, ce sont les photos du camp rebelle au Nigeria, David. Vous les avez vues aussi bien que moi. Des preuves circonstanciées, avec le toboggan largué et les bus, mais aussi des images en direct d'êtres humains, la majorité ayant la peau claire, et nous en avons compté près de deux cents autour du hangar. Qu'est-ce qu'ils ont dit, il y a un moment ? Vous savez, l'équipe d'analyse d'images, quelque part dans le bâtiment ?

– Qu'ils estimaient qu'il y avait plus de quatre-vingt pour cent de Blancs », répéta David. Il se mordit la lèvre et leva l'index. « Mais il y a un *mais* ! Nous ne les avons pas vus tous, et rien ne prouve qu'un groupe de passagers ne soit pas resté dans l'avion. Nom d'un chien, John, le commandant ne sait peut-être même pas qu'on a obligé des passagers à descendre.

– C'est là que gît le lièvre. Quelle est l'incongruité numéro un dans leur raisonnement, à ce stade ? »

David hocha la tête, réfléchissant, concentré, mais non sans jeter des coups d'œil dans le corridor pour vérifier qu'ils étaient bien toujours seuls.

« Il n'a pas été formellement prouvé que le contenu

du message émanant du commandant, si c'est bien lui, était faux. À cause des photos, nous concluons... *ils* concluent qu'une émeute des passagers, l'incident que nous avons baptisé "rage en vol", n'est pas possible simplement parce qu'il n'y a pas de passagers. Mais nous ne savons pas avec certitude s'il y a ou non des passagers à bord.

— Je ne suis pas d'accord, dit Blaylock.

— Prenons les choses à rebours, John. S'il y avait la moindre possibilité raisonnable qu'un groupe, même restreint, de passagers furieux ait pris le contrôle de l'appareil, nous ne pouvons pas pour autant évacuer l'hypothèse que le message du commandant ne soit qu'un élément cynique dans un plan plus vaste. Tout est possible ! Et il existe une telle possibilité, je dirais même une probabilité. Si bizarre que cela paraisse, j'ai étudié les affaires de groupes de passagers sur le point de se révolter, tant ils étaient furieux. Pourquoi serait-il si difficile de croire qu'ils puissent tellement effrayer un commandant que celui-ci se croie en danger ? En particulier à bord d'un avion qui vient de faire un atterrissage d'urgence au beau milieu d'une guerre civile ? Dans ces conditions, une révolte de passagers n'aurait rien de bien étonnant.

— Ce qui prouve, colonel ?

— Rien pour l'instant, mais on ne peut pas ne pas en tenir compte, bon sang !

— Voyez-vous, David, les services de renseignements procèdent par évaluation du niveau de certitude que l'on peut attribuer aux informations et par hypothèses argumentées. Tout cela se fonde sur les indices et preuves dont on dispose. Vous balayez tout cela d'un revers de main philosophique, si je puis dire.

— Sûrement pas ! répliqua David, s'éloignant de quelques pas et se retournant soudain en claquant dans ses doigts. Vous voulez des faits, des preuves solides ? Eh bien, en voilà. Je viens de parler avec la sénatrice Douglas, à Londres. Je l'ai même réveillée. Elle était dans cet avion, le vol Meridian 6, pour l'étape Chicago-Londres. »

David Byrd relata alors la litanie des délais et mauvais traitements que lui avait rapportés Sharon Douglas. « J'ai également pu parler avec le chef d'exploitation de Meridian à Heathrow. Plus de *cent* de ces passagers furieux continuaient sur Le Cap.

— Je vois, dit John, toujours pas convaincu, mais attentif.

— De plus, ce type de Londres a eu sérieusement maille à partir avec un médecin américain en colère, au moment de l'embarquement pour Le Cap. Il a essayé de retrouver une note concernant cet homme, parce qu'il se demande s'il ne s'agirait pas du médecin qui est en train de poursuivre Meridian en dommages et intérêts pour je ne sais combien de millions ; l'an dernier, sa femme est morte dans un appareil de la compagnie, parce que l'équipage a refusé d'écouter ses appels à l'aide. À votre avis, pourquoi ce personnage vole-t-il sur Meridian ? Tout simplement pour déclencher une révolte, qui sait...

— Ou peut-être parce qu'il est complice d'un détournement et payé par un groupe terroriste, ajouta Blaylock, tendant la main, paume ouverte. Bon, d'accord. Écoutez, David. Admettons que vos cent passagers aient embarqué avec une bonne dose de colère accumulée. Il n'en reste pas moins qu'il pourrait très bien s'agir d'une action terroriste concertée – de mille manières différentes. Le fait est que celui qui a goupillé ce coup devait avoir un complice sur le vol de Chicago, c'est comme ça qu'ils ont su que les passagers étaient furieux ; ils ont sauté sur l'occasion à la dernière minute, utilisant cette information pour rendre un peu plus crédible une hypothèse masquant ce qu'ils avaient réellement l'intention de faire. N'oubliez pas que nous avons affaire à un groupe hyperorganisé, dans cette histoire. Ils doivent avoir des tas de plans de rechange, quand le premier ne marche pas.

— En admettant que nous soyons face à un groupe. Nous avons été pris de panique, John, pris de panique à cause de notre légitime détermination à ne plus nous laisser surprendre les culottes baissées ; mais ce n'en est pas moins un jugement hâtif et si nous nous trompons, nos Tomcat vont massacrer trois cents Américains innocents d'ici quelques minutes. Les conséquences politiques seront catastrophiques et les théories de la conspiration vont fleurir, sans parler des vies perdues et gâchées.

— Attendez, David. Vous prétendez que cette analyse est tendancieuse, fondée sur des préjugés qui favorisent l'option destruction ?

— Bien sûr, puisqu'ils partent du principe que l'absence

contact radio s'ajoutant à l'absence d'autorisation de vol et de passagers signifie *automatiquement* que nous avons affaire à un cheval de Troie. C'est tout simplement insupportable. C'est en cela que la décision est tendancieuse. Il pourrait y avoir d'autres explications, bonté divine ! Avons-nous la moindre preuve matérielle, le moindre indice de la présence d'une arme à bord ?

– Non.

– Non, en effet. Nous faisons simplement l'*hypothèse* que l'itinéraire pris par le 747 et l'absence de passagers n'ont qu'une seule explication, la présence d'une arme ou d'une bombe biologique à bord. »

Blaylock secouait la tête. « S'ils s'approchaient de Washington ou de New York, hésiteriez-vous ?

– Sans doute pas, je l'admets.

– Vous avez eu accès à ce que j'ai vu moi-même, David. Les signaux d'alarme que ce qui reste des groupes terroristes que nous avons débusqués un peu partout dans le monde préparaient un coup tout à fait dans ce genre se sont multipliés depuis des mois, et... il y a deux incidents récents qui en accroissent encore la possibilité. »

David garda le silence une seconde, réfléchissant à la formulation qu'il allait employer. « Il faut que vous m'écoutiez à présent, John. Nous sommes sur le point de commettre une erreur historique. Je vous ai demandé s'il y avait le moindre indice de la présence d'une bombe ou d'anthrax, et vous m'avez répondu que non. Les signaux d'alarme sur lesquels vous fondez votre conclusion que ce 747 est une bombe volante sont encore plus sujets à caution et suspects que les idées que je viens de vous soumettre. Comment un pilote terroriste – ou encore un groupe terroriste – pourrait-il savoir que les passagers sont à ce point remontés qu'il peut nous faire avaler une histoire de révolte en vol ?

– Je vous l'ai dit, ils avaient peut-être un complice à Londres, ou à bord de l'appareil.

– Mais même dans ce cas, John, ils n'ont pas pu *projeter* d'utiliser une histoire de rage en vol ! Réfléchissez. Tous les éléments du plan sont en place. Ces malfaiteurs, ces terroristes, s'ils existent, n'auraient pas laissé au hasard le soin d'envoyer le message critique depuis le cockpit, il n'aurait pas été rédigé à la dernière minute. C'était trop important. Il devait être conçu de manière à détourner les soupçons. Qui diable aurait pu imaginer de tabler sur une révolte de passagers ? Sans parler du fait qu'il était formulé de manière très américaine. Non, John, c'est un vrai pilote de Meridian qui est là-haut, un pilote qui a des passagers dans la cabine, et nous, nous sommes sur le point de les assassiner.

– Onitsa a été fichtrement convaincant, David. Le Nigeria nous est tombé dessus et leur a déjà viré dix millions de dollars pour l'empêcher de commencer les exécutions. Ils vont vouloir se faire rembourser. »

David soupira et secoua la tête. « Ils ont peut-être des passagers, mais pas tous les passagers. Et encore une fois, où se trouve l'arme qui aurait été soi-disant chargée à bord ? Les satellites n'ont vu embarquer ni gros paquet ni bombe.

– Il pourrait s'agir d'un colis de petite taille, ou alors Onitsa connaissait les heures de passage des satellites, fit remarquer Blaylock en hochant la tête. Oui, ce serait bien de lui, ça, ajouta-t-il, revenant sur David. Écoutez. Votre raisonnement est logique et se tiendrait parfaitement, s'il ne souffrait d'un défaut majeur.

– Lequel ?

– Je vais leur exposer votre point de vue, de toute façon, mais... les photos des passagers pris en otages paraissent tellement concluantes et le comportement de l'avion est si stupidement menaçant que, dans l'esprit de tous ces gens du renseignement, votre belle logique est balayée. Ils ont leurs preuves. N'oubliez pas que c'est la guerre, David, et qu'il n'y a pas un seul endroit de la planète qui ne fasse pas partie de la zone d'alerte.

– Qu'est-ce qu'il faudrait pour vous convaincre *vous*, John ? »

Blaylock secoua la tête, soupira, étudia pendant quelques secondes ses chaussures d'uniforme, puis releva la tête. « Trouver quelque chose dans ce message que personne, sinon le vrai commandant, ne pouvait connaître. Et nous sommes sur le point de ne plus en avoir le temps. »

Chris Burton vit la balise et les feux de position du Meridian 747 filer, à cinq milles à sa gauche, à une vitesse relative de plus de mille milles à l'heure. Suivi de ses trois ailiers, disposés à intervalles réguliers et à courte distance dans son sillage, il bascula sur l'aile à quatre-vingt-dix degrés et vint se placer derrière le Boeing. Burton redressa son Tomcat, cala son cap sur celui de son gibier et accéléra, suivi de ses équipiers.

« OK, Critter, confirmation logo Meridian Airlines et matricule carlingue. Je me place sur la gauche. »

Chris réduisit légèrement les gaz et déploya les aérofreins pour se mettre en position par le travers gauche du 747.

« Qu'est-ce que tu en penses ? demanda-t-il à Berris, par l'interphone de bord.

– La cabine est sombre. Je vois quelques lumières de lecture. On dirait... je ne sais pas. Pourrait bien y avoir quelques personnes en train de lire. Difficile à dire. Je n'en jurerais pas.

– Pourrait peut-être s'agir de mannequins, Blackie », observa Burton, laissant le Tomcat remonter lentement pour inspecter le reste des hublots et les trouvant presque tous noirs.

« Ça se pourrait. Je ne vois personne bouger.

– Je vais me positionner à hauteur du cockpit. » Manipulant imperceptiblement les contrôles, Chris s'éleva d'une dizaine de mètres au-dessus de l'aile et rapprocha le Tomcat du cockpit du Boeing, prenant garde à ce que la traînée de son appareil n'aille pas sur la voilure ou l'empennage du gros-porteur, au risque de le chahuter.

« Tu vois quelqu'un là-dedans ? demanda-t-il à son coéquipier.

– Ouais... on dirait. J'aperçois la silhouette d'une tête sur le fond lumineux qui monte des instruments. »

Burton rapporta ce qu'ils voyaient au porte-avion.

« Bien compris, Critter. Essayez contact sur *victor guard*, répondit le bateau. Nous n'avons toujours aucune réaction, ici.

— Je m'en charge, Critter », intervint Berris, qui sélectionna la radio appropriée, en fréquence VHF, et composa le un-vingt-et-un-point-cinq avant d'appuyer sur « transmission ».

« Meridian 6, Meridian 6, chasseur US Navy sur votre gauche à dix heures vous appelle pour contrôle. Répondez sur un-vingt et un-point-cinq.

— Une réaction ? demanda Chris.

— Négatif. »

Berris essaya encore par deux fois, tandis que Burton vérifiait leur position.

« Pas de pot, base arrière, lança-t-il par radio. Aucune réponse. Nous allons essayer de le faire tourner. » Il lâcha le bouton de transmission pour s'adresser à son second. « Continue d'essayer, Blackie, d'accord ?

— Entendu. Je conseillerais de ne pas trop s'en approcher, vieux.

— Encore trois mètres, et c'est bon. » Burton effleura à nouveau la poignée des gaz et se rapprocha imperceptiblement ; son autre main s'abaissa et, au toucher, il enclencha tous les feux de position et les phares du Tomcat. Puis il prit la lampe-torche de sa tenue de vol et la braqua sur le cockpit du 747, faisant une série d'appels. La personne assise dans le siège de gauche regardait à sa droite. Chris vit son faisceau éclairer l'arrière d'un crâne, mais son propriétaire, apparemment, ne remarqua pas le reflet de la lumière dans le cockpit.

« Blackie ? Je vais le secouer un peu », dit Burton. Le pilote descendit de façon que les turbulences de son sillage viennent heurter l'aile du jumbo et lui fassent faire une embardée. Il se tordit le cou pour voir le résultat (prévisible) de la manœuvre et, effectivement, les feux de position du 747 trahirent un mouvement de roulis brutal sur la gauche, puis sur la droite, et l'appareil se redressa.

Burton reprit la position d'où il pouvait voir le cockpit mais la silhouette, à l'intérieur, regardait toujours dans l'autre direction.

« Toujours pas de réaction, signala Burton. Je l'ai secoué un bon coup, mais le pilote automatique est branché.

– Chris ?

– Oui, je sais, je sais, il ne nous reste pas beaucoup de temps. » Il sentait qu'il se raidissait au fur et à mesure que la tension montait. Il balança les ailes du Tomcat, fit des appels de ses phares et feux de position en suivant le code international des interceptions en vol, mais personne, dans le cockpit du 747, ne semblait réagir.

« Ça ne me fait pas plaisir de te le dire, Critter, mais nous sommes presque sortis de la zone d'identification. Il ne nous reste que quinze milles pour le faire tourner ou le descendre.

– Je vais essayer de l'autre côté. » Il appuya sur le bouton de transmission. « Deux, trois et quatre, restez en position. J'essaie d'attirer son attention. » Burton fit monter le Tomcat au-dessus du fuselage du 747 et se laissa glisser en douceur sur le côté droit, un peu en avant du cockpit, et regagna la même hauteur par rapport à celui-ci. Il refit la manœuvre du battement d'ailes et des appels de lampe ; cette fois, la silhouette solitaire du cockpit bougea – pour disparaître brusquement.

– Base arrière, ici Critter. Je l'ai fait rouler et je lui adressé les signaux de code avec ma lampe-torche sur la gauche, la procédure standard, sans obtenir de réaction. Même chose sur le côté droit, et le pilote a disparu à ma vue dès qu'il m'a aperçu.

– Je répète, une seule personne ?

– Affirmatif.

– Homme ou femme ?

– Peux pas dire.

– Ne bougez pas, Critter, vous êtes presque hors de la zone. »

Burton secoua la tête et siffla dans l'interphone. « Qu'est-ce que tu en penses, Blackie ?

– Qu'on va nous demander de l'expédier dans la flotte, Chris... et Dieu nous prenne en pitié si c'est une erreur. »

45

À bord du vol Meridian 6
0 h 25, heure locale

« Je crois qu'on devrait le dire à quelqu'un, non ? »

L'adolescent acquiesça et tendit le scanner portable à Jimmy Roberts. « Oui, je crois.

— Je reviens dans une minute, d'accord ?

— D'accord. »

Jimmy se leva et s'engagea rapidement dans l'allée, s'arrêtant brièvement à la hauteur de Brenda. Elle dormait, et la couverture qu'il avait tendrement placée sur ses épaules n'avait pas bougé. Il dut faire un effort pour ne pas se pencher sur elle et l'embrasser. Il repartit aussi vite qu'il put dans la pénombre de la cabine, à la recherche d'une hôtesse.

Il entendit une voix s'élever du scanner, et il s'arrêta pour porter l'appareil à son oreille. Le volume était très bas et il voulut le monter mais, comme la voix se tut, il reprit sa marche.

Les lumières étaient aussi coupées en première classe, mais il repéra Janie Bretsen assise en travers, sur un accoudoir.

« Excusez-moi, désolé de vous interrompre... »

Elle se leva aussitôt et, dans le faible éclairage d'une petite lampe de lecture, il la vit esquisser un sourire fatigué.

« Pas de problème. Qu'est-ce que je peux faire pour vous ? »

Il lui montra le scanner et lui expliqua ce qu'il avait entendu lui-même auparavant, mais l'appareil refusa de coopérer.

« C'était il y a une minute. Il était question d'une patrouille de la Navy appelant Meridian. C'est bien nous, pas vrai ?

– Oui », répondit Janie, l'entraînant derrière les rideaux de l'office où elle brancha les lumières avant de s'intéresser à la radio. « Ils appelaient Meridian 6 ?

– Oui, madame. Plusieurs fois. Je me suis dit qu'il fallait vous avertir.

– C'est votre radio ? »

Il secoua la tête. « Non. Elle appartient à un gosse, là-bas au fond. Deux rangs derrière nous. J'ai entendu des crépitements et j'ai été voir. »

Janie l'entraîna vers le petit hublot d'une des portes d'accès. « En le plaçant contre la vitre, on pourra peut-être capter à nouveau le signal. » Elle regarda la radio portative et manipula les boutons. « Il était coupé.

– Coupé ? Oh, désolé. C'est moi qui ai dû le couper en venant. »

Janie tourna un bouton du haut et un brusque chuintement d'électricité statique les fit sursauter tous les deux. Elle baissa rapidement le volume du son. L'écran de cristaux liquides affichait une seule fréquence : 135.0.

« C'est la bonne fréquence ? »

Jimmy regarda de plus près. « Je... je ne sais pas. Les chiffres n'arrêtaient pas de sauter, comme si le scanner les parcourait toutes. La voix en mentionnait une particulière, mais je ne l'ai pas retenue.

– Vous savez comment il fonctionne ?

– Non, pas vraiment. J'ai déjà vu des scanners de la police. Un de mes amis s'occupe de remorquages, et il écoute tous leurs appels.

– Je n'entends rien ; sans doute est-il resté calé sur cette fréquence, observa Janie.

– Peut-être, mais je suis tout à fait sûr de l'avoir entendu qui nous appelait. »

L'hôtesse lui posa une main sur l'épaule. « Je n'en doute pas. J'ai juste à décider ce qu'il faut faire. Le propriétaire de l'appareil sait le faire fonctionner, j'imagine ? »

Jimmy acquiesça. « Vous voulez que j'aille le chercher ?

— Oui, s'il vous plaît. »

Jimmy disparut vers l'arrière tandis que Janie prenait le combiné du téléphone de bord et composait le numéro du cockpit.

Il s'écoula trente secondes avant que quelqu'un décroche à l'autre bout. Elle resta un instant décontenancée lorsqu'elle entendit la voix de Judy Jackson murmurant un « Allô ? » hésitant.

— Judy ? Où est le commandant ? C'est Janie.

— Pourquoi ?

— Bon sang, Judy ! Je vous ai posé une question ! J'ai quelque chose à lui dire qui pourrait être très important.

— Il... il est occupé, en ce moment. »

Comme pris dans une turbulence, le 747 fit une embardée à gauche qui manqua la faire tomber. Il y eut en même temps un petit cri dans le téléphone.

« Qu'est-ce que c'était, Judy ?

— Je ne sais pas. Rien. »

Une nouvelle turbulence secoua la carlingue et, une deuxième fois, le gros avion se redressa. Janie s'accrocha au dossier du siège rabattable pour se retenir et s'adossa à la porte, si bien qu'étant tournée vers l'intérieur de la cabine, elle manqua complètement le spectacle de la balise rouge clignotante du Tomcat, qui se reflétait dans les convexités du petit hublot.

« Passez-moi le commandant, Judy, tout de suite !

— Je ne peux pas pendant encore quelques minutes. Il est occupé. »

Janie ferma les yeux et soupira. « Écoutez-moi bien, Judy. Il faut qu'il sache que la Navy nous a appelés par radio. Je n'ai aucune idée du type de radio ou de la fréquence, et nous ne l'entendons pas en ce moment, mais un passager a recueilli un message avec son scanner, un modèle de la police.

— D'accord, je vais lui dire.

— Il va bien, Judy ? Qu'est-ce qui se passe, là-haut ? Nous avons le droit de savoir.

— Il va bien. Il est juste... occupé pour l'instant.

— Vous allez lui dire, hein ?

— Oui.

– Je suis à la porte 1 gauche. Qu'il me rappelle pour avoir des détails. Nous attendons ici.

– D'accord. »

La ligne fut coupée et Janie resta un instant sans savoir quoi faire, essayant d'imaginer ce qui pouvait bien se passer à trois mètres au-dessus de sa tête, dans le cockpit.

Judy replaça le combiné sur sa fourche, essayant de lutter contre la panique qui montait en elle. Le commandant avait bien entendu senti la turbulence. Elle entendait des bruits en provenance des toilettes – la cloison qui les séparait du cockpit n'était pas très épaisse. Finalement, Knight en émergea, tenant encore son pantalon ; il passa la tête dans le cockpit.

« Qu'est-ce que c'était que ce fichu truc ? aboya-t-il.

– Je ne sais pas. Sans doute des turbulences. »

Il parcourut les tableaux de bord des yeux. « Vous n'avez rien touché, ni sur le manche ni sur les instruments ?

– Non.

– Très bien. » Il referma la porte des toilettes sur lui tandis que Judy s'asseyait de côté sur le siège de gauche, le cœur battant à se rompre, préférant ne pas penser à ce qu'elle ferait si jamais l'appareil partait soudain en piqué.

Des lumières se reflétaient dans le cockpit, mais elle refusait de détacher les yeux de la porte, et c'est tout juste si elle ne retenait pas sa respiration en attendant le retour du commandant.

Un éclat de lumière illumina un instant le cockpit sur sa gauche, et elle eut l'impression que son cœur s'arrêtait.

Qu'est-ce que c'est que ÇA *?*

Il y avait quelque chose là-dehors, vit-elle. Un autre avion, sans doute, et le pilote lui adressait des signaux avec une lampe-torche.

Judy se précipita sur la porte du cockpit, l'ouvrit et se retint à elle, tout en martelant le battant des toilettes.

« Commandant ! Commandant ! Il y a un autre avion là dehors !

– Quoi ? » répondit la voix légèrement étouffée de Knight. Elle répéta ce qu'elle venait de dire. Elle l'entendit à travers la cloison qui s'agitait, puis la porte s'ouvrit brusquement et il la bouscula au passage, plongeant presque dans son siège, jetant des coups d'œil dans tous les sens. Judy, se tenant derrière lui, lui indiqua la droite et lui expliqua comment le cockpit avait soudain été éclairé de l'extérieur.

« Je ne vois rien !

– Bretsen a appelé », ajouta-t-elle alors, lui donnant tous les détails dont son esprit pris de panique se souvenait.

– Sur quelle fréquence étaient ces appels ?

– Quoi ?

– Bon Dieu, espèce de gourde ! SUR QUELLE FRÉQUENCE ?

– Je... je sais pas. Elle a dit de la rappeler à la porte 1 gauche. Je ne sais pas. »

Knight s'empara du combiné et enfonça brutalement les touches du code correspondant à la porte 1 gauche. Janie Bretsen décrocha aussitôt et lui répéta l'information.

« Le propriétaire du scanner va arriver d'un instant à l'autre, dit Janie. Nous n'avons pas eu de répétition du message et on ne connaît donc pas la fréquence.

– De toute façon, je ne peux pas répondre. Nous n'avons plus de radio. Si vous arrivez à faire fonctionner ce scanner, montez-le-moi tout de suite dans le cockpit. Il faut que je sache qui nous appelle, et ce qu'ils veulent. »

Quartier général du NRO, Chantilly, Virginie
18 h 31, heure locale

Cela faisait plusieurs minutes que David Byrd regardait John Blaylock présenter calmement sa thèse aux deux analystes du NRO et à leurs homologues de la CIA, lorsqu'il prit conscience d'une idée qui le titillait sans doute depuis un moment : l'isolation de la salle sécurisée était telle, au cœur de l'immeuble, que les signaux des téléphones cellulaires n'y parvenaient pas.

Et sur le sien, une petite lumière rouge clignotait.

« Excusez-moi, je dois vérifier quelque chose », dit-il, interrompant Zoffel et Blaylock. Il se dirigea vers la porte, l'ouvrit, et se trouva face à Ginger qui attendait de l'autre côté.

« Ah, colonel Byrd. La personne que je venais voir. Un certain Mr Haverston de Londres a cherché à vous joindre sur votre portable.

– Oh, Seigneur ! dit David, déployant complètement la petite antenne et recherchant déjà un meilleur emplacement de réception.

– Comme il n'arrivait pas à vous avoir, il a rappelé ici et m'a transmis un message pour vous.

– Oui ? dit David en levant les yeux vers elle.

– Le nom est le même. Il m'a demandé de vous dire qu'il avait retrouvé sa note, et que l'homme qui lui avait causé des soucis hier était un certain Dr Logan, L-O-G-A-N. »

David lui montra la salle qu'il venait de quitter. « Ouvrez-moi, s'il vous plaît. »

Mais déjà elle composait le code et, dès que s'alluma la lumière verte, ils poussèrent tous les deux le lourd battant.

David fit signe à Ginger de le suivre, tandis qu'il se dirigeait vers la première rangée de tables où Blaylock, les mains posées à plat, parlait à Zoffel tout en surveillant les écrans.

« John ? Il faut que je vous parle, et tout de suite. » Zoffel et Collings se retournèrent, tandis que Blaylock se redressait.

– Ils sont sur le point d'avoir le feu vert, David. Il n'y a personne dans cet avion, sinon un pilote qui est...

– C'est vital ! » le coupa David, entraînant le colonel par le bras. Il se mit à parler à toute vitesse. « Je viens juste d'avoir une information de Londres, grâce au chef d'exploitation que le comportement d'un passager avait inquiété, hier.

– Oui, vous m'en avez parlé il y a quelques minutes.

– Et vous m'avez répondu que pour vous convaincre, John, il aurait fallu qu'il y ait dans le message un détail ne pouvant être connu que du pilote de ce 747 – du *vrai* pilote de Meridian. Nous l'avons. Le message parlait d'un passager du nom de Logan comme étant à la tête de la révolte. Vous vous rappelez ?

– Oui.

– Vous vous rappelez aussi qu'il y a un médecin américain qui réclame à Meridian plusieurs millions de dollars de dommages et intérêts parce que sa femme est morte faute de soins sur l'un de leurs vols, et qu'il était autant en colère que le passager qui a embarqué hier ?

– Au fait, David, au fait !

– Eh bien, le fait, c'est que le nom de ce passager en colère est le même que celui transmis par le pilote. Le même ! Jamais des terroristes n'auraient pu le connaître ni avoir l'idée de le glisser dans un tel message. »

Blaylock regarda David en silence pendant quelques secondes, tout en se grattant machinalement le menton. Puis il acquiesça. « Ce n'est pas entièrement concluant, mais...

– ... mais ça change tout, John. Il faut arrêter l'opération. »

Blaylock eut un coup d'œil perplexe en direction de Ginger, qui se tenait à quelques pas.

« Je tenais à ce qu'elle soit là au cas où quelqu'un voudrait qu'elle répète le message venu de Londres », expliqua David.

Blaylock alla trouver Zoffel et lui transmit à voix basse la nouvelle information, tandis que Sandra Collings se penchait vers eux pour écouter, avant de briefer leurs homologues de Langley. Il y eut un bourdonnement d'échanges animés dans les écouteurs. John quitta brusquement Zoffel et, sautant littéralement derrière son bureau, saisit un combiné et commença à composer un numéro. David se glissa à côté de lui et mit ses écouteurs au moment où s'élevait la voix du président.

À bord d'Air Force One

« Où en est-on, Bill ? » demanda le président en s'asseyant a son bureau, face à l'écran où l'on voyait la salle de la cellule de crise.

Le chef d'état-major de la Maison-Blanche fit signe à l'un de ses assistants, et une carte quadrillée de la Méditerranée apparut sur le côté gauche de l'écran.

« Le délai que nous nous étions donné est presque écoulé, monsieur, répondit Sanderson, et les Tomcat n'arrivent pas à attirer l'attention de ceux qui sont à bord du 747. » Il détailla tout ce qui avait été fait.

« Ils sont sûrs qu'il n'y a personne à bord ?

– On ne peut l'affirmer avec certitude, monsieur. D'après les pilotes, il y avait plusieurs personnes avec une lampe de lecture allumée au-dessus d'elles, mais ça pouvait tout aussi bien être des mannequins... ou de simples silhouettes de carton. »

Le président soupira. « À quelle distance sont-ils de la côte ?

– Il a mis le cap droit sur Marseille, monsieur le président, et l'armée de l'air française vient de faire décoller une escadrille de Mirage. Le 747 va bientôt sortir de la zone délimitée pour l'abattre.

– Combien de temps reste-t-il, autrement dit ?

– Deux minutes maximum. Nous avons besoin d'une décision, monsieur. »

Le président se laissa aller dans son fauteuil. « Rappelez-moi les raisons pour lesquelles nous estimons que cet appareil représente un danger mortel.

– La CIA, la DIA[1], le NRO et nos homologues européens – tout le monde est pratiquement certain qu'il s'agit d'un cheval de Troie et qu'une attaque majeure est en cours. Les points principaux ? Nous savons que la plupart, sinon tous les passagers, sont encore au Nigeria. Nous pensons que les deux pilotes de Meridian ont été tués ou blessés là-bas, si bien que celui qui est aux commandes de l'avion l'a volé. Nous avons un message prétendant qu'il y a eu une révolte de passagers à bord, mais nous savons qu'il n'y a pas de passagers, ou très peu, puisqu'ils sont retenus en otages. En d'autres termes, nous sommes en présence d'un coup monté extrêmement élaboré, à voir les préparatifs qui l'ont précédé, ce qui renforce notre thèse. L'appareil détourné vole vers l'Europe pour des raisons inconnues, et depuis six mois, nos services de renseignements et des sources clandestines de divers pays n'ont pas arrêté de nous communiquer des informations inquiétantes, selon lesquelles une action terroriste de grande envergure se préparait, impliquant une arme de destruction massive. Et... d'après le briefing qui vous a été fait à Camp David... Langley et la DIA ont conclu que les activités terroristes démasquées récemment en Nouvelle-Écosse et à Atlanta n'avaient très vraisemblablement pour but que de détourner notre attention du coup qui se préparait en Europe. Nous avons une info récente en provenance du

---

1. Defense Intelligence Agency : Service de renseignements de la Défense.

Moyen-Orient selon laquelle cette attaque viendrait précisément d'Afrique subsaharienne, zone d'où est reparti l'avion. Et finalement, nous avons un satellite, bien que cela date de quelques heures, qui semble avoir détecté la présence de matériau fissile à bord.

– OK.

– En outre, l'OTAN a formellement demandé une intervention militaire de notre part pour empêcher l'appareil de pénétrer dans l'espace aérien européen, et les Français ont exprimé les plus vives inquiétudes. En d'autres termes, nous avons le droit, et probablement même la responsabilité, d'autant plus que la compagnie aérienne à laquelle appartient cet appareil est américaine, de traiter nous-mêmes ce problème.

– D'accord pour dire que c'est notre affaire, tant que nous sommes au-dessus des eaux internationales.

– Si bien, monsieur le président, qu'il ne nous reste plus de temps, ajouta Sanderson. Nous avons d'excellentes raisons de craindre que cet avion ne s'approche de la côte et aucune preuve convaincante qu'il n'est pas aux mains de terroristes. Nous n'avons aucune réaction de son pilote. Comme je vous l'ai dit, la seule personne aperçue dans le cockpit s'est cachée.

– Et si nous nous trompions, Bill ? Si par hasard ils étaient bien ce qu'ils disent être ?

– Et si nous avions raison et n'agissions pas, monsieur ? Et si c'était New York et non Marseille ? La décision vous appartient, mais il y a d'un côté le risque d'une frappe nucléaire ou biologique sur la France ou la Grande-Bretagne, et de l'autre le risque infiniment moins grand que des otages américains soient retenus dans l'avion.

– Mettez-moi en communication avec le chef de patrouille, Bill.

– Monsieur le président, depuis que nous avons parlé, l'appareil est sorti de la zone de tir. Le délai est écoulé.

– Branchez-moi, Bill. Tout de suite.

– Oui, monsieur », répondit le chef d'état-major. Il dut faire un effort pour contenir ses sentiments, tandis qu'il se tournait vers l'un des techniciens et lui faisait signe de procéder sur-le-champ au branchement.

« Il vous écoute, monsieur le président. Vous allez parler

au capitaine Chris Burton. Nom de code : Critter. Vous parlez en clair, sur une ligne non brouillée.

– Capitaine ? Le président des États-Unis. Vous me recevez ?

– Cinq sur cinq, monsieur le président, fit presque aussitôt la voix de Chris Burton.

– Je viens d'avoir un briefing sur tout ce que vous avez fait, mais je voudrais avoir votre opinion personnelle. Avons-nous fait tout ce qu'il fallait faire pour vérifier que cet appareil avait des intentions inamicales ? »

Pendant quelques instants, il n'y eut que le chuintement de la statique.

« Euh, monsieur, si je peux disposer de cinq minutes de plus, je pourrai vous répondre avec plus de certitude. »

Il n'y eut pas d'hésitation dans la réponse qui fusa d'*Air Force One* : « Vous avez trois minutes, capitaine. Pas une de plus. J'attendrai. »

46

C'est en vision périphérique que Phil Knight aperçut la balise rouge d'un avion inconnu remontant le long de son flanc gauche. Dans les éclairs intermittents des feux de position du 747, il distingua le double empennage d'un chasseur et ce qui paraissait être un marquage américain. Un rayon lumineux, émanant du cockpit du petit avion, vint le frapper dans l'œil et, surpris, il eut un geste comme pour s'en protéger. Le pilote du chasseur détourna alors le rayon de sa lampe pour éclairer son propre visage.

Une lampe-torche, se dit Knight. *Mais qu'est-ce qu'il essaie de me dire ?*

L'inquiétude accéléra ses battements de cœur. L'idée que, peut-être, il avait encore commis une erreur et qu'on avait envoyé des chasseurs pour l'intercepter se traduisit par une giclée d'adrénaline dans tout son organisme. Mais pourtant, il envoyait le signal « radio HS » en permanence, non ? Et il avait dit à la compagnie ce qu'il faisait. À moins que ces chasseurs ne soient là que pour assurer sa sécurité en l'escortant.

Un grand frisson le traversa à nouveau : il avait oublié de répondre à la compagnie, par le système ACARS, sur la question des autorisations de survol – et cela remontait à plusieurs heures... sans compter qu'Abbott l'avait mis en garde en lui expliquant que les procédures n'étaient pas les mêmes, par ici.

Il tendit une main tâtonnante vers l'imprimante, mais rien n'en était sorti et il avait des soucis plus immédiats à prendre en considération qu'un manque de papier dans la machine.

Il se mit alors à scruter le cockpit du chasseur, et se rendit compte que le pilote, de la main, lui faisait signe de le suivre tandis que clignotaient ses feux de position.

Mais que diable veut-il que je fasse ?

Jamais Meridian ne leur avait parlé des consignes à suivre en cas d'interception au cours d'un vol commercial. Ou alors, il avait manqué le cours. Il avait entendu d'anciens pilotes de l'armée de l'air parler des signaux manuels qu'utilisait la chasse pendant la guerre froide, des gestes spécifiques pour dire à l'appareil intercepté ce qu'il devait faire. Mais tout cela remontait à l'époque où l'on violait l'espace aérien d'un pays communiste et où l'on voulait les faire atterrir, non ? Il avait beau se creuser la tête, Phil ne se souvenait de rien en matière de signaux à vue. C'était peut-être dans un des manuels, mais il n'avait pas le temps de chercher.

Le chasseur battit des ailes et fit des appels de phares tandis que le pilote lui indiquait de descendre, mais rien de tout cela n'avait de sens pour le pilote du Meridian 6.

Il me demande sans doute de le suivre. On doit vouloir me faire atterrir sur un aéroport plus proche que Londres.

Une fois de plus, le pilote du chasseur pointa sa lampe-torche sur le cockpit du 747, et Phil leva le pouce.

Ah, c'était ça. Il lève aussi le pouce !

Il reporta les yeux sur l'ordinateur de bord. La côte française était à une centaine de milles devant lui, et son itinéraire le faisait passer au-dessus de Marseille.

Est-ce que c'est là que je dois aller ? se demanda Knight. Comment faire pour le savoir, sans radio ? Tendant la main vers le tableau supérieur, il brancha le plafonnier ; le cockpit se trouva inondé de lumière. Il fit de nouveau signe au pilote du chasseur, avec un geste de la main pointée vers le bas, mais sans pouvoir dire s'il avait été compris. Il eut alors l'idée de prendre, dans son baise-en-ville, le bloc de papier brouillon et le marker noir qu'il y gardait en permanence. Il écrivit rapidement ATTERRIR MARSEILLE ? et tourna le bloc vers la fenê-

413

tre latérale de manière qu'il soit éclairé par les lumières du cockpit.

Mais le chasseur l'avait distancé et se trouvait trop loin pour que son pilote puisse lire le message.

À bord d'Air Force One

« Il a finalement répondu à mes signaux manuels et je crois qu'il a compris qu'il doit me suivre », expliqua le capitaine Burton au président.

L'éclat d'une nouvelle fenêtre vidéo venant s'insérer dans l'écran à cristaux liquides, dans la salle de téléconférences, attira l'attention du président. Il s'agissait une fois de plus de l'image infrarouge par satellite du Meridian 6 et des Tomcat. Le chef de patrouille était pratiquement au contact du nez du 747 tandis que les trois autres F-14 restaient en formation en arrière et sur le côté. Il vit le Tomcat partir de l'avant et entamer un virage peu serré vers la gauche, puis il entendit Burton dire à ses ailiers de le suivre à distance. Le F-14 poursuivit son virage à gauche, mais le 747 ne changea pas de cap, comme ce fut confirmé par l'un des ailiers, qui avait aussitôt enfoncé la touche transmission.

« Critter ? Ici 2. La cible ne suit pas. Je répète : ne suit pas. Garde cap trois-quatre-zéro. »

A bord du vol Meridian 6

« OK, on commence à descendre », murmura Knight, surtout pour lui-même. Il débrancha le contrôle automatique de l'altitude et programma un taux de descente et une altitude de cinq mille pieds. Prenant la check-list en carton sur les genoux, il commença la litanie des points à vérifier et releva la tête. Normalement, c'était le copilote qui la lisait et lui répondait. Tout d'un coup, le siège de droite lui parut terriblement vide, et il se sentit pris de culpabilité, tandis que lui revenait à l'esprit l'image glaçante de Garth Abbott gisant au milieu d'une mare de sang sur la piste de Katsina.

Il dut faire un effort pour chasser cette vision de cauchemar et il plissa les yeux pour voir où était le chasseur. Mais il avait disparu ; sans doute cela signifiait-il qu'il avait bien interprété son message.

Marseille... il me faut les approches de Marseille. Il retira de leur étui de cuir les cartes Jeppesen pour l'Europe et les fit défiler jusqu'à ce qu'il ait trouvé les bonnes, qu'il mit à part. Il releva les yeux pour vérifier l'altitude.

Taux de descente normal. Impossible de faire le moindre appel par radio... Je vais devoir simplement m'aligner sur la piste et atterrir.

Il tourna vers lui la carte d'approche et étudia le plan de l'aéroport, mémorisant le cap de sa piste la plus longue. Avec un peu de chance, elle serait éclairée.

Évidemment, qu'elle sera éclairée ! se corrigea-t-il. Ils savent que j'arrive.

Quartier général du NRO, Chantilly, Virginie

George Zoffel fit pivoter son siège pour regarder Blaylock, lequel avait toujours un téléphone collé à l'oreille.

« John ? »

Le colonel leva la tête. « Ouais ?

– Il n'a pas tenu compte des instructions de la chasse et continue de descendre. On dirait qu'il se dirige sur Marseille.

– Qu'est-ce qu'ils vont faire ? » demanda David.

Blaylock lui jeta un bref coup d'œil et, la main sur le combiné, eut une mimique disant « je m'en occupe ».

John revint sur Zoffel. « Statut ?

– Langley estime que c'est une ruse. Ils insistent pour que le président ordonne la destruction immédiate.

– Non ! aboya David.

– Colonel Byrd, je vous en prie, intervint Blaylock.

– Rien à foutre du protocole, les gars, et rien à foutre de vos photos du Nigeria. Cet avion ne constitue pas une attaque terroriste volante ! Nous ne pouvons pas l'abattre. »

Blaylock était debout, paume ouverte tendue vers David

pour lui demander le silence, tandis qu'il s'adressait à Zoffel et Collings. « J'ai de bonnes raisons de croire que David a raison. »

Zoffel secoua la tête. « Nous avons déjà examiné tout cela, John. Le Groupe X peut très bien avoir un complice à bord déjà au courant de l'affaire Logan, et prêt à utiliser ce nom. Je suis désolé. Nous n'interviendrons pas là-dessus.

— L'avez-vous dit à Langley ? demanda Blaylock.

— Oui, mais à leurs yeux ce n'est pas significatif. Ni aux nôtres, d'ailleurs.

— Eh bien, redites-leur, bon Dieu ! Ils essaient d'obtenir l'autorisation de l'abattre !

— Non, John, répéta Zoffel sans s'énerver. Et maintenant, asseyez-vous.

— Mais nom d'un chien, George, vous allez nous écouter ? C'est une erreur. Moi-même je n'y croyais pas, mais je suis à présent convaincu que David a raison. J'essaie d'obtenir le dernier morceau du puzzle. Il me faut encore quelques minutes.

— Nous *n'avons pas* quelques minutes ! » intervint Sandra.

Blaylock voulut répondre quelque chose, mais Sandra Collings s'était déjà levée de son siège et lui faisait face. « Colonel, asseyez-vous ! Vous dépassez vos attributions ! Vous n'êtes qu'un invité, ici. Encore une interférence de ce genre, et je vous fais expulser tous les deux. »

Pendant quelques secondes, Blaylock resta debout, silencieux, essayant de décider ce qu'il devait faire. Il replaça lentement le combiné contre son oreille tandis que Collins se rasseyait et reprenait sa veille devant l'écran. Dans son casque, David entendait le pilote du F-14 essayer de trouver un moyen d'obliger celui du 747 à lui obéir ; il était revenu se placer devant lui et avait viré de nouveau à gauche, mais le gros-porteur descendait toujours en ligne droite sur Marseille, nullement ébranlé, tandis qu'une nouvelle requête pour l'abattre était adressée au président.

Jimmy Roberts était revenu à l'avant de l'appareil, accompagné du jeune possesseur du scanner. Janie, impatiente, prit à peine le temps de le saluer et, lui collant son appareil dans les mains, le supplia de le remettre en route. Le garçon tripota les boutons ; une fois de plus les chiffres, sur le petit écran, se mirent à défiler, sautant de fréquence en fréquence, confirmant que tout fonctionnait normalement.

Mais personne ne parlait.

« Tu es sûr qu'il s'agit des mêmes fréquences que tout à l'heure ? » demanda Janie.

Le garçon acquiesça.

Un mouvement l'attira vers le petit hublot circulaire de la porte 2 gauche du 747 et, s'excusant d'un mot, elle fila voir ce que c'était.

« Qu'est-ce que vous avez vu ? lui demanda alors Brian Logan, émergeant de la cabine de première classe.

– Un avion, dit Janie en se tournant pour vérifier qui l'avait interpellée. Deux, en fait, qui paraissent nous accompagner. »

Brian regarda à son tour, reculant aussitôt. « Des chasseurs ! Je ne sais pas lesquels, mais je ne suis pas étonné. »

Le 747 oscilla un peu et Janie sentit la vitesse baisser tandis que l'appareil s'inclinait vers l'avant : on descendait. Les yeux écarquillés, elle regarda Brian, lequel consulta sa montre.

« Est-il possible que nous soyons déjà de retour à Londres ? demanda Janie, se doutant en fait de la réponse.

– Non. Nous venons juste de quitter la Libye et nous sommes au-dessus de la Méditerranée – mais où, exactement, je l'ignore. J'ai vu la carte, il y a quelques minutes. Il se passe quelque chose entre ces chasseurs et nous. »

Janie retourna là où elle avait laissé l'adolescent, qui manipulait toujours son scanner sans arriver à retrouver la fréquence sur laquelle il avait entendu le message.

« Trouvé quelque chose ? »

Jimmy secoua la tête. « Non, madame, toujours rien.

– Continuez d'essayer, je vous en prie, dit-elle avant de se tourner vers Logan. Qu'est-ce que vous en pensez ?

– Qu'on nous oblige à atterrir quelque part.

– On nous oblige ?

– Oui Et si c'est bien le cas, j'ai bien peur que des hommes en armes ne nous attendent sur place. Allez savoir ce qu'a pu leur raconter le commandant. »

À bord d'Air Force One

Le président secoua la tête et soupira, geste suivi de près aussi bien dans la salle de la cellule de crise qu'au Pentagone. Sa décision était imminente. L'enjeu était tout simplement trop énorme pour prendre un risque, pensait-il. Une véritable opération terroriste aurait tout fait, précisément, pour rendre cette décision difficile en brouillant la frontière entre une menace claire et une éventuelle et épouvantable erreur.

S'il s'agissait d'anthrax, ou d'une arme nucléaire, c'était par des millions de morts que pouvait se traduire son hésitation. S'il se trompait, un peu plus de trois cents personnes paieraient cette erreur de leur vie. Devant une telle disproportion de chiffres, il n'avait pas le choix. Le risque était trop grand.

« Très bien, dit le président d'un ton abattu. Détruisez cet appareil.

– Bien, monsieur », répondit Bill Sanderson, faisant signe à quelqu'un d'autre de relayer l'ordre – sans savoir que le Pentagone l'avait déjà fait.

Ordre qui passa ainsi, en quelques secondes, de la salle des opérations aériennes de l'USS *Enterprise* au capitaine Chris Burton.

« Feu vert, Critter. Je répète, base arrière vous relaie feu vert.

– Bien compris, répondit Burton d'une voix un peu étranglée. Je prends position. »

Le grondement siliconé produit par un missile air-air procédant à son acquisition de cible était audible en bruit de fond dans la retransmission ; il monta crescendo jusqu'à ce qu'il soit en verrouillage radar.

– En position pour Fox 1 », dit Burton en surimpression.

Le contrôleur de l'*Enterprise* revint sur la fréquence, la voix tendue. « Critter, votre cible à quatre-vingts milles de la côte. Ouvrez le feu tout de suite. Un groupe de huit Mirage français vient en renfort, distance quarante-six milles.

– Nous les avons à l'écran, répondit Burton. Deux, trois et quatre, verrouillage Fox 1 et 2. En formation d'attaque. Gardez votre altitude. »

Les ailiers confirmèrent et verrouillèrent leurs missiles Sidewinder sur les moteurs du quadriréacteur.

Dans le cockpit du Tomcat de tête, Burton approcha l'index de la détente et hésita.

« Dis-moi, Blackie, dit-il à son coéquipier. Est-ce qu'on a vraiment tout essayé ?

– Vas-y, Critter, pour l'amour du ciel ! C'est peut-être une bombe atomique volante, ce truc !

– Un dernier essai », répondit Burton. Il transmit à ses ailiers de rester en position. « Blackie ? Tente un dernier coup en VHF sur un-vingt-et-un-point-cinq. S'il ne me suit toujours pas, on le descend.

– Bien reçu.

– Base arrière, je tente une dernière manœuvre pour l'obliger à me suivre. »

Il remit la sécurité sur les missiles et poussa les gaz pour venir de nouveau se mettre devant le nez du Boeing.

« Négatif, Critter. Exécution immédiate, exécution immédiate !

– Pas encore, monsieur. Il y a quelque chose qui ne colle pas là-dedans.

– Faites feu tout de suite, Critter !

– Attendez, base arrière.

– Négatif, bon Dieu. Tirez-moi ce missile sur-le-champ !

– Équipiers ? Ne bougez pas. Base arrière, je vais tirer une rafale au canon pour attirer son attention.

– Pas le temps, Critter. Exécutez vos ordres. »

Dans le siège arrière du Tomcat, Blackie maintenait le bouton « transmission » enfoncé.

« Dernier avertissement, Meridian 6. Je répète, dernier avertissement. Nous ne voyons personne à bord sinon dans le cockpit, et si vous ne faites pas demi-tour pour atterrissage en Algérie, nous vous abattrons. Je répète, en l'absence de toute preuve de la présence de passagers ou de tout signe que vous obéissez, nous vous abattrons. C'est votre dernière chance. » Il relâcha le bouton, espérant contre tout espoir entendre une réponse, mais il n'y eut rien.

« Je le surveille, Critter... attends..., reprit Blackie en se retournant, tendant les sangles qui l'attachaient à son siège. Bon sang, il ne change pas de cap. Il ne suit pas ! »

Il y eut un juron en provenance du siège avant.

« Critter, votre statut », demanda l'*Enterprise*. La voix était sans aucun doute celle du commandant de l'escadrille.

Burton poussa un soupir, réduisit les gaz pour repasser derrière le Boeing et fit de nouveau sauter la sécurité de ses missiles pour se préparer à tirer.

« Je reprends position. J'ai tout essayé. »

47

À bord du vol Meridian 6
0 h 35, heure locale

C'est tout juste si Jimmy ne lâcha pas le scanner lorsque en monta soudain, le volume à fond, une voix aux intonations américaines. Les paroles firent rapidement mouche, et un frisson de peur les parcourut tous.

...en l'absence de toute preuve de la présence de passagers ou de tout signe que vous obéissez, nous vous abattrons. C'est votre dernière chance.

Janie avait elle aussi entendu et elle se tourna, les yeux écarquillés, en état de choc.

Jimmy pressa son visage contre le hublot, du côté gauche du 747, au moment où se déclenchait un staccato venant de cette direction.

« Ils nous tirent dessus ! cria Jimmy par-dessus son épaule. Ces avions nous tirent dessus ! J'ai vu passer les balles traçantes ! »

Janie fut instantanément auprès de lui, tandis que Logan et MacNaughton se repliaient à toute vitesse dans l'office de la première classe.

« C'était juste à notre hauteur ! s'exclama Roberts.

– Qu'est-ce qu'il a dit, exactement ? » demanda Janie, le

cœur battant à se rompre. Jimmy s'efforçait de voir quelque chose par le hublot, mais il n'aperçut qu'une balise rouge qui s'éloigna et disparut.

« Qu'il n'y avait pas de preuve de la présence de passagers, répéta Jimmy, et qu'il nous abattrait si on n'obéissait pas.

— Si on n'obéissait pas ? Mais à quoi ? demanda Brian, qui, avec quelques autres, se pressait maintenant dans l'office.

— Mais qu'est-ce que..., dit Janie, dont la perplexité allait grandissant. Pourquoi a-t-il besoin de voir des passagers ? »

Dans le cockpit, où Judy Jackson était dans un état quasi catatonique, Phil Knight était resté momentanément sous le choc après avoir vu passer les balles traçantes et entendu les détonations étouffées des canons du Tomcat. Il descendait vers Marseille, non ? Le pilote ne lui avait-il pas adressé le signe de confirmation, pouce levé ?

Phil vit le chasseur rompre à nouveau le contact pour virer sur la gauche et se sentit envahi par un sentiment grandissant d'appréhension. Cette salve à balles réelles signifiait qu'il avait encore fait quelque chose qu'il ne fallait pas, mais il ignorait quoi. Il n'en avait absolument pas la moindre idée.

Knight parcourut des yeux la console des radios, au désespoir, se demandant comment il pourrait faire pour communiquer. Il lui fallait à tout prix prendre conseil auprès de quelqu'un, mais il n'y avait plus personne, aucun copilote – même arrogant – à côté de lui, aucun gourou à la radio.

Au milieu des appareils, il y avait la PA – et une idée incongrue lui vint soudain à l'esprit. Non, il n'allait tout de même pas demander de l'aide aux passagers !

Et pourquoi pas ? se dit-il, l'idée en question gagnant du terrain avec chaque nanoseconde qui s'écoulait. Est-ce que j'ai le choix ? Non.

Il prit le combiné et brancha la *Public Adress*.

Ici votre commandant d bord. Je vous en prie, écoutez-moi. Nous avons peut-être de sérieux ennuis, en ce moment, et... je vais avoir besoin de toute l'aide possible pour y voir plus clair. Un avion de chasse, et il y en a même plusieurs, vient de tirer un coup de semonce sur nous, comme vous l'avez peut-être vu. J'avais cru comprendre qu'il voulait nous faire atterrir à Marseille, qui est juste devant nous, en France, mais à présent je ne sais plus. Et sans contact radio, je ne peux pas lui parler. J'ai besoin... OK, mes amis, je ne sais même pas de quoi j'ai besoin, je l'avoue. Je sais que vous avez tous très mal pris tout ce qui s'est passé, et... ça vaut aussi dans l'autre sens, mais... on est tous dans le même bateau, si je puis dire. Si bien que si quelqu'un possède un radioémetteur à bord, ou un téléphone cellulaire qui fonctionnerait en France, ou quoi que ce soit... qu'il me le fasse savoir tout de suite. Je n'ai aucune idée s'ils sont prêts ou non à nous tirer vraiment dessus.

Il était sur le point de couper le système, lorsqu'il se ravisa.

Ah... pour la boîte noire... Je m'excuse pour tout ce que vous avez subi.

La sonnerie du téléphone de bord retentit presque aussitôt dans le cockpit.

« Oui ?

– C'est Janie. J'ai éteint l'éclairage de bord il y a une heure pour que les gens puissent dormir. Mais nous venons de recevoir à l'instant un message de ces chasseurs grâce à un scanner portable. Ils disent qu'ils ne voient aucun passager et qu'ils ont besoin de preuves. Est-ce que je rallume ?

– Seigneur, oui ! Allumez tout, Janie ! Et demandez aux gens de coller leur nez contre les hublots pour qu'on les voie, vite ! »

Janie brancha aussitôt les lumières de cabine et composa le code de la PA sur son combiné.

Attention tout le monde ! Réveillez-vous ! RÉVEILLEZ-VOUS TOUT DE SUITE ! Que tous ceux qui sont près d'un hublot y mettent la tête... non, attendez, vérifiez d'abord que les lumières individuelles vous éclairent la figure, pour qu'on puisse bien vous voir de dehors ! Faites des gestes, bougez, arrangez-vous pour être bien visibles ! Dépêchez-vous, je vous en prie, dépêchez-vous !

Comme elle reposait le combiné, elle vit Brian Logan se mettre à genoux et s'escrimer pour soulever la trappe conduisant dans la soute électronique.

« Qu'est-ce que vous faites ? demanda-t-elle.

– La radio ! » répondit-il sans s'expliquer davantage. Il ouvrit brutalement l'écoutille et se laissa tomber dans le compartiment. Janie s'approcha et commença à fouiller du regard la soute faiblement éclairée, ne voyant rien jusqu'à ce que le médecin en rejaillisse ; leurs deux têtes manquèrent de peu de se heurter. Quand il sortit, un objet à la main, il se précipita vers l'escalier.

« Qu'est-ce que c'est ? demanda Janie, trottinant derrière lui.

Le talkie-walkie du copilote ! » lui cria-t-il par-dessus l'épaule, zigzaguant entre plusieurs passagers. Janie comprit alors qu'il voulait se rendre dans le cockpit. Elle s'arrêta, prit le combiné de la PA le plus proche et composa le même code qu'une minute avant.

« Oui ? dit Phil Knight.

– Janie. Ouvrez la porte du cockpit. Brian Logan va vous aider. Il a trouvé le talkie-walkie du copilote.

– Logan ?

– Ouvrez, commandant, si vous êtes sérieux.

– Tout de suite. »

L'hôtesse mit les mains en porte-voix et cria dans le dos du médecin : « Il vous ouvre la porte, Brian ! » D'un geste, il lui répondit qu'il avait compris et s'approcha de l'entrée du cockpit.

Knight commanda l'ouverture de la porte.

« Qu'est-ce que vous faites ? demanda Judy, sortant soudain de sa torpeur en entendant le cliquetis de la porte qui s'ouvrait.

– Logan nous apporte la radio du copilote.

– Logan ?

– Oui.

– NON ! hurla-t-elle, étreignant le dossier de Knight. Ne le laissez pas entrer ! C'est un piège ! »

La porte du cockpit s'ouvrit à ce moment-là et Judy pivota sur le siège rabattable, pour faire face à l'intrus. Quand le commandant vit la hache dans ses mains, il était trop tard.

« Judy, non ! » cria Knight en se débattant avec sa ceinture de sécurité. Il se jeta hors de son siège en marche arrière, mais se prit la jambe contre la console centrale et donna un coup au manche de contrôle quand il voulut s'emparer de la hache, sans y parvenir.

« RESTEZ LÀ DEHORS ! » hurla Judy, qui porta un coup de son arme.

Knight tomba tête la première. Logan se jeta sur la droite pour éviter l'attaque de Judy et leva le bras gauche, instinctivement, pour se protéger. Mais il y avait trop peu d'espace et il avait été pris par surprise ; la hache l'atteignit en haut du bras gauche et l'ouvrit jusqu'à l'os. Le médecin, incapable de contrôler son mouvement sur la gauche, tomba sur le commandant.

La hache était allée s'enfoncer dans la paroi du fond de la cabine et avait échappé aux mains de Judy, qui se mit à chercher une autre arme des yeux. Un voyant rouge clignotait frénétiquement sur le tableau de bord avant, accompagné d'un avertisseur sonore, mais elle ne se rendait même pas compte que le 747 accentuait son angle de descente tout en roulant sur la droite, le pilote automatique débranché par le coup que lui avait porté accidentellement le commandant.

L'élancement qui monta du bras blessé de Brian le fit se tordre de douleur, quand il voulut se remettre debout en se servant d'un membre qu'il ne pouvait plus contrôler. Jamais avant il n'avait eu aussi mal. Il croisa le regard de Judy Jackson au moment où elle se préparait à abattre un extincteur sur sa tête.

Knight se demandait d'où venait la flaque de sang qu'il voyait croître autour de lui lorsqu'il vit Judy brandir sa massue improvisée, mais la réaction du commandant fut instantanée : « JUDY ! LÂCHEZ ÇA ! LÂCHEZ ÇA TOUT DE SUITE ! » Il se dégagea, non sans mal, de dessous de médecin et la vit qui hésitait.

Terrifiée, ne sachant que faire et prise d'un tremblement incontrôlable, Judy, les yeux écarquillés, tenait toujours la lourde bouteille au-dessus de sa tête quand Janie se précipita par la porte du cockpit et la saisit par la taille.

Le klaxon d'alerte retentissait toujours. Knight se mit à genoux, luttant pour trouver l'équilibre sur le sol poisseux de sang et, se tenant d'une main au siège rabattable, parcourut des yeux les tableaux de bord.

Le pilote automatique ! On plonge !

Il glissa à plusieurs reprises mais réussit, en s'agrippant au dossier, à se rasseoir dans son siège.

« Bon Dieu, qu'est-ce qui vous prend ? » lança Janie à Judy. Elle lui retira l'extincteur des mains et le laissa tomber au sol. « Qu'est-ce que vous avez fait ? » Elle l'entraîna sans ménagement hors du cockpit, sous le choc après avoir vu Brian Logan, gravement blessé, qui gisait sur le sol. Plusieurs hommes s'étaient précipités et se tenaient dans le petit espace. « Retenez-la, s'il vous plaît. Et de force s'il le faut », leur ordonna-t-elle. L'un des hommes saisit l'hôtesse hystérique par le bras.

Janie retourna aussitôt dans le cockpit ; mais ce fut un nouveau choc pour elle que de découvrir l'étendue de la blessure de Logan.

« Oh, mon Dieu...

– Elle l'a frappé avec cette foutue hache », prit le temps de dire Knight tandis qu'il réduisait les gaz, remettait le Boeing dans une assiette horizontale et redressait le nez avec un maximum de délicatesse. Il jeta un regard frénétique à Janie, en train de défaire le kit de premiers soins de son support.

« Il faut lui poser un garrot.

– Et moi, il me faut cette radio ! rétorqua Knight.

– Sous... mon côté droit..., réussit à dire le médecin entre ses dents serrées. Enjambez-moi...

– Où ça ?

– À droite... Sur le sol...

– Vite ! dit Phil. Je vous en prie, faites vite ! »

Quartier général du NRO, Chantilly, Virginie

« Soit il tente une diversion, dit le pilote du Tomcat, tandis qu'il retournait prendre position pour ouvrir le feu, soit il commence à faire demi-tour. Difficile à savoir. Attendez... il se met peut-être en piqué. »

David, qui avait suivi attentivement ces commentaires, prit Blaylock par le bras. Ce dernier était penché sur son téléphone et s'efforçait d'arracher des conclusions différentes de la part d'une autre cellule du NRO.

« Quoi ? murmura-t-il.

– John, c'est maintenant ou jamais. Ils ont le feu vert. Ils vont l'abattre. »

Blaylock soupira et acquiesça. « Un instant. Continuez le travail, dit-il au téléphone en se redressant. Nous n'avons besoin que d'une analyse des données de base... n'attendez pas d'être certains, donnez-moi juste ce que recrachera l'ordinateur. »

Il baissa le téléphone et se tourna vers les deux analystes du NRO. « George ? Sandra ? Dites-leur de se mettre en *stand-by*. Je viens d'avoir la preuve que les photos prises par satellite au Nigeria ont été truquées. »

George Zoffel pivota dans son siège. « Quoi ? » s'écria-t-il sèchement, d'un ton blessé.

John répéta ce qu'il venait de dire en style télégraphique. Il n'y avait plus une seconde à perdre. Même si Zoffel et Collings étaient complètement d'accord, restait à convaincre la CIA et à arriver à un consensus.

Blaylock reprit vivement son téléphone et appela une ligne extérieure tout en consultant son Palm Pilot ; puis il composa à toute vitesse un numéro, tendant aussitôt la main pour demander à Collings et Zoffel d'attendre.

« Qu'est-ce que vous nous racontez, John ? » demanda Zoffel. Il se tourna vers David Byrd, frustré. « Avez-vous une idée de ce que cela veut dire ? »

David secoua la tête.

« Passez-moi Sandy, disait John. Tout de suite. Big Bird à l'appareil ! » Tout le monde entendit, à ce moment-là, l'*Enterprise* répéter l'ordre d'attaquer.

Il y eut cinq secondes d'attente. Puis la ligne fut établie.

« Bill ? Suspendez l'attaque et donnez-moi deux minutes pour me justifier.

À l'autre bout du fil, à la Maison-Blanche, l'amiral Bill Sanderson se leva de sa chaise. « John Blaylock ?

– Faites-moi confiance, Bill. Je suis au NRO. Suspendez momentanément l'opération. Je reste en ligne. »

Sanderson prit sans hésiter le téléphone de la ligne directe qui le reliait à l'*Enterprise*. « Dites à Critter de se mettre en *stand-by*. »

Le capitaine Chris Burton avait verrouillé son radar de tir sur le moteur extérieur gauche du Boeing, après la plongée et le virage qu'il venait de faire. Il avait le doigt sur la détente lorsque la voix de son coéquipier résonna dans son casque :

« Descends-le, Critter. On est à moins de soixante-quinze milles. Même si on bousille tous ses moteurs, il peut encore s'écraser sur la côte. »

L'image d'un 747 coréen rempli de passagers abattu par la chasse soviétique, il y avait longtemps, hantait Chris Burton depuis la première fois où il s'était placé dans le sillage du Boeing de Meridian. Il n'y avait eu ni pardon ni répit pour les pilotes soviétiques qui avaient tué plus de quatre cents passagers ce jour-là, alors qu'ils n'avaient fait qu'obéir aux ordres. Celui qui avait tiré le missile fatal avait été taxé d'assassin et lui, Chris Burton, allait connaître le même destin.

Peut-être.

Ces pensées et ces images ne durèrent que quelques microsecondes, tandis qu'il se forçait à appuyer sur la détente. *Après tout, je suis un soldat. Je n'ai pas le choix.* Cette pensée l'avait traversé à la vitesse de la lumière.

« NE TIREZ PAS, CRITTER ! Je répète, ne tirez pas ! Répondez ! »

La voix venue de la base arrière lui parut sur le coup tellement incongrue qu'il crut un instant ne pas avoir bien compris.

« Répétez ?

– Il... ils te disent de ne rien faire, Critter. Base arrière te dit de ne pas tirer.

– Bien compris, base arrière. *Stand-by.* » Il relaya l'ordre à ses ailiers et attendit, se demandant pourquoi il voyait des lumières se refléter sur l'aile du 747. Il n'y en avait pas eu jusqu'ici.

Qu'est-ce que ça veut dire ? se demanda-t-il.

Il déplaça le Tomcat, se rapprochant en même temps d'une centaine de mètres, de manière à se retrouver sur sa gauche et à avoir une meilleure vue.

Dans le cockpit, Janie se coula par-dessus la console centrale et chercha d'une main tâtonnante l'émetteur-récepteur radio sous le palonnier du copilote.

« Il n'y est pas.

– Je l'ai lâché... là... je l'ai senti tomber, dit Brian.

428

– Vous n'avez pas une lampe, commandant ? »

Knight acquiesça, fouilla vivement dans son porte-documents et en retira, au bout de quelques secondes, une petite lampe-torche qu'il lui lança. Elle la brancha et la braqua sous le tableau de bord de droite.

« Ah, je le vois... il est coincé sous une des pédales.

– Le palonnier ?

– Pouvez-vous... faire remonter la pédale de gauche ? »

Knight s'exécuta, et le 747 dérapa sur la droite.

« Je l'ai ! » dit Janie, ayant des difficultés à se remettre sur pied sans se cogner à Logan et lui faire un peu plus mal.

Elle tendit l'appareil à Phil Knight, qui avait encore les deux mains sur le manche.

« Attendez un instant », dit-il, terminant la manœuvre. Sur quoi il enclencha à nouveau le pilote automatique, régla le taux de descente et le cap. Puis il prit la radio et brancha aussitôt la fréquence d'urgence.

Salle de la cellule de crise, la Maison-Blanche, Washington DC

« Très bien, John, dit Bill Sanderson par téléphone. Il attend pour ouvrir le feu, mais on est terriblement près de la côte française. Faites vite.

– Deux choses. Un, le message envoyé par l'avion il y a plusieurs heures incluait un nom que seul le pilote d'origine de l'appareil pouvait connaître : celui d'un médecin, Brian Logan, qui avait embarqué à Londres déjà fou furieux contre Meridian, la compagnie ayant laissé mourir sa femme dans un précédent vol. La possibilité que les terroristes aient connu l'affaire et utilisé ce nom est extrêmement faible. Deux, je viens juste de recevoir les principaux résultats d'une analyse que j'ai commandée à une section spécialisée du NRO, et elle annule nos conclusions.

– Comment ça ?

– Notre quasi-certitude d'avoir affaire à un authentique cheval de Troie se fondait sur le fait qu'on aurait obligé les passagers à débarquer de l'avion au Nigeria, fait établi par la fiabilité qu'on pensait pouvoir accorder à des photos

429

satellites montrant un grand nombre de bras à la peau claire dans une région où elle est très majoritairement foncée. J'ai demandé une analyse spectrographique de la peau de nos soi-disant otages au cours du passage suivant du satellite. Les résultats nous donnent soixante-huit pour cent de phosphate de calcium et toute une gamme de composés argileux, plus vingt et un pour cent d'oxyde de dihydrogène, sans parler de traces de minéraux.

– Et en anglais, John ? » demanda le chef d'état-major. Restait vingt secondes.

« De la terre, amiral. De l'argile blanche comme on en trouve en Afrique de l'Ouest. Quand on s'en met sur les bras, on a l'air blanc aux yeux d'un satellite. On s'est fait embobiner pendant toute la soirée, mon vieux. Ce sont les hommes du Dr Onitsa qui se sont déguisés en visages pâles, et nous avons marché. Rappelez vos molosses.

– Ne bougez pas, John », dit Sanderson. Le chef d'état-major de la Maison-Blanche relaya sur-le-champ l'information au président, mais assortie d'une mise en garde : « Il est toujours possible que l'appareil soit en mission d'attaque avec les passagers retenus en otages à bord.

Le président secoua la tête. « C'est un risque que nous allons prendre, Bill. Ramenez-le au sol en toute sécurité. »

La fréquence radio reliant l'*Enterprise* et le chef de patrouille des Tomcat était toujours branché sur l'ensemble des postes de commandement et la voix excitée de Chris Burton en monta soudain :

« Base arrière, ici Critter. Je, euh.... Grâce au ciel, nous n'avons pas ouvert le feu. L'avion vient de brancher tout son éclairage de cabine, et il y a des têtes contre tous les hublots. Cet appareil est plein d'hommes, de femmes et d'enfants, monsieur. »

À bord d'Air Force One

Pour la première fois depuis ce qui lui semblait une éternité, le président prit une profonde inspiration et se redressa sur son siège. Bill Sanderson lui rapporta alors plus en détail les informations fournies par Blaylock et la confirmation, par le chef de patrouille, que l'appareil avait des passagers.

« Je crois que notre capitaine a tout dit, répondit le président d'une voix douce. Grâce au ciel... Nous avons failli faire perdre la vie à plus de trois cents personnes. »

Sanderson soupira à son tour. « Que voulez-vous, monsieur, même avec la meilleure procédure, les choses tournent mal, parfois.

– Nous allons en profiter pour revoir la procédure en question, Bill. Les intuitions peuvent avoir du bon, dans certains cas. » La voix du président fut couverte par une communication en provenance du Tomcat de tête.

« Base arrière, nous venons de prendre contact pour la première fois avec le commandant de bord du 747. Il nous parle par le biais d'un émetteur de secours, un portable. Il a un passager gravement blessé qui perd son sang et qui a besoin d'une aide médicale immédiate ; il dit qu'il doit faire un atterrissage d'urgence à Marseille. »

Bill Sanderson fit un geste demandant le silence au président, tandis que plusieurs voix s'élevaient dans la salle de la cellule de crise et que le message de Critter se poursuivait :

« Nous avons aussi deux groupes de chasseurs de l'aviation française sur site, mais nous ne pouvons pas communiquer directement avec eux. »

Sanderson se tourna un moment, donna différents ordres et revint vers le président, l'air soulagé.

« Les Français acceptent nos assurances concernant le Boeing.

– Qu'est-ce que vous leur avez dit ?

– Que... cette fausse alerte était de notre faute. »

Le président eut un petit rire. « Ils vont adorer ça, Bill. Je vais en entendre parler au prochain sommet.

– Sans aucun doute. »

« Il tient le coup ? » demanda Knight à Janie. Elle venait de poser un garrot sur le haut du bras gauche de Logan.

« Ça va... », marmonna le médecin à la place de Janie.

Celle-ci leva les yeux pour répondre à son tour. « L'hémorragie est contrôlée, mais il va avoir besoin d'un hôpital, et vite.

– Nous ne sommes qu'à trente milles de Marseille, répondit Phil, corrigeant légèrement son cap pour rester pointé sur l'aéroport. »

« Meridian 6... » La voix d'un des hommes de la Navy monta du petit récepteur sur fond de parasites.

Phil appuya sur « émission ». « J'écoute.

– Nous avons transmis l'info concernant votre urgence médicale à bord. La tour de Marseille vous autorise à atterrir sans délai sur la piste 3-4, droit devant vous, monsieur. Avez-vous les feux en vue ? »

Phil jeta un coup d'œil à l'ordinateur de gestion de vol ; il affichait une distance de vingt-neuf milles jusqu'au début de la piste. Il regarda alors par le pare-brise, dans le monde réel ; et quand ses yeux se furent accommodés, il vit les éclairs stroboscopiques et les feux d'approche séquentiels clignoter au loin.

« Feux en vue, répondit Knight dans le talkie-walkie. J'ai la piste.

– On nous a précisé que vous deviez quitter la piste en tournant à droite à son extrémité, monsieur, et couper les moteurs. Vous trouverez là des rampes d'accès mobiles et une équipe de premiers secours.

– Merci, Navy », répondit Knight.

Il y eut un court silence, puis la voix revint. « Nous avons été rudement contents que vous ayez remis l'éclairage en cabine à ce moment-là, monsieur.

– Bien compris » fut tout ce que Knight trouva à répondre, tandis que la réalité de ce qui avait bien failli leur arriver – recevoir un missile garanti fatal – s'imposait peu à peu à lui.

« Pouvez-vous... faire quelque chose pour moi ? demanda Brian Logan à Janie d'une voix faible, réduite à un filet.

– Bien sûr.

– Mon... mon porte-documents... En première classe. Ne les laissez pas m'emmener sans lui.

– On vous le fera parvenir, ne vous inquiétez pas.

– Non ! Je ne peux pas le laisser. »

Janie l'étudia une seconde, se rappelant la manière dont il s'y agrippait. « Pourquoi ? demanda-t-elle. Qu'est-ce qu'il contient ? »

Il ferma quelques instants les yeux, sous l'effet de la douleur, puis les entrouvrit et la regarda. « C'est personnel

– Contentez-vous de tenir, pour le moment. » Sa voix attira un instant l'attention du commandant alors qu'il essayait de se concentrer sur l'aéroport inconnu qui l'attendait.

Mais la procédure familière était une seconde nature chez lui ; ralentir, placer l'appareil en configuration pendant que se rapprochaient les feux qui balisaient la piste, tout cela détourna l'attention de Phil Knight de toute autre préoccupation, y compris la crainte qui le rongeait sourdement – que cet atterrissage soit le dernier qu'il ferait comme commandant de bord. Il abaissa le train, parcourut lui-même la checklist d'avant-atterrissage, sortit complètement les volets puis réduisit les gaz en cabrant l'appareil d'une main légère ; il sentit le train principal prendre délicatement contact avec la piste dans ce qui fut certainement l'un des atterrissages les plus parfaits de toute sa carrière.

Épilogue

Quartier général du NRO, Chantilly, Virginie
19 h 12, heure locale

« Qu'est-ce qui s'est passé au juste, John ? » demanda David Byrd, tandis qu'adossé contre le 4 × 4 rutilant et surdimensionné de Blaylock (une vraie voiture de pompiers), il regardait celui-ci pêcher deux Guinness dans un compartiment arrière.

« Eh bien... je dirais que vous avez sauvé la vie d'environ trois cent vingt personnes, colonel Byrd, sauf votre respect.

– Moi, je les ai sauvées ? Sûrement pas. »

Blaylock se tourna vers David et lui sourit. « Et tout ça en une seule journée de boulot.

– C'est toujours aussi tendu, dans cet endroit ?

– Non, répondit Blaylock en lui lançant l'une des bières. La plupart du temps, les types comme George Zoffel doivent lutter contre un ennui inimaginable. Rien de plus barbant que l'analyse des pixels, la plupart du temps. Mais aujourd'hui, avec tous ces satellites donnant des images en temps réel et tous les autres gadgets électroniques high-tech qu'ils ont dans leur nouveau bâtiment, dès qu'un problème sérieux se présente, du genre avions non identifiés ou tanks franchissant une frontière ou tout ce que vous voudrez, ça peut faire l'effet d'un jeu vidéo... sauf que sont des vies humaines qui sont en jeu. Des vraies. » Il pointa un doigt vers l'immeuble du NRO, à quelques dizaines de mètres. « J'admets cependant que cette fois, c'était différent. Ça m'a mis les nerfs en pelote. »

David rit. « Vous n'aviez pas l'air particulièrement ému.

— Bien sûr que non, répliqua Blaylock, tirant sur la languette de sa boîte de bière. Ceux d'entre nous qui sont assez intelligents pour refuser une affectation à la chasse et préférer voler sur de gros-porteurs, convenablement équipés de toilettes ont l'habitude de rester imperturbables en toutes circonstances. Oh, désolé, ajouta-t-il, feignant l'inquiétude. J'oubliais que vous étiez un dingue de chasse.

— Un *pilote* de chasse, pas un dingue de chasse.

— Dingue un jour, dingue toujours. »

Blaylock prit deux chopes et en offrit une à David, qui la refusa d'un mouvement de tête. « C'est incroyable. Vous avez même un bar dans votre bahut.

— Je crois en la devise qui veut qu'on soit toujours prêt.

— Comme chez les scouts. Je parie d'ailleurs que vous avez été chef scout.

— Non, cheftaine. Ce qui m'a permis de pas mal cartonner.

— Je vous demande pardon ?

— Techniquement, j'étais chez les scouts, et j'ai effectivement été chef, mais j'étais beaucoup plus intéressé par la chasse aux filles, pendant les camps d'été, que par le repérage des écureuils où les autres activités auxquelles s'adonnait le reste de la troupe. » John abaissa le hayon arrière du pick-up, grimpa sur la plate-forme et déploya deux chaises longues avant de se tourner vers David. « Venez donc vous asseoir ici. »

David grimpa à son tour sur la plate-forme, et les deux hommes s'installèrent confortablement. Ils gardèrent le silence pendant quelques minutes, prenant de temps en temps une gorgée de bière, les yeux tournés vers le ciel où les étoiles brillaient avec un éclat inhabituel, le spectacle animé par les feux clignotants des avions de ligne arrivant à l'aéroport voisin de Dulles ou en repartant.

Ce fut David qui rompit le silence.

« John ? Par quel miracle connaissez-vous assez bien le chef d'état-major de la Maison-Blanche pour avoir son numéro personnel ? Et surtout, comment se fait-il qu'il vous ait cru instantanément sur parole ? »

435

Le grondement d'un jet en phase de décollage passa au-dessus d'eux, et Blaylock attendit avant de répondre.

« Avant l'opération Tempête du Désert, Bill Sanderson était un gradé de la Navy affecté à la DIA, le service de renseignements de la Défense. Je lui ai rendu compte pendant trois ans, et nous sommes devenus amis intimes. » Il regarda vers David, prit une profonde inspiration et continua. « J'aime beaucoup l'air de la nuit. Pas vous ?

— Si. Ainsi donc, vous et Sanderson êtes amis. »

Blaylock acquiesça, tapotant en mesure, sur une musique inaudible, sa chope contre le bras de sa chaise longue. « C'est un type brillant. Le président a beaucoup de chance de l'avoir comme chef d'état-major et moi d'avoir sa confiance en plus de son amitié. »

Un bruit de pas sur le gravier leur fit lever la tête ; George Zoffel apparut à l'arrière du pick-up.

« Señor Zoffel, dit John en affichant un grand sourire. Je croyais que nous avions déjà souhaité une bonne nuit.

— Vous l'avez fait, répondit l'analyste, scrutant un instant les yeux de Blaylock avant de lever la main droite et de regarder autour de lui. Qu'est-ce que... qu'est-ce que vous fabriquez ici, les gars ? Quand j'ai demandé à la sécurité de vous arrêter au portail pour vous dire quelque chose, ils m'ont répondu que vous étiez toujours dans le parking et que vous faisiez la fête sur la plate-forme de votre bahut. »

David secoua la tête. « Pas la fête, non. Une séance de décompression des plus sérieuses. »

Zoffel acquiesça, la mine grave. « Oui, ça se voit.

— Vous m'en voulez encore ? » demanda Blaylock.

George Zoffel regarda le grand gaillard de colonel en silence pendant quelques secondes et inclina la tête de côté, tandis que son expression s'adoucissait.

« Blaylock, c'est ce qu'il y a de plus consternant chez vous. Il est fichtrement difficile de rester en colère contre vous, quelle que soit la merde que vous avez foutue quelque part. »

Blaylock se tourna vers David. « Je lève mon verre à ce compliment. Je suis un fouteur de merde. »

Zoffel grimaça, simulant le dégoût. « Tout de même ! On vient de vivre une crise sans précédent, pendant laquelle vous vous êtes arrangé pour mettre tous les services de renseignements sur les dents, et voilà que vous sirotez votre petite bière, peinard, comme si rien n'était arrivé. Et en prime vous être en train de corrompre un officier d'active.

– De la Guinness, pas une petite bière, pour votre gouverne.

– Peu importe.

– Et qu'est-ce qui vous a poussé à venir jusqu'ici pour parler aux mauvais garçons ?

– J'ai pensé qu'il vous plairait de savoir que les Français ont confirmé qu'il n'y avait ni bombe, ni virus, ni produit chimique diabolique à bord du Meridian 6. Les toilettes étaient pas mal contaminées, mais c'est à peu près tout.

– Eh bien, remercions le ciel d'avoir reçu ces analyses spectrographiques à temps, répondit joyeusement Blaylock, remarquant l'expression madrée de Zoffel.

– Ouais... Ç'a été apparemment le cirque pour les autorités françaises, sans parler des médias, qui ne connaissent pas la moitié de la vérité. Tout le monde s'intéresse avant tout à la révolte des passagers. Ils n'ont pas l'air de se rendre compte que l'avion a failli être détruit en vol.

– Ils sont encore en pleine révolte ? demanda John.

– On nous a dit que la moitié des passagers, à peine débarqués, avaient exigé que le commandant et la chef de cabine soient arrêtés, tandis que la chef de cabine en question exigeait qu'on arrête le médecin qu'elle avait essayé de fendre en deux à coups de hache ; et pendant ce temps-là, le commandant de bord refuse de dire quoi que ce soit tant qu'il n'aura pas un avocat. »

Blaylock se redressa dans sa chaise longue. « Vous avez dit un médecin ?

– Vous souvenez de son nom, Logan ? » Sur quoi Zoffel raconta ce qu'il savait de l'entrée désastreuse effectuée par le soi-disant pirate dans le cockpit. « Toujours est-il que quoi qu'il se soit passé avant, il voulait simplement apporter un talkie-walkie au commandant quand elle a voulu le trucider, et non pas prendre le cockpit d'assaut. Il a pu être transporté à temps à l'hôpital, au fait, et il s'en sortira.

– Mais pour quelle raison le commandant a-t-il décidé d'atterrir au Nigeria ? demanda John. Et qu'est-ce qui est arrivé au copilote ? »

Zoffel s'appuya au montant du pick-up. « On ne sait toujours pas ce qu'est devenu le copilote ; la compagnie s'occupe d'éclaircir l'affaire. En attendant, j'ai pensé que ça vous amuserait d'apprendre que notre vieux copain le général Onnitsa est plus riche de dix millions de dollars. À peine avait-elle été déposée à sa banque que la somme était virée ailleurs et retirée. En gros, d'après nos calculs, une demi-heure après que les autorités nigérianes ont vu les soi-disant otages débarquer de leur avion, à Marseille, en direct sur CNN. Ces mêmes otages....

– ... qui se trouvaient en principe avec Onitsa au milieu de la jungle, termina John en pouffant. Je me demande si les Nigérians ne sont pas légèrement irrités.

– C'est vraisemblable, dit George avec un sourire. Mais le meilleur se trouve dans un e-mail d'Onitsa au gouvernement du Niger que nous avons intercepté il y a quelques minutes. Avec le plus grand sérieux, il y déclare que les otages se trouvaient à Marseille parce qu'il n'avait pas douté un instant que le Nigeria paierait la rançon, et qu'il avait donc personnellement donné l'ordre de les relâcher par anticipation. Et pour couronner le tout, il s'offre le luxe de leur donner un numéro de routage bancaire pour qu'ils puissent lui faire parvenir les deux cent quatre-vingt-dix millions restants.

– Vous plaisantez ! s'exclama David.

– Non, dit Blaylock. George ne plaisante pas. C'est du Onitsa pur jus, ça. Ce type est peut-être le plus grand opportuniste de la planète avec, en prime, un sens de l'humour ravageur.

– À vous entendre, on croirait que vous le connaissez personnellement », se moqua David. Mais son rire mourut lorsqu'il vit que Zoffel ne réagissait pas et que le colonel acquiesçait.

« Non... non ! C'est pas possible !

– C'est une longue histoire, David, dit John. Toujours est-il que Doc Onitsa est un sacré phénomène. »

Zoffel fit la moue et regarda Blaylock.

« Un dernier détail, Jonathan.

– Bien sûr.

– Vous vous rappelez, bien entendu, d'avoir demandé à Randy Brady, l'un de nos spécialistes maison en spectrographie, de faire de toute urgence l'analyse de la lumière renvoyée par les bras des soi-disant otages ?

– Bien entendu. C'est même ce qui a tout chamboulé. Quand il m'a donné les résultats préliminaires. »

George Zoffel arbora un sourire entendu. « Ouais-ouais...

– Pourquoi me parlez-vous de ça ?

– Eh bien figurez-vous que Randy s'est confondu en excuses pour avoir mis autant de temps à vous faire parvenir ses résultats, et il était très inquiet en apprenant que vous étiez déjà parti.

– Ah, il voulait me communiquer les analyses finales ? Bien. Mais il n'avait pas besoin de s'excuser, répondit Blaylock, puisque ses analyses préliminaires avaient suffi. Alors ? Quels sont ces derniers résultats ? Qu'est-ce qui faisait que ces bras paraissaient appartenir à des Blancs ?

– À peu de chose près, ce que vous avez dit à l'amiral Sanderson : de la terre blanche, de l'argile, de la craie, du schiste et de l'eau, le tout mélangé et passé sur les bras. Simple, rapide et pas cher, efficace pour tromper les satellites.

– Bien. Très fort, ce sacré Onitsa. Dites-moi, George, encore autre chose...

– Et, continua Zoffel en ignorant cette tentative de Blaylock pour changer de sujet, Randy m'a demandé de vous expliquer que pendant ces minutes terribles où nous apprêtions à faire disparaître un 747 du ciel et où vous l'avez appelé, il a dû commencer par envoyer un ensemble d'ordres aux caméras des satellites avant de pouvoir procéder à son évaluation. Il venait juste de recevoir les résultats préliminaires quand il m'a parlé... c'est-à-dire *après* votre départ.

– Résultats *préliminaires* ? » s'étonna David, se demandant pourquoi le colonel gardait soudain le silence.

Zoffel hocha la tête. « Ouais. *Préliminaires*. Comme dans *rapport préliminaire*, autrement dit *premier rapport*. Randy vient d'appeler seulement maintenant, juste avant que je sorte. » Sur ces mots, Zoffel fit demi-tour avec un petit salut de la main. « Bonne nuit, messieurs. Bien joué. » Il s'éloigna vers le bâtiment, et Blaylock continua de rester sans réaction tandis que David se tournait vers lui.

« Préliminaires ? »

John Blaylock haussa les épaules.

« Vous avez *deviné* ?

– Eh bien...

– Vous... vous avez raconté au chef d'état-major de la Maison-Blanche que vous déteniez des preuves que nous n'aviez pas ? Doux Jésus ! »

Blaylock prit une gorgée de bière avec une fausse délectation et s'enfonça à nouveau dans sa chaise longue, le regard perdu au loin. « Nous n'avions pas le temps de nous disputer. Ils étaient sur le point de massacrer ces malheureux.

— Mais enfin, John, bon Dieu ! Si cet avion avait été vide, si les otages avaient bien été au Nigeria, si le 747 avait vraiment été un cheval de Troie ?

— Vous étiez convaincu du contraire, expliqua Blaylock, le ton toujours aussi neutre. Vous n'imaginez pas à quel point cela m'a impressionné. Nous autres, réservistes, cédons toujours le pas à nos alter ego d'active, vous savez. »

David en bafouillait. « Mais... mais... c'était *mon* analyse. Elle n'était pas... pas fondée sur quelque chose de solide. Et si je m'étais trompé ?

— Ce n'est pas la bonne question, David, répondit Blaylock, se passant une main derrière la tête. La bonne question est : et si j'avais hésité à agir ? Si j'avais attendu la confirmation dont je savais déjà qu'elle n'arriverait pas à temps – la preuve, c'est qu'elle n'est arrivée que maintenant ? Nous aurions fait massacrer plus de trois cents hommes, femmes et enfants sur la base d'affirmations erronées. »

De sa chope, il tapota l'épaule de David comme pour bien souligner ce qu'il allait dire. « Vous m'avez convaincu, mon vieux. Je voulais des preuves un peu plus solides, c'est vrai, mais nous n'avions plus le temps. Je ne pouvais que me fier à mon intuition, comme vous. »

Aéroport international de Marseille
5 h 15, heure locale

« J'ai à présent une question à vous poser, inspecteur », dit Janie Bretsen à son interlocuteur. Christian Le Bourgat, officier de police, parlait couramment l'anglais. Les deux hommes et la femme qui l'accompagnaient avaient pris des notes pendant l'interrogatoire des passagers et de l'équipage. Tout le monde leva la tête.

« Certainement, répondit Le Bourgat.

– Y a-t-il quelque chose de prévu pour que tous ces gens puissent rejoindre leur destination ? Cela fait quatre heures que nous avons atterri. »

Le policier eut un petit rire et acquiesça. « Votre compagnie vient de faire partir un autre appareil de Londres. Il se chargera d'amener les passagers en Afrique du Sud, et débarquera deux pilotes pour ramener votre avion à Londres. Vous ne le saviez pas ? »

Elle secoua la tête.

« Je vois bien que vous êtes épuisée, Miss Bretsen, mais nous en avons terminé.

– Avez-vous procédé à des arrestations ? » demanda-t-elle.

L'inspecteur secoua la tête et referma son carnet de notes. « Non. Tout le monde est libre de repartir, y compris vous, bien entendu. Vous aviez demandé une ligne sur l'international, je crois ?

– Oui. »

Il la fit passer dans un bureau voisin, échangea quelques mots avec un standardiste et lui passa le combiné. « Il est prêt à vous passer votre appel. »

Janie le remercia et tira de son sac le petit bout de papier sur lequel figurait un numéro de téléphone en Suisse. Elle le tendit au standardiste. Quand elle ressortit, quelques minutes plus tard, l'inspecteur l'attendait.

« Vous souriez, Miss Bretsen. Bonnes nouvelles ? »

Janie acquiesça et raconta au policier obligeant l'histoire du terrible accident de voiture de Janna Levy, les efforts désespérés de ses parents pour traverser l'Atlantique, et comment Meridian et le système du contrôle aérien leur avaient mis des bâtons dans les roues.

« Leur fille a repris conscience peu de temps après leur arrivée et les médecins estiment qu'elle a peut-être une chance de s'en sortir, à présent, dit Janie. Vous ne pouvez imaginer à quel point je suis soulagée.

– Il n'est pas très courant que les employés, dans les compagnies aériennes, manifestent autant de sollicitude envers leurs passagers, observa Le Bourgat. En particulier de nos jours. »

Au milieu d'une rangée de sièges située non loin de l'endroit où Janie Bretsen avait passé près de deux heures à répondre à des questions, le coude de Martin Ngumé glissa de l'accoudoir. Une fois de plus, il se réveilla en sursaut. Il se frotta les yeux, se redressa, le cerveau embrumé, et regarda autour de lui.

Quatre heures... cela fait quatre heures que nous avons atterri, et nous devrions être en train d'arriver au Cap...

Puis la mémoire lui revint, et il se revit suivant les autres passagers du Meridian 6 jusque dans une salle d'attente bondée ; là, on les avait tous interrogés les uns après les autres.

La cabine téléphonique le narguait de l'autre côté de la salle. Quelqu'un – un policier ou un représentant de la compagnie parlant anglais avec un accent marqué – lui avait promis de l'aider à appeler l'Afrique du Sud dans la matinée. En pleine nuit, c'était inutile : il n'y aurait personne, dans le voisinage du petit magasin poussiéreux de Soweto, pour décrocher dans la cabine publique, et encore moins pour lui dire quoi que ce soit sur le sort de sa mère.

Martin se tourna vers l'homme, tout aussi endormi que lui, assis à ses côtés. « Savez-vous quand nous pourrons repartir pour l'Afrique du Sud ? » demanda-t-il.

L'homme secoua négativement la tête et soupira, juste au moment où se faisait entendre le cliquetis des haut-parleurs.

Monsieur Martin Ngumé est prié de se présenter à l'agent qui se tient à l'entrée, monsieur Martin Ngumé.

Un instant, Martin crut qu'il rêvait encore. Qu'en réalité il se trouvait toujours dans la salle d'attente de Londres, plusieurs heures auparavant.

Mais non : c'était une voix différente qui l'appelait, cette fois.

Il se leva lourdement de sa chaise et fit signe de la main. L'agent de la compagnie se dirigea rapidement vers lui. « Vous êtes Martin Ngumé ?

– Oui, madame.

– Veuillez me suivre. Un appel téléphonique pour vous.

– Pour moi ? Mais qui... ? » Un frisson d'inquiétude le traversa tandis qu'il suivait la femme et il ne garda qu'un souvenir brouillé du trajet entre la salle d'attente et le petit bureau où on lui tendit un combiné.

« Allô ?

– C'est toi, Martin ? lui demanda une voix masculine qu'il connaissait, sur un ton excité.

– Oui. Phillip ? » L'image du garçon avec qui il partageait une chambre apparut dans son esprit. « C'est toi ?

– Et qui veux-tu que ce soit, vieux ? Je suis à l'appartement. On t'a vu sur CNN, lorsqu'on a appris que ton vol avait eu des ennuis, ou qu'il avait été détourné par vous tous, ou je ne sais quoi et bon, bref, je suis bien content que tu ailles bien. Il m'a quasiment fallu un décret du Congrès pour pouvoir te joindre !

– Je vais bien, Phillip, mais... je suis toujours sans nouvelles de ma mère, et ça va me prendre encore plus de temps pour arriver à Soweto, à présent.

– Elle va bien, Martin, crois-moi. » On sentait une envie de rire dans la voix de Phillip.

« Je ne demande qu'à te croire, mais ce n'est pas très rassurant qu'une femme âgée disparaisse sans que personne sache ce qu'elle est devenue.

– Eh bien figure-toi, mon vieux, que nous savons où elle est allée et qu'elle va très bien, sauf qu'elle s'inquiète pour toi. »

Martin mit du temps avant de bien comprendre le sens de ce qu'il venait d'entendre. « Tu... tu sais où elle est ? Comment ça ? Tu lui as parlé ? Tu l'as eue au téléphone ?

– Non, enfin, oui, nous lui avons parlé. Je suis sûr que c'était elle. »

Martin ferma les yeux et secoua la tête. Sans doute ses oreilles lui jouaient-elles des tours et entendait-il ce qu'il aurait aimé entendre.

« Tu n'en es pas sûr à cent pour cent, Phillip ? Comment était sa voix ?

– Martin ? Est-ce que ta maman est une petite dame noire, à l'air très distingué, avec un grand sourire ?

– Euh... oui, mais pourquoi... Je n'y comprends rien !

– Tu te souviens de cet article, dans le journal ?

– Oui, bien sûr.

– Figure-toi qu'un grand sentimental de Chicago l'a lu et a été touché, apparemment, par ce que tu racontais, comme

443

quoi tout ce que tu faisais c'était pour ta mère ; et comme le grand sentimental est très riche, il a décidé qu'elle devait venir tout de suite à Chicago et non pas attendre la saint-glinglin. Il a fait régler la question par un avocat du Cap, et quand l'avocat a pris contact avec ta mère, elle a tout laissé tomber... pas vrai, Mrs Ngumé ? ajouta Phillip en aparté. Ouais.... Elle est d'accord. Elle est partie sans rien dire à personne et elle a pris le train pour Le Cap. Elle est arrivée il y a quelques heures en taxi pour te voir. Elle devait te faire la surprise. Je te la passe.

– Martin ? » Au seul son de la voix de sa mère, le jeune homme sentit ses yeux se remplir de larmes. Il essaya de les contenir, mais en vain. Le sinistre pressentiment qu'il ne la reverrait jamais vivante le tenaillait depuis des jours, aussi le soulagement fut si fort que toutes ses résistances s'effondrèrent : il se mit à sangloter le plus silencieusement possible tandis que sa mère lui parlait avec excitation de sa grande aventure. Heureusement, elle n'avait appris celle de son fils que lorsque tout avait été terminé, sachant déjà qu'il était sain et sauf.

« Tu t'es fait des amis merveilleux, Martin. Ils m'ont offert un hamburger et m'ont accueillie comme une princesse, pas comme une vieille dame.

– Ne bouge pas, maman, dit-il finalement, riant à travers ses larmes. Je retourne en Amérique... nous avons tellement de choses à nous dire ! »

Chicago
Cinq semaines plus tard

Debbie Randall, la substitut du procureur, installée dans le confortable siège arrière de la limousine de location, ignorait volontairement l'expression désapprobatrice de son collègue pour se concentrer sur les documents qu'elle tenait sur ses genoux.

« Vous ne pourriez pas plutôt profiter de la promenade, ou me parler ? se plaignit Alex Brownlee.

– Si, je pourrais, répliqua Debbie sans lever les yeux de

l'acte d'accusation pour meurtre d'un certain Brian Logan. Mais avant que nous rencontrions cet informateur, quel qu'il soit, je tiens à revoir le dossier.

– C'est simple, Debbie, observa Alex, non sans laisser son regard errer sur les courbes avantageuses du substitut. Un médecin licencié est tellement en colère contre une compagnie aérienne qu'il décide de frapper à mort, de sang-froid, le copilote. »

Debbie leva enfin les yeux vers Brownlee, mais pour secouer la tête. « C'est tout sauf simple. C'est un exemple tragique de rage aveugle et d'occasion inopinée qui se présente et ils auront beau plaider la folie, nous finirons par le condamner.

– Ça ne va pas être facile, sans le corps de la victime.

– Ce problème va peut-être être résolu.

– Vous voulez dire... que le type que nous devons rencontrer saurait quelque chose ? »

Elle acquiesça et regarda le paysage, qu'elle reconnut. Ils étaient encore à une quinzaine de kilomètres de Palwaukee, aéroport privé situé au nord d'O'Hare.

« Tout ce que je sais, reprit Debbie, c'est que nous avons reçu un coup de fil d'un type qui devait arriver à Palwaukee. Et notre patron, bravant tous les dangers, m'a dit que puisque vous et moi étions les boutefeux de l'affaire, en le poussant à faire cette mise en accusation pour pouvoir avoir une jurisprudence en matière de rage en vol, nous étions tout désignés pour procéder à l'interrogatoire de ce type.

– Ce n'est pas simplement d'une jurisprudence sur les rages en vol qu'il s'agit, Debbie. Nous poursuivons un médecin qui a assassiné un membre d'équipage.

– Vous savez aussi bien que moi que si le patron a hésité à nous laisser monter ce dossier d'accusation, c'est à cause de l'absence du corps. Les Nigerians ont fait des recherches pendant trois semaines sans en trouver la moindre trace.

– Je regrette encore que l'acte d'accusation ne parle pas de piraterie aérienne. Ce serait plus rigolo de le poursuivre sous ce chef d'inculpation.

– Oh oui, très rigolo de monter tout un dossier qui tournerait en eau de boudin. Voyons un peu : faiblesse patente des preuves, la plupart des passagers récusant l'accusation, le commandant de bord ne sachant pas trop ce qui s'est passé :

tout ce que nous avons contre Logan, ce sont les enregistrements de ce qu'il a déclaré sur la *Public Adress* ou sur le téléphone de bord. Et qu'est-ce qu'il a exigé ? D'aller au Cap.

– Il a essayé de s'emparer de l'appareil par la force, objecta Alex. Nous avons déjà eu cette discussion.

– En effet. Et il nous répondra qu'il n'a jamais eu l'intention de s'en emparer par la force, que ce n'était que des menaces verbales, puisqu'il exigeait d'être conduit à la destination prévue ! Vous parlez d'un détournement... vous n'avez jamais vu un jury se mettre à ricaner devant vos arguments, jusqu'à finir par se rouler quasiment par terre de rire ?

– Non, répondit Alex, ayant du mal à ne pas sourire à l'évocation d'un tableau aussi grotesque.

– Croyez-moi, ce n'est pas drôle. »

Un appareil aux lignes fuselées – un Gulfstream V – ralentissait sur la piste au moment même où ils se garaient devant le terminal privé.

« C'est lui ? » demanda Alex.

Debbie consulta son carnet de notes avant d'acquiescer. « Je crois... si j'ai bien lu l'immatriculation. Il n'y a que des lettres, pas de numéro comme d'habitude. Il doit s'agir du système britannique. Il est en avance. »

Elle regarda autour d'elle et remarqua plusieurs autres voitures, ainsi qu'un groupe de personnes qui paraissait attendre le même avion. Deux agents des douanes se tenaient à côté d'une limousine.

Debbie tourna la tête dans l'autre direction, essayant d'identifier plusieurs personnes qui attendaient près du hall d'accueil.

« Nous ne sommes pas les seuls à avoir rendez-vous ici, on dirait », observa-t-elle.

Le Gulfstream s'immobilisa et le bruit des moteurs alla decrescendo pendant que s'abaissait l'escalier avant. Les deux agents des douanes montèrent à bord, mais l'un d'eux en redescendit trente secondes plus tard pour se diriger directement vers la voiture où se trouvaient Debbie Randall et Alex Brownlee.

« Vous êtes du bureau du procureur fédéral ? demanda l'homme.

– En effet, répondit Debbie.

« – Bien. On vous réclame à bord. » Il fit demi-tour et retourna vers le petit jet sans autre explication. Debbie et Alex descendirent de voiture et le suivirent.

Ils furent accueillis, dès leur entrée dans l'appareil, par l'odeur opulente du cuir de luxe. Le douanier leur fit signe d'aller à droite et une femme, une Noire d'une beauté somptueuse, les escorta dans l'intérieur luxueux jusqu'à un homme, habillé simplement, qui les attendait.

Debbie lui tendit la main et se présenta.

« Bien, j'apprécie que vous soyez venus », dit l'homme. Il serra également la main d'Alex et les invita à s'asseoir.

« Puis-je vous demander votre nom ? demanda Debbie.

– Je voudrais tout d'abord vérifier une chose : êtes-vous bien les personnes chargées par le ministère public des poursuites contre un certain Dr Brian Logan ? »

Ses vis-à-vis acquiescèrent et il poursuivit. « Je voudrais aussi savoir quels sont les chefs d'inculpation que vous avez finalement retenus contre lui, et pour quelles raisons. »

Debbie hésita et échangea un coup d'œil avec Alex.

« Écoutez, reprit l'homme, vous n'êtes ici que parce que le procureur vous a demandé de coopérer avec moi. Je vous garantis que je détiens l'information la plus importante que vous pourriez avoir dans cette affaire. Alors je vous en prie, répondez à ma question. »

Debbie poussa un soupir et accepta, d'un signe de tête, de déférer à la demande de l'inconnu. Elle parla des différents chefs d'inculpation envisagés, et de la décision, en fin de compte, de poursuivre Logan pour homicide volontaire.

« Nous l'avons inculpé et arrêté, puis libéré sous caution. Mis à part le fait que nous n'avons pas le corps de Garth Abbott, nous avons un dossier solide grâce à un témoin oculaire.

– J'imagine qu'il s'agit de l'hôtesse qui était chef de cabine ?

– Exact.

– Judy Jackson ? »

Alex et Debbie échangèrent un nouveau regard, tandis que Debbie acquiesçait.

« J'aurais cru que Meridian aurait flanqué Jackson à la porte, et cela pour plusieurs bonnes raisons.

– C'est précisément ce qu'ils ont fait, répondit Debbie,

447

mais les raisons en question ne changent rien à sa crédibilité en tant que témoin du meurtre de Garth Abbott.

– Vraiment ? Eh bien, les amis, même si Judy Jackson croit sincèrement avoir vu ce qu'elle a vu, elle se trompe complètement. Brian Logan n'a ni blessé ni tué Garth Abbott. En aucune façon. »

Alex s'inclina en avant, mains serrées, arborant une expression très étudiée de scepticisme désapprobateur.

« Et qu'est-ce qui vous permet d'être aussi catégorique, monsieur ? Quelles preuves détenez-vous ?

– Moi. Je suis la preuve », répondit l'homme.

Alex se renfonça dans son siège, secouant la tête, les sourcils froncés. « Vous vous êtes permis de déranger deux substituts du procureur fédéral et de leur faire traverser la ville, tout ça pour leur communiquer ce qui n'est qu'une opinion personnelle ? » Il se tourna vers Debbie Randall et commença à se lever. « C'est absurde. Partons d'ici.

– Attendez, dit Debbie, tendant la main pour l'arrêter, tandis qu'elle étudiait le visage de l'inconnu. Que voulez-vous dire quand vous affirmez être la preuve ?

– N'avez-vous pas besoin du corps de Garth Abbott pour poursuivre Logan ?

– Non. C'est-à-dire... cela nous aiderait certainement de l'avoir, mais...

– Bien. Parce que je sais exactement où il se trouve. »

Les deux substituts échangèrent un coup d'œil effaré, et Alex se rassit du bout des fesses sur le fauteuil pivotant. « Et où se trouve-t-il ?

– Ici.

– Ici ? demanda Debbie. À bord de cet avion ? »

L'inconnu acquiesça. « Tout juste. Devant vous. » Il se pencha et remonta la jambe gauche de son pantalon, révélant une combinaison d'attelles et de plâtre, puis il regarda leur expression. « Je suis Garth Abbott et comme l'a dit George Bernard Shaw, la nouvelle de ma mort est grandement exagérée. »

Cela faisait des heures que Carol Abbott était prête et attendait dans son séjour, entourée d'amis et amies, dont aucun ne soupçonnait à quel point elle était intérieurement

448

bouleversée, car aucun n'avait idée de la dureté des paroles que le couple avait échangées, la dernière fois qu'ils s'étaient parlé.

Le coup de téléphone de Garth était arrivé comme un coup de tonnerre dans un ciel bleu, via le satellite, et avait mis à mal l'amère culpabilité qu'elle ressentait sur la manière dont ils avaient rompu. Mais il n'était pas mort et à présent il était là ; cependant, la confusion qui régnait dans son cœur se mêlait à un profond soulagement, après des semaines d'angoisse et le chagrin d'avoir perdu un mari qu'elle avait de toute façon décidé de quitter.

Il s'avança vers elle appuyé sur une béquille, la jambe gauche prise dans un appareil, sa jambe droite pouvant à peine le porter ; il laissa tomber la béquille sur le tapis lorsqu'il la prit dans ses bras et la serra avec force. Il lui ébouriffa les cheveux, enfouit le visage dans son cou et l'embrassa avant de reculer et de la regarder dans les yeux. Elle avait une expression troublée.

« Je croyais... », commença-t-elle, incapable de finir sa phrase.

Les autres vinrent lui serrer la main, le prendre dans leurs bras, puis il laissa Carol le guider jusqu'au canapé, tandis que commençait le feu roulant des questions. Il leva la main pour essayer d'en ralentir le flot.

« D'après ce qu'on avait entendu dire, Garth, ta jambe était fichue. Ils pensaient... le médecin qu'on a accusé de t'avoir tué pensait que ton hémorragie serait fatale. »

Il secoua la tête. « Je saignais beaucoup, quand je suis tombé de l'échelle, mais aucune artère importante n'avait été touchée par la balle. Et en fait, ce sont les foutues forces gouvernementales qui m'ont tiré dessus, pas les rebelles. Je me suis trouvé au beau milieu d'une contre-attaque.

« Et c'est comme ça qu'ils t'ont abandonné sur la piste, perdant ton sang, dit l'un des hommes.

– Non, pas "ils", Keith, mais une seule personne, répondit Garth en regardant l'un de ses collègues pilotes de Meridian. Notre bon vieux copain Phil Knight.

– Savais-tu qu'ils l'avaient viré ? »

Garth secoua la tête. « Non. Ça ne m'étonne pas tellement. J'avais déjà très envie d'étrangler ce salaud, en particulier quand j'ai vu passer la carlingue d'aluminium, les moteurs à fond, lancé dans son décollage – sans moi. Je ne peux pas vous dire ce que j'ai ressenti. Je n'arrivais pas à y croire. L'impression d'être complètement abandonné, complètement trahi.

– Ç'a été un choc pour tout le monde, dans la compagnie, dit Keith.

– Et pour moi donc... Mais vous voulez que je vous dise ? Il m'a fallu toutes ces semaines pour comprendre vraiment ce qui s'est passé, et telle est la vérité : c'est davantage la faute de Meridian que de Knight. Qu'est-ce qui leur a pris de jeter un commandant de lignes intérieures sur les lignes internationales sans la moindre préparation ? Qui a vérifié qu'il était au niveau ? On l'a envoyé à l'abattoir, et j'entends bien le faire savoir.

– Qu'est-ce qui s'est passé, quand... quand tu t'es retrouvé tout seul ? réussit à demander Carol.

– Il y a eu une contre-attaque de la contre-attaque. L'appareil venait juste de décoller. J'ai entendu l'un des soldats qui m'avaient tiré dessus s'approcher pour voir si j'étais mort. Il m'a donné un coup de pied dans les côtes et m'a retourné. J'ai essayé d'avoir l'air tout à fait mort et de ne pas réagir à la douleur. J'avais les yeux à peine entrouverts. Je l'ai vu qui me visait, mais il y a eu un coup de feu, venant de je ne sais où, et c'est lui qui s'est écroulé, raide mort. Tout d'un coup, le commandant des rebelles – le type gigantesque, avec une poitrine comme un tonneau, avec lequel j'avais déjà négocié – est arrivé et m'a emporté pendant que ses hommes tiraient dans toutes les directions pour le couvrir. Je crois que c'est la douleur d'avoir à bouger mes jambes qui a fini par me mettre KO. Je me suis réveillé trois jours plus tard dans un petit hôpital de campagne. Le même homme, le général Onitsa, était assis à côté de moi et souriait. En fait, il est médecin et chirurgien, et c'est lui qui m'a remis à peu près en état.

– Mais... comment es-tu sorti de là-bas ? » voulut savoir Carol.

Garth leur parla alors de la demande de rançon, des dix millions payés, et du fait qu'Onitsa s'était enrichi aux dépens du gouvernement, au cours des années passées, en le faisant tourner en bourrique, tandis que s'étoffait son mouvement de rébellion.

« Je ne sais pas si ce qu'il essaie de faire est moralement répréhensible ou non, mais c'est quelqu'un de sympathique, quand il a envie de l'être, et il est très intelligent. Les forces gouvernementales s'acharnèrent à nous retrouver – à le retrouver – pendant les semaines qui suivirent, elles en faisaient une maladie. C'est pour cette raison, d'après lui, qu'il ne pouvait pas me laisser appeler à la maison. Il a des téléphones satellites, des appuis importants, du matériel... c'est un vrai dingue d'électronique, cet homme. Il programme ses attaques sur un Palm Pilot et un ordinateur portable ! Il m'a promis de me renvoyer chez moi en avion dès qu'il le pourrait, et il a tenu parole.

– Tu veux dire que le Gulfstream... ? demanda Keith.

– Oui, il lui appartient, mais à travers je ne sais combien de vagues sociétés-écrans, bien entendu. »

Visiblement, Garth commençait à sentir la fatigue. Lorsque la petite cour d'amis se fut retirée et qu'ils furent seuls, Carol se nicha dans les bras de son mari, sur le canapé, se demandant ce qu'elle devait faire, ce qu'elle devait dire. Avec le silence revenu, elle entendait, en sourdine, sur la stéréo qu'elle avait branchée avant l'arrivée de Garth, une mélodie mélancolique jouée au piano.

Il poussa un long soupir ; ses lèvres touchaient presque l'oreille de sa femme. « Nous avons un peu de temps devant nous, Carol. Je ne vais pas pouvoir voler pendant un bon moment. »

Elle s'écarta pour pouvoir le regarder ; il y avait de la culpabilité et du chagrin dans ses yeux. « Je suis désolée, Garth... tu ne peux pas savoir combien je suis désolée... » Elle porta la main à sa bouche et Garth la lui prit doucement pour l'embrasser.

« Nous avons beaucoup de choses à nous dire, toi et moi, reprit-il. Et nous avons des excuses mutuelles à nous faire. Mais... j'ai déjà fait un début de psychothérapie, si je puis dire, en parlant avec le Dr Onitsa, dans la jungle, au milieu de la nuit, pendant toutes ces semaines. L'optimisme de cet homme est contagieux, tu n'imagines pas ! Ça m'a aidé à changer de point de vue. »

Elle hocha la tête, pas entièrement convaincue.

« Bref, enchaîna Garth, même si rien n'était plus horrible que de ne pas pouvoir t'appeler et te dire que j'allais bien, j'ai eu aussi tout le loisir de réfléchir, et je me suis rendu compte que tu as essayé de me dire des tas de choses, au cours de ces dernières années, des tas de choses que je n'ai pas voulu écouter.

– Garth... » Elle voulut l'interrompre, mais il porta un doigt à ses lèvres.

« Non... écoute-moi, pour l'instant. Les choses sont rarement comme on croit qu'elles sont. Ce 747, par exemple, c'était un palais des glaces volant rempli de passagers dont la colère était de notre fait, à Meridian ; mais à chaque fois que j'essayais de voir qui avait raison, qui avait tort et qui était l'ennemi, tout changeait. Pareil avec Onitsa. Et pareil avec nous. Je t'aime, Carol. Nous avons une occasion inespérée de démêler les choses, de dire ce que nous voulons, et je crois que nous devrions la saisir, et commencer en prenant le temps de nous écouter l'un l'autre. Qu'est-ce que tu en penses ? »

Pour la première fois depuis qu'il avait fait son apparition dans l'encadrement de la porte, elle sentit qu'elle se détendait et elle eut, cette fois, un sourire spontané et authentique, tandis que ses larmes coulaient et que leurs lèvres se joignaient pour de bon.

Siège social de Meridian Airlines, Chicago, Illinois
Six mois plus tard

L'avocat de Phil Knight ouvrait la marche, et c'est lui qui ferma la porte lorsque les deux hommes arrivèrent dans la petite salle de réunion. Knight enleva les lunettes noires qu'il avait mises dans l'espoir de dissimuler son identité. Mais heureusement, ni la presse ni des employés en colère de Meridian n'étaient là pour le harceler et il se sentit soulagé. Après avoir été pourchassé et vilipendé dans les journaux, il avait du mal à croire qu'enfin on le laissait tranquille.

« Ça va bien, Phil ? lui demanda l'avocat fourni par le syndicat des pilotes de ligne.

– Ouais », répondit l'ex-commandant de bord, ne sachant pas très bien ce que cela voulait dire pour lui. Pourrait-il de nouveau aller bien un jour ? Il ne savait faire qu'une chose, piloter – et il ne le pouvait plus. Le syndicat avait clamé haut et fort qu'il exigeait sa réintégration et c'était lui qui avait organisé l'audition qui allait commencer, seul moyen légal qu'avait un pilote licencié de faire appel d'une telle décision.

Il était certain que la démarche ne servirait à rien. Le syndicat remplissait de manière purement formelle son devoir de le défendre, mais le cœur n'y était pas. On avait jugé aberrantes ou stupides, sinon pires, toutes les décisions qu'il avait prises, et la plupart des pilotes partageaient ce point de vue. Atterrir au Nigeria, laisser un copilote qu'il croyait mort pour sauver trois cents personnes, tout cela ne faisait que les convaincre tous qu'il n'était pas de l'étoffe dont on fait les pilotes des lignes internationales ; les faits avaient été habilement présentés de manière à cadrer avec cette conclusion.

Meridian s'était arrangé pour échapper à toutes ses responsabilités dans cette affaire. La compagnie se défendait, dans les procès qui lui étaient intentés comme devant les critiques du public, en pointant un doigt accusateur sur la tête professionnellement momifiée de Phil Knight, proclamant qu'elle avait été la première à être trompée par lui. La seule chose qu'on pouvait lui reprocher, disait-elle, était de ne pas avoir décelé l'incapacité congénitale de Knight à être commandant de bord sur un appareil commercial.

Sa femme et ses enfants avaient payé le prix fort : leur foi en lui avait été ébranlée, leur foi dans le système réduite à néant. S'ils voulaient préserver leur unité familiale, il leur faudrait aller sous d'autres cieux, habiter une maison plus modeste, tandis qu'il essaierait de trouver un poste dans une société de fret volant de nuit ou dans une compagnie étrangère. Mais c'en était fini pour toujours de son salaire – deux cent mille dollars par an – comme des billets gratuits illimités pour les siens et de la fierté d'être commandant de bord dans une grande compagnie aérienne.

« Phil ? Avant de commencer, ce serait peut-être pas mal de revenir sur tout ça », suggéra l'avocat.

Il secoua la tête. « C'est inutile. Vous gaspillez votre temps. »

Se rendre jusqu'à la salle d'audience avait été une vraie torture. Il se retrouvait à présent devant une table recouverte d'un tissu ; de l'autre côté siégeaient le vice-président du service exploitation, le responsable des pilotes, le responsable de la formation et plusieurs commandants de bord expérimentés. Il se sentait dans la situation du capitaine qui a perdu son bateau et se retrouve devant une brochette d'amiraux furieux. Le principe était le même, la conclusion connue d'avance.

Les échanges étaient prévisibles, et la colère de ceux qui devaient juger l'appel serait à peine dissimulée sous une façade de courtoisie forcée.

« Non, monsieur, dit Phil à un moment donné. J'estime que ma décision était conforme au règlement, mais si j'ai commis une erreur... et même si je sais que vous n'avez pas envie de l'entendre... je suis le produit de ma formation ou, plus exactement, de mon manque de formation. Personne ne m'a jamais expliqué les choses que j'aurais dû savoir. »

Le syndicat lui avait fourni ce qui se faisait de mieux en matière d'experts pour soutenir la thèse voulant que, techniquement, son atterrissage d'urgence fût justifié, étant donné les lacunes dans le règlement de Meridian sur ce qu'il fallait faire dans ce genre de circonstances. À quoi la compagnie avait rétorqué en faisant appel à ses propres experts pour contredire, dénigrer ou neutraliser tout ce qui pouvait jouer en sa faveur ; cependant, Knight crut à un moment donné voir une lueur d'espoir et souhaita qu'ils allaient changer d'avis : son cursus comme commandant de bord sur les lignes intérieures était impeccable, et un de ses collègues, avec lequel il était ami depuis longtemps, avait bravé l'opinion prédominante parmi les pilotes pour venir témoigner en sa faveur.

Mais l'effet produit par les éléments jouant en sa faveur ne dura pas longtemps, et il ne tarda pas à voir le visage de ses juges se durcir de nouveau, et l'angoisse l'empêcha de remarquer le bruit de la porte qui s'ouvrait derrière lui.

« Excusez-moi, je crains d'être en retard », fit une voix qui lui était vaguement familière mais qu'il ne reconnut pas. Phil, cependant, ne se retourna pas.

« Qui êtes-vous ? » demanda celui qui faisait office de président de séance, manifestement pris de court.

L'homme s'avança et commença par tendre des papiers aux différents membres du jury, puis aux avocats de la compagnie, avant de s'arrêter pour saluer Phil Knight, lequel se décida enfin à lever la tête. Il sentit son cœur se serrer encore plus lorsque le nouveau venu, souriant, mais le bras gauche toujours en écharpe, se tourna vers le jury.

« Dr Brian Logan, répondit-il alors que de nouveau, la porte s'ouvrait dans son dos. Je suis accompagné d'un de vos employés, le premier officier de Meridian, Garth Abbott, qui vient juste d'arriver. »

Le président de séance soupira, acquiesça d'un signe de tête et fit un geste vers le siège des témoins. « Vous figurez effectivement sur la liste des témoins, Dr Logan, ainsi que Mr Abbott. Nous avions presque renoncé à vous voir.

– Je vous présente toutes nos excuses, dit Logan. Mr Abbott m'a attendu, et mon vol de Boston était en retard. »

Il garda l'index levé pour montrer qu'il voulait garder la parole.

« Avant que vous ne repreniez, je tiens à préciser pour quelles raisons je suis ici. Vous savez tous que je suis en procès avec votre compagnie parce qu'un de vos équipages a refusé d'atterrir pour que ma femme puisse recevoir les soins médicaux dont elle avait un urgent besoin. Vous savez également que j'ai été blanchi de l'accusation, soutenue avec beaucoup d'obstination par vous, d'avoir assassiné Garth Abbott, lequel est maintenant derrière moi et tout à fait en vie. Vous savez, autrement dit, qu'il existe un sacré passif entre nous et que... pour l'avoir déclaré publiquement à la presse... je voulais que Phil Knight soit licencié, chose que vous vous êtes d'ailleurs empressé de faire. Garth Abbott et moi sommes ici pour faire en sorte que la responsabilité pour tout ce qui est arrivé de stupide sur le vol 6 retombe sur qui de droit. Je risque cependant de vous surprendre, car je ne suis pas ici pour accuser, mais pour partager moi-même cette responsabilité avec le commandant, avec tous les passagers furieux, et aussi avec vous, en tant que patrons d'un système des plus défectueux, coupable entre autres de n'avoir absolument rien prévu pour préparer cet homme à faire son travail de pilote sur une ligne internationale. »

Il marqua une pause, le temps que ses paroles produisent leur effet.

« En d'autres termes, messieurs, nous sommes ici pour soutenir la demande de réintégration du commandant Knight. »

« Quand annonceront-ils leur décision ? » demanda Brian Logan à Garth Abbott, tandis qu'il lui serrait la main par la vitre, côté passager, du van que conduisait la femme du pilote.

« Dans quinze jours au minimum, peut-être un mois. Je vous passerai un coup de fil. »

Le véhicule démarra, sur un dernier salut de la main de Garth. Une berline vint presque aussitôt prendre la place libérée, et le conducteur se pencha pour ouvrir la portière de droite. Logan monta et se tourna vers la femme habillée avec élégance qui se tenait derrière le volant.

« Je vous remercie du mal que vous vous êtes donné pour organiser tout ça, Janie, dit-il. Venir me chercher à l'aéroport, m'attendre ici et tout... C'est beaucoup trop.

– Pas du tout.

– Avant tout, je tenais à vous remercier de m'avoir appelé et d'avoir suggéré cette démarche.

– Et comment ça s'est passé, en fin de compte ? » demanda-t-elle tandis qu'elle prenait la direction de la voie rapide et de l'aéroport O'Hare.

Brian avait presque fini le récit de la façon dont s'étaient déroulés les débats lorsqu'ils s'arrêtèrent devant le terminal d'American Airlines.

« Si votre vol est à l'heure, il vous reste quarante minutes. »

Logan hésita, la main sur la poignée de la porte, mais les yeux sur la conductrice.

« Vous ne venez jamais à Boston ? »

Elle sourit – d'un sourire radieux, adorable, un sourire qui l'émut d'une manière qu'il n'avait plus ressentie depuis la mort de Daphne.

« J'adore Boston, mais j'y suis rarement invitée. »

Il sentait que son sourire s'élargissait.

« Vous plairait-il de l'être ?

– Tout dépend par qui », répliqua-t-elle en inclinant la tête de côté, geste qui mit en mouvement la cascade de sa chevelure brune.

Il lâcha la poignée de porte et vint prendre la main droite de Janie posée sur le volant pour l'enserrer doucement dans la sienne.

« Pourriez-vous envisager de venir à Boston dans un avenir assez proche, afin que je vous fasse visiter la ville ?

– Oui, je pourrais tout à fait l'envisager, répondit-elle en répondant à son étreinte avant de retirer sa main et de la reposer sur le volant. Passez-moi un coup de fil, si vous en avez envie. »

Le médecin acquiesça. « C'est entendu.

– Leur avez-vous trouvé une place ?

– Pardon ?

– Je parle des cendres de votre épouse et de votre fils. Vous les aviez dans votre bagage de cabine sur ce vol, n'est-ce pas ? »

La bouche de Brian s'ouvrit légèrement tandis qu'il la regardait. « Comment le saviez-vous ? » demanda-t-il.

Elle sourit. « J'ai deviné. »

Il hocha lentement la tête. « Oui. Daphne adorait la mer. J'ai loué un bateau.

– C'est mieux ainsi.

– Merci encore », dit-il encore, ouvrant la portière avec maladresse tandis qu'une voix enregistrée agaçante, en provenance de haut-parleurs disposés le long de l'allée, entonnait la litanie des conséquences effroyables qui attendaient tous ceux qui restaient trop longtemps sur la zone de déchargement.

« Vous avez fait aujourd'hui la chose qu'il fallait faire, Brian », lui lança Janie pendant que la portière était encore ouverte.

Il acquiesça, s'extirpa de son siège, gêné par son bras en écharpe, referma la portière et se pencha sur la vitre ouverte.

« Je ne sais pas si ce que j'ai déclaré aujourd'hui aidera Phil Knight, mais je peux vous dire que cela m'a déjà aidé, moi. Et c'est à vous que je le dois, Janie. »

Elle lui sourit. Il se repoussa de son bras valide et la salua de la main avant d'aller se fondre rapidement dans la foule.

Janie Bretsen le suivit des yeux, regardant toujours lorsque les portes automatiques du terminal l'eurent englouti. Prenant une profonde inspiration, elle se tourna alors vers son pare-brise et passa une vitesse, tandis que s'agrandissait son sourire.

REMERCIEMENTS

Les recherches que je dois faire pour chaque nouveau roman m'entraînent dans des voyages imprévisibles : *Turbulences* n'a pas failli à la règle. Ceux qui ont eu la générosité de m'aider sont tellement nombreux, cependant, qu'il m'est impossible de les remercier individuellement, sans parler des personnes qui préféreront rester anonymes pour avoir parlé de leur travail dans l'aviation commerciale avec un écrivain – même si celui-ci faisait partie du sérail. Ma gratitude va donc à ces hommes et ces femmes exerçant les métiers exigeants du contrôle aérien et assurant les tâches logistiques de l'industrie aérienne qui, tous, m'ont tellement aidé à traiter d'un sujet particulièrement délicat et sensible : la détérioration grandissante des services aériens et son corollaire, la fréquence de plus en plus grande de passagers piquant des crises que l'on a baptisées aux États-Unis « rages en vol ».

Il s'agit cependant ici de remercier.

Comme toujours, cette histoire doit beaucoup, dès le début, à l'aide éditoriale et aux conseils de scénario de ma femme, Bunny Nance.

Remerciements spéciaux, à New York, à mes amis de chez Putnam et Berkley : David Highfill, Leslie Gelbam et Phyllis Grann, pour leur soutien sans faille.

Mes remerciements éternels également à mon agent de longue date et amie Olga Wieser et à son agence littéraire de New York.

Chez moi, dans l'État de Washington, celle qui a pris sur ses épaules la tâche exigeante de la mise au point et du polissage final de ce texte mérite sans conteste une mention spéciale et des remerciements. Patricia Davenport, titulaire d'un *Master* en anglais, possède le savoir, la rectitude et l'autorité d'un grammairien expérimenté, et se trouve être mon associée en affaires, sorte de présidente de notre division parler/écrire, une super-correctrice.

Mes remerciements aussi aux membres de notre équipe ; Gloria Lu, Lori Carr et Sherrie Torgerson, qui nous ont bien des fois empêchés de dérailler devant des défis inédits à relever.

Merci à Theo Onuoru de Little Rock, Arkansas, et à Tom Nomakoh d'Oakbrook, Illinois, pour leurs informations sur la biographie du général Onitsa.

Et plus que tout, merci à vous, mes lecteurs, pour votre loyauté et votre enthousiasme, même si je vous tiens éveillés toute la nuit.

Comme on dit, c'est pour vous que je l'ai fait !

John Nance
University Place, Washington (www.johnjnance.com)

DU MÊME AUTEUR

Aux Éditions Albin Michel

L'HORLOGE DE PANDORA, 1996.
LE PROJET MEDUSE, 1998.
BLACK-OUT, 2001.

La composition de cet ouvrage
a été réalisée par Nord Compo
à Villeneuve-d'Ascq,
l'impression et le brochage ont été effectués
sur presse Cameron dans les ateliers
*de **Bussière Camedan Imprimeries***
à Saint-Amand-Montrond (Cher),
pour le compte des Éditions Albin Michel.

Achevé d'imprimer en août 2003.
N° d'édition : 21990. N° d'impression : 033410/4.
Dépôt légal : septembre 2003.
Imprimé en France